Line Ross

L'ÉCRITURE DE PRESSE

L'art d'informer

2e édition

gaëtan morin éditeur

CHENELIÈRE ÉDUCATION

L'écriture de presse
L'art d'informer, 2e édition

Line Ross

© 2005, 1990 gaëtan morin éditeur ltée

Édition : Luc Tousignant
Coordination : Lyne Larouche
Révision linguistique : Sylvain Archambault
Correction d'épreuves : Michèle Levert
Conception graphique et infographie : Infoscan Collette

**Catalogage avant publication
de Bibliothèque et Archives Canada**

Ross, Line, 1942-

L'écriture de presse : l'art d'informer

2e éd.

Comprend des réf. bibliogr. et un index.

ISBN 2-89105-914-X

1. Journalisme – Art d'écrire. 2. Gestion de l'information. ɪ. Titre.

PN4775.R67 2005   808'.06607   C2005-940375-6

**gaëtan morin
éditeur**

CHENELIÈRE ÉDUCATION

5800, rue Saint-Denis, bureau 900
Montréal (Québec) H2S 3L5 Canada
Téléphone : 514 273-1066
Télécopieur : 514 276-0324 ou 1 888 460-3834
info@cheneliere.ca

ISBN 2-89105-914-X

Dépôt légal : 2e trimestre 2005
Bibliothèque nationale du Québec
Bibliothèque nationale du Canada

Imprimé et relié au Canada

4   5   6   7   8   ITM   16   15   14   13   12

Lorsqu'il est utilisé seul dans le présent ouvrage, le masculin est employé sans volonté de discrimination et uniquement dans le but d'alléger le texte.

Nous reconnaissons l'aide financière du gouvernement du Canada par l'entremise du Fonds du livre du Canada (FLC) pour nos activités d'édition.

Chenelière Éducation remercie le gouvernement du Québec de l'aide financière qu'il lui a accordée pour l'édition de cet ouvrage par l'intermédiaire du Programme de crédit d'impôt pour l'édition de livres (SODEC).

Tableau de la couverture :
Heavy & Light
Œuvre de **Joan Pujol**

Peintre canadien né à Sabadell, en Espagne, en 1948, Joan Pujol fait ses études artistiques à Québec, puis en Ontario où il a commencé à peindre en 1956. À la suite d'un voyage d'études en Espagne en 1970, de nombreuses expositions se succèderont en Europe, notamment à Barcelone et Paris, ainsi qu'à Toronto et Montréal. L'artiste vit et travaille à Montréal depuis 1996.

Joan Pujol s'explique : « Je veux peindre la texture des choses. Les journaux sont, à mon avis, très intéressants à ce niveau en raison de la superposition des qualités visuelles de la typographie ou du matériel photographique ainsi que la texture du journal lui-même. »

Les œuvres de Joan Pujol sont exposées à la Galerie de Bellefeuille de Montréal.

REMERCIEMENTS

Plusieurs journalistes de Québec et des collègues du Département d'information et communication de l'Université Laval ont donné avec moi le cours « Écrire pour informer », qui est à l'origine de ce livre. Dans la rédaction de *L'écriture de presse : l'art d'informer* comme dans l'élaboration et la mise au point périodique du cours, ils m'ont généreusement fourni explications, commentaires judicieux et encouragements chaleureux. Tous et toutes, je les remercie de leur aide précieuse.

Au fil des ans, j'ai aussi eu le plaisir d'enseigner l'écriture publique d'information à quelques centaines d'étudiantes et d'étudiants. En plus d'enrichir ma vie professionnelle, les échanges avec eux, leurs commentaires et suggestions ont fortement contribué à la fois à stimuler mon intérêt pour l'enseignement et à me guider dans la confection de ce livre. Qu'ils sachent que je les considère comme des collaborateurs et non comme des cobayes ! Merci à eux.

De même, je remercie Colette Brin, professeure adjointe au Département d'information et de communication de l'Université Laval, Benoît Leblanc, professeur au Département de français de l'Université du Québec à Trois-Rivières, et Jean-Claude Leclerc, journaliste et chargé de cours à la Faculté de l'éducation permanente de l'Université de Montréal, qui ont accepté de commenter mon manuscrit à la demande de mon éditeur.

Merci, enfin, aux deux journaux, *Le Soleil* et *Le Devoir*, qui ont autorisé gracieusement la reproduction de leurs articles dans cette deuxième édition du livre. Ils ont droit à toute ma reconnaissance pour cette contribution généreuse, devenue exceptionnelle, au livre et à la formation de la relève.

TABLE DES MATIÈRES

INTRODUCTION

Avant que d'écrire, apprenez à penser.

Boileau

Bien écrire c'est tout à la fois bien penser, bien sentir et bien rendre.

Buffon

Ceux-là furent des cuistres qui prétendirent donner des règles pour écrire.

Anatole France

L'ÉCRITURE PUBLIQUE D'INFORMATION : SAVOIR ET FAIRE SAVOIR, COMPRENDRE ET FAIRE COMPRENDRE

Tout ce qui grouille, scribouille et grenouille. Ainsi de Gaulle, qui ne l'aimait guère, décrivait-il un jour la gent journalistique. C'est plus généralement – plus respectueusement surtout ! – à tous ceux qui, par leur métier ou leurs engagements, écrivent ou écriront un jour pour informer un public quelconque que je propose ces pages.

Il y sera donc question d'écriture publique d'information. Écriture d'information : nous nous demanderons comment transmettre à un public de l'information valable dans un langage approprié. Cette habileté minimale est aussi fondamentale. En ce sens, elle concerne aussi l'écriture d'opinion (l'intervention, la prise de position, parfois militante) et l'écriture d'expression (artistique ou littéraire). Toutefois, nous n'aborderons directement ici que l'écriture d'information.

Écriture publique. Une grande partie du texte porte sur des règles propres au journalisme écrit, et la plupart des exemples et applications renvoient à l'écriture de presse – l'écriture de base, celle de la nouvelle. C'est dire que je m'adresse surtout aux aspirants ou apprentis journalistes, tout en espérant que des journalistes en exercice saisiront l'occasion de se rafraîchir la mémoire et, partant, de rafraîchir leur pratique. Je n'en prétends pas moins traiter d'écriture publique d'information, en général. C'est qu'à mon avis, quiconque connaît son sujet, maîtrise l'écriture de la nouvelle et se débrouille dans le reportage peut, avec quelques adaptations, bien informer n'importe quel public par l'entremise de n'importe quel média écrit.

Nombreux sont les métiers et les circonstances qui amènent à communiquer avec un public, grand ou petit, général ou spécialisé, pour l'informer. Une telle activité concerne tous les métiers issus de la révolution des communications, et tous ceux que James Carey appelle «les courtiers en symboles» : agents d'information, attachés de presse, relationnistes, conseillers en communication, vulgarisateurs, traducteurs, etc. Sont aussi concernés le chef de service qui transmet par écrit de l'information à ses subordonnés, le technicien qui rédige des rapports pour ses clients ou ses employeurs, le chercheur qui veut faire partager ses trouvailles à un public non initié, le militant qui cherche à diffuser ses informations au-delà du cercle restreint des sympathisants, et bien d'autres.

Plus généralement, les médias de masse forment aujourd'hui la première place publique. Directement ou par l'intermédiaire de scribes patentés, d'innombrables personnes veulent y avoir accès : politiciens en quête d'électeurs et de légitimité, annonceurs en quête de clients, entreprises en quête d'images favorables, associations et institutions en quête de soutien public. Ils y arriveront plus facilement s'ils savent écrire pour un public. (Je laisse de côté l'information électronique, en soulignant seulement qu'elle commence aussi par l'écrit et que, dans « rédaction électronique », il y a déjà « rédaction ».)

En somme, malgré l'accent mis sur l'écriture de presse et sur la nouvelle, c'est peut-être tout ce qui scribouille que ce texte intéressera...

Deux grands commandements régissent l'écriture publique d'information. D'abord, écrire pour dire quelque chose, et quelque chose que l'on connaît parfaitement. Pour bien informer, il faut être soi-même bien informé et savoir exactement ce qu'on a à dire. Sur ce point, je ferai confiance à mes lecteurs. Laissant à d'autres, sauf exception, le soin de décrire les démarches et méthodes par lesquelles on traque l'information, je me limiterai à la façon d'organiser, de mettre en forme et d'exprimer une information supposée déjà acquise.

Ensuite, écrire pour son lecteur, c'est-à-dire pour être lu d'abord, pour être compris ensuite. L'écriture qui nous intéresse est essentiellement un instrument pour communiquer avec le lecteur et pour l'informer. Elle suppose que l'auteur s'efface devant l'information à transmettre. Il n'écrit pas pour étaler la richesse de son vocabulaire, la virtuosité de sa syntaxe, la profondeur de ses états d'âme ou l'ampleur de son génie. Il écrit pour informer, un point, c'est tout. C'est-à-dire, avec un peu de chance, pour accroître le stock de connaissances de son lecteur et, à terme, lui faciliter la compréhension du monde qui l'entoure. Ce n'est déjà pas si mal...

Si les deux grands commandements n'étaient aussi difficiles à appliquer qu'ils sont faciles à énoncer, le livre pourrait s'arrêter là, car tout serait dit ! Qu'est-ce, en effet, qu'une bonne écriture d'information ? C'est celle qui propose de la bonne information dans le bon langage. De la bonne information : complète, exacte, précise et pertinente. Dans le bon langage : clair, attrayant et approprié au public visé.

Cela dit, encore faut-il que son texte se rende jusqu'au lecteur, encore faut-il être publié. La plupart des médias exigent, pour publier un texte, qu'il se conforme aux us et coutumes du milieu, qu'il fasse professionnel. Dans une nouvelle, par exemple, on doit citer ses sources, s'abstenir de tout commentaire, respecter un certain ordre de présentation des informations et la forme conventionnelle du *lead*. Ajoutons donc une troisième règle d'or : adapter son écriture au genre rédactionnel choisi et au type de média concerné.

Un contexte de concurrence

Producteur d'écriture publique d'information, vous vous trouvez presque toujours dans une situation de concurrence féroce. Concurrence pour un espace dans les médias, qui rejettent une énorme partie de ce qu'ils reçoivent ou se procurent. Concurrence pour un bon traitement en ce qui concerne l'« écriture périphérique » et la mise en valeur de votre *papier* par les médias (emplacement, surface allouée, embellissements typographiques). Concurrence enfin pour l'attention du lecteur. En effet, celui-ci ne consacre en moyenne qu'une vingtaine de minutes à un quotidien, alors qu'une lecture intégrale exigerait de deux à cinq heures, voire davantage (le *New York Times* du dimanche peut occuper quelqu'un pendant plusieurs jours !). Bref, le lecteur lit vite et il lit très sélectivement.

Aussi, seuls des textes bien faits ont des chances de trouver un public assez large, de le satisfaire et de bien l'informer. C'est donc à la production de textes d'information bien faits que ces pages ont l'ambition de contribuer. Être publié, être lu, être compris, voilà l'objectif.

Être utile, aussi. Sans reprendre le refrain bien connu sur le rôle central de l'information en démocratie, rappelons que l'information est un pouvoir et un enjeu, et que ceux qui s'expriment sur la place publique ou en contrôlent l'accès portent, du fait même, une responsabilité sociale. Il leur incombe de fournir une information juste, qui soit compréhensible, et qui fasse comprendre.

Un contexte d'industrie culturelle

D'aucuns estiment qu'on ne peut atteindre un tel objectif dans le cadre de notre presse marchande. Ses structures (propriété, concentration...) et ses stratégies (profit, marketing-lecteurs, marketing-annonceurs, convergence et marketing croisé de médias « parents »...) empêcheraient la production d'une information aussi apte à éclairer le citoyen qu'à satisfaire le consommateur.

Les règles mêmes de la pratique professionnelle du journalisme feraient obstacle à une bonne information, ainsi définie. Les grands principes qui inspirent ces règles – objectivité, neutralité, impartialité – ne seraient qu'illusion et camouflage des visées économiques et idéologiques (hégémoniques) des entreprises de presse.

L'objectivité ? Impossible car il n'existe pas de simples faits, qu'on pourrait se contenter de rapporter. Impensable, car la réalité est quelque chose qui se définit socialement, à travers des rapports de pouvoir. Illusoire, car toute perception passe par une lorgnette personnelle ou institutionnelle.

Neutralité et impartialité ? Elles ne s'appliquent qu'à l'intérieur des limites étroites de l'*opinable*, de l'acceptable, comme les définissent les diverses élites, dont la presse elle-même. Sont acceptables : les conservateurs, les libéraux, le Parti civique, le Rassemblement populaire – après quelque temps et quelques changements pour ce dernier. Sont inacceptables : les radicaux et les extrémistes. Quoiqu'elle égratigne et à l'occasion assassine des individus, la presse serait donc au service des pouvoirs et des institutions dominantes.

Depuis des lustres, patrons de presse, journalistes, chercheurs, militants et autres citoyens s'affrontent sur ces questions, les positions s'échelonnant d'une conception léniniste de l'information à une approche néo-libérale. Si important et passionnant qu'il soit, je ne prétends pas trancher le débat, ni même le résumer. Il faudrait un autre livre[1]! J'en aborderai, sommairement, un seul aspect, avant de plonger dans le vif du sujet : la bonne écriture d'information, y compris la bonne écriture de presse, dans notre contexte.

Professionnalisme, conservatisme ?

Une des questions soulevées par ce débat intéresse directement mon propos. Les normes en vigueur dans la pratique journalistique (que je vais tenter d'exposer), surtout dans la mesure où elles découlent de la prétention à l'objectivité, conduisent-elles nécessairement à une information conservatrice, comme certains le pensent ?

L'information est passée du statut de bien public à celui de bien économique[2]. Les entreprises de presse qui ont remplacé les éditeurs de journaux d'opinion subissent et imposent des contraintes, politiques et idéologiques notamment. Il faut reconnaître que ces contraintes établissent pour une large part le cadre dans lequel journalistes et rédacteurs doivent travailler, en s'y soumettant ou en le contournant.

Parmi ceux qui aspirent à des changements sociaux, certains s'en tiennent donc aux médias « alternatifs », qui rejoignent peu de personnes, pour garder à leurs messages toute leur vigueur et éviter de les voir déformés ou récupérés. D'autres préfèrent utiliser les « libertés interstitielles du système[3] » (la marge de manœuvre qu'il laisse) pour tenter d'atteindre et d'influencer un plus grand nombre de citoyens. Les deux démarches, à mon avis, ont leur utilité. La seconde implique qu'on respecte les mœurs journalistiques régnantes, faute de quoi l'on n'a guère de chances d'être publié et pas plus de toucher ses lecteurs.

La plupart d'entre eux ont en effet acquis des habitudes de lecture qui leur font trouver suspect, sinon risible, tout article qui s'écarte de la norme, par exemple en confondant information et prise de position. N'oublions pas que l'information la plus suivie par nos concitoyens et, de loin, la plus crédible pour eux est celle des téléjournaux. C'est pourtant la plus étroitement surveillée, celle qui peut le moins se permettre d'écarts par rapport à une certaine conception de l'ordre social d'une part, du professionnalisme d'autre part. C'est aussi la plus soumise aux impératifs économiques (dont l'appel au sensationnel). C'est enfin la plus pauvre : dans la vingtaine de minutes que dure un bulletin d'information, le lecteur de nouvelles ne pourrait lire deux pages d'un quotidien.

Par ailleurs, il convient de distinguer normes professionnelles et politique rédactionnelle (celle-ci n'entre pas dans mon propos). Ainsi, le vedettariat et le sensationnalisme qui contribuent à transformer le social

---

1. Par exemple, Anne-Marie Gingras (1999).
2. La meilleure illustration en est la transformation des téléjournaux en spectacles d'information amenée par le recherche à peu près exclusive de la cote d'écoute et du profit. On dit d'ailleurs maintenant des « shows » plutôt que des émissions d'information.
3. L'expression est d'Abraham Moles.

en spectacle et les citoyens en spectateurs se trouvent à des degrés bien différents dans des médias pourtant également professionnels. Ils relèvent de choix politiques et économiques et non du professionnalisme. Plus généralement, on peut exprimer aussi bien le blanc que le noir dans un style également journalistique.

Une autre distinction s'impose : la différence entre la norme professionnelle et la pratique quotidienne du journalisme. La première est constamment bafouée par la seconde ! Une bonne part de l'information qu'on nous sert est fade, mal fagotée, inapte à éclairer le public. Ce n'est pas, le plus souvent, parce qu'elle respecte les règles courantes de l'écriture de presse mais, au contraire, parce qu'elle s'en écarte[4]. En les suivant mieux, on intéresserait davantage et on informerait mieux.

Il me semble, en résumé, qu'on peut adopter un style professionnel sans faire le jeu du conservatisme, et qu'on doit le faire dès lors qu'on veut rejoindre un large public.

LE CONTENU DU LIVRE

Sauf dans l'examen des genres journalistiques, le livre s'en tient à l'information *rapportée*, par opposition à l'information *expliquée* et à l'information *commentée*, pour reprendre une distinction classique dans la presse nord-américaine.

Le plan

Le premier chapitre, *Les genres journalistiques*, est un survol des pages de la presse. Il résume, en insistant surtout sur les genres, la façon dont les quotidiens québécois, inspirés par la presse nord-américaine en général, définissent des catégories de contenus, qui commandent des types de traitement de l'information différents.

Les six chapitres suivants traitent de l'écriture d'information de base. Exemples et applications passent donc essentiellement par le genre journalistique canonique qu'est la nouvelle – genre auquel, en outre, le chapitre VI est exclusivement consacré, puisqu'il aborde un élément propre à la nouvelle, le *lead*.

L'écriture, c'est bien plus que la rédaction ! Aussi, dans ce livre, je consacre un chapitre à chacune des étapes qui précèdent la rédaction :

Savoir (II) : comment s'assurer qu'on a toutes les données nécessaires à une information complète, exacte et précise et qu'on les comprend parfaitement ?

Choisir (III) : comment reconnaître, puis hiérarchiser, les informations importantes et intéressantes pour son média et son public ? Quels critères guideront cette opération cruciale ?

---

4. La plupart des articles de presse utilisés dans ce livre le sont de manière neutre, voire laudative, comme des exemples ou des modèles illustrant les habitudes ou les normes de la presse écrite. Cependant, il faut aussi, parfois, illustrer ce qu'il ne faut pas faire. Dans les cas d'articles évalués négativement, la signature est supprimée. Les meilleurs journalistes peuvent commettre un mauvais texte à l'occasion et on aurait mauvaise grâce à attirer l'attention sur de rares erreurs.

Organiser (IV) : comment établir un plan qui donnera un texte structuré, logique, donc globalement lisible et compréhensible ?

Vient ensuite la rédaction :

Rédiger (V) : dans quel langage présenter l'information à son public ? Comment produire de la prose à la fois attrayante et intelligible pour lui ?

Le lead (VI) : ce chapitre a trait à l'écriture du *lead*, l'attaque d'une nouvelle, qui, dans notre contexte, obéit à des lois assez strictes et dont la maîtrise est considérée comme une habileté fondamentale dans le métier de journaliste.

Le reportage (VII) : on s'écarte ici de la nouvelle pour aller à l'autre élément majeur de l'information rapportée, du «rapportage». Le chapitre I sur les genres en présente plusieurs exemples et le chapitre VII y est consacré.

Écrire dans la presse (VIII) : on aborde ensuite diverses conventions et recettes, qu'il convient de respecter si on veut faire professionnel et être publié.

Enfin le chapitre IX nous entraîne à la périphérie de l'information journalistique. Il traite de la rédaction du communiqué de presse, moyen le plus simple et le plus fréquemment employé pour accéder, par l'entremise des médias, à la place publique. Produit non par un journaliste mais par un relationniste, amateur ou professionnel, le communiqué se retrouve quand même souvent dans nos médias d'information, tel quel ou à peine modifié, et sans mention d'origine (c'est-à-dire présenté par les médias comme un produit journalistique). À mes yeux, il reste malgré cela une matière première et non un produit du travail journalistique. Néanmoins, tous ceux qui s'intéressent à l'intervention sur la place publique par l'écriture, sans exclure les journalistes à qui il s'adresse, devraient connaître les règles du genre. D'où son inclusion dans le livre.

Quel ordre de lecture ?

La structure même du livre introduit, inévitablement, me semble-t-il, quelque redondance. Ainsi, la présentation des principaux genres journalistiques doit annoncer certains éléments qui seront repris dans les chapitres consacrés à la nouvelle et au reportage. Ainsi encore, le choix d'un *lead* dépend du choix du plan de l'article, et inversement. On pourrait donc les traiter ensemble, mais on risquerait alors de ne pas accorder à chaque sujet sa juste part et d'embrouiller les choses. En les abordant séparément, toutefois, il y a risque de redites. J'ai préféré ce second risque, me fiant à l'adage qui veut que la répétition soit l'âme de l'enseignement. Cependant, j'ai voulu éviter de radoter. Dans chaque chapitre, je tiens, en gros, pour acquis que le lecteur a parcouru les chapitres précédents. Bref, le livre ne suit pas la mode du «modulaire», ou alors très partiellement.

Cela dit, si la matière du livre est présentée selon un ordre logique – savoir, choisir, organiser, rédiger... –, les enseignants et les autres personnes qui l'utilisent comme manuel sont invités à bouleverser cet ordre selon leurs besoins pédagogiques ou personnels. Ils peuvent, par exemple, commencer par les principes généraux d'écriture (chapitre V, *Rédiger*) et s'exercer à faire des phrases et des paragraphes, avant de penser à des articles complets et d'aborder les chapitres *Savoir, Choisir, Organiser* (II, III et IV). Je suggère toutefois de garder le communiqué de presse pour la fin, puisque sa rédaction réussie suppose qu'on a déjà une bonne idée de ce qui fait courir les médias.

Une nouvelle édition

Cette deuxième édition de *L'Écriture de presse: l'art d'informer* diffère substantiellement de la première, parue quatorze ans plus tôt.

Tout d'abord, elle comporte deux chapitres nouveaux, l'un sur les genres rédactionnels ou genres journalistiques (I), l'autre sur le reportage (VII). Le reportage, genre par excellence du témoignage journalistique, a toujours occupé une place de choix dans l'information de presse. Ces dernières années, on a vu son rôle encore s'accroître, pour mieux séduire le lectorat, de sorte qu'il semble maintenant indispensable, même pour un débutant dans l'apprentissage de l'écriture de presse, de chercher au moins la maîtrise du petit reportage. Quant aux pages sur les genres, elles ont pour but de mettre en contexte le travail sur la nouvelle et sur le reportage, et de permettre une lecture plus analytique de l'ensemble de la presse.

Ensuite, les autres chapitres ont subi les uns des retouches, les autres des remaniements majeurs. Des sections ont été ajoutées, d'autres mises à jour. Presque tous les articles de presse analysés pour illustrer les principes d'écriture ont été remplacés par des textes plus récents[5]. Quelques-uns sont restés. Malgré certains changements, bien des nouvelles restent intelligibles des années plus tard. J'ai donc conservé quelques beaux cas; les articles reproduits étant datés, le lecteur saura faire la part des choses et ne pas croire, par exemple, que le titulaire de tel poste est resté le même quinze ans plus tard.

Il importe de noter qu'en raison de contraintes d'espace et par souci de lisibilité, les articles de journaux ne sont pas toujours reproduits avec leur mise en pages originale. Il a fallu, notamment, supprimer la plupart des photographies et parfois, modifier la disposition des blocs de texte et la largeur des colonnes.

ÉCRIRE, UN ART ET NON UNE SCIENCE

Prescription, invention

On peut, à l'occasion, et sans déchoir, violer presque toutes les règles proposées dans les pages qui suivent. En effet, contrairement au français correct, régi par des normes mille fois codifiées, la bonne écriture

---

5. Pour ce qui est des articles sur des faits divers, les changements relèvent surtout de l'esthétique, car leur date importe peu. Le fait divers, en effet, ne change pas. Il y a toujours des crimes, des accidents, des cataclysmes, des pannes, des animaux qui nous épatent, des faits incongrus, et leur traitement journalistique, habituellement par la petite-nouvelle-de-base, n'a guère évolué non plus.

publique d'information relève autant de l'invention que de la prescription. Ce n'est donc qu'en faisant appel à sa créativité que le lecteur parviendra à bien appliquer les règles proposées. Quant aux interdits, il pourra arriver à l'occasion qu'en les contournant, il améliore son texte. C'est pourquoi ce livre fourmille de locutions du genre *en règle générale, dans la plupart des cas, sauf exception, le plus souvent,* etc. Et le lecteur est invité à ajouter celles que j'ai omises pour ne pas le lasser.

Même l'écriture de presse, la partie la plus standardisée de l'écriture d'information, n'est guère codifiée. Ayant à juger d'un article, des journalistes chevronnés arriveront aux mêmes conclusions... en gros et dans la plupart des cas. Dans la plupart des cas aussi, ils seraient bien en peine de fonder leur jugement sur des normes explicites. « Ceci est important, cela, sans intérêt. Ceci se fait, cela ne se fait pas. » Pourquoi ? « C'est évident ! »... On est dans le domaine de l'art, ou de l'artisanat, pas de la science. On peut donc parfois se permettre des écarts.

Mais attention ! « Non codifié » ne signifie pas « non codifiable ». Les règles appliquées « par instinct » – en l'occurrence par socialisation professionnelle – n'en sont pas moins des règles, dont l'énonciation peut rendre de bons et loyaux services.

D'autre part, il faut bien voir que fantaisie et licence ne convainquent que si on sent, en aval, une maîtrise parfaite des règles de l'art. Dans un texte mal écrit, la licence poétique n'est jamais qu'une faute de plus. Il en va de même pour les écarts par rapport aux normes journalistiques : involontaires ou mal choisis, ils handicapent le texte, et la lecture.

Le débutant en écriture publique d'information a donc tout intérêt à suivre à la lettre les règles énoncées, quitte à prendre ses distances quand il aura acquis expérience et jugement en la matière.

> *Faites ce que je dis et non ce que j'ai fait.*
>
> Casimir Delavigne

Ce texte respecte-t-il les règles qu'il énonce ? Je l'espère ! Mais pas toujours, car ces règles ont trait en général à l'écriture pour un très grand public et, très souvent, à la nouvelle et au reportage. Or, d'une part, tel n'est pas mon public cible et, d'autre part, j'essaie de transmettre une information pédagogique et non journalistique. Surtout, alors que le journaliste travaille essentiellement dans le descriptif, un manuel comme celui-ci se situe en général dans le prescriptif : faites ceci, ne faites pas cela, écrivez ainsi mais pas comme ça...

On trouvera donc parfois dans les pages qui suivent des choses qui dépareraient une nouvelle du *Soleil.* Par exemple, des phrases un peu longues, ou sans verbe, deux ou trois locutions latines, quelques mots recherchés – je crois même avoir glissé quelque part, que le ciel me pardonne, un « adjuvant à l'intelligibilité » !

C'est – vous assuré-je – qu'un livre écrit comme une nouvelle lasserait vite le lecteur, et que l'adaptation au public et au média est aussi une règle d'or. Si donc vous écrivez dans un média d'information et pour un vaste public, faites ce que je dis mais pas toujours ce que je fais...

CHAPITRE I

LES GENRES JOURNALISTIQUES

Dans ce livre, nous nous intéresserons avant tout à la nouvelle. Ce genre rédactionnel fondamental se prête particulièrement bien à l'initiation à l'écriture de presse car la plupart de ses règles d'écriture, à toutes les étapes de sa production, de la maîtrise de l'information à celle des conventions de l'écriture de presse[1], s'appliquent à tous les articles de presse.

Il reste que chaque genre d'article commande aussi un traitement particulier de l'information, et que les articles de presse s'insèrent dans un contenant, le journal, où ils voisinent avec d'autres types de textes. Ce chapitre en présente un survol, car la personne qui veut écrire pour la presse a besoin d'une connaissance minimale du journal et de ses catégories[2].

Le contexte professionnel et industriel dans lequel le travail journalistique se situe détermine en bonne partie les pratiques de collecte de l'information et d'écriture. Ainsi, les normes qui caractérisent les divers types de textes et leur répartition dans le journal jouent un rôle crucial dans ces pratiques professionnelles. Ces normes constituent une dimension importante du *marketing lecteurs* et du *marketing annonceurs* des journaux. Les impératifs du marketing lecteurs expliquent, par exemple, pourquoi les chroniques d'humeur, souvent faibles en information mais agréables à lire, se sont multipliées au cours des dernières années, ou pourquoi l'information utilitaire, s'adressant au consommateur plutôt qu'au citoyen, prolifère. De son côté, le marketing annonceurs fait, par exemple, que les pages ou les cahiers sur la consommation (automobile, mode, rénovation, tourisme, etc.) ainsi que les cahiers spéciaux, les uns et les autres propices au voisinage de réclames commerciales, foisonnent eux aussi.

De là l'intérêt de présenter ces divisions de la chose imprimée et, plus particulièrement, les genres rédactionnels. Nous le ferons sommairement, toutefois, car ils ne sont que complémentaires à notre objet principal, l'écriture de presse. Et, surtout, ces catégories sont floues et variables d'un média à l'autre, voire d'un secteur à l'autre ; c'est leur importance pragmatique, et non leur précision conceptuelle, qui leur confère un intérêt. Ce modeste chapitre n'a donc d'autre prétention

---

1. Voir les chapitres II à VI, *Savoir, Choisir, Organiser, Rédiger* et *Le* lead.
2. Nous ne traiterons pas des divisions matérielles du journal, qui apparaissent évidentes à l'apprenti journaliste et même au lecteur : une, une de cahier, page spécialisée, cahier, rubrique, etc.

que celle de faire un peu connaître à l'apprenti rédacteur le contexte dans lequel se situera sa prose et de l'initier à une lecture un peu plus fine des journaux. Notons que plusieurs des remarques qui suivent pourraient s'appliquer à l'ensemble de la presse écrite – quotidiens, hebdomadaires, revues, magazines. Cependant, faute de pouvoir traiter des variantes propres à chaque type de publication, nous nous en tiendrons aux quotidiens.

MATIÈRE PUBLICITAIRE, MATIÈRE RÉDACTIONNELLE

Nous pouvons considérer que les journaux offrent trois grandes catégories de contenus. Deux correspondent aux deux types de marchés et de clientèles – annonceurs, lecteurs – qui les intéressent : la matière publicitaire et la matière rédactionnelle[3]. La troisième, dont je signale seulement l'existence, est une catégorie résiduaire qui inclut des informations fournies par des organismes extérieurs, comme les cotes de la Bourse ou les taux de change, des communiqués présentés comme tels dans des rubriques de « service » et ce que nous pourrions appeler la matière ludique : bandes dessinées, mots croisés, chroniques de bridge ou d'échecs, jeux divers, etc.

La matière publicitaire comprend :

- la réclame, la publicité au sens strict ;
- les publireportages, des textes d'apparence plus ou moins journalistique mais à visée publicitaire ;
- des avis publics en provenance des municipalités, des gouvernements, des tribunaux ou d'autres organismes ;
- les petites annonces (*classified ads*), les avis de décès, les avis d'offre ou de recherche d'objets, de services, de partenaires, etc., provenant surtout de particuliers.

La matière publicitaire, c'est en somme tout l'espace qui est vendu par le journal à des clients annonceurs – entreprises, institutions, particuliers – à qui le journal vend, en fait... des lecteurs, des gens qui seront exposés aux messages publicitaires que le journal diffuse pour servir ses annonceurs.

Le « prix » de ces lecteurs dépend du tirage et du lectorat, lesquels sont, en général, évalués par des agences indépendantes de mesure, les plus importantes ici étant, pour la presse écrite, CARD (Canadian Advertising Rates & Data) et NADBANK et, pour la presse électronique, BBM (Bureau of Broadcast Measurement) et Nielsen. Le CPM (coût pour mille personnes rejointes) des divers médias est donc connu des annonceurs, qui peuvent établir en conséquence, ou confier à des agences spécialisées, leurs décisions en matière de « placement médias », c'est-à-dire sur la façon de partager leur budget publicitaire entre divers

---

3. *Editorial content*, en anglais ; en français, la matière *éditoriale* n'est qu'une partie de la matière *rédactionnelle* : celle qui est produite par la direction et les cadres du journal, qui présente le point de vue du journal et que l'on trouve dans les pages dites éditoriales.

supports. Selon la nature du produit ou du service proposé (populaire ou de luxe, grand public ou groupes particuliers, etc.), ces décisions reposent sur la quantité de personnes ciblées ou sur leur qualité – qualité définie essentiellement par leur statut socioéconomique, leur pouvoir d'achat et leur style de vie, qui comporte des intérêts précis, liés à des produits ou à des services spécifiques.

C'est d'abord et surtout la matière publicitaire, placée en premier dans les pages, qui détermine le nombre total de pages du journal, donc la surface que la rédaction pourra consacrer à l'information, le rapport entre surface publicitaire et surface rédactionnelle étant à peu près constant. Ainsi, le mercredi, jour faste pour la publicité des commerces de détail dans les quotidiens, ceux-ci publient à la fois plus de réclames et plus d'information que les autres jours de la semaine. Le samedi aussi, où l'accent est davantage mis, tant dans la publicité que dans les articles, sur des domaines différents de la consommation : voyages, gastronomie, culture, etc., pour tenir compte du contexte de détente de la fin de semaine.

Les annonces publicitaires et les avis sont rédigés par des services ou des agences spécialisés[4], jamais par des journalistes en exercice[5], en principe, et, en ce qui a trait aux textes dont le type est ambigu, l'usage est d'en faire connaître la nature – en inscrivant, par exemple, la mention « Publireportage ». Le respect du cloisonnement entre la publicité et l'information apparaît en effet indispensable pour assurer la crédibilité, donc la valeur, y compris marchande, des textes journalistiques. Le principe est depuis longtemps reconnu dans la plupart des conventions collectives des journalistes d'ici et d'ailleurs en Amérique du Nord. Il ne couvre cependant que les textes pris individuellement ; la politique rédactionnelle du journal, dont les responsables décident notamment de l'importance relative à accorder aux diverses rubriques (politique internationale, automobile, rénovation, culture, etc.), reste liée, à des degrés divers, à la capacité des différents domaines d'attirer des annonceurs – donc des lecteurs. En d'autres termes, dans la presse dite marchande, même les responsables de l'information doivent composer avec des impératifs de rentabilité et s'adresser non pas seulement à des citoyens à informer, mais aussi à une double clientèle de lecteurs consommateurs et d'annonceurs.

La matière rédactionnelle est produite par des journalistes du journal (reporters, pupitreurs, chroniqueurs, cadres de la rédaction, etc.) ou de l'extérieur (journalistes des agences de presse, correspondants, pigistes, collaborateurs spéciaux) ou, à tout le moins, elle est sélectionnée et plus ou moins remaniée par des journalistes, comme dans le cas des communiqués de presse promus nouvelles.

---

4. Sauf bien sûr, les messages personnels et les offres ou demandes individuelles de biens, services ou relations.

5. Il arrive que des journalistes rédigent certains textes publicitaires, des publireportages notamment, mais ils le font anonymement, pour ne pas dire clandestinement, sachant que maints collègues y voient un manquement à l'éthique professionnelle.

La matière rédactionnelle est ce que le journal vend à ses lecteurs comme demandeurs d'information : de l'actualité, de l'information – traitée de diverses manières, selon le genre, comme nous le verrons.

Sur le plan économique, le marché des lecteurs n'est pas, en soi, le marché le plus important du journal. En général, la vente au numéro ou par abonnement du journal rapporte à peu près de quoi payer le papier, lequel ne représente que la portion congrue des dépenses d'une entreprise de presse. La multiplication des hebdomadaires gratuits et, ces dernières années, la montée des quotidiens gratuits illustrent bien que, financièrement, le lecteur est plus important comme cible des annonceurs du journal que comme acheteur du journal. Mais, sans lecteurs (sans auditeurs, sans téléspectateurs), pas d'annonceurs ! C'est sans doute à cette contrainte que la plupart des entreprises d'information doivent leur survie comme médias *d'information* puisqu'elles sont maintenant, pour l'essentiel, et à de rares exceptions près, «des entreprises comme les autres», intégrées dans des conglomérats proposant bien autre chose que de l'information et cherchant d'abord une rentabilité maximale.

Quant aux contributions des lecteurs, constituées de courtes «lettres des lecteurs» ou de textes plus élaborés («tribunes», «idées», «opinions» ou, parfois, «dossiers»), où donc les ranger ? On pourrait les rattacher à une catégorie résiduaire puisqu'il ne s'agit ni de publicité ni de produits de journalistes, ou alors les faire relever de la matière rédactionnelle car, comme les textes journalistiques, ces contributions traitent de l'actualité et elles s'adressent aux lecteurs de journaux comme lecteurs et non comme consommateurs. Dans ce cas, on introduit une nuance de sens entre la matière journalistique (ce qui est produit par les journalistes) et la matière rédactionnelle (ce qui est proposé aux lecteurs en tant que lecteurs et citoyens), la seconde englobant la première.

LES GRANDES CATÉGORIES DU TRAITEMENT DE L'INFORMATION

La matière journalistique du journal, à son tour, se divise en catégories correspondant à la façon dont l'actualité y est présentée. Ces catégories jouent un grand rôle dans l'organisation du travail journalistique.

Dans le contexte nord-américain, on considère habituellement[6] que les médias d'information ont trois grandes façons de traiter l'actualité : ils la *rapportent,* ils l'*expliquent,* ils la *commentent.*

---

6. Cette catégorisation est celle proposée aux écoliers d'ici par Les quotidiens du Québec inc. dans *Le journal en classe* (Montréal, 1981). Dans le contexte français et, sans doute, européen, on s'en tiendrait probablement à deux catégories, le rapporté et le commenté (l'information et l'opinion), considérant que l'explication est indissociable de l'un comme de l'autre. Voir, par exemple, José De Broucker (1995), p. 69 et suivantes.

Dans le premier cas, le texte renseigne sur l'actualité en s'en tenant à la *description* des faits, aux données, à « ce qui se passe » ou à la façon dont un événement est vécu ; il n'ajoute alors que les indications, précisions et observations nécessaires pour rendre les faits intelligibles et intéressants pour les lecteurs. En information expliquée, l'objectif n'est plus de rendre compte d'événements nouveaux, mais de faire comprendre aux lecteurs des réalités relativement complexes ou étrangères à leur expérience. Les textes sont donc axés sur la mise en perspective, la mise en contexte, l'*analyse* d'événements ou de situations. Enfin, en information commentée, le journaliste porte un jugement, formule une évaluation ; il exprime son *opinion,* en l'appuyant sur une argumentation, il prend parti.

La distinction entre information factuelle, explication et commentaire est un peu artificielle. Dans beaucoup de cas, c'est surtout une question d'accentuation, de dominante. Certes, le compte rendu sec et détaillé d'une assemblée quelconque relève de la seule information rapportée – du *rapportage* pur, dirais-je. À l'inverse, une critique dont tout le texte porte aux nues ou descend en flammes un film ou une pièce de théâtre tient manifestement du commentaire. Mais, en général, les choses ne sont pas si tranchées. La critique, même enflammée, présente aussi de l'information factuelle et des explications sur son objet. Un texte le moindrement élaboré sur une campagne à la direction d'un parti politique, sur l'acériculture au Québec, sur la guerre en Tchétchénie fera inévitablement chevaucher le rapporté et l'expliqué – sinon le rapporté serait incompréhensible pour une bonne partie du public visé. Une analyse un tant soit peu poussée fait intervenir, explicitement ou implicitement, des éléments d'évaluation, donc de commentaire.

Bref, considérons que le rattachement au rapportage, à l'explication ou au commentaire renvoie souvent à une simple dominance de l'un ou de l'autre de ces grands modes de traitement de l'information dans un article.

Toute relative qu'elle soit[7], cette catégorisation constitue un élément important de la définition des genres rédactionnels du journalisme. Par exemple, la nouvelle se définit par bien des choses, mais on sait d'abord que c'est du rapporté, comme le billet est d'abord du commentaire.

LES GENRES

À chacun des trois grands types de traitement de l'actualité, on rattache divers types de « papiers », d'articles de presse, types qu'on appelle des genres rédactionnels ou des genres journalistiques[8].

---

7. Elle s'applique, et encore, à des degrés variables, surtout à l'information générale (politique, économique, sociale). Différents types d'information spécialisée brouillent fortement les cartes. Ainsi, en information sportive, potins, ragots et états d'âme côtoient la « vraie nouvelle », et la distinction entre reportage, commentaire et même éditorial disparaît souvent. Si son but est d'informer, elle sert aussi à mettre en scène le spectacle sportif et à stimuler la « partisannerie ».

8. « Genre journalistique » est plus précis. Il y a, en effet, des genres et de la rédaction dans bien d'autres domaines que le journalisme et les médias d'information : en publicité, en littérature, etc.

Nous en proposons ici une catégorisation qui se limite, d'une part, aux textes journalistiques (excluant, par exemple, les apports des lecteurs) de la presse écrite (excluant les textes des médias électroniques et d'Internet) et, d'autre part, aux caractéristiques formelles des textes tels qu'ils sont publiés (signature, marge de manœuvre stylistique, degré de sélectivité, fréquence, emplacement, infographie, type de sources, etc.)[9] ; nous ne tenons pas compte, cependant, des considérations d'origine et de travail en amont du texte. Ainsi, dans cette approche centrée sur le produit fini[10], le *potin* n'est pas considéré comme un genre mais comme un matériau que le journaliste pourra, dans certaines conditions et en signalant sa valeur incertaine, utiliser pour fabriquer de la brève, de la nouvelle, de la chronique, etc. De même, la « mouture » et le « montage » ne désignent pas des genres mais le travail de remaniement ou d'amalgame de divers documents permettant d'en tirer un texte de presse, le plus souvent une nouvelle. Enfin, l'« enquête » n'est pas un genre mais une démarche de recherche de l'information qui peut déboucher sur la production de textes de différents genres : nouvelle, reportage, dossier, portrait, etc.

Nous allons retenir, comme principaux genres :

- en information *rapportée* : la nouvelle, la brève, la photo-nouvelle, le compte rendu, le reportage, le grand reportage, le photoreportage et, à l'occasion, le portrait et l'interview ;
- en information *expliquée* : le « dossier », l'« analyse », la « perspective », certains types de chroniques et, à l'occasion, le portrait et l'interview ;
- en information *commentée* : d'autres types de chroniques, la critique, l'éditorial, le bloc-notes, la caricature, le billet, etc.

Nous l'avons vu, le rapporté, l'expliqué et le commenté ne sont pas toujours faciles à distinguer. Les genres qui s'y rattachent non plus. La différence entre, d'une part, un reportage et, d'autre part, une nouvelle fouillée qui recourt à l'interview ne saute pas aux yeux ; il arrive, par exemple, que le commentaire ne se démarque de l'éditorial que par son emplacement dans le journal ou l'étiquette qui le coiffe.

Malgré leur imprécision, la presse conserve ces catégories pour leur valeur traditionnelle et pragmatique. Elles restent, en effet, essentielles dans le fonctionnement des salles de rédaction et dans le travail des journalistes. Un quotidien planifie son contenu, sur une base journalière et sur une base hebdomadaire, de façon à fournir aux lecteurs une certaine proportion d'articles de divers genres dans chacun des types

---

9. Nous avons tenté de reproduire le plus fidèlement possible les articles de journaux présentés dans ce chapitre. Cependant, à cause de contraintes d'espace et par souci de lisibilité, ces articles ont, à l'occasion, une mise en pages différente de celle trouvée dans les journaux (suppression de photos, disposition des colonnes, etc.).

10. Ce choix de classer les genres d'abord en fonction des caractéristiques du produit fini a le mérite d'être clair, mais n'exclut pas d'autres possibilités. Ainsi, Sormany (1990) et Agnès (2002) considèrent l'enquête comme un genre, et Martin-Lagardette (2000) en fait autant pour ce qui est de la mouture et du montage (articles produits à l'aide de dépêches ou de communiqués).

de traitement de l'information (rapportage, explication, commentaire) et il répartit en conséquence le travail des rédacteurs, des reporters, des photographes, etc. Quand un responsable demande un « papier » à un journaliste, il en précise toujours le genre ; ainsi, le journaliste sait, en gros, quelle sorte de texte on attend de lui, combien de temps il peut y consacrer, quel type de sources, vives ou documentaires, il doit trouver, à quels aspects de l'actualité il doit surtout prêter attention, de quelle marge de manœuvre stylistique il dispose ou ne dispose pas dans la rédaction, etc.

LES PRINCIPAUX GENRES DE L'INFORMATION *RAPPORTÉE*

La nouvelle

La nouvelle[11] répond à la question : « Quoi de nouveau ? » – et ne fait que cela. Nous pouvons la définir comme *un article qui rapporte les faits liés à un événement nouveau, sélectivement et de la façon la plus intelligible et la plus neutre possible.*

Événement : doit ici être entendu dans un sens large, comme « quelque chose qui se passe » – quelque chose de relativement important et intéressant, en principe. Le terme inclut des phénomènes dus au hasard comme les cataclysmes et les accidents, et des situations et des actions découlant de la vie sociale : initiatives, décisions, combats, crises, victoires, succès, échecs, déclarations, prises de position, annonces, publications (rapports, statistiques, ouvrages, etc.), éléments qui constituent une bonne part de ce qu'on appelle l'actualité.

Nouveau : désigne ce qui vient de se produire ou, plus largement, ce qui n'est pas déjà connu du public. Une nouvelle apprend nécessairement quelque chose au public.

Faits : la nouvelle s'en tient au rapportage, excluant non seulement le commentaire mais aussi, en principe, l'analyse même. Toutefois, la nouvelle doit rendre l'événement compréhensible, et même significatif, pour les lecteurs. Elle comportera donc, dans le cas d'événements complexes ou lointains, des éléments de rappels et de mise en contexte qui en feront presque une analyse, mais qui permettront aux lecteurs de s'y retrouver.

Sélectivement : on ne peut faire une nouvelle qu'avec ce qui est *news-worthy,* c'est-à-dire digne de faire la nouvelle (qui présente du nouveau, une certaine importance et de l'intérêt pour le public cible du média[12]). Et, à l'intérieur d'un texte de nouvelle, le journaliste ne retiendra que ce qu'il juge significatif et intéressant.

---

11. Le mot *nouvelle* désigne aussi, dans une première acception, l'événement lui-même, l'occurrence de l'actualité qui donne lieu à la production de nouvelles ou d'autres types d'articles de presse.
12. Voir le chapitre III, *Choisir.*

Articles 1.1

EN BREF
Moussaoui n'était pas impliqué, selon le FBI

Washington (AFP) – Le FBI a conclu que Zacarias Moussaoui, seule personne inculpée aux États-Unis pour complicité dans les attentats du 11 septembre 2001, n'était pas impliqué dans ces attaques, selon l'hebdomadaire américain Time. Le magazine cite des sources non identifiées au FBI selon lesquelles les enquêteurs sont depuis longtemps convaincus que le Français d'origine marocaine « n'a joué aucun rôle dans le complot du 11 septembre et n'était qu'un acteur mineur au sein d'al-Qaïda ». L'accusation affirme que M. Moussaoui devait détourner un avion pour le précipiter sur la Maison-Blanche, dans un attentat séparé de ceux perpétrés il y a deux ans contre les tours du World Trade Center à New York et le Pentagone à Washington. Mais l'accusation est en difficulté sur ce dossier avec la décision récente du juge Leonie Brinkema lui interdisant d'évoquer directement les événement du 11 septembre contre M. Moussaoui à la suite du refus du gouvernement de citer comme témoins des membres d'al-Qaïda détenus par les Américains, comme le demande l'accusé.

Attentat d'Haïfa : 75 % des Palestiniens approuvent

Ramallah (Reuters) – Soixante-quinze pour cent des Palestiniens approuvent l'attentat suicide qui a causé la mort de 21 personnes, dont quatre enfants, le 4 octobre dans un restaurant israélien d'Haïfa, selon un sondage palestinien publié hier. L'enquête réalisée par le Centre palestinien d'études et de recherches politiques, qui a interrogé 1318 personnes en Cisjordanie et dans la bande de Gaza, montre également que 85 % des Palestiniens appuient le principe d'une « cessation réciproque des violences de la part des deux parties ». Elle révèle une forte montée des sentiments antiaméricains dans l'opinion palestinienne, un peu plus de 95 % des sondés estimant que Washington n'est « pas sincère » dans sa volonté affichée de favoriser la création d'un État palestinien aux côtés d'Israël. Ayoub Moustafa, l'un des sondeurs, a dit à Reuters que le pourcentage était peut-être artificiellement élevé dans la mesure où la question posée n'indiquait pas que les 21 morts étaient des civils. Un peu plus de 89 % des Palestiniens interrogés se sont déclarés favorables aux attaques visant des colons juifs installés dans les zones occupées de Cisjordanie et de la bande de Gaza. Sur le plan politique, le sondage voit la cote de Yasser Arafat atteindre son plus haut niveau depuis cinq ans, 50 % des Palestiniens interrogés exprimant l'intention de voter pour lui si des élections avaient lieu – contre 35 % l'an dernier.

Percée majeure de l'ultra-droite en Suisse

PIERRE HAZAN
LIBÉRATION

Genève – La Suisse va-t-elle connaître son big bang politique ? L'onde de choc des élections législatives de ce weekend n'est pas près de se terminer. Avec la percée de l'ultra-droite nationaliste (27 % des voix, selon les dernières estimations) qui se nomme mal à propos l'Union démocratique du centre (UDC), la légère progression des socialistes et des verts et le recul sensible des partis de centre droit, la Suisse se réveille groggy.

Dans les cantons romands, l'UDC, qui a mené une campagne taxée de « xénophobe et démagogique » par ses adversaires, a réalisé de spectaculaires progressions dans les cantons de Genève, Vaud, Neuchâtel et Fribourg ainsi qu'au Tessin. Du coup, la formation originaire de Suisse alémanique a gagné son pari : déjà premier parti de Suisse en termes de nombre de voix depuis 1999, elle a maintenant acquis une implantation nationale, lui octroyant une nouvelle légitimité dans un pays fédéral. L'UDC est désormais devenue le premier groupe parlementaire à la chambre basse. Une progression fulgurante : 29 sièges sur 200 en 1995, 44 en 1999 et sans doute 56 aujourd'hui.

La question clef est désormais de savoir si la coalition gouvernementale gauche-droite, surnommée « la formule magique » (avec deux radicaux, deux démocrates-chrétiens, deux socialistes et un UDC appartenant à l'aile « modérée » de son parti), qui a gouverné le pays depuis 1959 va exploser ou non. Fort de son succès, l'UDC, par la bouche de son leader zurichois, Christoph Blocher, a annoncé hier que l'aile dure de sa formation revendiquait un siège au Conseil fédéral pour celui-ci.

Trois cas de figure sont envisageables : soit le maintien de la « formule magique » avec le risque que près d'un électeur sur quatre continue à se sentir exclu d'un système qui fonctionne au consensus. Soit l'entrée de Christoph Blocher au gouvernement qui remplacerait un centriste, soit encore un gouvernement entièrement de droite, avec les socialistes qui passeraient dans l'opposition. Les socialistes, les radicaux et les démocrates-chrétiens ont jusqu'à décembre pour décider de leur position.

Reste le grand enseignement de ce scrutin marqué par une très forte polarisation de l'électorat : la perte de confiance des Suisses à l'égard de l'avenir. Le déclin helvétique ?

Un sentiment bien présent dans le pays. Perte de confiance dans l'excellence de leur économie et dans la perfection de leurs institutions : beaucoup de Suisses doutent. Resté en dehors de l'Union européenne, le pays se normalise malgré tout rapidement. Le capitalisme social est mort, Swissair enterré, les primes des assurances privées obligatoires ont augmenté de façon vertigineuse ces trois dernières années, des dizaines de milliers de retraités sont descendus dans les rues pour s'inquiéter de la faiblesse de leur rente vieillesse, les entreprises étrangères sont plus performantes que les sociétés helvétiques, le secret bancaire s'effrite…

En outre, la neutralité dans le monde post-guerre froide a perdu de son sens. Certes, le chômage est sous contrôle relatif (moins de 5 %) et, comparée à d'autres pays, la situation est loin d'être catastrophique. Mais inquiets, beaucoup de Suisses se sont tournés vers les thèses à la fois ultra-libérales, souverainistes et xénophobes de l'UDC.

Bosnie-Herzégovine
Mort de l'ex-président Alija Izetbegovic

DARIA SITO-SUSIC
REUTERS

Sarajevo – L'ancien président musulman de Bosnie-Herzégovine Alija Izetbegovic, prisonnier dans Sarajevo lors du siège de la capitale par les forces bosno-serbes dans les années 1990, est décédé hier à l'âge de 78 ans, ont annoncé des médecins et des membres de son parti. […]

---

*Les pages réservées à une rubrique – économie, culture, actualité internationale, automobile, régions, etc. – associent en général des textes de divers genres, le mélange le plus fréquent étant celui de **nouvelles** de longueur variable et de **brèves** identifiées comme telles (EN BREF).*

Le Devoir, 20 octobre 2003

Neutre : on fait souvent état, dans une nouvelle, des opinions des acteurs sociaux engagés dans l'événement rapporté – l'expression de telles opinions fait partie des faits qui constituent l'événement. Mais le journaliste écrit lui-même de la façon la plus détachée possible, sans se mettre en scène, sans donner son opinion, sans formuler ouvertement de commentaires.

La nouvelle est la principale composante du quotidien et des médias d'information en général. C'est pourquoi la manchette (le texte principal qui est le plus mis en valeur) de la une d'un quotidien[13] est, sauf rarissimes exceptions, une nouvelle.

Sur le plan formel, signalons que la nouvelle est généralement signée par un journaliste à l'emploi du journal, par un collaborateur spécial, par une ou plusieurs agences de presse, par un journaliste et une ou des agences de presse. Dans le contexte québécois, une nouvelle anonyme sera en général soit un communiqué (intégral ou plus ou moins modifié) présenté comme une nouvelle, soit un texte d'un journaliste maison que le *pupitre* a remanié sans obtenir l'accord de l'auteur[14].

Dans l'information rapportée (et dans l'information journalistique en général), la nouvelle est la catégorie de base et c'est par comparaison avec elle qu'on peut le mieux circonscrire les autres genres de rapportage (voir Articles 1.1).

La brève

Ce serait une nouvelle ordinaire si elle n'obéissait à deux contraintes formelles, la première, de longueur (il s'agit d'un texte court), la deuxième, de mise en pages : la brève est présentée comme un bloc, sans alinéas, surmonté d'un titre court et simple, souvent à une seule branche (sur une seule ligne), sans surtitre ni sous-titre ; parfois même, elle est dépourvue de titre, deux ou trois mots en caractères gras dans le corps du texte en tenant lieu. De plus, la brève s'intègre le plus souvent dans un « chapelet » de brèves : une série de petites nouvelles rattachées à la même rubrique (le sport, l'international, l'économie, etc.) et regroupées dans la même page (voir Articles 1.1). Cela permet de présenter beaucoup d'information en peu d'espace. Seules ces normes de mise en pages distinguent la brève d'une nouvelle courte, qui aura une présentation plus aérée, avec des alinéas dans le texte et un titre mieux dégagé, à l'occasion complété par un surtitre ou un sous-titre. Il arrive donc qu'une brève costaude compte plus de mots qu'une nouvelle voisine, qui occupe plus d'espace à cause d'une mise en pages aérée qui la met mieux en valeur (voir Articles 1.2 et 1.3, p. 10).

---

13. Un journal n'a qu'une manchette, dont le choix est une décision journalistique importante. Dans la presse électronique, « les manchettes » peuvent désigner les principales nouvelles d'un bulletin d'information. (N. B. Dans le contexte français, souvent, notre *manchette* devient leur *tribune*, et leur *manchette* notre *cartouche* [n.m.] *de titre*.)

14. Voir la note 4 dans le chapitre IV, *Organiser*.

Article 1.2

EN BREF

Un brave citoyen aimerait bien que son gouvernement l'écoute

(PC) – Le militant écologiste Mikael Rioux a préféré, hier, refuser un prix du civisme et les 500 $ qui l'accompagnent pour pouvoir dénoncer plus à son aise le « manque d'écoute » du gouvernement québécois dans le dossier d'une mini-centrale sur la rivière Trois-Pistoles. M. Rioux, âgé de 26 ans, a contribué à sauver de la noyade un homme et trois enfants, en juillet 2001, aux Îles de la Madeleine. Lors d'une cérémonie à l'Assemblée nationale, lui et 26 autres citoyens qui ont sauvé la vie d'une ou plusieurs personnes devaient, hier, recevoir une médaille ou une mention d'honneur du civisme en hommage à leur bravoure. Or, lorsque son tour est venu, M. Rioux a refusé la mention d'honneur qui lui était destinée. « Le gouvernement me rend honneur ce matin, mais le plus grand honneur qu'il pourrait me faire serait de nous écouter, en cette semaine de la citoyenneté », a-t-il lancé à voix haute aux gens qui assistaient à la cérémonie. M. Rioux, originaire de Trois-Pistoles, a ajouté qu'il ne reviendrait chercher sa mention d'honneur et le chèque de 500 $ qui l'accompagne que lorsqu'on aurait prêté l'oreille à ses doléances, puisqu'il s'agit selon lui d'une question de « démocratie et d'écoute de ce que les citoyens ont à dire ». Le militant écologiste, porte-parole des Amis de la rivière Trois-Pistoles, dénonce le projet de mini-centrale hydroélectrique privée de 3,5 mégawatts que le promoteur Jean-Marc Carpentier, un ancien journaliste scientifique de Radio-Canada, voudrait installer sur la rivière. Depuis le 19 octobre, M. Rioux s'oppose à la construction de cette centrale – « qui ne créerait pas d'emplois, alors que la rivière a un fort potentiel écotouristique », a-t-il souligné – en occupant le site depuis un bivouac suspendu à 20 mètres dans les airs, au milieu de la rivière.

Le Devoir, 19 septembre 2002

*Certaines brèves peuvent compter autant de mots, voire plus, que bien des nouvelles. Ici, la **nouvelle** sur Merck Frosst a 202 mots, la **brève** sur le brave citoyen, 299. On voit que brèves et nouvelles ne se distinguent parfois que par la mise en pages. Sur le plan du contenu, en fait, la brève est une nouvelle. On la rédige donc (plan, style) comme une nouvelle, qui perdra à la mise en pages ses alinéas (parfois aussi son titre).*

Article 1.3

Le siège social de Montréal risque d'être particulièrement touché

Merck Frosst supprimera de 100 à 200 emplois au Canada

ALEC CASTONGUAY

♦ ♦ ♦

La rationalisation des effectifs annoncée mercredi par la multinationale pharmaceutique américaine Merck & Co., la maison mère de la canadienne Merck Frosst, touchera les installations montréalaises. De 100 à 200 emplois seront supprimés dans différents champs d'activités partout au pays, mais le siège social de Montréal risque d'être particulièrement affecté, puisqu'il abrite 1400 des 1900 employés de l'entreprise au Canada.

Les travailleurs et les scientifiques qui subiront le couperet seront prévenus au cours du mois de novembre. Vincent Lamoureux, chef des relations médias de Merck Frosst, affirme par contre que l'entreprise « pourra procéder à des embauches stratégiques si elle en a besoin », notamment pour la mise au point de certains médicaments spécifiques.

Mercredi, à la suite des résultats décevants du troisième trimestre, Merck & Co., troisième multinationale pharmaceutique mondiale, avait annoncé la suppression de 3200 employés à travers le monde, soit 5 % de ses effectifs. Près de 1200 employés temporaires verront également leur contrat prendre fin. Selon Vincent Lamoureux, « il y a beaucoup de molécules intéressantes dans le *pipeline*, mais elles coûtent cher à développer ». La suppression d'emplois vise à réduire les coûts de base à long terme, dans un contexte où la concurrence entre multinationales est de plus en plus forte.

Le Devoir, 21 octobre 2003

La photo-nouvelle

La plupart des textes de presse peuvent être illustrés par une photographie accompagnée de quelques mots d'explication (appelés *légende* ou *bas de vignette*) ; cela ne fait pas de ces textes des photos-nouvelles. Les « vitrines », présentées à la une (du journal ou parfois d'un cahier) et annonçant un ou des articles sur le même sujet dans les pages intérieures, ne sont pas non plus des photos-nouvelles, même quand elles prennent la forme de photographies légendées. La photo-nouvelle ne réfère pas à d'autres textes : elle est en soi, et à elle seule, une nouvelle, avec ceci de particulier qu'elle livre toute l'information sur le sujet abordé avec seulement un titre, une photo et sa légende (voir Article 1.4).

À l'origine du choix de transmettre une information par une photo-nouvelle se trouve habituellement une photographie présentant un intérêt particulier par sa beauté, son aspect spectaculaire ou accrocheur, ou son « éloquence », ou une photographie montrant des gens ou des événements sous un angle inusité, ou dont la seule prise représente un exploit social ou technique. La rédaction se sert de cette photographie pour attirer les lecteurs. Le genre est souvent utilisé pour le traitement d'informations peu importantes ou jugées telles par le journal ; dans le cas contraire, on leur consacrerait un ou des textes complets et non pas une seule légende de deux ou trois phrases sous une image. On peut voir une indication de ces choix dans le fait que la photo est signée (ou désignée comme document d'archives), mais pas son texte (sa légende), dont la rédaction relève d'une « écriture périphérique[15] » anonyme.

*Cette photographie accrocheuse d'un robot danseur et le fait que le journaliste a peu à dire sur la chose expliquent le choix d'une **photo-nouvelle** – un titre, une photo, une légende – pour couvrir cet événement. Parfois, l'événement est plus considérable, mais on optera pour la photo-nouvelle parce qu'il se passe trop loin des lecteurs, géographiquement ou psychologiquement, pour qu'on veuille leur livrer beaucoup d'information sur le sujet.*

Article 1.4

Un robot qui danse !

LE ROBOT *humanoïde le plus perfectionné du monde, prénommé Asimo, visitait ce week-end le Centre des sciences de Montréal pour rencontrer les curieux de tous âges. Asimo effectue une tournée nord-américaine pour encourager les étudiants à découvrir la robotique et les sciences. Le robot peut, notamment, avancer et reculer, tourner lentement, se maintenir en équilibre, danser et même monter un escalier. Il a fallu plus de 15 ans d'études, de recherches, d'essais et d'erreurs avant que les ingénieurs de Honda ne réussissent à créer ce robot humanoïde.*

Le Devoir, 10 octobre 2003

---

15. Confiée à des journalistes, ceux du *pupitre* (au Québec) ou du *desk* (en France), l'écriture périphérique désigne la mise en pages et l'« emballage » des textes de presse : priorisation des textes (dont le choix de la manchette et des autres articles de la une), choix des éléments de mise en valeur des informations (maquette : espace utilisé, emplacement dans le journal, grosseur des caractères des titres, photos, vitrines, graphiques, tableaux, jeux infographiques), titrage (rédaction de la titraille : titres, surtitres, sous-titres, intertitres), légendage, rédaction de chapeaux, etc. Cette écriture encadre et présente les textes journalistiques, d'où son nom. Mais elle n'est pas nécessairement périphérique, au sens de secondaire, pour les lecteurs ; au contraire, ceux-ci commencent souvent par les titres, les photographies, etc., quand ils ne s'en tiennent pas à ces seuls éléments.

Le compte rendu

Le compte rendu, dans le contexte québécois[16], représente le degré minimal de la sélectivité et de l'intervention journalistiques. Le journaliste assiste à un événement et en *rend compte* étape par étape, dans son intégralité, ou presque. Par exemple, il rapporte, dans l'ordre, toutes les résolutions votées par le conseil municipal lors de sa dernière réunion, ou il énumère toutes les personnes qui ont brillé lors d'un gala et leurs titres de notoriété. Cela, inévitablement, donne souvent un style qui évoque le procès-verbal.

Autrefois assez fréquent, le compte rendu ainsi entendu est maintenant en voie de disparition pour cause de platitude : seuls les participants à un événement ou ses témoins directs s'intéresseront à tous ces détails d'inégale valeur, de surcroît souvent présentés de façon terne par des journalistes débutants ou d'épisodiques correspondants locaux. Le marketing lecteurs lui fait depuis longtemps préférer la nouvelle, dont l'auteur ne retiendra que des éléments offrant quelque intérêt pour l'ensemble du public et les présentera dans un style plus vivant (quoique plutôt impersonnel). Cependant, on trouve encore des comptes rendus dans certains hebdomadaires locaux, dans des médias nationaux qui ont des éditions ou des pages régionales, ou dans les pages mondaines de certains journaux anglophones, qui présenteront, par exemple, la liste des invités à un dîner bénéfice ou décriront la toilette de chacune des jeunes femmes participant à un bal des débutantes. Presque tous les lecteurs potentiels de tels articles connaissent les acteurs de l'événement et appartiennent à la même collectivité ; le compte rendu devient alors une façon de faire plaisir à tout le monde, de favoriser la fidélité au journal de ces lecteurs, voire d'affirmer l'appartenance du journal lui-même à cette collectivité.

Le reportage

Un reportage est un texte ou un ensemble de textes dans lequel le journaliste rapporte, dans un style personnel et vivant, ce qu'il a vu et entendu relativement à un événement ou à une situation, de façon à en éclairer le contexte humain ou social[17].

Le sujet du reportage, parfois grave, parfois léger, est relativement libre et il appartient au journaliste de lui trouver un *angle*, un fil directeur, qui le rende à la fois informatif, intéressant et unique (nous y reviendrons dans le chapitre VII).

---

16. En France, le *compte rendu* désigne parfois notre *nouvelle* (Agnès [2002], ch. 12 ; de Broucker, [1995], p. 155 et suivantes).

17. En information radiophonique et télévisuelle, le terme a une acception différente : on parle de reportage dès qu'un reporter ou une équipe se déplace sur les lieux de l'action rapportée. On utilisera plutôt l'expression *reportage à caractère humain* ou le terme anglais *feature* pour désigner le reportage au sens où on l'entend dans la presse écrite.

Dans certains cas, le reportage complète une nouvelle et est donc, lui aussi, étroitement lié à l'actualité (voir Article 1.5 ci-dessous). Dans d'autres cas, le reportage peut paraître à divers moments d'une période sans perdre de son intérêt parce que, contrairement à la nouvelle, il explore des situations, des processus ou des événements durables ou répétitifs, des faits de société, plutôt que des événements ponctuels. Les reportages sur des phénomènes cycliques, saisonniers, par exemple, peuvent même, à la limite, resservir d'un cycle à l'autre... Pensons à la rentrée scolaire, au passage des oies blanches, à l'Halloween ou à la Saint-Valentin, à la récolte des fraises ou des pommes, etc.

Article 1.5

Le bébé du verglas

JUDITH LACHAPELLE
♦ ♦ ♦

« C'est ça le taxi ? » En apercevant le mastodonte roulant couleur kaki de l'armée, Jacqueline Hares était un peu surprise... Mais elle n'avait guère le choix ! Ses contractions se rapprochaient sérieusement et la voiture de son conjoint, Christian, était enlisée dans la glace. Bébé Emmanuelle avait choisi le bon soir pour son arrivée : un vendredi soir de tempête de verglas, au moment où Montréal était plongée dans le noir !

Pourtant, en matinée, sa maman avait eu quelques signes de sa venue prochaine. « Mais on se disait que c'était de fausses contractions, raconte Christian Hares. Elle avait une dizaine de jours d'avance. » Mais au début de la soirée, les choses ont commencé à devenir plus sérieuses. Utiliser la voiture était hors de question, il y avait une demi-heure d'attente pour un taxi et le voisin était absent. C'est justement en sortant quérir de l'aide chez son voisin que Christian Hares a aperçu le camion du caporal Dany Grégoire et du sergent Louis Blouin. « Il s'est lancé dans la rue et nous a fait de grands signes, explique le sergent Louis Blouin. Je pensais qu'il voulait faire une tentative de suicide en se jetant devant le camion ! » Les

deux militaires ont aidé la future mère à grimper dans le véhicule et sont partis à toute allure en direction de l'hôpital Saint-Luc.

« Ça brassait pas mal, se rappelle Christian Hares. J'étais coincé à l'arrière avec des sacs de nourriture. » Étaient-ils nerveux ? « Jacqueline ne semblait pas trop stressée, explique Louis Blouin. Moi, j'ai déjà des enfants, alors je savais ce que c'était, mais le caporal Grégoire, lui, c'était sa première fois ! »

Au coin de la rue, les militaires ont demandé à un policier de la CUM de leur ouvrir le chemin jusqu'à l'hôpital. C'est au son des sirènes tonitruantes que le cortège est arrivé. « Il y avait une autre armée qui nous attendait là-bas, une armée d'infirmières et de médecins. Le policier avait dit par radio que la femme était en train d'accoucher dans le camion ! », rigole Christian Hares. Arrivés à 20 h, Emmanuelle est née vers 22 h 30. « Une belle fille de 6,3 livres et 20 pouces », précise le papa, éclatant de fierté. Emmanuelle a déjà une grande sœur de 14 mois, Raphaëlle, qui, selon les dires de son papa, n'est pas du genre à passer inaperçue dans la maisonnée. Avec une nouvelle fille qui a choisi une telle soirée pour s'installer dans la famille, le quotidien ne risque pas d'être banal chez les Hares...

Le Devoir, 19 janvier 1998

*Un **petit reportage** classique sur la vie quotidienne de gens ordinaires (reproduit ici sans la photographie qui l'accompagnait). On trouvera dans le chapitre VII d'autres exemples de petits ou de grands reportages.*

Collé ou non à l'actualité immédiate (à une ou à des nouvelles), le reportage fait davantage appel à la sélectivité et à la créativité du journaliste que la nouvelle. En effet, à défaut d'un événement bien précis qu'il lui faudrait décrire, l'auteur du reportage doit, pour capter et retenir l'intérêt du lecteur et pour l'informer, trouver des questions nouvelles, des angles intéressants pour en traiter, des sources jusque-là inexploitées, des facettes inusitées d'une réalité. Il doit, de plus, les présenter dans une prose captivante qui les fait voir et vivre et qui marque (implicitement) la présence du journaliste témoin.

Le reportage, toujours fait par un journaliste de la *boîte*[18] et toujours signé, est planifié : s'il est produit, c'est que la direction a décidé d'y affecter un journaliste, d'y investir au moins un peu de temps et d'argent – alors que la couverture de la nouvelle, dictée par l'actualité, n'est planifiable que dans le cas, assez fréquent d'ailleurs, des événements importants annoncés d'avance (congrès, élections, festival, etc.).

Produit maison, plus accrocheur et séduisant que la nouvelle, le reportage est souvent signalé aux lecteurs à la une et valorisé par divers éléments de mise en pages : amorce à la une du journal, une entière d'un cahier, photographie, couleur, chapeau explicatif, etc. On étale parfois sa publication sur quelques jours – et sur beaucoup d'espace, proportionnellement au nombre de mots qu'il comprend. Le chapitre VII traite de la rédaction du reportage.

Le grand reportage

Le grand reportage est habituellement constitué d'une série de textes. Il porte, en principe, sur des dossiers importants, qui amènent l'auteur à y consacrer beaucoup de temps et à se déplacer, souvent à l'étranger. Le journal le mettra encore plus fortement en valeur que le reportage simple, car il représente un investissement considérable et est susceptible de rehausser l'image du journal (« De notre envoyée en Tchétchénie ») tout en attirant des lecteurs.

Le photoreportage

Il s'agit d'un reportage qui table autant, et même plus, sur les images que sur les mots pour informer. Il présente donc un ensemble de photographies relatives à un sujet, encadrées par un texte de présentation et des légendes de photographies assez élaborée (voir Article 1.6). Pièce majeure de certains magazines, dont *Paris Match* est sans doute le plus connu, le photoreportage (ou reportage photo), sans disparaître, s'est fait rare depuis quelques années dans nos quotidiens, peut-être parce qu'il prend beaucoup d'espace et cohabite mal avec la publicité, elle aussi gourmande d'images.

---

18. Ou d'une *boîte* avec laquelle le journal a une entente de partage de certains textes (comme *Le Devoir* en a avec *Le Monde* et *Libération*).

Article 1.6

Une guerre de 30 ans...
Les Œuvres de la Maison du Père célèbrent un important anniversaire

«On ne peut pas vraiment fêter la misère... C'est pourquoi le 30e anniversaire de la Maison du Père est l'occasion de fêter ceux qui font des efforts et qui ont la volonté de se prendre en main», estime avec raison le père Albert.

FRANÇOIS CARDINAL
LE DEVOIR

Pour les plus pieux, le 31 octobre ne sera pas l'apothéose des bonbons et friandises, mais plutôt le moment de se recueillir à l'église pour réfléchir au travail qu'ont abattu les frères de la Trinité depuis maintenant 30 ans par l'entremise des Œuvres de la Maison du Père.

En 1969, le Cardinal Paul Grégoire, s'apitoyant sur le sort des hommes de la rue, avait chargé l'abbé Guy Laforte de fonder un endroit où ceux-ci auraient accès aussi bien à de la nourriture, des vêtements, une douche qu'au logement et au réconfort.

Trente ans plus tard, ils sont plus d'une centaine quotidiennement à profiter du toit que leur offre l'Église aux angles de Rose-Lévesque et Saint-Hubert. Ils sont également une vingtaine de personnes âgées souffrant de toxicomanie, de dépression ou d'alcoolisme à profiter de l'Œuvre. En effet, la Résidence du Vieux-Port les accueille dès qu'ils atteignent 50 ans.

Ce que l'on sait moins, par contre, c'est qu'ils sont également un peu plus d'une douzaine à traire les vaches, à s'occuper des poules, à faire manger les cochons... «Ça donne de bons résultats», affirme le Père Albert Brierley, directeur général des Œuvres. «Ils vivent une expérience de groupe en plein air avec le travail et leurs réflexions.»

C'est dans ce cadre que s'est retrouvé notre photographe Jacques Nadeau le temps d'un reportage de trois jours. Pourquoi rouler trois heures pour prendre quelques clichés? «Je trouve important d'utiliser des événements comme le 30e de la Maison pour montrer des sans-abri dans un milieu autre qu'urbain», affirme le photographe. On ne voit plus le sans-abri, on voit des gens qui veulent s'en sortir».

Le dernier jour d'octobre verra donc le lancement des festivités avec une messe célébrée à la cathédrale Marie-Reine du Monde de Montréal à 14h. Cette eucharistie sera l'occasion de reconnaître et de célébrer les actions effectuées par tous ces hommes sans-abri accueillis dans les services de la Maison depuis 30 ans.

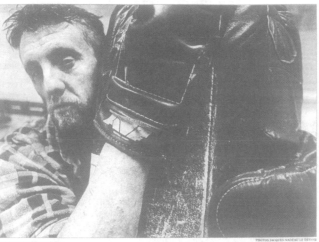

PHOTOS JACQUES NADEAU LE DEVOIR

«POUR CERTAINS, la Maison du Père n'est qu'une pause entre deux brosses. Par contre, la plupart à entre nous tentons vraiment de nous remettre sur pied», raconte Normand. Le décès précipité de sa compagne l'a obligé il y a quelque temps à chercher du réconfort... qu'il a trouvé dans l'alcool. Maintenant, il souhaite s'arrêter pour réfléchir à autre chose qu'à son passé. «La première semaine, l'en arrache mais après ça, plus le temps passe, mieux tu te sens. C'est une question d'attitude». Cette attitude, Normand la consolide en se défonçant dans le sport. «Certains utilisent des médicaments, moi, c'est le sport. C'est le meilleur antistress qui existe. J'ai fait trois et demi de boxe amateur quand j'étais plus jeune, aujourd'hui, je recommence à fréquenter le gymnase.»

SURNOMMÉ Joe Dalton à cause de sa grande ressemblance avec le personnage de Lucky Luke, ce résident de la Maison du Père de Disraeli est certainement le plus jovial... et celui qui a dû remonter la plus grosse côte. Il ne s'en cache pas, à 50 ans, il n'en pouvait plus de dormir sur le béton de la métropole. «L'alcool remplaçait les matelas et les draps, avoue-t-il. J'étais en train de mourir. Je n'ai plus 28 ans et ça faisait neuf ans que je passais toutes mes nuits dehors, hiver comme été.» Après 17 thérapies, Joe pense bien avoir enfin trouvé la solution à ses problèmes. «C'est le meilleur endroit au monde pour des gens comme moi. Je veux pas leur lancer des fleurs pour leur lancer des fleurs mais... pis de toute façon je n'ai pas les moyens de le faire!»

«EN PRENANT soin des animaux, tu prends soin de toi-même», affirme Yvon, 45 ans. En plus de travailler avec les poules, sa tâche lui permet de travailler sur lui-même, de penser à ses bibittes, comme il le dit. «D'une semaine à l'autre, tu changes de job. Quand j'ai travaillé à la cuisine, par exemple, j'ai appris des choses que je n'aurais jamais su faire autrement.» Toutefois, il insiste sur le fait que le travail n'est qu'une petite partie de sa journée. Il y a également toutes les autres heures qui lui permettent de «retrouver [ses] vraies valeurs», de «faire [son] bout de chemin». Le reste, «on le laisse entre les mains de Dieu».

«LES ALCOOLIQUES sont tellement tête de cochon... il ne faut pas leur dire quoi faire, sinon ils se révoltent. C'est à cause de notre maudit orgueil mal placé», admet Joe. «Ici, c'est différent. On a une grande liberté. En plus, on peut travailler et ça, ça nous aide beaucoup.» Par l'entremise des animaux dont ils s'occupent, les résidents apprennent à se responsabiliser davantage et, selon eux, cela fait toute la différence. «Peut-être que le fait de s'occuper des cochons ça semble niaiseux pour certains mais pour nous, ce genre de travail nous prouve qu'on a besoin des autres. Toute ma vie, j'ai tout fait seul. M'occuper des cochons, ça m'apprend à demander de l'aide. Aujourd'hui, je suis moins coléreux, je me sens plus honnête, j'éprouve moins de ressentiment.»

*Le **photoreportage**, pourtant accrocheur, s'est fait rare dans la presse quotidienne.*

Article 1.7

John R. Porter
L'invitation au temps

GENEVIÈVE BOUCHARD

♦ ♦ ♦

■ « Le patrimoine s'étiole s'il n'est pas mis en lumière. Il risque d'être perdu. » Avec ces deux petites phrases, John R. Porter résume la motivation qui l'anime depuis le début de sa carrière. Entre un choix d'études qui a fait sourciller ses proches et l'organisation d'expositions de niveau international, le directeur général du Musée national des beaux-arts du Québec (MNBAQ) aura travaillé sans relâche pour faire sortir de l'ombre les richesses culturelles d'ici et d'ailleurs.

Le muséologue de Lévis a reçu mardi le prix Gérard-Morisset, la plus haute distinction accordée par le gouvernement du Québec dans le domaine du patrimoine. Cet hommage vient couronner plus de 30 années de dévouement à l'art, aux musées et à leurs visiteurs.

C'est d'abord cette passion qui frappe lorsqu'on se présente au Musée national des beaux-arts pour rencontrer son directeur : un attachement profond pour les lieux et ceux qui y déambulent.

« Tout ça, ce n'est pas arrangé ! » lance-t-il au passage d'un groupe de jeunes enfants profitant des richesses de l'établissement lors d'une sortie pédagogique. Du même souffle, John R. Porter ajoute qu'il se plaît, souvent, à regarder les frimousses qui meublent invariablement les salles du Musée. « On peut déjà voir lesquels seront plus intellectuels », confie-t-il avec un clin d'œil.

VERVE ET CONNAISSANCE

« Un si beau talent… » C'est le soupir d'incompréhension qu'a pu entendre John R. Porter à la fin des années 60, alors que son choix de carrière s'arrêtait sur l'histoire de l'art. « J'avais toujours été dans les premiers de la classe. C'est certain qu'en m'en allant dans une discipline qui, d'ailleurs, n'existait même pas encore à l'Université Laval, je passais un peu pour un poète et j'en ai surpris plus d'un ! »

En attendant de s'inscrire au nouveau programme d'histoire de l'art, M. Porter a entrepris des études en histoire, choix judicieux qui lui a permis de rencontrer la femme qui partage encore sa vie aujourd'hui.

Dès que l'occasion s'est présentée, celui qui a découvert les chefs-d'œuvre artistiques grâce à une section bien garnie de la bibliothèque locale a arrêté son choix de spécialisation sur l'art ancien au Québec.

« En trois ans de formation, il n'y avait qu'un seul cours qui traitait du sujet, se rappelle le muséologue. Mais ce cours a donné lieu à un travail de recherche qui s'est soldé en une publication et une exposition ici même, au Musée du Québec. On peut dire que tout a commencé sur les chapeaux de roues ! »

À partir d'une si belle lancée, la suite ne pouvait qu'être fructueuse. « J'ai eu la chance de travailler dans trois très grands musées », admet le directeur du MNBAQ, qui a aussi occupé le poste de conservateur adjoint à la Galerie nationale du Canada à Ottawa et celui de conservateur en chef du Musée des beaux-arts de Montréal.

À travers ces emplois, John R. Porter s'est appliqué à transmettre son savoir en offrant des cours l'Université Laval. […]

« Pour moi, l'université est synonyme de réflexion tandis que le musée, c'est le travail tangible. Mais il est vrai que j'ai beaucoup donné de cours. […]

LES DEUX JEAN-PAUL

John R. Porter peut se vanter d'avoir orchestré l'un des plus grands succès muséologiques de la Vieille Capitale. En 1998, l'exposition *Rodin à Québec* avait attiré 525 000 visiteurs dans l'établissement des plaines d'Abraham et généré des retombées économiques de 56 millions $.

« Les gens ne s'en rendent pas toujours compte, mais une exposition, c'est du théâtre !, illustre-t-il avec enthousiasme. C'est un regroupement d'œuvres qui n'ont souvent jamais coexisté. […]

Mais lorsqu'il se penche sur ses plus grandes réalisations professionnelles, John R. Porter tourne son regard vers la collection du Musée et les artistes qui la composent. « Je suis particulièrement content d'avoir créé deux salles pour ceux que j'appelle mes deux Jean-Paul (Riopelle et Lemieux). Grâce à nos efforts, nous avons réussi à réunir sur ces peintres les plus importantes collections publiques au Canada. »

John R. Porter considère chaque nouvelle acquisition comme un défi. Mais certaines œuvres ont offert plus au passionné d'art qu'un accomplissement de spécialiste.

Quand il évoque cet après-midi passé à l'île aux Grues en compagnie de Jean-Paul Riopelle dans le but d'acquérir l'immense triptyque *Hommage à Rosa Luxembourg*, le visage encore juvénile du directeur du Musée s'illumine.

« Il est arrivé ce moment fatidique où le peintre a dit : "Je vous la donne". Je le vois encore se pencher et écrire "Riopelle" de sa main tremblante. Et en remontant dans le petit avion qui allait me faire traverser les glaces du Saint-Laurent, je me suis dit : "T'as eu raison, ça valait la peine !" »

ÉPICURIEN

En visitant le Musée national des beaux-arts du Québec, il ne faut pas s'étonner de voir son directeur général s'attarder devant les tableaux.

« Je ne suis pas un administrateur cantonné dans son bureau, admet John R. Porter. Quand ça commence à aller mal, je vais dans les salles. Ça permet de revenir sur ce qu'on a fait et d'y goûter un peu. »

S'il passe une grande partie de son temps au boulot, le dg est loin d'être un bourreau de travail.

« C'est une drôle de phrase à dire, mais j'aime être heureux. J'ai la même blonde depuis une trentaine d'années, j'ai deux enfants formidables, j'apprécie le vin, la bonne nourriture et les voyages… Au fond, je suis un épicurien ! »

John R. Porter envisage les musées comme une invitation au temps, comme un remède à une vie trépidante qui nous empêche de voir au-delà de la routine quotidienne. Cette leçon, le muséologue se la remémore chaque fois que sa fonction le met en contact avec des trésors. Comme ce jour de l'année dernière où le MNBAQ a mis la main sur des aquarelles de Fisher, oubliées depuis des lustres. « Mon collaborateur a ouvert la boîte et une œuvre est apparue sous mes yeux. Personne ne l'avait vue depuis deux siècles et on venait de lui redonner vie ! Là, il a fallu s'arrêter… Quand ce genre de moment arrive, on a le devoir de le goûter et de le partager ! »

Le Soleil, 14 novembre 2004

Dans sa série Les lauréats de Québec, Le Soleil *trace un **portrait** de John R. Porter (reproduit ici sans la note sur la série et sans les trois photographies qui accompagnaient l'article).*

Le portrait

Le portrait est un article destiné à faire connaître ou mieux connaître aux lecteurs une personne au cheminement exceptionnel, à la personnalité remarquable ou à la pensée profonde – vedette de la scène, scientifique de pointe, penseur influent, sportif de haut vol, militant dévoué, bienfaiteur de l'humanité, récipiendaire de prix prestigieux, etc (voir Article 1.7 ci-dessus). L'auteur y combine normalement des éléments factuels, biographiques, notamment, et des citations de la personne portraiturée, qu'il a normalement interviewée pour préparer son article. Si on trace le portrait d'une personne, c'est souvent qu'on éprouve à son égard de l'admiration et qu'on veut la faire mieux comprendre du public ; aussi, bien des portraits relèvent-ils à la fois du rapportage, de l'explication et du commentaire. Le portrait peut aussi tracer le profil d'un collectif : groupe, entreprise, institution, etc (voir Article 1.8 ci-dessous).

Article 1.8

PORTRAIT

Un succès conjugué au féminin

En trente ans, le Centre des femmes de Montréal a aidé environ 500 000 femmes en situation financière difficile

Il existe au numéro 3585 de la rue Saint-Urbain à Montréal une maison qui a un passé d'un certain intérêt historique, mais qui a surtout un présent très précieux pour de nombreuses femmes et un avenir sans doute assuré avec un projet de rénovation et d'agrandissement de 2,4 millions de dollars du financement duquel 78 % a été atteint.

CLAUDE TURCOTTE

♦ ♦ ♦

Il s'agit d'un pur cas d'économie sociale, puisque cette maison est la propriété du Centre des femmes de Montréal, une organisation qui célèbre son 30e anniversaire ce mois-ci et qui est à ce jour venue en aide à environ 500 000 femmes en situation financière difficile. Cette PME fonctionne avec un budget annuel de deux millions ; elle a 46 employés, 200 bénévoles, un conseil d'administration composé de 12 femmes et une directrice générale, Johanne Bélisle, à la tête de cette ruche qui bourdonne d'activités comme jamais auparavant.

Certains des propriétaires antérieurs de cette maison furent d'illustres personnages. Trefflé Berthiaume, celui-là même qui donna son envol au journal *La Presse*, fit construire cette résidence pour lui et sa famille en 1856, il y a donc 147 ans. Victor Morin, cet homme de loi qui rédigea le fameux code Morin, devenu la bible du bon déroulement procédural de leurs délibérations, en devint propriétaire. Ensuite, la maison accueillit l'École des infirmières de l'Hôpital Sainte-Jeanne-d'Arc, construit juste en face, de l'autre côté de la rue Saint-Urbain.

Une ligne téléphonique

Plus tard, la propriété fut abandonnée. Toutefois, l'effervescence syndicaliste et féministe des années 1970 allait lui redonner vie d'une manière sans doute imprévisible. Des femmes journalistes du quartier décidaient d'ouvrir une ligne téléphonique pour les femmes. Elles débordaient de demandes, ce qui amena en 1973 la création du Centre d'information et de référence pour femmes, grâce à une subvention de Centraide. Au début, il s'agissait surtout d'aider les immigrantes et de renseigner les femmes sur leurs droit légaux, grâce au bénévolat de stagiaires en droit de l'Université McGill.

Mais, rapidement les services se sont élargis avec des cours de français aux immigrantes à partir de 1979 et l'aide à l'intégration au marché du travail en 1984. Le Centre avait acquis l'immeuble en 1983, mais il l'occupait déjà depuis 1974, alors que les femmes l'avaient squatté ! Elles ne l'ont jamais quitté depuis. La lutte contre la pauvreté fut depuis le début un objectif prioritaire, en offrant le dépannage alimentaire, dont 6600 adultes et 3400 enfants ont pu profiter en 2001 ; il y a eu en outre le dépannage vestimentaire auprès de 260 femmes cette même année. Moisson-Montréal et Le Chaînon sont des partenaires précieux dans ces activités. En outre, il y a les campagnes de Noël ; la plus récente a permis la distribution de sacs d'épicerie à 1300 familles, soit 4000 personnes. La Fondation Jacques Francœur, qui est l'un des principaux mécènes du Centre, a offert pour sa part 1300 poulets.

Plusieurs activités visent à l'intégration dans la société et sur le marché du travail. L'une des techniques utilisées est celle de la cuisine collective. Les femmes participantes doivent acheter et cuisiner ensemble dans un lieu réservé à cet effet, ce qui est une façon de recréer ici les liens qui existaient dans le pays d'origine. Il y a aussi des services psychosociaux touchant tous les aspects de la vie d'immigrante, y compris la violence conjugale et l'inceste. Le Centre offre par exemple un service d'accompagnement à la cour en plusieurs langues. Plus récemment, on a ajouté le service aux victimes de la violence organisée, dans des situations de guerre.

Un emploi stable

L'objectif ultime demeure toujours d'aider ces femmes à se trouver un emploi stable et rémunérateur sur le marché du travail. À cet égard, le Centre a mis en place quatre modules, comme l'explique Leesa Hodgson, chargée des services d'emploi. Un premier module vise les femmes absentes du marché du travail depuis plusieurs années, des femmes peu scolarisées. On fait avec elles le bilan de leurs acquis transférables dans un emploi ; on leur apprend à donner des entrevues à un patron potentiel et on leur propose l'accès à une banque de

Suite à la page suivante ▶

patrons comprenant des centaines d'entreprises avec lesquelles le Centre maintient des contacts afin de mieux connaître les besoins du marché du travail.

Un second module vise les femmes ayant immigré il y a moins de cinq ans et est financé par le ministère de l'Immigration. On travaille par exemple à la reconnaissance des diplômes, à l'information et à la formation des employeurs et des futures employées pour que l'adaptation des unes et des autres soit facilitée. Le Centre organise des stages en entreprise.

En troisième lieu, le Centre aide les femmes «à sortir des ghettos roses moins payants» en les guidant vers des emplois non traditionnels, c'est-à-dire dans les milieux de travail où la présence féminine est de moins de 33 % comme en haute technologie ou dans la police. On les aide alors en matière de services d'orientation, de recherche d'emploi et de formation en collaboration avec les établissements d'enseignement. Le taux de réussite dans ces démarches est de 87 %, ce qui est remarquable, mais s'explique du fait que rien n'est laissé à l'aveuglette. Plusieurs femmes venant des pays de l'Europe de l'Est après l'effondrement du mur de Berlin ont profité de ces services.

Enfin en 1998, le Centre a lancé le service de la Cinquantelle pour les femmes de 50 ans et plus désireuses, par plaisir mais généralement par besoin, de retourner sur le marché du travail. Certaines retraitées, y compris des infirmières, ont sous-estimé leurs besoins financiers avant de prendre leur retraite. Il s'en trouve déjà qui veulent travailler jusqu'à 65 ans et davantage, mais le nombre de ces femmes augmentera, prévoit Mme Bélisle, d'où l'importance d'assurer dès maintenant des services de formation continue, de prévoir des postes ergonomiques et une plus grande flexibilité dans les horaires. Le taux de réussite de réintégration au marché du travail pour ces personnes plus âgées qui passent par le Centre est de 65 %. La Cinquantelle a lancé en 2002 un projet de sensibilisation des employeurs et des instances concernées face au maintien en emploi des femmes de plus de 55 ans.

Il y a déjà 10 ans que les dirigeants du Centre caressaient le rêve de rénover et agrandir cet immeuble qui aura un siècle et demi dans trois ans. Le mois dernier, le gouvernement du Québec annonçait un don de 1,1 million dans le cadre de ce projet, auquel ont aussi contribué les Fondations Marcelle et Jean Coutu, J. Armand Bombardier et Jacques Francœur. Il manque encore 750 000 $ pour atteindre l'objectif de près de 2,4 millions. Le projet démarre maintenant et la mise en chantier est prévue pour l'automne prochain. Le nouvel édifice permettra de regrouper sous un même toit tous les services qui sont maintenant dispersés un peu partout en ville et même jusqu'à Pointe-aux-Trembles.

Le Devoir, 6 janvier 2003

Ce jour-là, Le Devoir *offre le portrait d'un groupe plutôt que celui d'une personne (reproduit ici sans la photo). On précise au-dessus du titre, comme cela se fait souvent quand il ne s'agit pas d'information rapportée, qu'on est dans le genre* portrait. *Ce faisant, on lève l'incertitude qui pourrait planer dans ce cas sur le genre rédactionnel de l'article (reportage ? analyse ?). Cet exemple montre que les frontières entre les genres sont parfois imprécises.*

L'interview

Le terme interview désigne à la fois un *genre* journalistique et une *technique* de collecte de l'information utilisable dans la préparation de n'importe quel texte de presse ; cette technique consiste à faire parler une personne source pour en obtenir des informations. L'interview en tant que genre suppose toujours le recours à la technique de l'interview, à l'entretien[19] avec une personne. Le genre a en commun avec le portrait de cibler une seule personne[20] à cause de sa personnalité ou de son rôle hors du commun dans la société – ou, encore, à cause de sa compétence reconnue relativement à une question qui fait l'actualité (l'« expert »). On interroge un individu simplement parce que, étant ce qu'il est, on estime que ses propos offrent en soi de l'intérêt pour le journal et pour le lecteur. L'essentiel de l'article consiste à rapporter ses propos. L'article est parfois rédigé en texte libre, faisant alterner énoncés de l'auteur, citations directes et citations indirectes, parfois dans un format questions-réponses systématique (voir les articles 1.9 à 1.11).

Par l'accent qu'ils mettent sur l'explication et la mise en perspective pour les lecteurs, certains portraits et entrevues se rattachent plutôt à l'actualité expliquée ; d'autres, par le fait que leur auteur prend position, sont plutôt associés à l'information commentée.

---

19. On dit, selon les auteurs, entretien, entrevue ou interview.
20. Exceptionnellement, deux ou trois personnes rattachées à un même groupe.

Article 1.9

Jean Charest au *Devoir*
Une irrésistible envie de gouverner

Malgré une cote de popularité encore faible, le chef du PLQ Jean Charest est fier de la performance de son parti cet automne et l'approche des élections le stimule. Voici, en cette fin d'année, la deuxième des entrevues réalisées avec les chefs des trois principaux partis politiques québécois.

KATHLEEN LÉVESQUE

◆ ◆ ◆

L'imminence du prochain scrutin galvanise Jean Charest. Détendu et rieur à quelques jours du congé des fêtes, le chef libéral cherche à se départir de l'ennuyeux chapeau de chef de l'opposition officielle. Et avec la fin de l'année 2002, M. Charest n'a qu'un souhait : ranger ce rôle au placard de façon définitive.

« Je ne cache pas que l'approche des élections me motive davantage. C'est dans le dernier droit que je suis à mon meilleur. Il y a aussi un autre élément très important, c'est que je sors du rôle de chef de l'opposition pour assumer celui de [chef de] gouvernement. C'est pour ça que je suis en politique : gouverner, faire des choses », assure Jean Charest en entrevue au *Devoir*. […]

Le Devoir, 30 décembre 2002

Article 1.10

L'ENTREVUE
La science au secours des marmitons
Le chimiste Hervé This s'attaque aux idées reçues de la cuisine

PAULINE GRAVEL

◆ ◆ ◆

« Je ne suis pas du genre à manger sans comprendre », lance Hervé This, star mondiale de la gastronomie moléculaire. Ce chimiste passionné de littérature et de bonne chère ne pouvait mieux résumer la grande préoccupation de sa vie : comprendre les phénomènes physiques et chimiques qui sous-tendent les procédés culinaires qui nous ont été transmis par nos grand-mères et qui sont décrits dans nos livres de recettes.

Comment réussir la mayonnaise ? Comment faire des soufflés bien gonflés ? Comment cuire les viandes pour qu'elles soient tendres ? Hervé This tente de répondre à toutes ces questions en dosant sucre, huile, beurre et eau dans son laboratoire du Collège de France où casseroles et éprouvettes ont le même statut.

« Les recettes de cuisine règnent en despotes », s'insurge ce physico-chimiste de la gastronomie dans son *Traité élémentaire de cuisine* publié chez l'éditeur Belin. […]

Le Devoir, 30 décembre 2002

Article 1.11

L'ENTREVUE
Le pouvoir magique du conte
Il était une fois… Fred Pellerin et la grande marmite d'une imagination que rien n'entrave

Fred Pellerin a reçu le Prix Mnémo 2003 pour son récent recueil intitulé *Il faut prendre le taureau par les contes*, ainsi que pour l'audioguide qu'il a réalisé pour l'exposition *Mains de maîtres* présentée au Musée des maîtres et des artisans du Québec. Né à Saint-Élie-de-Caxton, un village mauricien dont il a fait le pivot de son univers narratif, Fred Pellerin se définit comme un « conteux ». Cet oiseau rare tient du lutin, d'une aïeule conteuse (la sienne) et de tous ces grands monologuistes qui ont travaillé la langue jusqu'à la réinventer.

SOLANGE LÉVESQUE

◆ ◆ ◆

De congrès de denturologistes en animation de camps de vacances, de salles paroissiales en salles parallèles, l'air de rien, Fred est en train de conquérir la francophonie. Auteur de deux recueils (accompagnés de CD) et de la chronique bimensuelle « Village » à Indicatif Présent (Première chaîne de la radio de Radio-Canada), il amorcera l'année 2004 par une tournée de quatre mois en France, au Québec, en Ontario et en Belgique. Attachez bien vos tuques ! Fred Pellerin n'a pas fini de vous faire voyager.

Écouter Fred Pellerin, c'est appareiller pour le pays de la parole, oublier qui on est, où on se trouve et quelles lois logiques balisent la vie quotidienne. Né d'un père comptable et d'une mère conteuse qui lui racontait l'histoire de *La Petite Poule rouge* et de ses poussins, Fred Pellerin commence par mener à terme des études universitaires en littérature. Mais il est bientôt happé par le plaisir de raconter. « Le conte donne la parole à ceux qui n'auraient pas nécessairement droit de parole ; c'est l'artisanat qui […]

Le Devoir, 22 décembre 2003

*Politique, art, cuisine : peu importe la sphère d'activité de l'acteur social, rien ne vaut l'**entrevue** pour faire saisir sa personnalité et ses positions. Pour attirer et informer les lecteurs, le journal situe souvent l'entrevue. Il peut le faire, très concisément, par un titre ou un sous-titre bien explicite (« Le chimiste Hervé This s'attaque aux idées reçues de la cuisine »). S'il veut donner un peu plus de détails, il recourt à un chapeau, au double sens typographique (texte monté sur plus de colonnes que l'article qu'il coiffe) et journalistique (texte qui précède et présente un article), comme dans les entrevues de Jean Charest et de Fred Pellerin. Notons que les trois entrevues portent la mention de leur genre, dans le chapeau pour ce qui est de l'entrevue de Charest, au-dessus du titre dans le cas des deux autres. (Articles reproduits ici sans les photographies.)*

LES PRINCIPAUX GENRES DE L'INFORMATION *EXPLIQUÉE*

Le dossier

On le repère facilement, car il est identifié et même annoncé comme tel et on le trouve surtout dans les journaux de fin de semaine. Il peut comprendre plusieurs textes sur un même sujet et il est parfois écrit, en tout ou en partie, par un expert qui n'appartient pas au journal (mais qui travaille en relation avec un journaliste responsable du dossier). C'est un article ou un ensemble d'articles de fond qui tente de faire le point sur un événement ou une situation complexe.

Depuis quelques années, il arrive que des journaux nomment dossiers des textes qu'on pourrait mieux classer comme reportages ou grands reportages. Plus généralement, on voit maintenant, surtout dans les éditions de fin de semaine, toutes sortes de textes coiffés de la mention dossier, qui n'ont en commun avec le véritable dossier que d'occuper un assez grand espace, plus souvent à cause de la photographie ou de l'infographie que de l'ampleur du texte.

L'analyse

En général, elle est aussi identifiée comme telle ou désignée par un synonyme quelconque ; ainsi, les *Perspectives* que *Le Devoir* présente sont, sauf exception, des analyses (voir Articles 1.12 et 1.13). C'est un « papier » généralement de moindre envergure que le dossier qui cherche à expliquer aux lecteurs les tenants et les aboutissants d'une question assez précise. Les deux genres, dossier et analyse, facilitent le suivi et la compréhension de l'actualité.

Article 1.12

PERSPECTIVES

George W. au pays de l'or noir africain

L'Afrique – et plus particulièrement ses ressources pétrolières – fait actuellement l'objet d'une attention diplomatique sans précédent de la part des États-Unis. Question cynique : fallait-il que la « renaissance africaine » passe par les attentats du 11 septembre 2001 ?

Guy Taillefer

Qu'est-ce qui fait tout à coup courir la Maison-Blanche en Afrique ? Son or noir, qui prend tout à coup du galon à l'échelle des « intérêts stratégiques » de George W. Bush, dans la foulée des attentats du 11 septembre 2001 et dans la perspective d'une attaque militaire appréhendée contre Bagdad.

Objectif : diversifier les approvisionnements américains, se prémunir contre les chocs pétroliers et faire contre-poids à l'OPEP (l'Organisation des pays exportateurs de pétrole), dont les pays membres fournissent aux États-Unis à peu près la moitié du brut qu'ils consomment.

Le secrétaire d'État Colin Powell a effectué début septembre des visites officielles dans les États pétroliers de l'Angola et du Gabon – dans ce dernier pays, aucun secrétaire d'État n'avait jamais mis les pieds. Washington a indiqué vouloir rouvrir un consulat en Guinée équatoriale et construire une ambassade à Luanda, où les diplomates américains travaillent dans des locaux temporaires. M. Bush a d'autre part l'intention d'effectuer une tournée africaine au début de l'année prochaine. Les États-Unis viennent par ailleurs d'intervenir dans le conflit civil en Côte d'Ivoire, ce qui témoigne, selon Céline Thiriot-Abraham, chercheuse à Paris au Centre d'études sur l'Afrique noire, de la volonté croissante des Américains de creuser leur présence en Afrique francophone, aux dépens même de la France.

Toute cette attention n'est pas normale. Jusqu'à la chute de l'URSS, le continent africain n'a jamais été considéré que comme le sordide terrain de jeu de la guerre pas si froide entre l'Ouest et l'Est. La dictature de Mobutu dans son ex-Zaïre (aujourd'hui le Congo) en est un parfait exemple. Ensuite, Bill Clinton a voulu stimuler les échanges commerciaux avec l'Afrique, tout […]

Le Devoir, 3 octobre 2002

Article 1.13

PERSPECTIVES

Vendeuse de permis ?

Hydro échange-t-elle le Suroît contre la dette de GE à SM-3 ?

Le président d'Hydro-Québec, André Caillé, confirmait avant-hier qu'il songeait à céder le Suroît à General Electric (GE), le fournisseur de la turbine à gaz de cette centrale. Il se pourrait bien que cette négociation, tenue secrète jusqu'à hier, cache l'amorce d'un important règlement hors cours en ce qui concerne les pertes encourues à cause du mauvais fonctionnement des turbines de GE à la centrale de Sainte-Marguerite 3, sur la Côte-Nord.

Louis-Gilles Francœur

◆ ◆ ◆

Hydro ne peut pas vendre la centrale du Suroît à General Electric (GE) parce qu'elle n'existe pas. Pas encore, du moins. Tout ce qu'Hydro-Québec peut céder ou vendre à ce stade-ci, c'est le certificat d'autorisation que devra lui émettre le ministre de l'Environnement, Thomas Mulcair, à la suite du feu vert accordé par le conseil des ministres.

> **Le public doit prendre la véritable mesure de la gestion des réserves nationales d'électricité**

Il y a quelques années, le conseil consultatif d'Hydro-Québec avait accusé la société d'État de blanchir des mégawatts provenant des centrales thermiques américaines, achetés la nuit et revendus le jour sous l'étiquette d'énergie verte. Faudra-t-il maintenant ajouter aux nouveaux marchés d'Hydro-Québec celui de courtier en permis ? La question ne relève pas de la boutade et porte à conséquence, notamment pour le ministre de l'Environnement.

En levant le voile sur ces négociations, le président d'Hydro-Québec a insisté sur sa préférence, c'est-à-dire « garder toutes les options ouvertes » dans le dossier du Suroît, dont le public croyait connaître les véritables paramètres. Il serait surprenant que le président d'Hydro-Québec cherche seulement à obtenir un prix plus avantageux de GE sous prétexte que la nouvelle turbine, si performante, n'a pas encore prouvé son efficacité, ce qu'il n'avait pas dit en annonçant l'achat de cette merveille, il y a deux semaines. Il faudrait être obtus pour ne pas voir qu'Hydro-Québec se retrouve en position de troquer un permis, émis dans un contexte où son statut de représentant de la collectivité a fait la différence, contre des enjeux économiques, notamment les 75 millions en pertes de production encourues à la centrale SM-3, où les problèmes des deux turbines de GE ont fait perdre à Hydro-Québec 1,2 térawatt-heure depuis un an.

La centrale SM-3 ne cesse de jouer de malchance. Ce furent d'abord des fissures dans les galeries de la centrale, qui ont requis des travaux de colmatage qui ont coûté 60 millions. Début 2003, les premiers essais de la première turbine de GE – ces deux appareils de 440 MW seront les plus puissants au Québec – ont révélé un bris à l'alternateur, attribué à un problème d'assemblage, a expliqué Christine Martin, d'Hydro-Québec. En mai 2003, d'autres tests sur la deuxième turbine GE ont permis de déceler des fissures dans la roue à eau. Une puissante résonance empêche la turbine de produire plus de 300 MW, ce qui permettra néanmoins d'écouler le surplus d'eau du réservoir, qui s'écoule en pure perte depuis 2001, date à laquelle la centrale SM-3 devait entrer en fonction. Depuis la mi-décembre, les deux turbines ronronnent à 300 MW, soit 260 MW de moins que prévu. GE a accepté de refaire les deux nouvelles roues à eau l'an prochain.

Pour l'instant, Hydro refuse d'entamer des poursuites […]

L'analyse porte habituellement la mention **analyse** *ou une mention semblable, comme ici ces deux* Perspectives *(Articles 1.12 et 1.13, partiellement reproduits). Les journalistes, devenus experts dans un domaine, mettent leur science au service des lecteurs et leur exposent, au-delà du factuel et de l'événementiel, des dimensions plus profondes de l'actualité : historique, causes, convergences et divergences, stratégies, enjeux, conséquences.*

Le Devoir, 24-25 janvier 2004

LES PRINCIPAUX GENRES DE L'INFORMATION *COMMENTÉE*

La chronique

La chronique[21] présente divers traits qui la rendent aisément reconnaissable :

- La chronique est le fait d'un *chroniqueur* : c'est toujours le même journaliste qui rédige une chronique donnée, il en est le titulaire ;
- La chronique est… chronique. Le lecteur sait quand il peut la trouver dans le journal, car sa *périodicité* est fixe : tous les jours, ou tous les mercredis, ou les mardis et les jeudis, etc.

---

21. Chronique, chroniqueur, *column*, *columnist* en anglais. Un *syndicated columnist* est un journaliste dont la chronique est achetée et publiée par plusieurs journaux.

- Il sait aussi où il la trouvera dans le journal car, en général, une chronique occupe d'une fois à l'autre le même *emplacement* – et couvre souvent la même surface et est présentée dans la même mise en pages : montage sur un carré ou un rectangle, police et grosseur de caractères particulières, photographie et signature, encadré, etc.
- Le *style* de la chronique est, en général, personnel, vivant, voire piquant. Contrairement à la nouvelle, la chronique est souvent lue autant pour la façon dont l'auteur dit les choses que pour ce qu'il dit, autant pour la forme que pour le fond[22]. Le style, c'est le chroniqueur !

Voilà pour les constantes. Pour le reste, la chronique est le genre variable par excellence. Certaines sont *spécialisées,* elles s'en tiennent à une rubrique particulière – politique, argent, sport, automobile, droit, chasse et pêche, radio et télévision, informatique, éducation, etc. D'autres sont *libres* : l'auteur y aborde tous les thèmes, au gré de ses humeurs et de l'actualité. C'est « la chronique à Chose » – à Foglia, à Bombardier, à Gil Courtemanche, à Lysiane Gagnon, à Jean Dion, à Jean-Simon Gagné, à Michel C. Auger… On la lit pour savoir ce que Chose pense de tout et de rien, comment il en parle, à qui il donne des coups de griffe, à qui il envoie des fleurs.

Article 1.14

La visite guidée*

Les voyages forment la jeunesse, dit-on. Mais avec les guides de voyages, ce n'est pas toujours sûr. Il y a plusieurs années, j'avais lu dans l'un de ces guides que les Bulgares veulent dire « non » lorsqu'ils hochent la tête de haut en bas. À l'inverse, selon le damné livre, il fallait comprendre « oui » lorsqu'ils secouaient la tête de gauche à droite. Exactement le contraire de nos habitudes.

Quand ils font « oui » avec la tête, ça veut dire « non ».

Et quand ils font « non », ça veut dire « oui ».

Hein ?

Bon d'accord, je sais que tout cela apparaît un peu compliqué. Votre connaissance du bulgare non verbal laisse un peu à désirer. Alors je répète pour le grand rouquin qui somnolait dans son fauteuil. Pour vous aussi, madame. Ne venez-vous pas de relire trois fois les premières phrases de cette chronique en grinçant des dents ?

Vous êtes prêts ? Je recommence. Selon mon guide de voyages, les Bulgares signifiaient « non » en opinant du bonnet et

Jean-Simon Gagné

« oui » en remuant la tête de gauche à droite.

Les cyniques en concluront que ces diables de Bulgares sont prêts à participer à un référendum sur la souveraineté du Québec, là où un « oui » veut parfois dire « non » et où un « non » veut parfois dire « oui ».

Ça ne fait rien. Rendu à ce point, je demanderais aux cyniques de garder leurs farces plates pour eux.

Sinon, nous n'en sortirons jamais.

* * * * *

Où en étions-nous, déjà ? Ah oui ! Après avoir appris le sens caché du hochement de tête chez le Bulgare moyen, je me sentais fin prêt à traverser la frontière du pays. Vous devinerez mon émotion lorsque je me suis finalement retrouvé devant un douanier bulgare, au bout d'une route poussiéreuse qui partait de la Roumanie voisine. En voyant mon passeport, le gars m'a demandé : « Kanada » ?

Je me suis concentré un peu et je lui ai signifié « oui » comme l'indiquait mon guide de voyages :

Suite à la page suivante ▶

* *Voici quelques exemples de chroniques (voir p. 22 à 29)*

---

22. Ceci s'applique rarement à la chronique de services, rédigée non pas par un journaliste, mais plutôt par un expert en ceci ou cela (nutritionniste, médecin, vétérinaire, avocat, fiscaliste, horticulteur, etc.) qui donne des informations et des conseils professionnels. On a donc ici un autre cas où la matière rédactionnelle dépasse la matière proprement journalistique.

en remuant la tête de gauche à droite.

N'importe où ailleurs, cela aurait voulu dire « non ». Mais pas ici. Mon guide l'assurait.

J'étais fier de mon coup. À ma grande surprise pourtant, le douanier a froncé les sourcils. Il s'est mis à lire attentivement mon passeport avant de répéter sa question : « Kanada » ?

Une fois de plus, imprégné de ma connaissance fort approximative des coutumes bulgares, je lui ai répondu « oui » en secouant la tête de gauche à droite. Je devais avoir le sourire niais du somnambule qui se vautre dans le lait chaud en croyant voler parmi les nuages.

Le douanier m'a alors regardé comme si je venais de piétiner sa casquette. Il s'est mis à poser très vite une série de questions où je distinguais seulement les mots « Kanada », « Passeport » et « Visa ».

« Kanada ? Visa ? Passeport ? Kanada ? Passeport ? »

Au début j'ai essayé de suivre son rythme. Selon le cas, je faisais le « oui » bulgare avec la tête. Puis le « non ». Puis encore le « oui ». À la fin, je commençais à me fourvoyer un peu. À force d'agiter la tête dans tous les sens,

je commençais d'ailleurs à me sentir un peu étourdi.

Pas de chance. Le visage devenu soudain cramoisi, le douanier m'a suggéré par un grand geste de retourner sur mes pas, en direction de la Roumanie.

Il a ensuite utilisé un signe quasi universel en se tapotant la tempe avec son index. Toc-toc-toc.

Et là, pour la première et unique fois de mon existence, j'ai compris le Bulgare.

J'ai même saisi instantanément qu'il me traitait de fou furieux.

* * * * *

Je n'ai jamais su si ce que racontait mon guide de voyages sur la Bulgarie était vrai. Mais depuis ce jour, je me méfie un peu de ce genre de livres.

Je les ausculte, je les soupèse, je les compare les uns avec les autres. Et parfois, je tombe sur des perles qui dépassent l'imagination.

Comme avec l'édition de cette année du *Guide du routard* sur le Québec et les provinces maritimes.

Aux pages 120 et 121 de l'édition 2000-2001, on retrouve un texte sur les Inuits que l'on

croirait sorti du délire d'un missionnaire qui aurait confondu l'absinthe et l'eau bénite. À moins qu'il n'ait trempé ses retailles d'hosties dans le LSD. En plus de confondre les Innus (Montagnais) et les Inuits, les pages du *Guide du routard* semblent avoir été rédigées il y a 50 ans.

Aujourd'hui, la plupart des Inuits sont encore nomades. (…) Leur lieu de résidence varie selon les saisons, leur maison est de neige l'hiver et de peaux l'été. (P.120)

Pas mal non ? Mais je vous préviens tout de suite, le meilleur est à venir. Plus loin, le Guide évoque les caractéristiques biologiques des Inuits, un peu comme on le ferait pour le régime alimentaire du troupeau de caribous de la rivière Georges. On jurerait un documentaire du commandant Cousteau sur la domestication du phoque du Groenland. On ne parle pas d'une saison du rut, mais c'est tout juste.

L'Innu (sic) est doté de gènes qui l'ont pourvu d'un métabolisme extrêmement efficace. Il lui faut peu pour survivre. Dans les maisons que lui a données l'État et qui favorisent

la sédentarisation, il mange trop, il a trop chaud, il ne bouge pas assez. (P. 121)

Pas facile la vie dans le Grand Nord, vous en conviendrez. Mais heureusement, à en croire ce bon Guide, les Inuits sont de bonnes bêtes de somme. Toujours prêts à rire et à célébrer au milieu de leurs malheurs d'un autre âge. Comme les indigènes à moitié nus qui faisaient la fête au bon bwanas français, malgré leur bol de riz vide, au temps béni des colonies.

Les plus forts seulement survivent, les famines sont fréquentes, la mortalité élevée. Ce qui n'empêche pas l'Innu (sic) d'être foncièrement gai et d'une générosité peu commune. (P. 120)

Qu'un Guide se prétendant sérieux puisse écrire des énormités pareilles, avouez que cela dépasse l'entendement. Je vous vois hocher la tête d'un air entendu. Mais après mon voyage éclair aux douanes bulgares, je n'ai pas le courage d'essayer de deviner ce que vous voulez dire.

Disons que je l'interpréterai comme un signe d'approbation.

Le Soleil, 31 mai 2000

Spécialisées ou libres, certaines chroniques font dans l'opinion, d'autres s'en tiennent plutôt à l'explication. D'autres encore sont à géométrie variable, commentant joyeusement un jour, expliquant le lendemain, et combinant le surlendemain rapportage, explication et commentaire dans un même texte. Mais, globalement, les chroniques se rattachent à l'actualité commentée, car on s'attend à ce que le chroniqueur donne son opinion, comme citoyen ou comme expert, selon le cas.

Les chroniques d'opinion occupent une bonne position dans l'arsenal du marketing lecteurs des journaux. En fait foi, par exemple, *Le Soleil,* qui donne, dans son bref sommaire de la une, la liste des chroniqueurs d'opinion publiés ce jour-là.

Habituellement le chroniqueur est un journaliste de la base, « syndicable », contrairement aux membres de l'équipe éditoriale, qui sont des cadres ou des dirigeants du journal. Il peut, si sa chronique ne requiert pas tout son temps, rédiger d'autres types d'articles dans le journal, y compris sur des sujets traités – différemment – dans sa chronique : nouvelles, reportages et autres textes d'information rapportée.

Article 1.15

Une pilule difficile à avaler

Ils se sont rencontrés dans le train Montréal-Québec. Le hasard, et aussi un peu de stratégie de la part du gars, a voulu qu'ils soient assis dans la même rangée. Il portait à sa chemise le coquelicot des Anciens combattants. Intriguée, elle lui a demandé ce que voulait dire cette fleur.

La glace était brisée. Pascal et Mônica ont jasé tout au long du trajet et pas seulement de coquelicots. Il lui a parlé de la vie au Québec et de son boulot d'analyste de marché, elle l'a entretenu de son pays, le Brésil, et de sa *job* d'anesthésiste à Belo Horizonte, une ville à mi-chemin entre São Paulo et Brasilia.

Vous devinez sans doute la suite. Cupidon avait décoché quelques flèches avant que le train entre en gare dans la capitale.

Deux ans plus tard, Pascal et Mônica se parlent plus que jamais, tous les jours, mais presque toujours au téléphone. Hier, ils ont sûrement jasé un peu plus longtemps puisque Mônica fêtait ses 33 ans. Ce sera peut-être aussi la même chose aujourd'hui. Pascal voudra expliquer à la femme de sa vie ce qui est écrit dans le journal.

Les deux amoureux rêvent de vivre ensemble, de s'acheter une maison, de fonder une famille. Mais l'amour à 12 000 kilomètres de distance, à se voir à tous les deux ou trois mois, à Québec ou au Brésil, ça ne fait pas des enfants forts…

À l'époque, lorsque Pascal a appris que sa blonde était anesthésiste, il s'était dit, dans sa grande naïveté, qu'elle n'éprouverait aucun mal à se trouver du travail ici. Pascal regardait la télé, lisait les journaux et tout ce dont on entendait parler alors, comme c'est le cas encore aujourd'hui, c'était de la crise dans les urgences, de la pénurie de médecins et de spécialistes, des listes de patients en attente d'une opération.

Pascal faisait confiance à sa bonne étoile et au gros bon sens. Deux ans plus tard, ce n'est plus tout à fait la même histoire. Il y a des matins où il a le goût d'envoyer tout promener, de s'acheter un billet aller seulement pour le Brésil et de concrétiser là-bas les projets que lui et sa blonde souhaitent faire ici.

* * * * *

Hier midi, dans un resto de Sainte-Foy où je lui avais donné rendez-vous, Pascal m'a expliqué sa désillusion face à un système de santé qui ne cherche même pas à lever le petit doigt pour permettre à un médecin étranger de venir travailler au Québec. Comme si des toubibs, il en pleuvait.

Le jeune homme a multiplié les appels, aux hôpitaux, au Collège des médecins, au ministère de la Santé et des Services sociaux. Il a expliqué une fois, dix fois, vingt fois le cas de Mônica, son statut, sa formation, son travail dans quatre hôpitaux brésiliens. Il a parlé de son français, qu'elle maîtrisait plutôt bien,

Normand Provencher

après avoir passé deux mois en immersion à l'Université Laval, de la formation médicale supplémentaire qu'elle était prête à acquérir pour se conformer aux normes québécoises.

Chaque fois, il s'est fait dire qu'il fallait mieux oublier ça. Pascal n'en revient pas encore.

« Au Collège des médecins, sais-tu ce qu'on m'a répondu ? Je te le dis textuellement, je l'ai noté : "Mon pauvre monsieur, vous devriez partir vivre là-bas, vous n'avez pas d'avenir ici. C'est plus facile de gagner une médaille d'or aux Jeux olympiques que pour un médecin étranger de venir travailler au Québec." »

Pascal aimerait bien comprendre pourquoi le système semble prendre un malin plaisir à lui mettre des bâtons dans les roues, à lui et sa blonde, pourquoi personne ne cherche à l'aider dans ses démarches, pourquoi lorsqu'une porte s'ouvre, une autre se referme aussitôt.

Après deux ans, n'importe qui aurait baissé les bras.

À contrecœur, c'est ce que commence à faire Pascal. Il examine d'autres avenues qui lui sourient moins. Comme prendre un congé sans solde pour aller rejoindre sa douce, ou carrément aller vivre au Brésil, faire des enfants là-bas, se promener avec eux le dimanche après-midi sur la plage.

Avec son bac et sa maîtrise en économie, sa mineure en psychologie, sa formation de courtier en valeurs mobilières, sa maîtrise de l'anglais et d'un peu de portugais, Pascal se dit capable de dénicher un boulot là-bas.

N'empêche, c'est au Québec qu'il aimerait faire sa vie avec sa belle. « C'est pas pour être méchant, qu'il me dit, mais il n'y a pas grand médecin ou anesthésiste qui veut venir travailler ici. Quelque part, il faut être cave ou en amour. Il en part plus qu'il en rentre. Quand l'opportunité se présente de pouvoir en embaucher un, qui n'a rien coûté à former en plus, me semble que tu ne lèves pas le nez dessus. »

* * * * *

En quittant le restaurant, Pascal a sorti de son portefeuille une photo de sa Mônica. Il se meurt d'envie de la revoir, ça se sent, ça se voit. Le téléphone, c'est bien beau, mais il veut plus qu'une voix, il la veut auprès de lui, à faire un métier qu'elle aime et qui rendra service à la société québécoise.

Pascal ne comprend pas. Moi non plus. Il y a au Brésil une jeune anesthésiste, tout ce qu'il y a de plus compétente d'après ce que j'ai pu comprendre, qui attend un signal, n'importe lequel, pour venir donner un coup de main dans nos hôpitaux.

Entre vous et moi, a-t-on les moyens de s'en priver ?

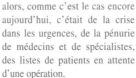

À l'instar de Gil Courtemanche, Jean-Simon Gagné et Normand Provencher tiennent une **chronique d'opinion**, *ouverte à tous les sujets. Dans ces textes, c'est surtout le style qui distingue le chroniqueur :* punché, *voire caustique, pour Courtemanche, ironique, voire sarcastique, pour Gagné. C'est souvent aussi le style qui différencie une chronique d'opinion d'un éditorial, au ton plus grave. Ainsi, en ce qui a trait au contenu (critique de l'accueil fait aux médecins immigrés par Québec), le texte de Provencher, ce jour-là, aurait pu faire l'objet d'un éditorial.*

Le Soleil, 3 octobre 2002

Article 1.16

Y a-t-il trop d'ours au Québec ?

Louis-Gilles Francœur

♦ ♦ ♦

Le 29 septembre, un chasseur septuagénaire d'Amqui a été tué par un ours noir dans une ZEC du Bas-Saint-Laurent, en bordure de la rivière Patapédia, où il chassait l'orignal. À deux kilomètres de là, l'été dernier, un pêcheur de saumon avait été agressé par un ours – peut-être le même ! – qui a finalement détalé devant le bruit fait par les pêcheurs et leurs guides. Il y a deux semaines, aux Escoumins, un jeune chasseur de canards s'est sorti vivant mais avec moult lacérations d'un combat avec un ours qui l'avait agressé et qu'il a finalement réussi à abattre. Il y a deux ans, en juin 2000, la biathlète Mary Beth Miller a été tuée par un ours qui l'avait attaquée alors qu'elle s'entraînait sur les sentiers de la base de Valcartier, en banlieue de Québec. La dernière attaque mortelle remontait alors à 1983.

En réalité, nous sommes chanceux de n'avoir pas eu de problèmes plus importants avec les ours au cours des récentes années, en particulier dans le sud du Québec, même si ces trois décès sont, de toute évidence, de trop. La réalité, c'est que la population d'ours augmente partout, y compris dans les régions périurbaines et rurales ; de plus, villégiature et chasse aidant, le nombre d'humains qui envahissent le territoire des ours augmente aussi…

Le plan quinquennal de gestion de la population d'ours noirs s'achève cette année. Il visait à stabiliser les populations dans les milieux périurbains et à les augmenter ailleurs, en régions. Il semble avoir trop réussi car tout le monde observe, dans les régions le moindrement nanties en milieux naturels, une augmentation de la population ou, à tout le moins, une augmentation des visites d'ours dans les établissements humains, ce qui suscite partout un réel sentiment d'insécurité. Dans les bureaux de la Société de la faune et des parcs, à Québec, on semble prendre les choses avec un flegme que l'on dit scientifique en s'en tenant à des «évaluations» jamais vérifiées selon lesquelles la population d'ours noirs serait stable. Mais la réalité, c'est qu'on n'a pas les moyens techniques et financiers de vérifier par inventaire sur le terrain ces fameuses évaluations : on prend à partir de celles-ci des décisions qui prêtent à conséquence. On «évalue» ainsi à autour de 60 000 la population d'ours noirs du Québec et à plus de 800 000 celle de toute l'Amérique du Nord.

Devant les pressions d'animalistes militant mais marginaux, souvent financés de l'extérieur du Québec, le gouvernement avait interdit, il y a quelques années, la chasse à l'ours d'automne, écourtant celle du printemps et limitant à deux par année la récolte d'ours permise aux trappeurs. Comme la plupart des chasseurs se retrouvent sur l'eau avec une canne à pêche au printemps, la récolte d'ours a chuté, de même que le nombre de chasseurs et de permis vendus. La récolte annuelle, toutes catégories confondues, est passée de près de 6000 en 1995 à un peu moins de 4000 en l'an 2000, une réduction d'environ 30 %. La vente de permis – qu'on achetait souvent l'automne pour pouvoir continuer de chasser illégalement l'orignal après l'avoir abattu en faisant semblant de chasser l'ours – est passée de plus de 23 000 au début des années 90 à 7699 en l'an 2000, dont une majorité (3322) ont été vendus en l'an 2000 à des non-résidants, principalement des Ontariens qui ne peuvent plus chasser l'ours noir au printemps…

Il est impossible qu'une réduction de près de 30 % de la récolte n'ait pas amorcé en quelques années une hausse substantielle de ce cheptel animal, ce que constatent chaque semaine les ruraux et les chasseurs.

Le problème, pour Québec, c'est de trouver une solution qui n'ait pas l'allure d'une chasse d'extermination, comme le réclament des emportés aussi rétrogrades que dangereux.

Québec pourrait en réalité profiter du nouveau plan de gestion quinquennal de l'ours noir pour se doter de nouveaux outils de gestion. Il pourrait certes augmenter le quota personnel imparti aux trappeurs, mais cet outil de gestion n'est pas des plus efficaces dans les régions rurales fortement peuplées car ce n'est pas là qu'on trouve généralement les lignes de trappe rentables. Québec devrait plutôt profiter du fait que les chasseurs de chevreuil à l'arc, qui abondent dans les milieux périurbains, sont ceux qui y observent le plus d'ours puisque ces derniers mangent plus souvent que les cerfs, là où il y a un problème, leurs appâts de pommes et de carottes !

On devrait accorder aux archers de ces régions, où la densité humaine accroît les conflits potentiels avec l'ours noir, le droit de récolter un ours noir par année sans frais supplémentaires durant la période de chasse à l'arc et durant la période qui suit la chasse à la carabine, à l'arbalète et à la poudre noire.

Québec pourrait au besoin étendre cette possibilité aux chasseurs à la carabine de cerfs, voire d'orignaux, s'ils sont munis d'un permis de chasse à l'ours. Mais la réglementation devrait préciser que leur droit de chasser l'ours, même avec un permis, cesse à partir du moment où le coupon de récolte d'un cerf ou d'un orignal a été détaché du permis, ce qui réglerait le problème des faux chasseurs d'ours qui utilisaient ce permis pour continuer de chasser illégalement avec leurs amis.

Ce nouvel éventail de moyens pourrait être modulé selon la nécessité de réduire ou de stabiliser les populations des différentes régions. Mais un fait demeure : la fréquence des rencontres entre ours et humains augmente, de même que les dommages qu'ils causent aux récoltes dans les régions périurbaines et rurales, où on doit cibler une réduction des populations et non une stabilisation. Les chasseurs à l'arc sont une partie essentielle de la solution, tout comme la chasse en général et la trappe.

■ Lecture : *L'Avenir climatique*, par Jean-Marc Jancovici, collection « Science ouverte », Éditions du Seuil, 288 pages. Un autre livre sur ces changements climatiques qui ont tellement perturbé l'Europe cet été, pour ne citer qu'un cas de la série des inondations, sécheresses et tempêtes qui marquent le dérèglement du climat. Ce livre offre une intéressante synthèse des études scientifiques sur la question et des remises en question qu'amorce le protocole de Kyoto aux quatre coins de la planète. Il n'intègre cependant pas les plus récents rapports de l'ONU de l'année en cours.

■ Rencontre : si l'ours est loin de vous, signalez votre présence et

Suite à la page suivante ▶

retirez-vous sans le perdre de vue. Il se rapproche ? Plus de bruit. Soyez très visible sans avoir l'air agressif. Il se dirige vers vous ? Cédez-lui poissons, bleuets, voire casquette et foulard, qui l'intéresseront et le ralentiront. Il est agressif ? Criez, utilisez un puissant sifflet, comme ceux des gilets de flottaison des canoteurs, faites de grands gestes avec aviron, bâtons, manteau, etc. S'il attaque, frappez-le avec tout ce que vous trouverez : des gens ont fait reculer des grizzlys de cette façon. J'en ai fait reculer un l'an dernier avec deux pommes dans le museau ! Ne faites pas le mort. Et n'oubliez pas que l'ours grimpe mieux aux arbres que vous…

■ Réservations : la SEPAQ vient d'ouvrir neuf nouveaux chalets dans la réserve des Laurentides, près des pistes de ski de fond du camp Mercier. Disponibles à compter du 6 décembre. 1 800 665-6527. D'ici là, la majorité des parcs du Québec sont ouverts jusqu'au 13 octobre pour permettre aux randonneurs de profiter de l'incendie automnal qui magnifie nos forêts, de Tremblant au Mont-Albert en passant par Orford. Pour célébrer concrètement l'Année internationale de la montagne.

Le Devoir, 4 octobre 2002

*La chronique de Louis-Gilles Francœur (qui signe aussi des nouvelles, des reportages et d'autres textes dans le même domaine) est une **chronique spécialisée** en environnement et écologie, alliant souvent documentation poussée et opinions aussi vigoureuses que fortement argumentées. On voit que la simple opposition entre chronique d'opinion et chronique spécialisée rend mal compte du foisonnement réel du genre. On pourrait distinguer entre spécialisée neutre, spécialisée d'opinion, spécialisée mixte, chronique d'opinion ouverte et chronique d'opinion spécialisée… Tenons-nous-en à la dichotomie de base, en ajoutant les précisions nécessaires le cas échéant.*

La critique

L'actualité dans le monde des arts, des spectacles et de la littérature peut faire l'objet de textes de divers genres (nouvelles, reportages, portraits, interviews, etc.) et, bien sûr, de critiques. Une critique est un *article de presse qui présente et commente les productions culturelles* comme telles : livre, film, pièce de théâtre, exposition, concert, opéra, spectacle de danse, etc (voir Articles 1.21, p. 29 et Article 1.22, p. 30).

La crédibilité du critique découle des connaissances considérables qu'il possède dans le domaine qu'il couvre. Cette compétence, toutefois, ne suffit pas à faire de la bonne critique. L'intérêt du texte, pour le lecteur, vient aussi de la sensibilité et du style bien personnel du critique. Un pur technicien du cinéma n'intéressera que les érudits – peu de gens, en fait. En revanche, un journaliste à la fois connaisseur, passionné et bon styliste sera lu, pour le plaisir, même par des personnes qui ne partagent pas ses goûts et suivent donc rarement ses recommandations. Et aussi par d'autres qui partagent ses goûts et n'iront pas voir les films qu'il massacre, mais qui n'en dégustent pas moins ses papiers négatifs jusqu'à la dernière ligne.

Article 1.17

Gil Courtemanche

• • •

Les boucs émissaires de Radio-Canada

J'arrive à Paris et téléphone à une amie qui travaille à Radio-Canada. « As-tu vu le *Téléjournal* », me lance-t-elle avant même de répondre à mes salutations. Non, je ne l'avais pas vu. J'arrivais d'Helsinki. Puis, elle me décrit la catastrophe supposée. Même chose lors de mon arrivée à Montréal il y a quelques jours. On ne parle que de Gougeon et de Durivage, comme s'ils faisaient partie des Hells ou du cabinet Charest. Je suis jaloux, même ma famille ne s'intéresse pas à mes pérégrinations.

Lundi, chronique assassine dans *La Presse*. Débit de la parole, sourire ou absence de sourire, vêtements, intonations, vocabulaire, décor, tout y est décortiqué par le menu comme si la dame faisait partie du jury de *Star Académie*. Le lendemain, on s'installe devant la télé pour constater les changements comme si on regardait un show de télé-réalité. Ce n'est pas l'information qu'on décortique, c'est la performance, la disparition d'un élément de décor, le changement de cravate, le sourire du début, ce foutu sourire obligé qui n'était pas là la veille. On parle de Bernard Derome en oubliant que Bernard souriait peu.

Que Gilles Gougeon ne soit pas un grand présentateur, il est le premier à le savoir. Que Durivage serait plus à sa place dans un talk-show, nous le savons tous. Mais nous en parlons, nous les évaluons comme s'ils étaient la seule cause de la chute dramatique des cotes d'écoute de l'information à Radio-Canada. Comme s'ils faisaient les reportages eux-mêmes, comme s'ils déterminaient seuls les priorités et les politiques, comme s'ils planifiaient les balbutiements de tous ces journalistes incapables d'improviser correctement et en français lorsqu'ils sont en direct.

Ces deux journalistes ne se sont quand même pas nommés eux-mêmes. Ce ne sont pas des présentateurs autoproclamés. Ils n'ont pas construit les décors dans leur temps libre pour satisfaire leur passion pour le bricolage. Ils ont été choisis par […]

> **C'est en haut que le changement doit commencer**

Le Devoir, 27-28 septembre 2003

Article 1.18

Paul Cauchon

• • •

MÉDIAS
Dure réalité

Avec tous les problèmes vécus actuellement par Radio-Canada, TVA doit être mort de rire. Pendant que la télévision publique patauge dans les compressions budgétaires et que son service de l'information essuie un tir de critiques, l'écoute de TVA continue à dominer outrageusement : 31,7 % de part de marché la semaine dernière, contre 12,9 % à TQS et 12,7 % à Radio-Canada.

Avec sa nouvelle émission de télé-réalité *Occupation double* (qui attirait 1,4 million de téléspectateurs jeudi dernier) TVA est d'ailleurs en train de refaire le même coup de la convergence promotionnelle qu'avec *Star Académie*. Alors que tous les regards sont tournés ces jours-ci vers Radio-Canada, personne ne semble s'émouvoir du fait que le *Journal de Montréal* nous inflige depuis deux semaines de pleines pages de supposés reportages journalistiques sur les participants d'*Occupation double*, offrant d'ailleurs une chronique quotidienne sur les dessous de l'émission.

On attend de voir ce que fera le quotidien de Quebecor avec *Loft Story*, l'autre grande émission de télé-réalité qui commence samedi prochain mais sur les ondes de TQS, une chaîne qui a le désavantage de ne pas être dans la « bonne » synergie de Pierre-Karl Péladeau. Ce qu'on sait en tout cas, c'est que *La Presse* est commanditaire de *Loft Story*…

> *De l'aveu même de Pierre Faucon, « le terme de télé-réalité ne veut plus dire grand-chose »*

Là où Radio-Canada cherche désespérément à donner un sens au vague concept de « repositionnement » lancé l'hiver dernier par la direction, les […]

Le Devoir, 29 septembre 2003

Les textes de Gil Courtemanche et de Paul Cauchon ci-dessus, expriment tous deux des opinions sur la télévision. Celui de Courtemanche relève de la **chronique d'opinion***, car les thèmes sur lesquels il se prononce varient d'une chronique à l'autre. L'autre chronique est dite* **spécialisée***, car elle porte sur un seul domaine, d'ailleurs indiqué au-dessus de la signature : « Médias » (comme celle de Louise Cousineau dans* La Presse*, par exemple, qui porte l'indication « Télévision »).*

Article 1.19

Chantal Hébert

◆ ◆ ◆

La vengeance de Brian Mulroney

Brian Mulroney avait coutume d'affirmer que, sans un chef capable de s'exprimer en français, le Parti progressiste-conservateur donnait pour ainsi dire les élections aux libéraux. Selon lui, un parti doté d'un chef unilingue partait perdant dans la centaine de circonscriptions où le vote francophone fait la différence du résultat – c'est-à-dire les 75 circonscriptions du Québec auxquels il faut encore ajouter celles de l'Acadie, plusieurs sièges de l'est et du nord de l'Ontario et celle de Saint-Boniface au Manitoba.

Au fil du temps, l'ex-Parti réformiste s'était à son tour rendu à l'évidence que, sans un chef bilingue, il n'y avait pas de salut. Même à l'extérieur du Canada dit francophone – en particulier en Ontario – bon nombre d'électeurs considèrent la présence à la tête d'un parti d'un chef capable de s'adresser directement aux Québécois comme un gage minimal de sérieux.

Jusqu'à leur fusion récente, ce qui distinguait le discours du PC de celui de l'Alliance canadienne à ce sujet, c'est que le premier disait exiger le bilinguisme de ses chefs par vertu patriotique, c'est-à-dire par respect pour la dualité linguistique, tandis que la seconde le faisait par nécessité électorale.

Mais voilà que, dans la course à la direction du nouveau Parti conservateur fédéral, les rôles sont renversés. L'aile allianciste insiste sur l'importance de se doter d'un chef bilingue tandis que l'establishment de l'ancien PC – y compris à peu près tout ce que le Québec compte d'organisateurs bleus – s'est mis au service de la seule candidate unilingue anglaise de la course.

◆ ◆ ◆

Depuis une semaine que Belinda Stronach est sur la route, elle a amplement fait la preuve de ce que l'état actuel de son français ne lui permettra pas de participer de façon intelligible au débat des chefs de la campagne électorale attendue au printemps. Ce n'est pas non plus demain la veille que la nouvelle étoile du clan conservateur pourra se faire comprendre sans interprète à Saguenay ou à Rimouski. […]

Le Devoir, 29 septembre 2003

En général, on classera des textes comme ceux de Chantal Hébert et de Michel Venne (ou d'autres journalistes politiques) dans les **chroniques d'opinion politiques** *plutôt que dans les chroniques spécialisées, même s'ils s'en tiennent au seul domaine politique. On voit qu'en matière de chronique, les appellations ne sont pas toujours très précises.*

Article 1.20

Michel Venne

◆ ◆ ◆

Le pouvoir des journalistes

Lorsque j'étais correspondant parlementaire à Québec pour ce vénérable journal, un collègue concurrent me dit un jour, pour décrire l'étendue du pouvoir des journalistes politiques : « tout ce qu'il nous reste, au fond, c'est de *"fucker le game plan"* ». En d'autres termes, l'une des fonctions essentielles des journalistes, la seule par laquelle ils exerceraient un pouvoir, serait de déjouer les stratégies de communication du gouvernement.

J'ai connu aussi un autre journaliste qui, pour illustrer l'une des attributions essentielles des reporters de la presse parlementaire, avait allongé sa jambe au travers du couloir de l'Assemblée nationale, me faisant comprendre que l'une de mes tâches était de faire trébucher, au sens figuré du terme, les politiciens qui s'y aventurent.

Je n'ai pas encore vu le documentaire *À hauteur d'homme* dans lequel Jean-Claude Labrecque saisit, en privé, les états d'âme et les sautes d'humeur de Bernard Landry durant les semaines qui ont précédé les élections du 14 avril. Je ne porte donc aucun jugement sur ce film qui, par contre, devrait être de nature à soulever une réflexion sur le rôle du journalisme politique et ce même si les politiciens ont aussi leurs torts.

La profession journalistique n'est pas réglementée. Ainsi, la définition que les journalistes donnent eux-mêmes de leur activité professionnelle et de leur rôle social est déterminante sur la manière dont ils s'acquittent de leur responsabilité. Dans son dernier livre (*Éthique de l'information,* PUM), la professeure de journalisme Armande Saint-Jean retrace l'histoire sociale du journalisme au Québec. La perception qu'ils ont de leur rôle a considérablement évolué depuis 50 ans.

L'année 1980 et la couverture de la première campagne référendaire serait un moment charnière et « marque, pour la presse québécoise, une rupture avec une tradition antérieure, celle d'un journalisme engagé du côté du changement social et politique. La rupture est d'autant plus marquante que cette tradition, qui s'est affirmée tout au long de la Révolution tranquille, remonte aussi loin qu'à la conscription de 1942, à laquelle les médias d'information s'étaient clairement opposés malgré la censure officielle, » écrit-elle. […]

Le Devoir, 8 septembre 2003

Articles 1.21

THÉÂTRE
Toutes voix unies

L'émotion contenue dans le texte est décuplée par la musique que forment les mots répétés en cadence par plusieurs voix distinctes

[LA VOIX HUMAINE]
Texte : Jean Cocteau.
Mise en scène : Stéphane Saint-Jean.
Scénographie : Maxime Gagné.
Costumes : Valérie Gagnon-Hamel.
Éclairages : Andrew McFarland.
Bande sonore : Mathieu Campagna.
Avec Solange Alary, Stéphanie Blais, Ludger Côté, Julie Daoust, Christine Harvey, Marika Lhoumeau, Anne Paquet, Karine St-Arnaud et Julie Tremblay Sauvé.
Présenté par le Théâtre de la Névrose ! au Théâtre La Chapelle jusqu'au 1er novembre.

SOPHIE POULIOT

Un carillon de « Je t'aime », un concert de douleur, de peine et d'amour livré par neuf individus incarnant *La Voix humaine*, la voix de l'humanité, qui aime et qui souffre, c'est ce que propose Le Théâtre de la Névrose ! pour célébrer le quarantième anniversaire du décès de Jean Cocteau. Un tel présent, exécuté avec tant de brio, vaut certes son pesant d'or.

Après que le seul comédien masculin de la production ait récité la préface de l'auteur de *La Voix humaine*, dos à la scène, assis dans un fauteuil en forme de main, d'une voix à la fois puissante, sensuelle et ludique, les lumières s'éteignent, pour se rallumer un instant plus tard sur neuf corps empilés les uns sur les autres, un amas de chair humaine vidée de toute âme. Puis, chacun de ces corps de dissociera du lot pour aller vivre sa tragédie, banale mais si amère, sa rupture amoureuse.

Chacun prendra la parole à tour de rôle, chaque division de la partition étant ponctuée par quelques phrases redites par chacun des comédiens. L'émotion contenue dans le texte est décuplée par la musique que forment les mots répétés en cadence par plusieurs voix distinctes. Car ce chœur n'a pas seulement le mérite d'ajouter une musicalité enivrante à l'œuvre de Cocteau, il démontre aussi l'universalité du sentiment, de la situation qu'elle dépeint. Les interprètes, sans chercher à singer chacun une attitude distincte, ce qui aurait inévitablement versé dans la caricature et la maladresse, parlent d'un même souffle, mais avec leur propre voix, leur propre visage et leur propre sensibilité. Ce tableau de huit femmes et d'un homme traversant au même moment le périlleux détroit du rejet amoureux illustre le fait que, à chaque instant, sur tous les continents, se déroulent des milliers de scènes semblables où des individus, tous différents mais parlant du même souffle, se débattent de la même façon dans le torrent du désespoir. Le résultat est on ne peut plus touchant et témoigne de la sensibilité ainsi que du jugement artistique sûr du metteur en scène Stéphane Saint-Jean.

Les costumes de Valérie Gagnon-Hamel sont neuf variations sur un même thème, le rouge et le blanc, le sanglant et le livide, des tissus asymétriques, des habits mi-élégants mi-délabrés, recelant tous une pochette contenant un cœur de tissus qui peut être extrait de son habitacle, serré, foulé au pied, mais jamais séparé du corps, auquel il est relié par un fil de téléphone. Hautement symbolique que tout cela. La scénographie, si elle est visuellement saisissante, semble pourtant moins allégorique. Un plancher blanc, deux murs blancs asymétriques, l'un couvert de néons blancs, laissent tout l'espace nécessaire aux comédiens. Les néons, lorsqu'ils s'allument, aveuglent le public, qui ne peut porter les yeux sur la scène sans douleur, un peu comme une âme en peine ne peut regarder la réalité sans tenter, sous le coup de la souffrance, de s'en détourner d'une manière ou d'une autre. Là s'arrête, à première vue, l'intérêt de ce décor, ce qui n'est tout de même pas mal.

Enfin, les déplacements des comédiens, autant que les chorégraphies vocales, sont bien orchestrés et les signes que donnent les interprètes de la douleur qu'éprouve leur personnage sont plus que convaincants. La direction de celui qui a écrit et mis en scène, en 2000, *White Trash* et, en 2001, *27 juillet 1997 (y' faisait pas beau)* peut donc, sur ce point encore, être louée. Bref, *[La Voix humaine]* est un spectacle très réussi qui prouve qu'il est possible de donner un souffle nouveau à un texte maintes fois mis en scène.

CINÉMA
Froide héroïne

VERONICA GUERIN
De Joel Schumacher.
Avec Cate Blanchett, Ciaran Hinds, Gerard McSorley, Brenda Fricker.
Scénario : Carol Doyle, Mary Agnes Donoghue.
Images : Brendan Galvin.
Montage : David Gamble.
Musique : Harry Gregson-Williams.
États-Unis/Irlande, 2003, 98 minutes.

MARTIN BILODEAU

En Irlande, la journaliste Veronica Guerin est une martyre et une héroïne, dont l'assassinat en 1996 a servi la cause des jeunes qu'elle avait voulu protéger en mettant à genoux les seigneurs de la drogue. En dehors de l'Irlande, *Veronica Guerin* est un très mauvais film mis en scène par Joel Schumacher (*Phone Booth, The Client*), lequel a bâti sa réputation sur des tourbillons d'affects (*Phone Booth*), des récits édifiants (*The Client*) et des jouets bien astiqués (*Batman & Robin*).

Dans un style si tapageur que même Alan Parker l'aurait trouvé suspect, Schumacher nous raconte ici l'histoire de cette journaliste d'un canard à sensation de Dublin, depuis ses portraits des piqueries jusqu'à sa fin tragique sous les balles d'un motard masqué, en passant par ses enquêtes à répétition pour remonter la filière du commerce. Schumacher expose également, avec force images d'Épinal, le courage et la détermination de cette bosseuse qui, à travers chaque article (je vous épargne la vision réductrice du journalisme), mettait sa vie en danger, sa caméra nous ramenant à tout bout de champ sur le regard inquiet de sa mère (Brenda Fricker) et de son mari (Gerard McSorley), des gens charmants qui finiront par comprendre la démarche sacrificielle de sa mission.

Le film, il importe de le souligner, est produit par Jerry Bruckheimer, maître du film d'action qui tonne (*Gone in 60 Seconds*) et de la propagande infantilisante (*Pearl Harbor*). Parler de son empreinte sur le film serait un euphémisme. De fait, on sent son entreprise complète sur la mise en scène, racoleuse, sur la musique, surexplicative, même sur le jeu de Cate Blanchett, qui, avec tout le talent du monde, n'arrive pas à faire fondre cette statue de bronze qu'on lui a demandé d'articuler.

*Une **critique** de cinéma et une **critique** de théâtre voisinent dans une page de la rubrique « Culture » du* Devoir. *Surtout en fin de semaine, les critiques prennent souvent beaucoup plus d'ampleur et profitent d'une mise en pages plus fantaisiste, comme l'illustre le texte du* Soleil, *dans l'article 1.22 de la page suivante. Et même, parfois, quand il s'agit d'une production très populaire localement ou qui peut le devenir, toute la une du cahier « Arts et spectacles » ou « Cinéma » est montée autour d'une critique.*

Article 1.22

Le film nous transporte en 2032,
dans une cité crépusculaire
vaguement new-yorkaise,
qui visuellement doit à *Blade Runner*

« GHOST IN THE SHELL 2 : INNOCENCE »

Le futur angoissant

GILLES CARIGNAN
GCarignan@lesoleil.com

■ On aurait pu imaginer que la sélection de *Ghost in the Shell 2 : Innocence* en compétition à Cannes — une première pour un film d'animation nippon — aurait pu stimuler sa circulation. D'autant plus que le géant américain DreamWorks, par sa filiale Go Fish, en a pris en charge la distribution sur notre continent. Erreur.

Malgré l'inespéré coup de pouce cannois, c'est encore par les voix parallèles que nous arrive ce bijou d'anticipation, disponible en DVD, simultanément à sa sortie au Cartier.

Vrai que le cinéma de Mamoru Oshii — qui n'a strictement rien de familial — évolue dans un créneau pointu, celui de la science-fiction, bardée de prétentions philosophiques. N'empêche, la sortie de *Ghost in the Shell 2 : Innocence* constitue un des petits événements de ce début d'année cinéma.

Événement, surtout, pour les inconditionnels. Car malgré sa diffusion restreinte, le premier *Ghost in the Shell*, inspiré d'un manga, est devenu depuis sa parution il y a 10 ans un film culte dans le genre, non seulement au Japon, mais à l'étranger.

Du bizarroïde Oshii, 53 ans, on a aussi pu goûter il y a un peu plus d'un an à *Avalon*, sa tentative de mélange animation-personnages réels qui, dans l'esprit, n'avait rien à envier aux *Matrice*, si ce n'est les moyens.

Avec son nouveau film, produit pour quelque 25 millions $, Oshii vise de nouveaux sommets. De quoi délecter les initiés. Pour les autres, donc la majorité, bienvenue dans un univers halluciné et déroutant, mais d'une beauté plastique fascinante. Un univers où le futur est triste. Où l'humain, du moins ce qu'il en reste (l'âme, le *ghost*), est en voie d'extinction. Où la machine prend le contrôle des opérations. *Ghost in the Shell 2* nous trans-porte en 2032, dans une cité crépusculaire vaguement new-yorkaise, qui visuellement doit à *Blade Runner*. Dans ce monde angoissant, humains et robots se mélangent, se métissent, tel ce Batou, membre d'une escouade antiterroriste rendu redoutable par les avancées de l'intelligence artificielle, qui ne possède d'humain que des parcelles de cerveau, et le souvenir affectif de son ancienne partenaire, réduite à l'état de fantôme.

POLAR CYBERNÉTICO-FUTURISTE

Le scénario tient du polar cybernético-futuriste. Batou et son nouveau complice sont chargés d'enquêter sur la mort d'un homme, tué par une cyborg domestique, créée pour satisfaire sexuellement son propriétaire. Aurait-elle été sciemment programmée pour éliminer son maître ? Le meurtre serait-il le résultat d'un virus informatique ? L'enquête les mène sur la piste de violents yakuzas, puis sur celle d'une entreprise obscure, Locus Solus, mais l'investigation n'est que prétexte à une réflexion poétique sur l'humain, dans un monde de plus en plus « en ligne ».

Bienvenue dans un univers
halluciné et déroutant,
mais d'une beauté
plastique fascinante

Le thème des frontières de plus en plus flou entre le réel et le virtuel n'est pas nouveau. Ni celui de la révolte des créatures artificielles sur leurs créateurs. Asimov, pour un, l'a exploré. Oshii en offre quelques variations, intégrant par exemple l'idée du suicide de cyborg. Quoi ? Le monde serait devenu si laid et pénible que même les robots pourraient vouloir en finir ?

C'est là tout le pessimisme de la vision du monde d'Oshii, qui n'a jamais caché son désenchantement total devant le mouvement de l'humanité. Avec *Ghost in the Shell 2*, il questionne de façon plus pointue ce qui peut pousser l'homme depuis des lustres à vouloir se recréer artificiellement à son image, à partir notamment de l'innocente figure de la poupée, qui peut devenir dans son univers une créature menaçante.

ATTENTION DE TOUS LES INSTANTS

À force d'intégrer la machine à l'humain, que reste-t-il d'organique dans ce flot de plus en plus virtuel ? C'est la question qui anime les personnages, et qu'Oshii traduit par l'inquiétude permanente du partenaire de Batou par rapport à sa famille. Sinon par le chien de l'impassible flic-cyborg, figure récurrente du cinéma d'Oshii, qui demeure pour lui l'ultime « symbole de la réalité ».

La trame est d'une complexité exigeant une attention de tous les instants. Et, encore là, elle nous perd souvent dans les imbrications poussées entre le réel et le virtuel, où le monde tend à devenir une seule et infinie mémoire vive reliant tous les êtres, dans lequel les uns et les autres circulent allègrement. La frontière entre l'espace et le cyberespace n'a jamais semblé si ténue.

Sans se soustraire des quelques scènes d'action obligées du genre, Oshii a visiblement la tête ailleurs. Il ponctue son *puzzle* cybernétique de références innombrables. Ses personnages parlent souvent par citations savantes. À l'Ancien Testament, à Confucius, à Descartes, à Milton. De quoi ajouter un parfum à la fois poétique et songé (un peu prétentieux certes) à un récit devant lequel on peut soit démissionner, soit simplement se laisser transporter, se laisser imprégner.

L'expérience devient alors envoûtante. Car visuellement, le voyage est d'une beauté majestueuse. Oshii poussant un mariage entre le 2D et le 3D qui donne un résultat stupéfiant. Ce qui devrait permettre à cette science-fiction de toucher plus vaste que le clan des purs et durs.

★★★ GHOST IN THE SHELL 2 : INNOCENCE. *Animation réalisée et écrite par Mamoru Oshii, d'après un manga de Shirow Masamune. Mus. : Kenji Bawai. Japon – 2004. 1 h 41. 13 ans. Au Cartier en v.o. japonaise avec s.-t. français*

L'éditorial

L'éditorial donne, en principe du moins, la position officielle du journal, de l'éditeur, sur un sujet sérieux ou que le journal estime sérieux. Dans la presse anglophone, on ne le signe pas, pour mieux souligner qu'il exprime le point de vue de la direction du journal. Il est rédigé – et, dans la presse francophone québécoise, signé – par un cadre ou un dirigeant, dans un style en général aussi sérieux que son sujet.

Matériellement, l'éditorial est placé dans la page éditoriale, en première position (en haut, à gauche). S'il y en a un autre, comme cela arrive maintenant souvent, on le trouve juste en dessous ou à côté du premier. À l'instar de la chronique, sa longueur et sa présentation sont constantes et, comme la plupart des textes relevant de l'actualité commentée, il est identifié : le texte (ou la page) porte la mention « Éditorial ».

Article 1.23

Suite de l'éditorial

ÉDITORIAL
Sage rappel

Brigitte Breton
♦ ♦ ♦

Après l'hôpital Sainte-Justine, après l'hôpital Sacré-Cœur de Montréal et l'Hôpital général de Montréal voilà que le Centre hospitalier universitaire de Québec (CHUQ) rappelle 567 patients pour tester s'ils ont pu être contaminés lors d'une intervention subie dans ses murs. Des situations paniquantes, inquiétantes ? Certainement. Mais, il y aurait lieu de s'alarmer davantage si les hôpitaux gardaient le silence et n'assuraient pas le suivi nécessaire auprès des patients potentiellement infectés.

Même si les opérations de rappel sont dures à mener sans créer de panique ou de crise de confiance dans la population, il faut se réjouir que les établissements de santé les conduisent. Lorsqu'il y a eu défaillance ou erreur, vaut mieux qu'un hôpital reconnaisse la faute, prenne du temps pour retracer des patients, qu'il fasse passer des tests, qu'il réponde à un lot d'appels plutôt que de tenir des malades dans l'ignorance et risquer que leur état de santé se détériore ou qu'ils contaminent d'autres personnes.

Il n'y a qu'à se rappeler le scandale du sang contaminé et tous les drames humains qu'il a causés au Canada et en France pour nous convaincre que se taire, prendre des risques avec la santé des gens et entretenir le mystère sont des voies à éviter.

Bien sûr, la confiance de certains à l'égard du système de santé peut être ébranlée. Or, si l'information est bien fournie par les établissements de santé, si ceux-ci expliquent bien les risques et la façon de procéder, et si les médias livrent les renseignements sans tomber dans l'alarmisme et le sensationnalisme, le réseau de santé sortira gagnant en misant sur la transparence.

Le milieu hospitalier doit présumer que la population a la capacité et la maturité pour bien comprendre la portée des rappels. Il ne doit pas prétexter qu'elle paniquera pour rien pour justifier son silence et son inaction.

Une bonne part des taxes et des impôts que paient les Québécois est consacrée aux établissements de santé. Il est donc tout à fait normal que les administrateurs et les professionnels de la santé rendent des comptes sur ce qui se passe dans leur milieu.

La culture de la transparence est à développer. Le gouvernement québécois a poussé en ce sens en 2002 en adoptant le projet de loi 113 qui prévoit « qu'un usager a le droit d'être informé de tout accident survenu au cours de la prestation des services qu'il a reçus et susceptible d'entraîner des conséquences sur son état de santé ou son bien-être ».

Dans l'avenir, nous assisterons peut-être à plus de rappels de patients. Au lieu de s'inquiéter ou de condamner prématurément l'établissement en cause, il faudrait plutôt souligner son sens des responsabilités et ses efforts de transparence.

Le Soleil, 18 novembre 2004

Article 1.24

Suite de l'éditorial

ÉDITORIAL
Partie remise

Ce qui est bien d'un jeune-parti-qui-n'est-pas-encore-un-parti, c'est que, faute de tradition, on peut en tirer tous les enseignements que l'on veut. Encore faut-il ne pas confondre tergiversations sur la question nationale et renouveau du langage politique !

À l'issue du congrès d'Option citoyenne qui s'est déroulé en fin de semaine, Françoise David s'est réjouie de la « maturité politique » de ses membres, qui ont préféré remettre à l'an prochain le difficile débat sur l'appui ou non à la souveraineté du Québec.

Les délégués, pourtant, ne risquaient pas grand-chose. Option citoyenne s'affiche d'abord et avant tout comme un mouvement « de gauche, féministe, écologiste et altermondialiste ». Nul ne s'y trompera : c'est, pour emprunter une référence connue, l'article 1 du programme !

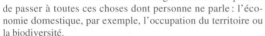
Josée Boileau

♦ ♦ ♦

Le compléter par une référence à la souveraineté, alors que la plupart des membres d'Option citoyenne privilégient cette option même si elle n'est pas la cause de leur vie, aurait dû couler de source. Cela règle l'affaire et permet de passer à toutes ces choses dont personne ne parle : l'économie domestique, par exemple, l'occupation du territoire ou la biodiversité.

Ce ne fut pas le cas, preuve par l'absurde que, à Option citoyenne comme dans le reste de la société, il suffit de vouloir évacuer l'avenir du Québec pour que celui-ci revienne par la porte de côté. Pourtant, le débat est familier aux progressistes eux-mêmes et ils lui apportent déjà une réponse :

les fédéralistes sont au NPD, les souverainistes à l'UFP. Quant aux autres – ceux qui n'ont pour appartenance que le monde et leur coin de rue –, vont-ils même voter ?

Or, puisque Option citoyenne a déjà décidé que c'est avec l'UFP, parti de gauche souverainiste, qu'elle entend fusionner – les pourparlers étant officiellement enclenchés cette semaine –, le sort de la souveraineté est pour ainsi dire réglé.

À moins que l'UFP ne renonce à son option (impensable !), à moins que l'UFP et l'Option citoyenne réunies ne présentent deux plates-formes constitutionnelles (impraticable !), les militants d'Option citoyenne, dans un an, devront donc opter pour le « oui ». Entre-temps, on se sera égarés dans des chicanes de virgule, dignes de la gauche traditionnelle… et du Parti québécois. De quoi lasser bien des électeurs.

La création d'Option citoyenne a pourtant été motivée par le désir de rompre, à gauche, avec les ennuyeuses arguties qui détournent de l'essentiel. Verra-t-on l'Option citoyenne se perdre dans les méandres du « pourquoi la souveraineté », à l'image du Parti québécois qui s'égare, lui, dans le « comment » ? C'est le Parti vert qui doit bien sourire, lui qui a renoncé le mois dernier à s'allier au mouvement de madame David, satisfait de la cohérence de son propre programme.

La direction d'Option citoyenne, Françoise David en tête, dit ne pas avoir voulu imposer son point de vue, favorable à la souveraineté. Elle a pourtant trouvé moyen d'affirmer le caractère féministe du mouvement, à l'issue d'un débat qui a duré une heure et demie samedi et qui divisait aussi les membres. Mme David croyant avec ferveur à la nécessité du féminisme, le mot a finalement été accepté. Peut-être la ferveur lui manquait-elle sur la question nationale pour qu'on puisse aussi sceller son sort.

Ce n'est que partie remise ? Fort bien. Mais ce n'est pas de maturité qu'il faut alors parler. Cela s'appelle plutôt du « zigonnage ».

Le Devoir, 16 novembre 2004

L'éditorial est dûment identifié et l'éditorialiste s'y prononce au nom du journal – quand ce n'est pas au nom de la société !
*Contrairement au chroniqueur, l'éditorialiste se fait discret (malgré sa photo) dans le texte et n'écrit presque jamais je. Alors que le premier adopte une approche personnalisée, et affiche ses humeurs (Article 1.23, p. 31), le second centre son **éditorial** sur des faits et des arguments (Article 1.24 ci-dessus). Il n'en pense pas moins, et le fait savoir, mais sous des airs plus objectifs, où le* moi-je-pense-que *laisse la place à l'analyse et à l'argumentation.*

Auparavant, les tabloïds (journaux de petit format dits populaires) ne publiaient pas d'éditorial. Le magnat de la presse populaire Pierre Péladeau proclamait, par exemple, qu'il n'appartient pas aux journaux de dire aux gens ce qu'il faut penser de l'actualité. Maintenant, un quotidien comme le *Journal de Québec* comporte une double page « Opinions » qui ressemble beaucoup à la double page « Éditorial », « Opinions » ou « Idées » de ses concurrents grand format. Le *Journal de Québec* y présente des lettres de lecteurs et des textes d'acteurs sociaux, des hommes politiques, par exemple, encadrés par deux chroniques au ton sérieux écrits par des journalistes chevronnés, dont l'un précise dans sa signature son titre de chef des nouvelles du journal. Bref, il ne manque que l'étiquette « Éditorial ».

Le bloc-notes

Le bloc-notes aussi porte son étiquette. C'est une sorte de para-éditorial, mais qui peut aborder rapidement deux ou plusieurs sujets, séparés par des puces ou d'autres petits ornements typographiques. Il est aussi rédigé par un cadre ou un dirigeant, dans un style un peu plus léger que celui de l'éditorial[23]. De plus en plus souvent remplacé par un deuxième éditorial, en général moins long que le premier, le bloc-notes pourrait bien être, comme le compte rendu, en voie de disparition.

La caricature

La caricature est un atout de marketing non négligeable : bien des lecteurs, en ouvrant leur journal, se précipitent d'abord sur ce dessin de presse. Ce genre rédactionnel n'a guère besoin d'identification et ne porte donc pas de mention particulière. Comme l'éditorial, il est lié à l'actualité et exprime une position du journal, mais de façon moins directe et beaucoup moins grave. En effet, quoique ses productions soient placées dans la page éditoriale, le caricaturiste s'exprime sur le mode ironique et jouit, par conséquent, d'une grande marge de manœuvre, surtout en ce qui concerne le style, iconique et verbal. Sans cette liberté, ses caricatures manqueraient de piment, donc d'intérêt pour les lecteurs.

Le billet

Réservé aux « belles plumes », ce petit texte d'opinion se distingue par un style personnel et soigné, presque toujours ironique, parfois très caustique. Il apporte, en beauté, la satire ou la polémique. Le billet est monté en carré ou en rectangle, souvent « en chandelle », c'est-à-dire verticalement et sur une seule colonne, et encadré. Dans plusieurs journaux, l'usage est aussi de composer le billet en italique. De plus, il porte habituellement son étiquette. On constate que le journal prend grand soin de signaler les textes, assez rares, de ce genre tirant vers l'écriture littéraire et, parfois, la provocation.

* * *

On voit que, dès qu'on s'éloigne du rapportage, les journaux s'emploient à bien marquer les genres rédactionnels. Dans le contexte nord-américain, où l'objectivité est érigée en dogme, la confusion des genres est en effet perçue comme une atteinte à la valeur des articles et à la crédibilité du journal ; ses responsables cherchent à sauvegarder sa crédibilité et à se prémunir contre la critique en identifiant bien les genres des textes d'explication et, surtout, d'opinion qu'ils publient. Même en

---

23. Il arrive qu'un journaliste de la base en rédige, et que le bloc-notes ne soit pas dans la page éditoriale.

information rapportée, ils font respecter les particularités de traitement que le personnel du journal – et, à la longue, le lecteur – attend des différents genres.

L'aspirant journaliste a donc tout intérêt à prêter attention aux genres journalistiques et à lire ses journaux de manière à mieux en intégrer les règles, fût-ce de façon critique.

Chapitre II
SAVOIR

On ne peut dire que ce que l'on sait.
On ne peut expliquer que ce que l'on
comprend.
On ne peut expliquer clairement que
ce que l'on comprend parfaitement.

VIVE L'ÉTAPISME !

La production d'une nouvelle comporte plusieurs étapes. Il ne faut en négliger aucune, sous peine d'obtenir un texte de qualité douteuse. Distinguons les moments suivants, dont les deux premiers sont brièvement analysés dans ce chapitre :

- collecte et vérification de l'information ;
- mise en ordre et maîtrise de l'information ;
- sélection et hiérarchisation de l'information (chapitre III, *Choisir*) ;
- établissement d'un plan (chapitre IV, *Organiser*) ;
- rédaction (chapitres V à VIII).

Dans la pratique, le journaliste aguerri court-circuite souvent certaines étapes, surtout s'il traite de sujets simples à la matière peu abondante. Elles n'en demeurent pas moins différentes et le novice a tout avantage à les parcourir successivement. Pourtant, coincé, sinon paniqué, par de courts délais, il cède souvent à la tentation de télescoper les étapes, s'attelant à la rédaction avant de maîtriser parfaitement son information, d'avoir distingué l'essentiel de l'accessoire ou d'avoir établi le plan de son texte. Mal lui en prend ! Il verra qu'il s'agit là de fausses économies. Il finira par rejeter avec hargne son brouillon et par retourner à la case départ, où sa nouvelle apparaîtra chaotique et cahoteuse, ardue pour le lecteur, et peu glorieuse pour l'auteur.

L'enseignement nous apprend qu'il faut répéter et marteler que le temps « perdu » aux étapes précédentes est 10 fois gagné au moment de la rédaction. L'expérience nous apprend aussi que, le plus souvent, ce beau discours tombe d'abord à plat : hanté par une heure de tombée qui rompt avec ses habitudes de production, l'apprenti journaliste veut bien vous croire, mais n'ose vous suivre. Il ne se convainc de l'avantage de mettre la charrue derrière les bœufs qu'après avoir commis ses propres erreurs.

Suggérons donc au lecteur non initié de faire ses premières armes en écriture de presse en produisant une nouvelle de la façon suivante :

- choisir comme matière première un communiqué de presse touffu et confus (assez typique, quoi !) ;
- le parcourir rapidement, en soulignant au fur et à mesure ce qui frappe ;
- rédiger sur-le-champ la nouvelle.

Le résultat sera catastrophique, mais l'auteur y gagnera une salutaire conviction : la rédaction n'est que la dernière étape de l'écriture...

LA COLLECTE ET LA VÉRIFICATION DE L'INFORMATION

> *Voir est difficile.*
> Pierre Morency[1]

La collecte et la vérification de l'information constituent le premier moment et le fondement du travail journalistique. Il s'agit de s'informer pour pouvoir ensuite informer, de savoir afin de faire savoir.

Cette étape n'intéresse pas directement notre propos, *l'écriture* publique d'information. Tenons donc pour acquis que le lecteur « sait savoir », qu'il dispose d'informations crédibles, suffisantes et vérifiées.

Rappelons seulement que maîtriser la démarche journalistique signifie, dans un premier temps, pouvoir :

- s'adapter aux rythmes, aux ressources et aux exigences des médias ;
- trouver des sujets valables d'un point de vue journalistique, compte tenu du média et du public visés ;
- reconnaître et trouver des sources vivantes et documentaires à la fois diverses, crédibles pour les médias et le public, et fiables par rapport au sujet traité (participants aux événements, témoins directs, experts ad hoc, documents incontestables, etc.) ;
- interroger ces sources d'une façon efficace, c'est-à-dire de manière à produire des informations exactes, précises et complètes. Il faut des méthodes adéquates pour interviewer les personnes, et pour effectuer la synthèse et l'interprétation des documents consultés et des événements auxquels on assiste. La critique des sources revêt une importance encore plus grande avec Internet, immense et précieux bazar d'informations où le meilleur côtoie le pire ;
- vérifier systématiquement ses informations et en évaluer la validité, notamment en confrontant les sources.

Une virgule peut damner un journaliste

En écriture publique d'information, les petites erreurs font les grands échecs. Un nom mal orthographié, une notation fausse, et c'est tout le

---

1. Pierre Morency, *Chez les oiseaux*, Québec, MultiMondes, 2004.

texte qui perd sa crédibilité. Relevant une inexactitude, une imprécision, le lecteur se méfie aussitôt de tout ce que lui raconte le journaliste. Quoi ! Ce type qui ne sait même pas le nom exact du maire prétend expliquer ce qui se passe au conseil municipal ? Il confond le syndicat local et la centrale syndicale et il voudrait éclairer les négociations en cours ? Il s'embrouille dans les dates et les déclarations et il faudrait ajouter foi à son reportage ? À d'autres ! De leur côté, les acteurs qui s'estiment malmenés par l'article s'empresseront de tirer parti de telles bévues pour discréditer l'auteur et son information.

La valeur de l'information dépend en partie de tels éléments – on se gardera bien de les appeler des détails puisque ce sont eux qui font qu'une nouvelle est, ou n'est pas, exacte et précise.

On s'assurera donc, à cette étape, qu'on a correctement noté :

- les acteurs de la nouvelle ;
- la façon dont leur nom s'écrit ;
- leurs fonctions et leurs titres précis ;
- les noms et les sigles des organisations ou des organismes auxquels ils se rattachent ;
- la nature de ces organisations ou organismes ;
- les moments et les dates ;
- les lieux et les adresses, etc.

Si on a le moindre doute sur ces éléments, il faut s'en occuper immédiatement. Remettre ce travail à plus tard, au moment de la rédaction, rendra l'écriture plus difficile, car il faudra à tout moment interrompre le fil de ses idées pour vérifier des points de détail. On peut aussi avoir sous-estimé le temps nécessaire à l'opération et se retrouver à l'heure de tombée avec une nouvelle mal vérifiée ou mal fagotée.

Un expert en témoignage

Ces aspects plutôt techniques ne suffisent pas à assurer une information de qualité. Il faut encore que l'informateur soit capable de mener une observation attentive et raisonnée des événements et une lecture valable des documents[2].

Les enquêtes policières, vraies ou romancées, le montrent : il faut prendre la plupart des témoignages avec un grain de sel. Pour l'un, c'était « un grand blond avec une chaussure noire, et il était seul », pour l'autre, c'était « un petit brun avec une chaussette rouge, et un complice l'attendait ».

Le bon informateur, sorte d'observateur professionnel, a su devenir un expert en témoignage. Voilà qui est plus facile à dire qu'à faire, et qui exige plus que de la bonne foi. En effet, l'informateur public, contrairement au témoin que la police interroge, est prévenu et averti.

---

2. La capacité de synthétiser des textes est une des principales aptitudes requises du bon informateur, qui doit utiliser une multitude de documents saisis rapidement, mais sans le moindrement en déformer le sens.

Il devrait donc, selon le proverbe, en valoir deux. Pourtant, les débutants produiront, sur un même événement, des histoires fort différentes, et souvent des plus étonnantes. Et cela, même en travaillant dans des conditions idéales pour vérifier des informations à partir, par exemple, de textes écrits (discours, communiqués, rapports, dossiers de presse, etc.).

Ainsi des étudiants m'ont-ils appris, un jour, que le président-directeur général de la plus grosse agence de relations publiques du Québec, aussi président de la Société des relationnistes du Québec, avait déclaré, lors d'une conférence publique : « Les relationnistes sont dangereux, plus que bien d'autres professionnels. »

Joli *scoop*[3], si c'était vrai ! En fait, le président, dans le communiqué dont disposaient les étudiants, expliquait que son métier, à l'instar de la médecine, du droit et d'autres professions, peut affecter le public et devrait, par conséquent, faire l'objet d'une surveillance publique (premier pas, comme il se gardait bien de le dire, vers un statut de corporation professionnelle pour les relationnistes, qu'il était plus habile de ne pas réclamer ouvertement à ce moment-là). « Par exemple, ajoutait-il, un relationniste qui répandrait de fausses informations dans le public, c'est plus dangereux qu'un avocat qui fixe des tarifs trop élevés. » C'est cet exemple qui s'est transformé en la nouvelle aussi fausse que percutante du paragraphe précédent.

Si on travaille non plus à partir d'écrits mais en direct, sans filet, alors les interprétations les plus farfelues foisonnent. Faire suivre une conférence de presse par des non-initiés et comparer ensuite l'original aux différentes versions d'une déclaration s'avère toujours un exercice fructueux. Chacun découvre alors à quel point, même dans un contexte de recherche explicite de l'objectivité et de la vérité, l'être humain bricole, trie, sélectionne, tord et distord le réel. On prend ainsi conscience de la façon légère, négligente, irresponsable, en quelque sorte, dont on perçoit habituellement les gens et les événements.

La crainte de l'erreur s'installe alors, et c'est le commencement de la sagesse. Disons, plus positivement : l'obsession de l'exactitude et de la précision se développe.

Ce n'est là qu'un des ingrédients d'une information fiable. Il en est au moins deux autres qu'aucune règle, aucune recette ne sauraient remplacer : le jugement personnel et la connaissance du milieu que l'on couvre – et, plus généralement, de la société. Tel qui exerce son jugement – qui « se sert de sa tête » – n'affirmera pas sans broncher que le président d'une association professionnelle dénonce vertement ses membres (ou que mère Teresa prônait l'avortement). Dans le doute, il effectuera plutôt les vérifications et corrections qui s'imposent.

D'autre part, l'événement sans contexte, comme le texte sans contexte, est un être de raison. La connaissance des structures, des institutions, des tendances, des débats de la société, etc., éclaire les évé-

---

3. *Scoop* : nouvelle qu'un journaliste, ou un média, est le premier, donc, pour quelque temps, le seul, à diffuser.

nements, jusqu'aux plus simples. Même pour couvrir convenablement les « chiens écrasés », il faut savoir quelque chose des gens de la région, de certaines lois, des différents corps policiers, etc. Si on attend, pour distinguer le chef du gouvernement du chef de l'État, d'être promu chroniqueur parlementaire, la promotion se fera attendre longtemps ! Et, tôt ou tard, on écrira des sottises.

Lorsqu'ils rendent compte d'un événement, les journalistes en donnent, en général, des versions relativement similaires, du moins quant aux faits. Ce n'est pas qu'ils échappent à l'humaine condition ! Eux aussi sélectionnent, trient, bricolent...

Si les journalistes s'avèrent des témoins plus habiles, c'est en partie parce que leur bricolage, leur « construction de la réalité », est, pour une part, collective. Les journalistes d'un même *beat* (couvrant le même secteur de l'actualité) se côtoient, se connaissent, échangent faits, évaluations et interprétations, et se forgent ainsi une vision plus ou moins commune des événements et de leur contexte. C'est le cas, par exemple, pour l'estimation des foules lors de manifestations culturelles ou politiques ; chacun retient un chiffre qui se situe quelque part entre celui de la police, celui des organisateurs, sa propre évaluation et celle de ses collègues. Mais, à la longue, la définition collective du plausible, du probable et du publiable, qui donne force et légitimité aux écrits individuels, déborde largement de telles appréciations. La concurrence entre médias existe, la confraternité et la sous-culture journalistiques aussi.

Ensuite et surtout, si les journalistes sont des experts en témoignage, c'est qu'en général, le secteur d'activité qu'ils couvrent leur est familier et qu'ils sont des observateurs plus attentifs, pratiquant systématiquement l'art du doute, de la question et de la vérification.

Le patron qui commet des fautes de français, cela n'existe pas : il n'y a que des secrétaires qui font des fautes de frappe. De même, peu d'acteurs sociaux admettront avoir gaffé. Ils préfèrent dénoncer les journalistes qui ont « mal rapporté leurs propos ». Dans un tel contexte, la véritable erreur d'un journaliste lui retombera douloureusement sur le nez. Son erreur, il la commet sur la place publique. Elle suscite réponses, attaques, démentis, accusations d'incompétence, dérision, etc. Elle entache sa réputation professionnelle. Elle lui attire les quolibets des collègues et les foudres de la rédaction. Celle-ci déteste publier démentis, rectificatifs et excuses. Elle fuit les procès en diffamation comme l'ours polaire les tropiques, sachant qu'elle y risque, autant que ses sous, sa crédibilité.

Voilà bien de quoi faire naître une salutaire prudence (sinon une regrettable pusillanimité) !

La déontologie aussi

Autre raison – et non la moindre – pour vénérer l'information exacte : la responsabilité sociale du journaliste et du média.

Certaines erreurs, de fait ou de jugement, n'auront guère d'autre conséquence que de déclencher le rire. Ainsi, le chef du *pupitre* du

Soleil, appliquant avec zèle la politique de couleur locale du journal, titra (en manchette!), à la mort de Grace Kelly : « Mary Lamontagne perd une amie[4]. » L'auteur de la trouvaille et la rédaction reçurent nombre d'appels moqueurs et furent les seuls à ne pas la trouver drôle.

Indûment louangeuse à l'égard de certaines personnes ou institutions, la presse peut aussi en surfaire la réputation ; c'est à éviter, mais ce n'est pas un drame. Dans l'attaque, cependant, la presse, internationale ou locale, est un outil de démolition puissant et dangereux. Elle peut ruiner en deux mots des carrières, des réputations et des vies, affaiblir des associations, des mouvements, des entreprises. Par conséquent, autant il faut avoir le courage d'attaquer lorsque cela est justifié, autant il faut d'abord s'assurer de la qualité de ses munitions.

Lorsqu'il s'agit de gens bien placés, qui ont les moyens de contre-attaquer, c'est affaire de prudence autant que de déontologie. Les autres, y compris les marginaux, ont un droit aussi strict à un traitement juste et à la présomption d'innocence. Cela vaut également pour les accusés des procès collectifs très médiatisés (Hell's Angels, pédophiles, etc.), sur lesquels une bonne partie de la presse écrite et électronique, pour vendre de la copie ou faire de la cote d'écoute, a tendance à publier plus de ragots que d'informations.

Retenons ceci : ce n'est pas la qualité sociale des acteurs mais la qualité de l'information publiée sur eux qui distingue journalisme et jaunisme.

Toutes ces excellentes raisons, et bien d'autres, font que l'informateur public doit, à l'étape de la collecte de l'information, accumuler des données exactes, précises, vérifiées et assez abondantes pour permettre de cerner correctement et de rendre intelligible l'événement ou les événements en cause.

SAVOIR MIEUX : LA MAÎTRISE DE L'INFORMATION

Pourquoi établir une différence entre recueillir de l'information, en la vérifiant, en s'assurant qu'elle est valable, et maîtriser l'information ? Y a-t-il bien là deux moments différents de la démarche d'information ? Admettons tout de suite que ces deux étapes se déroulent souvent simultanément. Reconnaissons même qu'à l'occasion, elles se confondent. Mais pas toujours, il s'en faut de beaucoup.

Nous arrivons ici à l'instant où le journaliste, ayant à sa disposition un certain nombre d'informations fiables, va en tirer une nouvelle. Il sait, et se prépare à faire savoir.

Comprendre

Pour bien faire comprendre, le journaliste doit marquer une pause, se demander ce qu'il sait exactement et s'il le sait bien. Il doit faire le ménage dans ses informations et mettre de l'ordre dans sa tête. Il doit dépasser l'accumulation d'informations ponctuelles pour arriver, à

---

4. Mary Lamontagne : femme du maire de Québec de l'époque, à peu près inconnue du public.

partir d'elles, à dresser un tableau significatif de ce qui se passe. À défaut de quoi, il ne pourra livrer à son lecteur que des morceaux d'actualité, des bribes d'information, des *bits* comme diraient les informaticiens. Rien de tout cela ne suffit à bien informer, c'est-à-dire à faire comprendre. D'où la nécessité de revenir, dans une perspective synthétique, sur l'ensemble des informations qu'on a recueillies ou reçues. De les revoir en se demandant d'abord si toutes les données sont claires, si des choses ne demeurent pas ambiguës, incertaines, voire incompréhensibles – auquel cas on effectue les recherches et les vérifications qui s'imposent. A-t-on, par exemple, bien saisi le sens d'une déclaration obscure d'un dirigeant? Est-on certain d'avoir bien assimilé les explications techniques ou scientifiques indispensables pour s'y retrouver soi-même dans un événement?

On cherchera ensuite à établir les liens entre les éléments d'information, à repérer les convergences et les contradictions, à reconnaître les données solides et les informations à manier avec prudence. S'il y a lieu, on rafraîchira aussi sa mémoire des événements antérieurs pour s'assurer qu'on saisit bien l'enchaînement des faits. Attention aux dates!

Bref, on se donne une idée claire de la nouvelle qu'on a à transmettre, sachant que seul ce qui se conçoit bien peut s'énoncer clairement.

Le journaliste qui a recueilli lui-même et avec soin ses informations devrait vite franchir cette étape. Normalement, en effet, il a comparé divers documents, confronté les témoins ou les acteurs de la nouvelle, il a donné libre cours, tout le long de son enquête, à son obsession dc la précision, à sa manie de la question et du doute, à son « mauvais esprit » (dont Demers, dans un article [1982], se demande s'il constitue pour les journalistes un outil professionnel).

Toutefois, le journaliste devra, avant même d'aborder la rédaction, faire l'effort de synthétiser et de clarifier une dernière fois l'information dont il dispose. Et s'il s'agit de matériaux abondants et divers, voire contradictoires, ce travail de synthèse deviendra un moment clé de la production d'une nouvelle informative et intelligible.

Simplifier

Lorsque l'information porte sur un sujet ardu et complexe, on cherchera, dans un premier temps, à la simplifier. On s'en donnera une version réduite, vulgarisée – qu'il faudra ensuite dépasser. Comparaisons et analogies sont ici d'un grand secours.

Le passage de Mack Laing intitulé « Le bonbon et le poison » (voir Encadré 2.1, p. 42), illustre parfaitement ce processus. Une analogie enfantine fournit un fil directeur, et ce fil directeur permet ensuite de suivre l'information dans toute sa complexité.

Dans ce cas, le journaliste a eu de la chance : c'est son informateur qui a trouvé l'astuce. N'hésitez jamais, en conclut Laing, à avouer, voire à exagérer votre ignorance, pour amener les sources à simplifier les choses pour vous. Quand cela s'avère impossible, cherchez vous-même un fil directeur.

Encadré 2.1

Le bonbon et le poison

Il avait un nom difficile, ce Wlatszlaw Szybalsky, qui avait quitté la Pologne depuis quelques mois à peine pour travailler dans ce célèbre laboratoire de recherche sur le cancer.

La semaine suivante, il allait faire état de ses travaux sur un agent chimique appelé le 5-fluorouracil, lors d'une importante rencontre scientifique. Il accepta de nous accorder un entretien.

Lui : Vous connaissez la biochimie ?

Nous : Euh… un peu (c'était beaucoup dire).

Lui : Vous connaissez le 5-fluorouracil ?

Nous : Bien, non.

Il se mit à lire des bouts du résumé de sa conférence. La terminologie était aussi lourde que son accent.

Lui : Vous comprenez ?

Nous : (haletants) Je comprends qu'un certain agent chimique a un certain effet sur un certain type de cellule chez une souris.

Une lueur d'espoir éclaira son regard. Il se mit à réciter à partir de son texte.

Lui : Vous comprenez maintenant ?

Nous : Non. J'ai bien peur qu'il va vous falloir me traiter comme un moron. Comme quelqu'un de très stupide.

Il y eut une longue pause.

Lui : Bonbon, vous comprenez ? Machin sucré ? Bonbon ?

Nous : Oui.

Lui : Poison, vous connaissez ? Machin mauvais ? Vous tuer ?

Nous : (un peu inquiets) Oui, euh, oui.

Lui : Bien. Voilà. Prenez bonbon, mettez poison dedans, donnez bonbon à cellule cancéreuse. Cellule cancéreuse a faim. Cellule cancéreuse aime bonbon. Cellule cancéreuse mange bonbon. Cellule cancéreuse meurt. Vous comprenez ?

Bien sûr que oui. Il ne restait plus qu'à donner leurs noms véritables au poison, au bonbon, à la variété de souris et au type de cancer.

Après quoi on pourrait introduire les informations complémentaires : le nombre de souris et de cellules utilisées, le taux de mortalité des cellules, les méthodes pour « enrober » le poison, les théories expliquant pourquoi cet agent chimique agit et les autres pas, les recherches à poursuivre, les sources de financement, et deux ou trois choses sur ce fascinant Polonais.

Extrait de Mack Laing, « Covering Science : a Batch of Useful Tips », *Content*, septembre-octobre 1986 (ma traduction). Cet article est tiré du livre de Mack Laing, Adlai J. Amor et Paul M. Icamina, *Science Writing in Asia : the Craft and the Issues*.

Encore que sa rédaction soit moins réussie – on peut trouver que le journaliste allonge un peu la sauce, que le dernier paragraphe, notamment, n'ajoute que du ridicule –, la nouvelle « Potion magique pour insectes prédateurs » (Article 2.1 ci-dessous) fournit un autre exemple de l'utilité de la métaphore pour dégager le sens ou la portée des informations techniques ou scientifiques difficiles à comprendre pour les lecteurs.

Article 2.1

Potion magique pour insectes prédateurs

L'arôme de la kairomone rend l'Aleochara bilineata insatiable et il bouffe tout ce qui s'attaque aux choux et aux oignons

RÉJEAN LACOMBE

♦ ♦ ♦

■ **Dans quelques années, les pesticides chimiques pourraient se retrouver au rang des antiquités. Pour lutter efficacement contre les insectes nuisibles on fait de plus en plus appel à des insectes prédateurs.**

Mais qu'arrive t-il si d'aventure la petite bibite guerrière en a assez de bouffer son prochain ? Panoramix, le célèbre druide de l'indestructible bande de Gaulois, a fourni une réponse à l'énigme. On l'aura facilement deviné, c'est la fameuse potion magique.

Or, un chercheur d'Agriculture et Agroalimentaire Canada (AAC) à Saint-Hyacinthe, M. Guy Boivin, s'est transformé en Panoramix pour donner du courage et de l'appétit à ces petits insectes prédateurs.

Toute l'histoire se passe dans les champs d'oignons et de choux.

Celles qui font des ravages et qu'il faut abattre ce sont les mouches de l'oignon et les mouches du chou.

L'ASTÉRIX DES PRÉDATEURS

Un solide guerrier, le coléoptère Aleochara bilineata devient l'Astérix des champs d'oignons et de choux où les larves de cet insecte ravageur mangent les plantes et dans le cas de l'oignon, le bulbe. Bilan de l'opération, les deux légumes sont souvent impropres à la consommation humaine.

N'écoutant que son courage, Aleochara bilineata, devenu adulte, dévore farouchement les œufs et les larves de ces deux mouches tandis que les larves du coléoptère prédateur s'attaquent aux nymphes des mouches.

Toutefois, le chercheur a découvert que notre fameux guerrier salvateur a ses faiblesses. Il ne s'attaque pas à suffisamment de

victimes et ne peut pas constituer une solution de rechange intéressante aux méthodes classiques de lutte antiparasitaire.

LA POTION MAGIQUE

C'est là que le chercheur a décidé de concocter sa potion magique pour donner les forces nécessaires à Aleochara bilineata. Notre Astérix des champs de choux et d'oignons est donc exposé à un arôme très spécial.

Pif ! Paf ! Bing ! Bang ! Aleochara bilineata devient fou et sanguinaire. Il est atteint d'une soif insatiable de sang de mouches à l'oignon et à chou.

En fait, le chercheur explique que cette potion magique appelée une kairomone, trompe les femelles coléoptères en leur faisant croire qu'il y a beaucoup de mouches de l'oignon ou de chou autour d'elles. Pour régler le problème tout ce qui a odeur d'œufs ou de larves

de ravageurs fait partie intégrante de son menu.

M. Boivin croit que la substance pourrait être répandue dans les champs d'oignons afin d'augmenter les populations de staphylins. Le chou, estime-t-il, pourrait être protégé de la même façon de la mouche du chou.

À AAC, les scientifiques ne désarment pas et continuent de recruter des insectes guerriers qui font ainsi la vie dure aux insectes ravageurs. On a découvert que les guêpes parasites raffolent de la punaise terne. Les mauvaises herbes sont aussi des ennemis à abattre. Le charançon de la cynoglosse se charge de détruire l'infortunée linaire de Dalmatie.

Au rythme où vont les choses, tous ces insectes prédateurs entonneront en chœur : « Ce n'est qu'un début continuons le combat ! »

Le Soleil, 10 novembre 2003

Le journaliste s'est un peu laissé emporter par sa métaphore mais elle éclaire bien une situation aride. Et elle inspire le titreur.

Ordonner

Une autre façon, incontournable, d'« injecter » de la clarté dans ses informations, c'est de les ranger, d'y faire le ménage : distinguer les acteurs, les rôles, les secteurs d'activité, les niveaux et les dates, et séparer le bon grain de l'ivraie – entendez les clopinettes des faits centraux.

La manière de lire ses documents ou ses notes, à cette étape de la maîtrise de l'information, importe beaucoup. Une double lecture des textes s'impose. On les parcourt d'abord rapidement, sans s'arrêter aux points passionnants ou aux difficultés, sans souligner, sans prendre de notes. Cela donne une vue d'ensemble, évite que les pâquerettes ne cachent le champ, ou l'arbre, la forêt. Une fois le paysage brossé, on l'explore plus en détail : on relit en identifiant les choses et les gens importants de la nouvelle, et en réglant les problèmes ponctuels d'intelligibilité. Ensuite, si la matière l'exige, il faut faire le ménage. Et la matière l'exige souvent !

Lisez attentivement les extraits du communiqué de la Commission de la construction du Québec diffusé par CNW Telbec le 29 novembre 2004 (Encadré 2.2). Le texte ne présente aucune difficulté particulière. On pourra quand même en faire de la bouillie pour les chats si on ne se donne pas la peine d'ordonner les informations (ici, le travail est simplifié par la suppression des passages sur les besoins de main-d'œuvre et des renseignements sur la CCQ).

Encadré 2.2

Malgré un léger ralentissement la CCQ prévoit que l'activité dans la construction demeurera très forte en 2005

Selon la Commission de la construction du Québec (CCQ), après avoir fracassé en 2004 un record vieux de vingt-cinq ans, l'activité dans la construction demeurera à un niveau très fort en 2005 malgré un léger ralentissement. [...]

En 2004, un total de 120 millions d'heures auront été travaillées par les travailleurs et travailleuses couverts par les conventions collectives de la construction. « Nous prévoyons 115 millions d'heures travaillées en 2005, une baisse de 4 % sur l'année 2004, mais ce sera tout de même encore une très forte année », de déclarer en conférence de presse ce matin M. André Ménard, président-directeur général de la CCQ. La construction résidentielle devrait revenir à un volume de mises en chantier moins frénétique mais tout de même substantiel de 50 000 logements, comparativement à 57 000 en 2004. Dans le secteur industriel, la fin de l'énorme chantier de l'aluminerie Alouette sur la Côte-Nord fera retomber l'activité. Le secteur institutionnel et commercial, qui représente près de la moitié des travaux de construction, pourrait aussi ralentir quelque peu avec le parachèvement de nombreux projets institutionnels, principalement dans les grandes universités montréalaises qui ont construit des nouveaux immeubles pour loger plusieurs de leurs facultés. Les travaux de génie civil et voirie garderont par contre le cap de la croissance grâce à la vigueur des travaux hydroélectriques et des travaux d'infrastructures municipales et routières. [...]

Suite à la page suivante ▶

Dans les régions

Malgré la baisse prévue sur le plan provincial en 2005, la CCQ prévoit que certaines régions garderont le cap de la croissance. La région du Saguenay-Lac-Saint-Jean (+ 10 %) profitera par exemple de la poursuite de la construction de la centrale hydroélectrique sur la rivière Péribonka. Les régions de l'Estrie (= 5 %) et de Québec (+ 5 %) connaîtront une légère croissance, grâce à une bonne activité institutionnelle et commerciale, et grâce aussi, dans le cas de la région de la Capitale nationale, aux investissements à la raffinerie d'Ultramar. L'Abitibi-Témiscamingue (+ 5 %) verra aussi une amélioration de sa conjoncture.

Le niveau des heures travaillées sera maintenu en Mauricie-Bois-Francs (0 %) grâce au lancement de projets telle la centrale au gaz à Bécancour qui compensera la diminution de l'activité dans les autres secteurs. Par contre, les régions de la Côte-Nord (– 50 %), de la Baie-James (– 30 %), vedettes de la croissance en 2004, et du Bas-Saint-Laurent-Gaspésie verront les heures travaillées chuter en 2005 car elles ressentiront le choc de la baisse d'activité sur certains grands chantiers. Les régions du Grand Montréal (– 5 %) et de l'Outaouais (– 5 %) connaîtront une faible baisse. [...]

Rôle de la CCQ

Rappelons que la CCQ est un organisme mandaté par la Loi R-20 [...]

La Commission peut déjà faire le bilan (estimé) de l'excellente année qui s'achève et prévoir ce qu'apportera la prochaine. Un bon titre livre immédiatement l'essentiel (du point de vue de la CCQ) : la construction, tout en ralentissant un brin, restera très active en 2005. Apparaissent ensuite des données sur des *heures* travaillées au total au Québec en 2004 (estimation) et en 2005 (prévision), puis d'autres sur des *logements,* construits et à construire : 57 000 et 50 000. Après quoi on apprend qu'il y aura en 2005 baisse (de quoi ? d'heures travaillées, sans doute ; à vérifier) dans le secteur industriel, ralentissement dans le secteur institutionnel et commercial, mais croissance dans les travaux de génie civil et de voirie. Dressons déjà une liste de ces informations, en ajoutant les données sur les régions et en précisant que, dans ce cas, les données concernent bien des heures travaillées : on obtient le tableau de la page suivante (Encadré 2.3). Rien de bien compliqué, mais impossible de fabriquer une nouvelle claire et exacte avec ces informations si on n'a pas d'abord précisé ces quelques points.

Reste à vérifier les données incertaines et, dans le cas d'une nouvelle point trop minimaliste, à obtenir quelques informations supplémentaires. Dans ce cas-ci, rien de plus simple. En allant sur le site Web de la CCQ[5], nous trouvons le texte du communiqué, complété par un graphique et un tableau qui lèvera nos points d'interrogation. Le site

---

5. Avec un moteur de recherche comme Google, rien de plus simple : appelez Google (www.google.ca/), tapez dans la fenêtre de recherche « Commission de la construction du Québec », et vous y voilà !

Encadré 2.3

Heures travaillées dans l'industrie de la construction et mises en chantier dans le secteur résidentiel en 2004 et 2005

	Heures travaillées		
Province	2004	2005 (prévisions)	Variation
Toute l'industrie	120 M	115 M	– 4 %
Industriel	–	–	baisse
Institutionnel et commercial	–	–	baisse
Génie civil et voirie	–	–	croissance
Régions			
Saguenay-Lac-St-Jean	–	–	+ 10 %
Estrie/Québec/Abitibi-Témiscamingue	–	–	+ 5 %
Mauricie-Bois-Francs	–	–	=
Grand Montréal	–	–	– 5 %
Outaouais	–	–	– 5 %
Bas-St-Laurent-Gaspésie	–	–	– 15 %
Baie-James	–	–	– 30 %
Côte-Nord	–	–	– 50 %
	Mises en chantier (logement)		
Province	2004	2005 (prévisions)	Variation
Résidentiel	57 K	50 K	– 12,3 %

Source : CCQ novembre 2004
Sur la CCQ : voir *Rôle de la CCQ,* dans le communiqué

donne, par ailleurs, toutes sortes de renseignements sur l'historique de la CCQ, la composition de son conseil d'administration, la liste des personnes qui y siègent actuellement, le mandat de la commission, ses pouvoirs, ses services en ligne, etc., toutes choses qui permettront de mieux comprendre ce dont nous parlons, donc de faire de la meilleure nouvelle. (Évidemment, dans bien des cas, il faudra pousser plus loin la recherche, dans Internet et ailleurs, pour arriver à livrer une information qui se tienne.)

Maintenant, armez-vous de courage et lisez la nouvelle sur les deux Montréalais soupçonnés de meurtre et d'enlèvement[6] (voir Article 2.2).

Vous demandez-vous aussi si le chalet de M. Grenier se trouve rue Dumans à Jonquière, si « le bébé » et « la fillette » désignent la même personne, si elle a un, deux ou trois pères, si le « père naturel » est le légitime ou l'illégitime, si le grand-père fait partie ou non des « grands-parents » et, plus généralement, qui diable a fait quoi, où et quand ?

---

6. Elle n'est pas récente, mais comme elle traite d'un fait divers, donc d'un événement toujours actuel, en quelque sorte, qu'elle sert bien mon propos et, surtout, qu'elle avait inspiré Gaboury, on me permettra d'y recourir ici.

Article 2.2

Saguenay-Lac-St-Jean : deux Montréalais soupçonnés de meurtre et d'enlèvement

■ **La Sûreté du Québec détient deux Montréalais, un homme de 22 ans et son père, âgé de 51 ans, soupçonnés de meurtre et d'enlèvement dans la région de Jonquière, au Saguenay-Lac-St-Jean.**

Les événements s'articulent autour d'une querelle familiale mettant en scène la mère d'une fillette de huit mois et de son ami de cœur, un homme de 23 ans, le père illégitime ainsi que le père naturel du bébé, un Montréalais de 22 ans.

Insatisfait de la situation, le père naturel du poupon aurait quitté Montréal cette semaine pour se rendre au Lac-St-Jean. Jeudi matin, la disparition du compagnon de la mère, M. Pierre Grenier, a été signalée à la police. Ses parents, qui l'avaient vu partir vers son chalet du lac Kénogami, s'inquiétaient de son absence.

Au moment où la police entamait des recherches pour retrouver le disparu, le père légitime du bébé se présentait au domicile de son ex-femme, dans la rue Dumans, à Jonquière, dans le but de reprendre son enfant. Le suspect, accompagné du grand-père de la fillette, aurait menacé les occupants de la maison avec une barre de fer.

Puis, les intrus se seraient enfuis en automobile en direction de Rivière-du-Loup, leur ville natale. Entre-temps, vers 13 h, hier, le corps de M. Grenier était découvert au fond du lac Kénogami par les plongeurs de la Sûreté du Québec, qui en ont profité pour secourir un riverain parti à la dérive sur son quai flottant. Une autopsie sera pratiquée, aujourd'hui, par le coroner Michel Miron.

La police croit que ces deux crimes sont reliés et tente présentement d'éclaircir les mobiles et l'emploi du temps des deux Montréalais. Les limiers ignorent toujours ce qui s'est passé au chalet de M. Grenier.

Quant au bébé, il a été récupéré sain et sauf par la police de Rivière-du-Loup, vers 23 h jeudi, à la suite d'une surveillance aux abords du domicile de ses grands-parents. La fillette a été remise à sa mère.

L'enquête sur le meurtre a été confiée à l'Escouade des crimes majeurs de la Sûreté du Québec tandis que la sûreté municipale de Jonquière devra éclaircir les circonstances de l'enlèvement.

Le Soleil, 7 novembre 1987

À la énième lecture, on finit par comprendre qu'il y a dans cette nouvelle une dizaine d'acteurs, et non 52, comme on l'avait d'abord cru :

1. une femme de Jonquière ;
2. sa fille de huit mois, *la fillette* ou *le bébé* ;
3. son ex-mari, *le père naturel*, alias *le père légitime*, alias *le suspect* ;
4. le père de ce père, *le grand-père de la fillette*, à ne pas confondre avec *les grands-parents* : lui est de Montréal, eux, de Rivière-du-Loup ;
5. M. Grenier, victime, *le disparu* retrouvé au fond du lac Kénogami ; *le père illégitime de 23 ans* (je crois), *le compagnon de la mère, son ami de cœur* ;
6. la Sûreté du Québec, sous trois formes : Sûreté du Québec/plongeurs de la Sûreté du Québec/Escouade des crimes majeurs de la Sûreté du Québec ;
7. la sûreté municipale de Jonquière ;
8. la police de Rivière-du-Loup ;
9. un quidam à la dérive, qui n'a rien à voir dans tout ça.

Devant une nouvelle aussi surpeuplée, il fallait, avant toute chose, dresser cette liste et distinguer les gens, événements et lieux qui se rattachent au meurtre présumé de ceux qui entourent l'enlèvement.

Il y a gros à parier que l'auteur ne l'a pas fait et que, s'il s'était donné cette peine, il aurait produit (comme à son habitude) une nouvelle intelligible. Il aurait notamment évité de multiplier les appellations différentes pour une même personne, pour réduire les risques de confusion, et abandonné le quidam à la dérive sur son quai, étant donné qu'il y a déjà assez de monde dans cette nouvelle.

Figure 2.1

Le collage ne passera pas !

Souvent, le journaliste construit sa nouvelle avec des informations qui lui sont fournies par des sources extérieures qui voudraient se substituer à lui, en quelque sorte ; il peut s'agir, par exemple, de dépêches d'agences ou de communiqués de presse. Escamoter l'étape de la compréhension, de la clarification pour soi-même, devient alors particulièrement périlleux.

De telles sources séduisent par leur facilité. Contrairement aux discours, aux rapports et à la plupart des autres textes, ces matériaux sont conçus pour faire la nouvelle. Ils se présentent comme « du tout rédigé ». Le paresseux, l'incompétent et, très souvent, le débutant tombent aussitôt dans le piège : il n'y a plus qu'à jouer de la colle et des ciseaux, qu'à recopier des morceaux (bien) choisis. Voilà bien une des plus sûres façons de courir à la catastrophe journalistique !

On voit ainsi régulièrement des apprentis journalistes, de niveau universitaire, recopier pieusement, parfois en commettant des erreurs qui les rendent encore plus obscurs, des phrases ou des paragraphes auxquels ils ne comprennent pas un traître mot. Plusieurs membres d'un groupe qui avait un jour à faire une nouvelle traitant de *moratoire* et de *plan quinquennal* ont interrogé l'enseignant sur le sens de ces mots... après la remise des copies.

On imagine le résultat de telles pratiques au bout du processus, c'est-à-dire dans la tête des pauvres lecteurs, dont la majorité sont aussi intelligents mais moins informés que les auteurs des nouvelles qu'ils lisent. Morale : ne jamais tenter d'expliquer à son public ce qu'on ne comprend pas soi-même !

Cela signifie qu'on doit maîtriser parfaitement son sujet avant d'écrire. Cela suppose également qu'on ne laisse pas les sources écrire à sa place, ne serait-ce que parce qu'un extrait fort clair dans son propre contexte peut virer à la devinette si on l'en isole.

De plus, le mauvais esprit, dont Demers (1982) nous dit avec raison qu'il constitue un ingrédient de base de la compétence journalistique, nous interdit de considérer le contenu de la plupart des communiqués comme de l'information « innocente », prête à consommer – donc de jouer bêtement des ciseaux. Il nous impose au contraire d'y voir la marque de l'acteur social qui l'émet, d'y reconnaître un geste stratégique. Il n'appartient pas au journaliste de contrer délibérément cette stratégie. Son rôle n'est pas davantage de s'y soumettre, car il est journaliste et non relationniste. La question à se poser n'est donc pas : « Que sélectionner dans ce que dit ma source ? » mais bien : « Y a-t-il là matière à nouvelle ? » ou « Quelle nouvelle puis-je, le cas échéant, fabriquer (moi-même !) avec cela ? »

En d'autres termes, lorsqu'on part de communiqués pour fabriquer une nouvelle, l'étape de la maîtrise de l'information consiste notamment à garder ses distances par rapport aux sources et, en premier lieu, à ne pas leur abandonner le travail de rédaction. Cette maîtrise oblige parfois aussi à revenir à des démarches qui relèvent de la collecte (vérification des informations et recherche d'éléments additionnels). C'est plus rarement le cas si on part de dépêches d'agence, faites par d'autres professionnels. On n'échappe pas, toutefois, à la nécessité de faire un effort de compréhension et de synthèse, qu'il s'agisse de fondre plusieurs dépêches en une seule nouvelle ou, tout simplement, de modifier une dépêche en fonction des exigences de son propre média. Encore une fois, on ne peut bien rendre que ce qu'on a bien compris.

Le collage d'extraits de dépêches et, surtout, de communiqués comporte aussi de beaux risques du point de vue de la rédaction comme telle, de l'écriture... La langue de ces écrits fût-elle belle et simple, le collage ne permettra pas pour autant d'obtenir un texte coulant et logique, puisque les extraits sélectionnés n'auront pas été conçus pour s'enchaîner les uns aux autres. Or, seul un texte bien lié et bien organisé peut se lire facilement et être clair pour le lecteur.

De plus, hélas, trois fois hélas ! certaines dépêches et bon nombre de communiqués multiplient les ambiguïtés, quand ils n'utilisent pas un français qu'on ne peut reproduire sans se déshonorer. Le comble, il arrive que ces textes ajoutent aux horreurs d'une langue fautive celles d'une langue de bois, d'un jargon technique ou idéologique aussi laid et lourd qu'obscur pour le commun des mortels. Dès lors, on ne peut décemment faire à son lecteur le coup des morceaux choisis.

On n'en sort pas : il faudra faire sa propre nouvelle, c'est-à-dire, entre autres choses, la rédiger soi-même et, par conséquent, comprendre d'abord parfaitement l'information recueillie.

Cela fait, on peut se dire qu'on sait et qu'on comprend. Il est temps de faire des choix dans la masse des informations maîtrisées, de se rappeler qu'informer, c'est choisir.

RAPPELS • RAPPELS • RAPPELS

- Pour chaque information à livrer, se demander sur quoi l'on se fonde pour écrire cela, très ex-ac-te-ment cela.
  Exactitude ! Précision ! Fiabilité !

- Faire la critique des sources. Confronter les sources.

- En écriture d'information publique, les erreurs de détail font les échecs de taille.
  Précision ! Exactitude ! Tout vérifier !

- Accumuler des bribes d'information ne suffit pas à bien informer, à faire comprendre. Il faut dresser de l'événement un tableau significatif.
  Établir des rapports entre les informations, des liens.

- Identifier, distinguer, cerner les acteurs, les actions, les lieux, les moments, les raisons et les moyens.
  De l'ordre ! Le ménage !

Figure 2.2

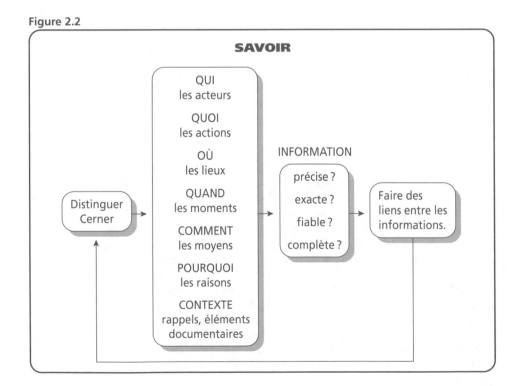

EXERCICES

I Cherchez dans Internet (CNW Telbec, Google News ou une autre source) ou ailleurs un communiqué relativement complexe sur un sujet qui vous paraît assez important pour faire l'objet d'une couverture de presse. Faites le ménage dans les informations dans l'esprit d'en faire une nouvelle, en prenant des notes schématiques sur papier. Cela fait, racontez la nouvelle à un volontaire – ou, mieux encore, si vous en avez le temps, rédigez-la et faites-la lui lire.

Si, au moment de raconter ou de rédiger, vous hésitez, victime d'une impression de flou, reprenez l'étape **Savoir** depuis le début.

Si, après l'audition ou la lecture de la nouvelle, votre volontaire vous bombarde de questions et, surtout, si vous peinez à y répondre, réfléchissez à ce qui a cloché dans votre préparation. Recommencez.

Ensuite, si vous trouvez une couverture de presse correspondant au communiqué, comparez vos choix et ceux des journaux, sous l'angle de la précision et de la clarté de l'information (en tenant compte du fait que les textes des journaux ne sont pas parfaits non plus).

Refaites l'exercice régulièrement, jusqu'à devenir à l'aise et efficace dans l'activité de reconstruction de l'information.

II Allez sur le site du vérificateur général du Québec (www.vgq.gouv.qc.ca/). Choisissez puis téléchargez son dernier *Rapport à l'Assemblée nationale* (il y en a deux par année). Chaque chapitre offre une évaluation de la performance de gestion d'une entité publique quelconque dans un domaine de sa responsabilité. Choisissez un chapitre qui a inspiré la presse – sans encore entrer dans le contenu de la couverture journalistique.

Refaites les opérations de l'exercice précédent. Examinez ensuite la couverture de presse[7] et comparez les choix faits aux vôtres, toujours sous l'angle de la clarté et de la précision de l'information.

N. B. Il est encore permis de fréquenter les bibliothèques et d'utiliser des versions papier...

III Faites le même genre d'exercice avec d'autres types de documents provenant de diverses sources, publiques ou privées. Statistique Canada, par exemple, diffuse fréquemment en ligne (www.statcan.ca) toutes sortes de rapports et de communiqués, souvent repris par la presse, ce qui facilitera la comparaison entre vos notes et la couverture de presse.

IV Assistez à une conférence de presse. Prenez des notes pendant la conférence, sans lire les documents remis par l'organisateur de la conférence. Ordonnez vos informations. Puis comparez les informations contenues dans vos notes à celles fournies dans le communiqué et les autres textes remis, et, si possible, à la couverture de presse. Évaluez votre façon d'ordonner et de comprendre l'information.

---

7. Dans vos recherches sur la couverture de presse, fréquentez des sites Web de divers journaux ; ils sauront, parfois, vous inspirer (certains offrent peu de choses gratuitement, d'autres sont généreux). En passant par Google (www.google.ca), vous n'avez même pas besoin d'adresses complètes. Mentionnons quelques sites (en omettant les répétitifs http://www.) : toileduquebec.com, canoe.com, ledevoir.com, lapresse.com, journaldemontreal.com, montrealgazette.com, lesoleil.com, journaldequebec.com, nationalpost.com, torontostar.com. Google vous mènera aussi à des journaux étrangers (*New York Times*, *Le Monde*, *Libération*, *Le Figaro*, *Ouest-France*, etc.). Si vous désirez consulter des revues de presse, le logiciel québécois *Lektora* parcourt pour vous les fils de presse, dits aussi fils de nouvelles et, dans Internet, flux RSS, et donne accès aux articles complets d'une multitude de journaux. La joie pour les professionnels ou les maniaques de l'information qui, pour environ 40 $, pourront le télécharger à www.lektora.com/.

Figure 3.1

Chapitre III
CHOISIR

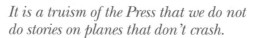

It is a truism of the Press that we do not do stories on planes that don't crash.

Hodding Carter, émission *The Journal*, 1er avril 1985

The headline of the Daily News *today reads BRUNETTE STABBED TO DEATH. Underneath in lower case letters "6 000 killed in Iranian Earthquake"... I wonder what color hair they had.*

Abbie Hoffman, cité par Tuchman (1978)

Vous êtes allé à la chasse à l'information, et vous voilà en possession de données précises, fiables et abondantes sur un sujet quelconque. Communiqués, notes d'interviews avec des témoins ou des « intervenants », documents divers s'accumulent sur votre bureau. Vous avez mis de l'ordre dans tout cela, vous maîtrisez l'information. Il ne reste plus qu'à en faire un article, pensez-vous. Pas si vite ! Ne vous jetez pas encore sur votre plus belle plume ou votre plus chouette clavier.

Il faut d'abord sélectionner et hiérarchiser l'information recueillie. Vous devez repérer ce qui est *newsworthy,* digne de faire la nouvelle car, avant de rédiger, il faut savoir précisément ce qu'on a à dire, ce qui vaut la peine d'être dit. Il faut, en d'autres termes, effectuer un tri et ne retenir, parmi les informations dont vous disposez, que celles qui sont importantes ou intéressantes. Ce sont les seules que votre journal publiera (peut-être) et que votre lecteur lira (avec un peu de chance). Une fois ces informations sélectionnées, vous devez également les hiérarchiser, leur attribuer un ordre d'importance ; cet ordre déterminera le plan et inspirera, sans doute, le titre de l'article.

ON NE PEUT PAS NE PAS CHOISIR

Choisir, trier, sélectionner des informations, donc en éliminer. C'est indispensable mais pas facile. Surtout pour le novice qui, faute de bien connaître les règles du jeu journalistique, faute d'avoir pu développer avec le temps et la pratique son sens de la nouvelle, hésite à exercer son jugement et, notamment, à faire le tri qui s'impose.

Souvent, même, il pense que la voie de la facilité rejoint celle du devoir et qu'il convient de transmettre, en le synthétisant, *tout* ce que ses sources, vives ou documentaires, lui ont appris, afin de donner à ses lecteurs une information complète.

Cette question a suscité dans mes cours maints débats animés. Par exemple, le Parti libéral du Québec, alors dans l'opposition, annonçait un jour un programme en 12 points concernant les pêcheries. Il y a là-dedans des clopinettes et des choses pas du tout passionnantes, disaient les uns. Et d'opter pour une sélection féroce : on retient deux points ; si on a le temps ou l'espace, on mentionnera qu'ils se trouvent « parmi une douzaine de propositions qui... » Vous n'avez pas le droit de faire cela, protestaient les autres. Le programme comporte 12 points, pas deux, ni trois. Il faut le dire au public, sinon l'information est incomplète, voire malhonnête. Faisons dans notre nouvelle la synthèse des 12 points.

Eh bien non ! Les tenants de la sélectivité ont raison et le louable souci d'honnêteté des autres est mal venu, pour d'innombrables raisons. J'en retiendrai quatre, qui se ramènent, en fait, à deux constats : il est impossible de ne pas choisir ; quand on essaie de tout dire, on sert bien ses informateurs mais mal son public.

On ne peut pas tout dire

Prétendre couvrir de façon exhaustive ou complète les événements de l'actualité constitue, au mieux, une naïveté, au pire, une fumisterie. Chaque jour, les médias diffusent certaines informations sur quelques dizaines ou centaines d'événements, laissant dans l'ombre des millions d'autres faits, dont bon nombre sont potentiellement aussi importants ou intéressants. Nécessairement, inévitablement, ils font un tri.

Ce tri renvoie :

- à des questions de ressources et de lieux : les médias n'ont pas de journaliste à Saint-Glinglin, qui devra crier très fort pour se faire entendre d'eux ;
- au statut social des acteurs en cause : le rhume de M. Bush se transmet mieux, si j'ose dire, que celui de M. Tartempion ;
- aux politiques d'information des médias, aux normes et aux habitudes des sélectionneurs ;
- et à bien d'autres choses, dont la première est sans doute le hasard (MacFarlane, 1981).

Quant à couvrir « complètement » au moins les événements retenus... Le moindre fait divers peut nous faire remonter au déluge. Il faudrait tenir compte de l'histoire personnelle et sociale des personnes en cause, du contexte culturel et économique, du climat, sans doute, si cela se passe au Québec... Faut-il s'arrêter au XIXe siècle ? Au bas Moyen Âge ? Dans l'information d'actualité, l'usage et le bon sens veulent qu'on s'en tienne à l'époque contemporaine et à l'actualité, et qu'on évite de se prendre pour Proust devant son thé et ses madeleines[1]. Bref, on est

---

1. Madeleines : petits gâteaux qui inspirèrent à Proust de longues pages de réminiscences. Ce type d'allusion culturelle, que je me permets ici, est à proscrire quand on écrit pour un grand public.

toujours sélectif et toujours incomplet. L'honnêteté consiste d'abord à le reconnaître et à en accepter les conséquences.

L'espace est compté

Votre média cible, comme tous les autres, compte son espace comme l'avare ses pièces d'or. Le bon informateur public ne méditera jamais assez sur ce fait tout simple : la corbeille à papier d'une salle de rédaction, c'est un conteneur ! S'y accumulent chaque jour, à un rythme impressionnant, des centaines de dépêches, de communiqués, de dossiers... Quant à ceux qui surnagent, il faut voir à quelle cure d'amaigrissement on les soumet souvent avant de les déclarer bons à consommer ! Et n'oublions pas les innombrables informations qui ne se rendent même pas jusqu'à la salle de rédaction.

Pas question, dans ces conditions, de reconquérir les comptoirs de l'Inde[2] ! Votre média ne vous accordera pas les 2 000 ou 3 000 mots dont vous auriez besoin pour couvrir de façon convenable les 12 points du programme du PLQ, un sujet qui n'intéresse directement qu'une faible minorité de lecteurs[3]. Pas question non plus de tasser les 12 points en un ou deux feuillets[4], c'est-à-dire de les couvrir de façon inintelligible – et, dès lors, forcément insipide. De telles choses se rencontrent, et même, à l'occasion dans les meilleurs médias, mais le crime des uns n'excuse pas celui des autres !

En un mot comme en mille, vous disposez presque toujours de plus d'information que d'espace. Il vous faut donc choisir.

Le lecteur ne veut pas tout savoir

Votre lecteur est encore plus sélectif que vous. Il se contente des choses qu'il juge importantes ou, surtout, intéressantes, et il ne versera pas un pleur sur les pauvres sources dont vous auriez tronqué le message. Et si d'aventure vous réussissez, par un beau jour de surabondante publicité et de morte information, à « tout lui dire », il décrochera au troisième paragraphe sinon à la troisième ligne car, en plus d'être sélectif, il est pressé. Or, vous écrivez pour lui et vous avez l'obligation de tout faire pour être lu.

Si l'on croit ne pas avoir à choisir...

Le refus de choisir se retourne fréquemment contre le journaliste, qui devient courroie de transmission au service de ses sources, alors que son métier le veut au service du public. Il se produit, comme disent les

---

2. Autre allusion culturelle, cette fois à une chanson du temps jadis. Si vous ne la connaissez pas, notez comment ces citations pour initiés peuvent être exaspérantes pour les autres !

3. Sauf si ledit média est situé dans une région où la pêche commerciale joue un grand rôle dans l'économie locale.

4. Un feuillet : environ 250 mots. Avec l'informatisation des rédactions, on n'utilise plus guère cette mesure ; on lui préfère le nombre de mots, voire de caractères, fourni par l'ordinateur.

sociologues à propos des communications qui ont un effet contraire au résultat recherché, un effet boomerang ; croyant être neutre, on devient carrément partisan.

Et souvent partisan du *statu quo*. Il se trouve, en effet, que tous n'ont pas accès aux médias. On se bouscule au portillon et, dans cette bousculade, les grands et les organisés de ce monde sont mieux placés que les autres. Il se trouve aussi que les gagnants de la course n'ont pas pour objectif premier d'informer le public mais, en général, de favoriser leur propre intérêt (souvent tout à fait légitime, d'ailleurs, mais là n'est pas la question). Il se trouve même qu'ils tentent parfois de manipuler à la fois les médias et le public et font dans la désinformation plutôt que dans l'information.

Le journaliste n'hésitera donc jamais à choisir, et à choisir uniquement en fonction de son évaluation personnelle et professionnelle de ce qui est digne de faire la nouvelle. Il évitera certes de s'en prendre systématiquement aux sources les mieux placées, mais ce risque-là est minime, étant donné qu'il dépend d'elles. Son principal atout d'informateur, son carnet d'adresses, risque en effet de se dévaluer s'il maltraite son monde[5]…

Pour exercer convenablement son métier, le journaliste doit donc se convaincre qu'il ne peut pas ne pas choisir, sauf, pour reprendre un titre de Sartre, à jouer *La Putain respectueuse*[6].

ON NE PEUT PAS CHOISIR N'IMPORTE QUOI

Pour une bonne part, on a déjà choisi pour vous. Si vous êtes parti à la chasse aux informations, c'est que votre média ou votre organisme a décidé d'investir temps et argent dans la production de cette information-là – et de ne pas consacrer un sou à la couverture de tel autre événement ou état de fait.

Pour tous les médias d'information, une part de l'actualité est incontournable : le déclenchement de la guerre en Irak, l'explosion de la navette spatiale, les élections législatives au pays, etc. Mais, pour le reste, les politiques d'information diffèrent. Ainsi, certains médias dits « populaires » privilégient les trois S – le sang, le sexe, le sport – devenus quatre avec l'ajout du spectacle ; d'autres médias dits « sérieux » accordent plus d'importance au social, à la politique, à la culture, etc. Certains proscrivent l'éditorial, voire l'analyse, d'autres s'en font un créneau.

5. Je ne peux ici que mentionner, assez cavalièrement, ces questions d'accès différentiel aux médias, de rapports entre les journalistes et leurs sources ou, plus généralement, de fonctions sociales des médias. On lira avec profit, sur ces thèmes, Tuchman, Epstein, Tunstall, Gans, Demers, Beauchamp, Gingras (voir la bibliographie) et d'autres. Voir aussi, sur les rapports entre journalistes et relationnistes ou hommes politiques au Québec, Charron (1994), Charron, Lemieux et Sauvageau (1991).

6. Pour tout journaliste peu ou prou aguerri, la nécessité de choisir et d'exercer son jugement relève de l'évidence. Si j'insiste tellement sur ce point, c'est pour avoir constaté, avec maints collègues, que la peur de choisir et la tendance à faire la courroie de transmission comptent parmi les plus tenaces de ces mauvaises habitudes que l'enseignement doit chercher à défaire.

Ces choix faits en amont expliquent le type de données que vous avez maintenant à trier et à ranger par ordre d'importance. Même à cette étape, votre marge de manœuvre n'est pas très grande. Si vous êtes au service du *Journal de Montréal*, vous savez que votre rédaction et vos lecteurs ont des attentes différentes de celles de la rédaction et des lecteurs du *Devoir* quant à la façon de traiter les thèmes retenus. De même si vous travaillez pour le bulletin d'une association de consommateurs ou, au contraire, pour celui d'une grande entreprise. Votre liberté de jugement s'exerce donc à l'intérieur de contraintes organisationnelles et institutionnelles.

Toutefois, vous savez aussi que, pour l'ensemble du milieu journalistique, certains choix s'imposent, alors que d'autres sont à rejeter sans hésitation. Ce qui donne… de nouvelles restrictions mais aussi des critères de sélection et de hiérarchisation des informations.

COMMENT CHOISIR

Il existe, en effet, des normes assez généralement admises qui guident les médias et les journalistes dans le tri des informations et dans l'importance qu'ils accordent ensuite à chacun des éléments retenus (temps et argent investis dans la recherche de l'information, plus ou moins grande valorisation des articles par le texte et la mise en pages, etc.). *Qu'est-ce qui fait courir les médias ?* Pour acquérir une écriture de presse efficace, il faut évidemment en avoir une idée assez précise.

Posez cette question à un journaliste et il y a fort à parier qu'il vous répondra surtout par des exemples. « Ça, tu vois, il faut en parler. Ça, on laisse tomber, c'est sans intérêt. Ça, c'est important, on attaque avec ça. Avec cela, je me paie la une, avec ceci, une brève en page 32. » Pourquoi ? Mystère, le plus souvent. Tout se passe comme si le fameux sens de la nouvelle qu'on invoque à tout propos pour justifier ses choix relevait de l'alchimie ou d'un virus qu'on attraperait à la longue, à fréquenter les salles de rédaction. Bref, comme je l'ai déjà noté, la profession a peu codifié sa pratique.

Heureusement, quelques journalistes et certains observateurs du métier ont réfléchi plus systématiquement à la question. Ils ont étudié le fonctionnement des médias d'information. Parfois de l'intérieur, par l'observation du comportement des rédactions et des journalistes (Tuchman et Epstein, par exemple), parfois, aussi, de l'extérieur, par l'analyse du « produit fini » dont on induit, en le comparant aux « intrants », une logique de fabrication (Kientz, par exemple)[7].

On ne s'étonnera pas de constater que, au-delà de certaines variations terminologiques et sémantiques, les médias convergent tous vers

7. Chercheurs patentés et journalistes chevronnés n'ont pas le monopole de l'observation efficace de la presse. D'où la bonne nouvelle : le sens de la nouvelle peut se développer (presque) aussi bien par la lecture attentive de la presse que par l'écriture de presse. Le sens critique de la nouvelle, devrais-je dire. Nous sommes des milliers de lecteurs de journaux à nous livrer, jour après jour, à une lecture critique de la presse et à nous faire une idée non seulement des critères de choix des salles de rédaction mais aussi du non-sens de certains de leurs choix.

quelques critères assez simples (à comprendre, sinon à appliquer). Après tout, on voit tous les jours que, au moins en ce qui a trait aux nouvelles simples, la couverture de presse d'un même événement varie assez peu d'un auteur à l'autre et même d'une entreprise de presse à l'autre.

Ce sont ces quelques critères que je vais maintenant exposer. Je m'inspire surtout des auteurs suivants (voir la bibliographie) : Albert Kientz, Philippe Gaillard, Robert Escarpit, Abraham Moles (par l'entremise de Kientz surtout) et Fred Fedler, dont l'œuvre me paraît représentative de plusieurs manuels américains traitant de la nouvelle et du reportage.

La nouveauté

De la nouveauté avant toute chose !

Quoi de neuf ? C'est à cette question que répond avant tout l'information de presse. Le citoyen qui écoute un bulletin d'informations ou parcourt son journal veut savoir ce qui se passe dans le vaste monde ou dans son patelin. Ce qui se passait hier à la rigueur, ce qui arrive aujourd'hui, de préférence, ce qu'il advient à l'instant, si possible – et ce l'est parfois avec la télévision, souvent avec la radio.

La nouvelle, c'est d'abord le nouveau. Pour trier ses informations et les ranger par ordre d'importance, le journaliste se demande donc d'abord ce qu'il peut apprendre à son lecteur, ce qu'il peut lui dire qu'il ne sait déjà.

Dans la presse écrite, il s'écoule au moins quelques heures entre le moment où se produit un événement et celui où le journal est mis en circulation. Primeurs mises à part, la plupart des informations qu'elle publie ont donc déjà été diffusées par les médias électroniques et, parfois, par Internet. Le *nouveau* peut alors se définir un peu différemment : c'est ce qui s'est produit depuis la dernière édition du journal. C'est aussi, quoique secondairement, les éléments que les confrères de la presse électronique, en général astreints à des topos très courts, n'ont pu exposer faute d'espace (secondairement car, sauf exception, les confrères en question auront retenu l'essentiel, et le choix des informations doit aussi tenir compte de la valeur intrinsèque de ces informations). *Cf. infra.*

On dit parfois « les actualités » pour désigner « [les] informations, [les] nouvelles du moment » (*Le Petit Robert*). Cette formule reflète bien l'importance extrême que revêt l'actualité des informations, donc la rapidité de production, dans la pratique journalistique. La primeur, le *scoop* en jargon du métier, transmis en exclusivité quelques heures, voire quelques minutes avant les concurrents, est un titre de gloire pour le média comme pour le journaliste[8]. On le signalera, on lui accordera un traitement de faveur. Les concurrents reprendront l'information,

---

8. Le vrai *scoop*, s'entend. Avec la généralisation de l'information continue, il se diffuse maintenant plus de rumeurs non confirmées, qu'il faudra souvent démentir plus tard, que de vrais *scoops* ; ceux-ci n'en sont que plus précieux.

normalement[9] en précisant son origine, ce qui met en valeur le média auteur du *scoop*.

À l'inverse, une nouvelle parvenue à la rédaction d'un quotidien ne serait-ce que quelques minutes après la *tombée*[10] disparaîtra dans la terrible corbeille-conteneur sans laisser de traces. Ou, si elle pèse trop lourd pour qu'on l'exécute sans autre forme de procès, elle aura droit, le jour suivant, à quelques lignes dans une page intérieure au lieu de flamboyer à la une.

L'actualité, en somme, est quelque chose qui se défraîchit très vite. Plus encore, sans doute, pour les médias que pour leur public. Le lecteur d'un quotidien ne bondit pas nécessairement d'enthousiasme quand son journal publie un *scoop*. Il ne frôle pas non plus la dépression si sa station préférée se fait griller par une station concurrente.

Il reste que, habitués à la rapidité, lecteurs et auditeurs préfèrent qu'on leur serve leur salade encore croquante. Hors de la nouveauté, donc, point de salut.

Article 3.1

Un plan d'action aux airs de déjà-vu

Parmi les 20 priorités annoncées par Landry, une seule nouveauté, en éducation

VALÉRIE LESAGE

◆ ◆ ◆

■ Le gouvernement du PQ projette une petite révolution dans les écoles secondaires, où les élèves seront bientôt invités à un nouveau rendez-vous éducatif après les heures de classe. Cette mesure apparaît comme la seule véritable nouveauté parmi les 20 priorités identifiées par le gouvernement Landry dans son plan d'action dévoilé hier.

> On offriras des activités aux élèves du secondaire après l'école

Les autres priorités, axées sur la prospérité et la qualité de vie, ont déjà été annoncées ou s'inscrivent dans la continuité du travail du PQ ces dernières années. Le premier ministre espère néanmoins convaincre les Québécois du dynamisme de son équipe.

« J'espère que nos compatriotes seront ainsi persuadés qu'ils ont un gouvernement qui gouverne, qui a des idées, de l'énergie, qui est là pour les servir et qui va les servir jusqu'aux prochaines élections et qui espère aussi beaucoup les servir après les élections », a affirmé M. Landry.

Le plein emploi d'ici 2005 figure en tête de liste des priorités du PQ, viennent ensuite des actions pour le développement des régions, la lutte contre la pauvreté, l'amélioration de la situation dans les urgences, une meilleure répartition de l'effectif médical, la politique de l'eau, etc.

En santé, l'aspect le plus tangible du plan annoncé hier est l'accélération de la mise en place des Groupes de médecine familiale (GMF) accessibles 24 heures sur 24. En juin dernier, le ministre de la Santé, François Legault, prévoyait la création de 300 groupes pour rejoindre les trois quarts de la population en quatre ans. Hier, le gouvernement a annoncé qu'il entendait créer suffisamment de GMF [...]

Le Soleil, 7 novembre 2002

Même un premier ministre passe mal la rampe s'il propose surtout du réchauffé. Ici, le journaliste souligne dès le lead *le manque de nouveau, sur lequel le titreur axe ensuite titre et sous-titre. Meilleure chance la prochaine fois pour la source !*

---

9. Le respect du principe varie selon les médias. D'aucuns l'observent scrupuleusement, d'autres, non. Dans certaines stations de radio, on se contente même d'écouter ou de lire la concurrence pour produire « ses » informations ; ces gens-là s'abstiennent de mentionner leurs sources...

10. Il s'agit de la « vraie » tombée, qui peut survenir plus tôt que l'officielle pour les nouvelles secondaires, ou planifiées sur une base hebdomadaire, et beaucoup plus tard pour les nouvelles jugées importantes : la mort du pape, le résultat de la partie de hockey du soir...

Du neuf avec du vieux

Précisons cependant qu'en matière d'information de presse, le nouveau n'est pas toujours le récent : c'est ce qu'on ne savait pas déjà. En janvier 2002, des médias québécois ont raconté que l'ancien ministre Guy Chevrette avait refusé un gros pot-de-vin 12 ans plus tôt (Article 3.2 ci-dessous). De même, Irangate et Watergate ont explosé sur la place journalistique plusieurs mois après les événements révélés. En décembre 1986, plusieurs médias d'information ont même fait leurs manchettes avec un événement vieux d'un demi-siècle ! En janvier 1936, nous disaient-ils, George V n'est pas mort de mort naturelle ; son médecin a un peu avancé l'heure de son décès, apparemment avec l'accord de la reine Mary. Motif : l'heure de tombée du *Times*, journal du matin. Il convenait que le royal trépas fût annoncé par ce journal plutôt que par la moins respectable presse du soir.

Article 3.2

La nouveauté prend plusieurs formes. L'événement s'est produit 12 ans plus tôt, mais M. Chevrette vient de le révéler et, ce faisant, il « a surpris tout le monde », souligne le journal dès l'attaque. Il met ainsi en valeur l'inédit, l'inattendu de la chose pour le public.

Chevrette a refusé un pot-de-vin de 500 000 $
Des propriétaires de vidéopokers lui avaient offert cette somme en 1989

LOUIS TANGUAY
♦ ♦ ♦

Plus de 12 ans après avoir refusé un pot-de-vin d'un demi-million $ offert par des propriétaires de vidéopokers, le ministre Guy Chevrette a surpris tout le monde en racontant l'événement hier.

La somme offerte par deux personnes venues le visiter à la permanence du PQ à Montréal était contenue dans deux valises et était destinée à convaincre les dirigeants du parti de s'engager à maintenir la tolérance qui prévalait alors à l'endroit des propriétaires de vidéopokers.

La révélation de Guy Chevrette n'a par ailleurs rien à voir avec le débat sur l'éthique des lobbyistes, a affirmé au SOLEIL hier soir, son chef de cabinet, M. Pierre Châteauvert, qui s'est fait raconter l'anecdote de la bouche même du principal intéressé.

C'est en réponse à une question "sortie de nulle part", selon son porte-parole, que M. Chevrette a relaté à la fin d'une entrevue télévisée à TVA la tentative de corruption survenue à 12 jours des élections de 1989.

M. Chevrette était alors chef parlementaire de l'opposition officielle, depuis la démission de Pierre-Marc Johnson en 1987. [...]

Le Soleil, 24 janvier 2002

On notera toutefois que de telles remontées dans le passé ne concernent que des événements qui satisfont à d'autres critères de sélection que celui de la nouveauté. Surtout, elles se limitent à des choses dont la révélation offre un intérêt journalistique actuel. Qu'on accuse aujourd'hui le président d'un grand pays de crimes de guerre commis des décennies plus tôt, et voilà toute la presse internationale sur les dents : la révélation de tels événements anciens affecte maintenant toute la vie politique d'un ou de plusieurs pays. En revanche, si un érudit découvre un fait inédit de la vie de Pépin le Bref, c'est l'édition historique et non la presse qui accueillera, des mois ou des années plus tard, l'exposé de sa découverte. Dans la presse d'information, nouveauté reste donc synonyme d'actualité.

Cela est vrai de l'information *rapportée,* ce l'est tout autant de l'information *expliquée* ou *commentée.* Contrairement aux textes de morale ou de science politique, en effet, éditoriaux et commentaires divers se rattachent directement à l'actualité immédiate. Il en va de même pour les analyses de toutes sortes publiées par la presse.

De l'actuel avec du non-daté

Les *features,* grands reportages, articles de fond et autres textes plus élaborés semblent parfois échapper à la loi de l'actualité. Souvent, en effet, ils portent sur des situations durables plutôt que sur des informations pointues. En fait, on ne publiera en général de tels articles qu'au moment où quelque nouvelle (de préférence du type *hard news*) vient les actualiser. On sortira des tiroirs des textes :

- sur l'endettement du tiers monde quand un de ses pays brandit la menace d'une cessation de paiement ;
- sur l'enfant et l'ordinateur quand des écoles renouvellent à grands frais leur équipement ;
- sur le chômage en région quand la fermeture d'une usine entraîne la disparition de toute une « ville de compagnie » ;
- sur les mœurs des caribous quand 10 000 d'entre eux se noient dans une rivière du Nord ;
- sur le déneigement à la énième « tempête du siècle » de l'hiver ;
- sur le réchauffement climatique quand il cause des inondations inattendues, etc.

Autrement dit, on accroche généralement au train de l'actualité les informations qui n'y occupent pas un créneau précis. Quand l'actualité suscite l'intérêt du public pour un groupe, une région ou un thème, journaux et journalistes en profitent pour explorer certains sujets connexes à la temporalité plus floue. Ou, encore, pour reprendre une image de Gans (1980), les nouvelles fortement actualisées servent de « patères » ou de « poignées » auxquelles les sélecteurs vont accrocher leurs autres *stories,* et tout particulièrement leurs *features.* Un *feature* sans patère leur paraîtra un papier sans intérêt, quelle que soit sa qualité.

Souvent, souligne Gans (p. 168), ce sont des sources avides de publicité qui fournissent les patères, car elles savent combien les journalistes en ont besoin. Elles organisent alors un événement « pointu » – manifestation inusitée, déclaration fracassante d'une personnalité en vue, par exemple – que les médias vont couvrir et sur lequel ils pourront greffer d'autres informations, plus « molles », que ces sources désirent voir publicisées. C'est ce qui explique, par exemple (avec le fait que les médias se copient les uns les autres), que différents médias d'information vont parfois s'intéresser en même temps à une personne, à un groupe ou à une situation qu'ils ignoraient jusque-là avec un bel ensemble.

Le nouveau et le reste

On voit donc que la nouveauté-actualité constitue le premier critère de sélection et de hiérarchisation des informations. *Quoi de neuf ?* Voilà ce qu'il faut d'abord se demander, au moment de choisir.

Cela ne signifie pas que l'on ne retiendra que le nouveau. Comme le commun des mortels n'a pas tout su et encore moins tout retenu de l'actualité plus ou moins récente, beaucoup d'informations resteraient incompréhensibles si, à côté du neuf, on ne plaçait des rappels du passé qui en éclairent le sens. Tel est le cas notamment des « affaires », des nouvelles sérialisées, des feuilletons de l'information, qui prolifèrent maintenant dans la presse. Dans un article sur la vie quotidienne des détenus du Tribunal pénal international, il faut bien rappeler pourquoi ils ont été arrêtés. Il faut de même préciser que la déclaration du ministre aujourd'hui répond à une accusation portée hier par l'opposition. Sans de tels rappels, la nouvelle devient inintelligible pour une bonne partie des lecteurs.

Cela signifie bien, en revanche, qu'on doit :

- donner priorité au nouveau au moment de choisir ;
- rejeter sans hésiter toute information ancienne qui n'apporte rien à la nouvelle fraîche ;
- au moment de la rédaction et de la mise en pages, donner priorité (ordre de présentation, espace accordé, titraille[11], encadrés, etc.) au nouveau sur le déjà-vu ;
- et, dans le cas des événements répétitifs ou durables, chercher à y injecter de la nouveauté. On y arrive en les abordant sous de nouveaux angles, en posant de nouvelles questions, en faisant appel à des sources encore inexploitées.

Figure 3.2

---

11. Titraille : ensemble des titres d'un article, d'une page, d'un journal : titres principaux, parfois surmontés d'un surtitre ou exergue et complétés par un sous-titre.

L'imprévisible

Les événements récents qui offrent, en prime, la particularité d'être imprévisibles cotent très haut à l'index de la nouveauté. Sans doute parce que la valeur d'un bien augmente avec sa rareté !

Contrairement à ce que l'on pourrait croire, en effet, les médias d'information travaillent surtout dans le prévisible. Même la presse électronique et les quotidiens planifient la plus grande part de leur production sur une semaine et plus. Ils vénèrent l'événement imprévisible et exceptionnel, la « vraie nouvelle », qui les met en émoi et en action. Mais ils couvrent davantage d'événements organisés, planifiés ou annoncés : conférences de presse, spectacles, congrès, réunions, négociations, élections, publication de rapports annuels, de rapports de commissions, de livres blancs ou verts, de projets de loi, et quoi encore. Toutes choses dont la dose d'imprévisibilité est faible, comparée à celle des événements fortuits ou des informations produites par le journalisme dit d'enquête[12].

De plus, les médias « routinisent » la couverture d'autres événements, imprévisibles en soi mais statistiquement récurrents. Les activités humaines sont marquées par l'habitude et la régularité, tragédies et bonheurs se répètent et se ressemblent. Il est ainsi possible de standardiser leur couverture, un peu comme un hôpital normalise sa façon de répondre aux urgences, pour reprendre une analogie de Tuchman. Les médias interrogent donc régulièrement des sources clés (policiers, certains attachés de presse, agents de la Bourse, etc.) sur des sujets constants ; ils couvrent en priorité les événements dont on sait qu'ils auront lieu (tel le tirage du gros lot).

Il en résulte que la plupart des informations sur ces sujets offrent peu de réelle nouveauté. En dehors du carambolage historique ou du massacre de masse, le fait divers, par exemple, comme le compte rendu d'un match sportif, ne fait qu'individualiser un récit fondamentalement répétitif. Les centaines d'accidents de la route ou d'incendies que rapporte chaque année un journal peuvent se ramener à quelques canevas de base. Seuls varient les aspects uniques et actuels de l'événement : noms, moment, lieu, nombre de morts et de blessés, ampleur des coûts...

Dans ce contexte, l'événement imprévisible, quintessence de nouveauté, c'est de l'or en barre. On comprend dès lors pourquoi la citrouille de 50 kilos peut faire parler d'elle jusqu'au journal de Radio-Canada, comme l'orignal qui attaque une skieuse ou l'ours qui se promène boulevard Laurier ; pourquoi le député de l'opposition qui appuie un projet du gouvernement contre son propre parti fera la manchette, tandis que son collègue plus discipliné n'obtiendra pas un entrefilet ; ou, encore, pourquoi le suicide d'un quidam fera le tour de la planète s'il s'agit d'un militant néo-nazi qui vient de se découvrir des origines juives (*sic*).

---

12. Ce terme, assez récent, semble opposer l'enquête à la pratique journalistique courante. En cela, il indique bien comment la presse, en s'industrialisant, s'est organisée (sans s'y cantonner) autour d'événements (globalement) prévisibles et proposés de l'extérieur des médias, plus faciles et moins chers à couvrir. Les journalistes des quotidiens ironisent sur leurs « petits hebdomadaires », tant la part des éléments planifiés est forte dans ces journaux.

Article 3.3

Un expert met en doute les dangers de la conduite en état d'ébriété

PRESSE CANADIENNE

Toronto - Les militants pour la sécurité sur la route exagèrent les dangers de la conduite en état d'ébriété et d'autres formes de conduite fautive, soutient un universitaire ontarien. Selon cet expert, on pourrait sauver un plus grand nombre de vies si le gouvernement et le public en général se préoccupaient davantage de l'amélioration des routes, du transport en commun et des normes de sécurité des véhicules, rapportait hier le *National Post*.

Nul doute que la conduite en état d'ébriété est dangereuse et impose des coûts sociaux excessifs, écrit David MacGregor, de l'Université Western Ontario, dans un récent article. Mais on en exagère la contribution aux accidents de la circulation.

« Pas plus de 25 % des collisions fatales aux États-Unis impliquent de l'alcool, poursuit-il. De plus, le rôle de l'alcool dans plusieurs de ces incidents demeure inconnu. Conduire sous l'effet de l'alcool est beaucoup moins dangereux que plusieurs activités légales, comme conduire une motocyclette, par exemple. »

Quant aux campagnes contre l'alcool au volant, le professeur MacGregor pense qu'elles servent plus à faire bonne impression qu'à sauver des vies.

M. MacGregor a comparé les initiatives canadiennes en matière de sécurité routière avec celles de la Suède, où les autorités se sont donné pour but d'éliminer les décès sur la route. Lorsqu'ils analysent les causes des accidents de la circulation, note-t-il, les Suédois accordent plus d'importance à la route et à la sécurité du véhicule qu'au comportement du conducteur.

Les Suédois sont également plus enclins à voir l'investissement dans les transports en commun et les modes de transport de rechange comme favorables à la sécurité routière, ajoute-t-il. Au Canada, les politiques en matière de sécurité routière privilégient les droits des automobilistes, aux dépens de ceux des autres utilisateurs de la route.

M. MacGregor se dit conscient que ses propos controversés ne seront pas reçus des partisans de la sécurité routière au Canada, qui font continuellement campagne pour réduire le taux d'accidents mortels impliquant la consommation d'alcool.

Les statistiques recueillies par l'organisme Mothers Against Drunk Drivers (Mères contre la conduite en état d'ébriété, ou MADD) indiquent que jusqu'à 40 % des conducteurs tués sur la route au Canada avaient de l'alcool dans le sang.

Pas moins de 1 400 Canadiens meurent chaque année dans des accidents de voiture, de bateau et de véhicule tout-terrain qui peuvent être attribuables à la consommation d'alcool.

Les responsables de MADD craignent qu'une thèse comme celle de M. MacGregor ne détourne l'attention de ce qui constitue une cause importante et évitable de tragédies.

Le Devoir, 1er octobre 2002

Ici, un expert offre une autre forme de nouveauté : il rame à contre-courant et à contre-discours. Après des décennies de campagnes anti-alcool au volant, pas étonnant que ses conclusions fassent le tour du Canada !

L'imprévisible exerce donc une fascination journalistique sans pareille. Entendez par là l'événement fortuit et exceptionnel – l'accident d'avion, l'éruption volcanique, l'attentat, etc. Mais aussi l'inattendu, l'inusité, le bizarre, l'original, l'étrange, le surprenant, tout ce qui sort de la norme ou, mieux, la contredit. Ce qu'exprime bien l'adage : *Un chien qui mord un homme, ce n'est pas une nouvelle, mais un homme qui mord un chien, si.*

La valeur intrinsèque

Une bombe vaut plusieurs lance-pierres

Certains événements pèsent lourd en soi, « objectivement », d'autres pas. Certains ne changent pas grand-chose pour le commun des mortels. D'autres peuvent modifier le cours de l'histoire. Le poids d'une information, sa valeur intrinsèque, constitue évidemment un critère prioritaire de sélection et de hiérarchisation (Fedler parle de l'importance, Escarpit, de la valeur d'enjeu, Gaillard, de la signification d'un événement).

Ainsi, dans un accident, les pertes de vies humaines ont plus de poids que les dégâts matériels. La faillite qui prive des dizaines de travailleurs de leur gagne-pain compte plus que celle d'un seul individu.

Parmi les décisions annoncées par un ministre figurent la hausse des impôts et la réduction du budget des prisons : comme la première affecte l'ensemble des citoyens et a un impact sur la conjoncture économique, sociale et politique, elle importe plus que la seconde, qui ne concerne qu'une minorité et dont les effets sont plus obscurs. Le président de la Chine a survécu hier à un attentat : cela est plus significatif que la mort de son garde du corps. Non pas que la vie de l'un ait moins de prix que celle de l'autre, mais parce que le premier événement a des répercussions infiniment plus graves que le second.

En somme, ont une plus grande valeur intrinsèque les informations qui concernent plus de personnes, comme individus ou comme citoyens, et qui les affectent plus profondément, mettant en jeu leur mode de vie, leur qualité de vie et, *a fortiori,* leur vie tout court.

Le nez de Cléopâtre

Eût-il été différent, on le sait, la face du monde en aurait été changée. Moins parfaitement belle, la reine d'Égypte n'aurait peut-être pas séduit son Jules (César) et, dans ce cas, l'histoire de l'Empire romain – donc la nôtre – aurait pu être différente.

La valeur intrinsèque des événements dépend ainsi souvent du poids social de leurs acteurs. Qu'un quidam propose dans un bar d'abolir le droit de grève, cela ne fera pas une ride à la surface de l'actualité. Que le leader du patronat ou le ministre du Travail en fasse autant en public, il déclenchera un raz-de-marée. Normal, puisque le quidam peut gloser 100 ans sur ce droit sans affecter le cours des choses syndicales, alors que les propos du dirigeant équivalent à une déclaration de guerre, guerre dans laquelle il a des troupes à lancer.

De même, si le président des États-Unis dénonce tel pays comme appartenant à l'axe du mal, on s'en inquiétera (ou s'en réjouira) davantage que si cela vient du voisin, parce que le président peut infléchir la politique internationale. Pour qu'un accident causé par un automobiliste en état d'ébriété fasse partout la manchette, il faut qu'une famille entière en soit victime. Le vol à l'étalage du jeunot du coin n'offre guère de valeur journalistique. Cependant, que M. René Lévesque, alors premier ministre, fauche un clochard, qu'un de ses ministres se fasse prendre à voler une veste dans un magasin ou que la présidente d'une centrale syndicale « pique » des gants, voilà de la nouvelle ! Voilà même de quoi lancer un feuilleton journalistique qui durera des semaines ou des mois.

Lorsqu'on estimera la valeur intrinsèque d'une information, toutefois, on prendra garde de démêler ce qui relève de la valeur d'enjeu de ce qui découle du vedettariat. D'accord, mon nez à moi ne vaut pas celui de Cléopâtre, mais ce que tel important personnage a mangé hier au petit-déjeuner n'a pas plus de signification réelle que s'il s'agissait de vous ou moi. Ce dont tous les médias ne tiennent pas compte. Il en est pour qui une vedette vaut 2 000 quidams, sans compter d'autres types de gradation des acteurs sociaux encore plus suspects, du genre « une Blanche vaut deux Noires », comme dans les partitions musicales... Au journaliste alors de tenter de produire une information valable malgré les contraintes que lui impose parfois son milieu.

Il faut aussi se méfier des habitudes et de la facilité qui font que les médias ont tendance à privilégier toujours les mêmes sources, le même cercle restreint d'abonnés de la place publique. Ce n'est pas parce qu'une action ou une déclaration vient d'un habitué qu'elle revêt nécessairement une grande importance.

Cela dit, la notoriété, ou plutôt la prépondérance sociale des acteurs de l'actualité, des personnes, des groupes ou des institutions, constitue souvent un bon indicateur de la valeur intrinsèque d'un événement, d'une information, à cause de l'impact de leurs actions et décisions. (Cela, même si cette notoriété est fabriquée en partie par les médias...)

L'intérêt

On a du nouveau, de l'important. Bravo ! Il faudra encore, pour être lu, de l'intéressant.

Qu'est-ce qui suscite l'intérêt du public ? Évidemment, cela varie avec les publics. Si d'aucuns achètent *Le Devoir* ou *Le Monde* et d'autres, *Le Journal de Montréal* ou *France-Soir,* c'est bien que tous ne se passionnent pas pour les mêmes choses. Au point que l'intérêt des uns pour leur journal constitue souvent un mystère pour les autres. « Mais qu'est-ce qu'ils trouvent donc là-dedans ? »

Il faut donc toujours tenir compte de ce qu'on sait (ou suppose, à défaut d'information) du public auquel on s'adresse pour choisir et hiérarchiser ses informations. Toutefois, certains facteurs de l'intérêt sont constants, encore qu'ils jouent à des degrés divers selon les publics et les personnes.

Ce qui intéresse tout le monde, c'est notamment... le nouveau et l'inattendu, l'important et les personnes « importantes ». Si on lit le journal, c'est qu'on veut se tenir au courant de l'actualité et, en premier lieu, des « grosses nouvelles ». Mais encore ?

Les lecteurs sont-ils concernés ?

Certaines nouvelles appellent une réaction de la part des lecteurs, jusque dans leur comportement. « Tel groupe rock au Colisée le 17 » : ses admirateurs réservent illico leur billet. « Réduction de l'aide sociale et augmentation des coûts » : les « bénéficiaires » s'attellent à résoudre la quadrature du cercle et à survivre avec moins de revenus et plus de dépenses. « Loi sur la conduite en état d'ébriété plus sévère » : on diminue sa consommation ou on se fait conduire. « Tempête de neige du siècle demain » : on fait ses provisions, on met la pelle dans le coffre de la voiture.

Toutes ces nouvelles ont, pour une partie des lecteurs, un intérêt direct, une valeur de pertinence (Escarpit). Le journaliste qui veut garder ses lecteurs au poste veillera donc à faire ressortir l'intérêt direct que certaines informations ont pour eux. Fréquentes dans les médias locaux, de telles nouvelles sont plus rares dans les grands médias : peu d'événements concernent l'ensemble ou de larges pans de la population d'un vaste territoire.

Les lecteurs peuvent cependant se sentir concernés aussi par des choses qui les touchent moins directement. Elles font partie de leurs préoccupations, engagements ou engouements parce qu'ils estiment qu'elles modèlent de façon significative le paysage naturel, humain ou social dans lequel ils vivent. Cet intérêt naît de l'éducation, de l'histoire, de la géographie, de la culture. Ainsi, les Québécois (mâles surtout) se passionnent pour le hockey parce qu'ils sont « tombés dedans » quand ils étaient petits... Après des décennies d'information, de scandales et de débats, beaucoup de personnes se sentent fortement concernées par les questions écologiques ou les comportements de l'industrie alimentaire.

Le lecteur peut aussi considérer que des événements sont pertinents à cause, tout simplement, de l'actualité (on revient aux « patères »). Il s'intéresse à tel pays car une entreprise d'ici y construit un barrage. Il tend l'oreille aux altermondialistes parce que la « délocalisation » a entraîné la fermeture de la principale usine du coin. Il y a quelques années, il se faisait attentif aux arguments antinucléaires après Tchernobyl. Il tentait de démêler l'écheveau de la situation au Liban quand les assiégés des camps palestiniens demandaient aux autorités religieuses la permission de manger de la chair humaine, frappant ainsi une note plus stridente dans le concert des horreurs dont la répétition avait fini par endormir la sensibilité du public[13].

Dans tous les cas, il convient de prêter une attention particulière, dans l'estimation des informations disponibles, à la signification de ces informations pour les lecteurs.

La loi du mort-km

Les événements se distinguent aussi en ce qu'ils sont plus ou moins proches ou distants, psychologiquement, des lecteurs. Cette distance psychologique, ou (si l'on préfère voir son verre à moitié plein plutôt qu'à moitié vide) cette proximité psychologique, dépend avant tout de la connaissance qu'on a des gens et des lieux en cause : on ne peut se sentir des affinités réelles qu'avec des personnes que l'on connaît un tant soit peu. C'est pourquoi le public se sent plus proche des gens et des pays qui ont un rapport avec l'histoire, la culture ou la politique de son pays, ou qui font partie de ses lieux touristiques de prédilection. Les Québécois francophones s'intéressent plus à la France qu'à l'Angleterre, et plus à l'Angleterre qu'au Cameroun. Et les nouvelles de Floride, où ils migrent en masse chaque hiver, trouvent souvent un écho favorable chez eux – les informations météo, notamment !

---

13. Dans les jours suivant cette nouvelle, plusieurs médias avaient saisi cette « poignée » pour donner des informations de fond sur la situation au Liban. *Le Devoir* publiait même, « à titre exceptionnel » et à la une, un texte de caractère plus historique que journalistique, puisqu'il remontait jusqu'à la création de l'État d'Israël (1948) pour expliquer les origines de la guerre des camps.

La proximité psychologique tend, en fait, à se confondre avec la proximité géographique. La plupart des gens s'intéressent davantage à leur pays, à leur région, à leur ville qu'à ce qui se passe ailleurs. Le hold-up d'une banque du quartier tient tous ses habitants en haleine, mais un braquage à Kuala Lumpur doit offrir une dose exceptionnelle d'originalité pour attirer le lecteur d'ici. Pour *Le Soleil,* une mort violente à Québec constitue une nouvelle ; il lui en faudra sans doute plusieurs à Vancouver, quelques dizaines à Bogota et plus encore à Djakarta[14]. C'est ce que, dans les salles de rédaction, on appelle avec un certain cynisme *la loi du mort-kilomètre* : la valeur journalistique d'un événement décroît à mesure qu'augmente la distance entre cet événement et le public visé.

Les médias jouent sur cette tendance naturelle. Ils l'amplifient même souvent, en sacrifiant l'information internationale et en se donnant une vocation régionale ou locale plutôt que nationale. On peut le déplorer, estimer qu'ils devraient plutôt habituer le public à voir plus loin que le bout de son clocher. Même dans ce cas, on devra tenir compte des attentes des lecteurs et, pour les informations qui viennent de loin, chercher à les rapprocher du public en soulignant les similitudes et les relations avec les situations locales.

L'insoutenable légèreté de l'être

On l'a souvent fait remarquer : éliminez la royauté de la surface de la terre et une bonne partie de la presse s'écroule, privée de ce qui émoustille inlassablement son public (qu'elle a ainsi conditionné...). Le plus léger soupir de Charles, le moindre souvenir de feu Lady Di atteignent des cotes vertigineuses à l'index du *newsworthy* de certains médias. Même la presse « sérieuse » accourt dès qu'un des faits et gestes de la royauté offre ne serait-ce qu'une apparence de valeur intrinsèque. Il en va de même pour les vedettes de toutes sortes, du sport, du cinéma, de la musique populaire, voire de la téléréalité, sur lesquelles les médias se précipitent[15].

C'est que les Olympiens captivent (presque) tout le monde. Rois et princesses, stars et superstars, grands et puissants, hyper-riches et super-beaux, enfants chéris de la Chance, tous ceux qui, par la naissance, l'apparence, le talent ou le hasard, semblent échapper de quelque façon à la condition humaine, fascinent la plupart de leurs congénères.

---

14. À moins que les victimes ne soient du Québec ou, mieux encore, de Québec. La proximité géographique peut renvoyer au lieu de l'événement ou au lieu de rattachement des acteurs de l'événement. Un avion tombé en Égypte (Charm el-Cheikh) en janvier 2004 a mobilisé la presse française pendant des semaines, les victimes étant en majorité des vacanciers français.

15. Sauf quand la conjoncture est à la « soviétisation » de la presse, si ces vedettes vont à contre-courant de l'orthodoxie du moment. C'est ainsi qu'après l'invasion de l'Irak, les grands médias étasuniens ont boycotté les opposants à la politique de George W. Bush sous couvert de « patriotisme ». Au point que des stars ont dû acheter de l'espace publicitaire pour faire valoir leur position et que des médias, qui habituellement leur mangent dans la main, ont même refusé de diffuser cette publicité pourtant payante, comme ils ont refusé aussi de couvrir certaines énormes manifestations internationales, sur lesquelles les citoyens américains ont été, sans doute, les plus mal informés du monde.

Les victimes, surtout les victimes d'accidents ou de violence physique, attirent tout autant la curiosité. En font foi les attroupements autour des accidentés, le désir de voir les blessés, les morts, le sang – et le succès des médias qui jouent sur cette curiosité.

La déviance, enfin, provoque un intérêt d'autant plus grand qu'elle est plus poussée : un vrai beau massacre, un père qui tue ses enfants, voilà qui fait vibrer le badaud. Et n'oublions pas le sexe, seul ou, mieux encore, associé à la déviance (« C'est avec l'accord du comptable que son amant l'a tué puis mangé »).

Il s'ensuit un intérêt assez répandu pour le fait divers, de préférence sanglant ou croustillant, et plus généralement pour tous les événements susceptibles de susciter l'émotion, de faire rêver, rire, pleurer, trembler ou vivre un peu par procuration des destins tragiques ou exceptionnels. Ces événements qui font appel à notre côté badaud ont de la profondeur psychologique (Kientz et Moles). Comme ils actualisent les grands mythes et nous touchent au plus profond de notre être, « nous prennent aux tripes », ils nous intéressent même lorsqu'ils n'offrent guère de nouveauté ou de valeur d'enjeu et se déroulent très loin de nous. Ils jouent sur ce que les Anglo-Saxons nomment le *human interest* et qui inclut, au premier titre, à côté des victimes, des enfants, etc., l'humour et les histoires... d'animaux.

De l'action !

Ce que font les acteurs sociaux a plus de valeur journalistique que ce qu'ils disent. Priorité donc aux actions et aux décisions sur les déclarations et les états d'âme.

La pratique actuelle de l'information a tendance à saboter l'application de cette ancienne et fondamentale règle journalistique. La prolifération des relationnistes, attachés de presse et autres professionnels de l'action sur la presse, la dépendance des médias par rapport à ces sources et aux événements organisés pour eux, leur tendance à réduire le social aux faits et gestes des vedettes, tout cela fait que, dans la pratique, les médias accordent un poids énorme aux discours et aux déclarations. C'est particulièrement vrai dans le domaine politique. Les nouvelles fondées sur le dire y pullulent, au détriment des informations sur le faire.

Convenons que la distinction est parfois difficile à faire. Prendre publiquement position, c'est à la fois dire et agir. La parole devient souvent une forme d'action. Mais la parole destinée aux médias, fabriquée pour eux, n'apporte souvent que bavardage, camouflage, manœuvre pour attirer sur soi les projecteurs, débats oiseux et gonflés, écume qui cache plus qu'elle ne révèle. Le principe est donc de donner priorité à la véritable action, celle qui change concrètement le cours des choses, sur les déclarations, et priorité aux discours socialement significatifs sur les élucubrations destinées aux médias. Cela fera de la meilleure information, quoique pas nécessairement dans le droit fil des pratiques les plus courantes...

Maintenant que j'ai prêché le discernement et la vertu, je peux me permettre un conseil pragmatique : cherchez la bagarre ! Et nuancer tout de suite : cherchez-la, ne l'inventez pas. Cherchez-la, parce que le conflit intéresse toujours le public et signale parfois de vrais enjeux, permettant d'allier l'intéressant et l'important. Ne l'inventez pas, ne l'exagérez pas, parce qu'il n'est pas toujours d'intérêt public. Bien des événements non marqués par le conflit ont plus d'importance que tous ces combats de chefs, combats de coqs, guerres de chiffres, guerres de drapeaux, pour lesquels leurs protagonistes voudraient qu'on se passionne.

On se méfiera aussi du scandalc. Incontournable, la chose est cependant d'un maniement à tous points de vue fort délicat.

À force de voir la presse étatsunienne se scandaliser des écarts, dans leur vie privée, des présidents ou des candidats à la présidence, ou à d'autres postes, on se demande si vraiment les citoyens américains ne cherchent chez leurs dirigeants que la vertu domestique – ou des dons de communicateur ? On se prend à souhaiter que la théorie de l'*agenda setting* (selon laquelle les médias déterminent les questions qui sont importantes pour l'opinion publique) soit totalement erronée !

L'accusation d'avoir menti à la presse laisse aussi songeur. Sans tomber dans le machiavélisme, qui voudrait que « l'homme le plus puissant du monde » soit un être totalement transparent ?

Le scandale est aussi parfois le fruit d'une franche hypocrisie. Le candidat a fumé une fois de la marijuana quand il avait 18 ans ? Quelle horreur ! Lançons vite un feuilleton journalistique, où tout ce qui compte peu ou prou dans le pays pourra faire entendre sa voix sur cette grave question. Pendant ce temps-là, on pourra oublier des sujets plus importants mais moins alléchants, les positions politiques de ce même candidat, par exemple.

L'organisation de tel ministre a dépassé de 500 $ les dépenses électorales admises ? L'opposition clame pendant des jours et des mois sa vertueuse indignation, comme s'il s'agissait de la plus importante des questions dont le parlement canadien doit traiter. Et les médias de reprendre tout cela. Certes, la chose est illégale, il est normal que la presse en fasse état – en se demandant si c'est bien le souci de la vertu publique qui motive les critiques et en dosant sa couverture proportionnellement à l'importance de l'événement dans la vie parlementaire et politique du pays. Dans l'ensemble, c'est souvent ce qu'elle ne fait pas. On peut penser que la presse, en accordant trop d'importance aux déclarations de politiques, gonfle souvent des événements relativement mineurs et fait le jeu de ces sources, au moment même où elle s'imagine dénoncer les puissants...

Droit à l'information ou au voyeurisme ?

Le critère de l'intérêt, on le voit, est particulièrement complexe, en ce qu'il réunit beaucoup de choses disparates. Il est aussi celui qui différencie le plus les médias d'information les uns des autres.

S'ils ne tenaient compte que de la nouveauté et de la signification, en effet, tous les journaux se ressembleraient passablement. Les énormes différences de style de l'un à l'autre découlent surtout du poids différent qu'ils donnent au critère de l'intérêt et de l'idée qu'ils s'en font. Les sérieux ne lui accordent qu'une valeur secondaire et jouent moins sur la profondeur psychologique que sur la pertinence et la proximité. Les populaires exploitent au contraire à fond la carte de l'intérêt, et plus particulièrement celle de la profondeur psychologique.

C'est à leur propos qu'on parle de sensationnalisme, que l'expression de *presse marchande* se fait spécialement péjorative. Il est certain que le critère de l'intérêt, si on lui donne une priorité absolue, conduit souvent les médias à confondre droit du public à l'information et exploitation commerciale du voyeurisme ambiant. Cette exploitation, on la retrouve d'ailleurs à l'occasion jusque dans les plus prestigieux médias, qui ne répugnent pas, par exemple, à braquer leurs caméras sur le visage des proches des victimes d'un accident[16].

Cela dit, pour informer, il faut aussi intéresser. Et il est parfois difficile de déterminer où finit le souci de son public et où commence le sensationnalisme. Encore des choix ! Ceux-là ne peuvent se faire qu'en fonction de la conception plus ou moins exigeante qu'on a du métier d'informer et de la responsabilité qu'il comporte, et qu'en combattant la tendance universelle qui consiste à attribuer à son public ses propres sujets d'intérêt.

À considérer aussi

Bien d'autres facteurs que leur nouveauté, leur valeur intrinsèque et l'intérêt qu'elles sont susceptibles de susciter dans le public visé peuvent compter dans l'estimation de la valeur journalistique des informations. Mentionnons, en vrac, cinq d'entre eux :

- l'importance du journal et de la collectivité qu'il dessert. Contrairement aux médias nationaux, un petit journal local couvrira des faits très mineurs : ils sont susceptibles d'intéresser son public, parce que tout le monde connaît tout le monde ;
- les traditions du média, son public cible, parfois aussi ses tabous et ses vaches sacrées (propriétaires, gros annonceurs, politiciens amis des propriétaires...) ;
- l'heure d'arrivée d'une nouvelle à la rédaction : première arrivée, première servie (toutes choses étant égales par ailleurs) ;
- le moment de la semaine et, plus précisément, le rapport entre la densité de l'actualité et la surface rédactionnelle disponible (laquelle dépend de la quantité de publicité vendue, laquelle varie selon les jours de la semaine : si la presse du mercredi est épaisse, c'est que les chaînes d'alimentation annoncent leurs spéciaux ce jour-là) ;

---

16. Voilà d'ailleurs qui ne fait rien pour redorer le blason d'une presse en crise de légitimité auprès d'une partie de son public.

• le moment de l'année. En été, c'est bien connu, il ne se passe rien. Comme les médias fonctionnent au ralenti, les acteurs sociaux gardent autant que possible leurs grosses nouvelles pour des périodes plus actives. Alors, c'est toujours l'été que le monstre du Loch Ness refait surface, et seulement l'été que le tombeau de Champlain à Québec fait la manchette jusque dans le *Toronto Star.*

Pas trop compliqué, s.v.p. !

Soulignons aussi, après Kientz et Moles, le critère de l'intelligibilité. La plupart des lecteurs aiment mieux lire – et la plupart des journalistes aiment mieux écrire – des informations sur des choses simples, faciles à comprendre, que des informations sur des événements complexes, pleins de ramifications, de complications, de points d'interrogation. L'engueulade entre le premier ministre du Canada et celui du Québec, oui, oui ; les règles de péréquation qui en font l'objet, mollo ! Les drames causés par la panne d'électricité, d'accord ; le fonctionnement de la centrale nucléaire qui a disjoncté, bof... Les renversements d'alliances entre les factions islamistes, les facteurs de la déflation : n'en jetez plus !

Hélas ! le difficile est souvent l'important. Il faudra donc résister à la tentation d'appauvrir ou de déformer l'information sous le prétexte qu'elle est difficile à rendre pour un grand public. On est là justement pour expliquer, pour faire comprendre. Si on la maîtrise à fond, si on s'applique très fort à la formuler en termes intelligibles, on pourra traduire l'information la plus complexe sans (trop) la trahir.

Dieu merci ! le difficile n'est pas toujours l'important. *Don't ruin a good story with facts !* Ce conseil peut prendre l'allure cynique d'un appel au sensationnalisme. Il peut aussi signifier ceci : rendons intéressants les faits retenus et éliminons allègrement les détails, les circonvolutions méthodologiques et scientifiques, les histoires parallèles à scénarios multiples – bref, les complications – qui alourdissent le texte sans apporter d'informations utiles aux lecteurs. On veut dégager le sens des événements et non perdre les lecteurs dans les arguties juridiques, les calculs entortillés et les autres éteignoirs de la curiosité.

Là encore, par conséquent, on gardera ses distances par rapport à ses sources. La moindre des péripéties d'une négociation passionne les participants, qui voudraient vous voir retenir tous les détails et toutes les données dont ils discutent. Pour le grand public, il convient et il suffit de dégager les temps forts, les enjeux et les résultats globaux. Le scientifique s'offusque qu'on « vulgarise à outrance » ses précieux travaux ? Il a parfois raison mais, parfois aussi, il devrait plutôt se réjouir, en ces temps où la visibilité des chercheurs compte plus que leur excellence, qu'on les rende accessibles, et qu'on n'écrive pas dans *La Presse* comme dans une revue destinée à quelques dizaines d'initiés.

Il y a donc (encore) un jugement à porter, un équilibre à atteindre : garder toute l'information significative, éliminer les complications inutiles (seulement celles-là !).

Évidemment, ce jugement dépend du média et du public visés. *Le Devoir* peut entreprendre d'expliquer à ses lecteurs le fonctionnement des réacteurs nucléaires (ci-dessous), mais bien d'autres préféreront s'abstenir !

Article 3.4

Mégapanne : le nucléaire freine le retour à la normale

PAULINE GRAVEL

♦ ♦ ♦

L'Ontario se remet à pas de tortue de la mégapanne d'électricité qui a paralysé Toronto et Ottawa. Le réseau reste encore fragile, dit-on, et les citoyens doivent réduire autant que possible leur consommation d'énergie. À la source de ce redémarrage en douceur : la remise en marche des centrales nucléaires qui ne se fait pas en criant « lapin ! ».

Contrairement aux centrales thermiques et hydroélectriques qui retrouvent rapidement leur vitesse de croisière par l'injection de mazout ou l'ouverture des vannes, les réacteurs nucléaires du type Candu qui génèrent environ la moitié de la production électrique de l'Ontario doivent traverser une longue période de décontamination avant de pouvoir être remis en route.

Rappelons d'abord que les réacteurs de type Candu (Canadian Deuterium Uranium) renferment en leur cœur des tubes composés d'uranium naturel (un mélange constitué principalement d'uranium 238) baignant dans de l'eau lourde (deutérium). La réaction nucléaire qui se joue au sein de ces tubes met en scène un neutron qui entre en collision avec un noyau d'uranium, lequel se scinde alors en deux noyaux plus petits. « Cette fission s'accompagne de l'émission de deux ou trois neutrons supplémentaires », précise Guy Marleau, chercheur en génie nucléaire à l'École Polytechnique de Montréal. « Or, un seul de ces neutrons doit être conservé pour effectuer la prochaine collision, les neutrons excédentaires étant susceptibles d'accélérer la réaction nucléaire. Pour maintenir celle-ci en équilibre, il faut donc éliminer les neutrons excédentaires par des matériaux, comme l'eau légère – c'est-à-dire ordinaire H_2O –, capables d'absorber ces neutrons. »

Lorsque les centrales nucléaires ontariennes se sont retrouvées - vraisemblablement - en surproduction jeudi passé, deux systèmes d'urgence ont pu être activés dans le but d'arrêter la réaction en chaîne qui se poursuivait au cœur du réacteur.

Dès que le problème a été détecté, des barres - dites d'arrêt - constituées de tubes de cadmium enrobés d'acier inoxydable, ont été descendues dans le cœur du réacteur en l'espace de quelques secondes, explique Ben Rouben, physicien nucléaire à Énergie atomique du Canada.

Le cadmium étant un matériau qui absorbe fortement les neutrons, sa présence a permis d'interrompre rapidement la fission de l'uranium.

Les réacteurs Candu sont également équipés d'un deuxième système d'urgence qui consiste à injecter à très haute pression une solution liquide de gadolinium - un autre matériau qui absorbe efficacement les neutrons - dans l'eau lourde servant à ralentir les neutrons produits lors de la fission, et qui entoure les tubes contenant l'uranium naturel.

Mais pourquoi n'a-t-on pas pu relancer sur-le-champ la réaction nucléaire dès que les problèmes touchant le super-réseau de transmission de l'électricité à travers le nord-est des États-Unis et l'Ontario ont été corrigés ?

Dès que l'on éteint un réacteur nucléaire, la concentration du xénon, un des produits de la fission de l'uranium et de la désintégration de l'iode – un autre produit de la fission –, s'accroît alors considérablement, soulignent les deux experts. « Or, le xénon est un véritable poison pour le réacteur, car il absorbe activement les neutrons », souligne Ben Rouben.

« Lorsque le réacteur fonctionne à pleine puissance, il y a un équilibre entre la quantité de xénon produite et celle qui est absorbée par les neutrons », précise Guy Marleau. Mais quand on diminue la puissance de la réaction, voire qu'on l'arrête complètement, la quantité de xénon augmente. Elle s'élève à mesure que la désintégration de l'iode se poursuit et aussi par le fait que le xénon cesse d'absorber les neutrons qui ne sont plus générés par la fission, qui vient d'être suspendue.

Le xénon s'accumule ainsi pendant une vingtaine d'heures, soit le temps que la réserve d'iode s'épuise, indique M. Rouben. Le xénon étant un élément radioactif, il se désintègre à son tour. Mais il ne retrouvera sa concentration normale que 45 heures plus tard. « Au cours de cette longue période, le xénon demeure trop abondant, et donc absorbe trop les neutrons, pour que l'on puisse redémarrer le réacteur », explique le physicien. Il faut attendre que le xénon redescende à un niveau qui permette la subsistance d'un nombre de neutrons suffisant pour relancer la réaction. Soit une quarantaine d'heures si tout se passe bien...

Le Devoir, 19 août 2003

Bien des médias ont relié la longueur de la panne à la lenteur du redémarrage des centrales nucléaires, mais seul Le Devoir s'est aventuré dans un cours sur les réacteurs Candu. Ces explications techniques peuvent passionner une partie de son lectorat, fortement scolarisé et, de surcroît, tout heureux de se voir offrir un objet si rare dans la presse ; intérêt et nouveauté compenseraient donc la faible intelligibilité.

Un cocktail

Très peu d'événements satisfont pleinement à tous les critères de la valeur journalistique. La sélection des informations et leur hiérarchisation se font donc en combinant les critères, un score élevé à l'un pouvant compenser une marque faible à l'autre.

Les quintuplés sont nés au Pérou, mais la nouvelle de leur naissance fera le tour du monde en un clin d'œil parce que la rareté de l'événement (nouveauté) et l'intérêt humain de la chose annulent l'effet de la distance géographique.

Un jour, *Le Soleil* a publié en assez bonne position une nouvelle sur un fait divers plutôt mineur, soit une poursuite en dommages et intérêts de 30 000 $ qui se déroulait non pas sur « son territoire » mais à Montréal. C'est qu'un voleur attaquait en justice l'homme qu'il avait tenté de voler et qui l'avait blessé dans l'action : forte nouveauté !

Il fallait se lever tôt pour trouver du nouveau dans les dernières escarmouches de l'interminable débat sur le rapatriement de la Constitution, auquel manquaient de surcroît profondeur psychologique et intelligibilité. Les médias ont quand même suivi ce débat de près, à cause de sa signification historique et du fait qu'il était porté par des personnes connues. De même pour les traités de libre-échange en Amérique du Nord et dans les Amériques.

Cela ne veut pas dire que les informations sur ces sujets atteignent beaucoup de lecteurs dans tous les publics ! Cela illustre que l'espèce de marketing en fonction du client auquel se livrent les médias n'explique pas tout leur comportement, tous leurs choix. Tout se passe comme s'ils suivaient aussi, à des degrés divers, une logique de la responsabilité d'informer. Ils présentent aux citoyens des choses qui, parfois, sont répétitives, difficiles à comprendre, qui ne semblent pas les concerner directement et ne les font pas vibrer très fort, parce qu'elles sont importantes, d'une façon ou d'une autre, pour l'avenir de la collectivité (avenir économique, culturel, politique ou social).

Les pessimistes diront plutôt que les médias font aussi un marketing en fonction de sous-publics particuliers qui s'intéressent à ces choses, ce qui expliquerait mieux que toute autre hypothèse les différences entre *Le Devoir, La Presse* et *Le Journal de Montréal...* Ou, encore, que les médias se copient mutuellement et ne peuvent, sans perdre leur crédibilité auprès de leur public, négliger totalement des secteurs de l'actualité définis comme prioritaires par leurs confrères. Toutes choses fort défendables.

Quoi qu'il en soit, retenons qu'il faut appliquer les différents critères de la valeur journalistique des informations en les combinant, et doser le cocktail en tenant compte des goûts et des intérêts de son public ainsi que des attentes des médias pour lesquels on écrit.

Il convient aussi, comme nous y invite Kientz, de compenser à l'emballage (écriture et mise en pages) les lacunes découvertes au filtrage (sélection des informations). Par exemple, on exposera avec un maximum de clarté et de simplicité les choses complexes, on soulignera l'effet réel ou potentiel sur la vie des lecteurs d'événements apparemment dénués de signification pour eux, etc. Ce qui nous amène aux joies de la rédaction.

RAPPELS • RAPPELS • RAPPELS

- **Donner la priorité aux informations qui répondent aux critères ci-dessous.**

  - *Nouveauté des événements :*
    actualité ;
    imprévisibilité ;
    originalité.

  - *Valeur intrinsèque des événements :*
    valeur d'enjeu ;
    importance ;
    signification ;
    prépondérance sociale et notoriété des acteurs.

  - *Intérêt direct ou indirect des événements pour les lecteurs :*
    degré d'engagement des lecteurs ;
    pertinence pour les lecteurs ;
    proximité géographique ;
    proximité psychologique ;
    profondeur psychologique ;
    intérêt humain ;
    conflit ;
    scandale.

  - *Intelligibilité des événements.*

- **Appliquer ces critères en les combinant.**

- **Appliquer ces critères en tenant compte des médias visés et du public cible.**

EXERCICES

I Comparez les unes du même jour de trois ou quatre quotidiens de Québec et de Montréal. Considérez qu'ils ont accès, *grosso modo*, aux mêmes informations.

Analysez les informations qu'ils ont privilégiées puis demandez-vous quels critères les ont guidés dans leur choix.

Quelles informations ont la priorité dans tous ces journaux ? Pourquoi ?

Lesquelles ne sont retenues que par un ou deux journaux ? Pourquoi ?

Demandez-vous aussi si certains de ces choix sont critiquables, et pourquoi.

II Comparez de la même manière les manchettes de plusieurs journaux et téléjournaux du même jour.

Refaites ces exercices à plusieurs reprises pendant quelques semaines et, ensuite, de temps à autre. Vous développerez ainsi progressivement votre sensibilité relativement à ce qui fait courir les médias, et à leurs divergences et convergences ; vous développerez aussi l'habitude d'une lecture et d'une écoute actives et analytiques, de la presse. Cela facilitera vos propres choix d'écriture.

CHAPITRE IV

ORGANISER

Il faut que chaque chose soit mise en son lieu, que le début, la fin, répondent au milieu.

Boileau

LE PLAN

Il arrive que, dans une rubrique, plusieurs textes de presse soient structurés autour des mêmes intertitres – par exemple, *Quoi ? Pourquoi ? Et après ?* (autrement dit : Que se passe-t-il ? Qu'est-ce qui nous a amenés là ? Que va-t-il arriver maintenant ?). Ainsi fait-on plus court, tout en dressant quand même des événements un tableau significatif.

Dans un article de facture plus classique, le squelette est dissimulé sous les muscles. C'est quand même lui qui tient le tout ! Le plan, même invisible, n'en doit pas moins structurer aussi fortement l'article.

Le plan s'élabore en fonction du ménage qu'on a fait dans les données à la première étape (chapitre II, « Savoir ») et de la sélection effectuée ensuite (chapitre III, « Choisir »). Pour s'y attaquer, il faut avoir défini les deux, trois, quatre, x thèmes ou axes principaux du sujet. Par exemple, dans un article sur le championnat du monde du scrabble francophone :

- l'événement ;
- ses acteurs ;
- les règles du jeu appliquées ;
- l'accès du public à la chose ;
- diverses informations relatives au championnat et au jeu.

Chaque thème se décompose, en général, en quelques sous-thèmes qu'on a aussi définis. Ainsi, il y a :

- l'événement : ampleur, lieu, date et durée, participants, niveaux et catégories de jeu ;
- les acteurs : participants, champions passés et en titre, favoris pour ce championnat ;
- les règles du jeu : « duplicate », temps alloué, dictionnaire de référence ;
- l'accès : observation sur place, initiations, retransmissions.

On n'a pas encore de plan, mais de quoi en faire un. Il ne reste qu'à décider dans quel ordre présenter ces éléments. C'est là un moment essentiel de l'écriture de presse : pas de texte bien lisible et intelligible sans un bon plan.

Pour comprendre vite et bien un article, il faut pouvoir le saisir comme un tout organisé selon un certain ordre. S'il se présente comme un agrégat d'éléments séparés, on s'y perd. Le comprendre nécessite alors un effort de reconstruction du sens que seul un lecteur très motivé acceptera de faire. Dans l'ensemble, le public refuse, et à bon droit, qu'on lui présente ainsi un ramassis de branches en lui demandant de reconstituer lui-même l'arbre.

Bref, la structure du texte, suivant qu'elle est bonne ou mauvaise, en facilite ou en bloque la lecture d'abord, la compréhension ensuite.

Par conséquent, dans un bon article, l'ordre de présentation des informations, leur enchaînement, la division du texte en parties et de ces parties en paragraphes ne sont pas le fruit du hasard. Il s'y trouve au contraire une logique – disons, plus simplement, un plan. Et s'il y a un plan, c'est que l'auteur en a fait un, dirait M. de la Palice.

Ceux qui ont l'habitude d'écrire des textes peuvent faire un plan mentalement, surtout s'il s'agit de courts textes. Cependant, cette capacité, à l'instar du calcul mental d'opérations complexes, n'est pas à la portée de tout le monde. Il y a tout à parier que l'auteur non virtuose, se lançant dans la rédaction avec seulement une vague notion du parcours à accomplir, se perdra en cours de route. Il se retrouvera avec une accumulation de lignes plutôt qu'un tracé, et devra finalement refaire son texte, en commençant cette fois par le plan... Là encore, le temps « perdu » à préparer la rédaction se révèle un investissement et non une dépense.

Cela dit, une fois le plan tracé, on l'ajustera souvent en cours de route, quand surgissent des idées pour améliorer la cohérence globale du texte, certaines transitions, etc. En fait, comme le remarquait Benjamin Constant (cité dans *Le Petit Robert*) : « On ne peut travailler à un ouvrage qu'après en avoir fait le plan, et un plan ne peut être bien fait qu'après que toutes les parties de l'ouvrage sont achevées. »

Quelle sorte de plan?

Différents genres rédactionnels commandent différents types de plan. Par exemple, on pourra attaquer un grand reportage avec une anecdote, un paradoxe, une citation percutante, l'exposé d'une situation passée que l'on mettra ensuite en contraste avec le présent, un témoignage individuel dont la portée n'apparaîtra que plus tard, une description de lieux, le portrait d'un personnage haut en couleur, etc. En somme, tout ce qui permet de piquer la curiosité du lecteur et de l'inciter à poursuivre sa lecture.

De même, un critique de cinéma, de théâtre, de musique ou de littérature commencera aussi bien par une réflexion sur l'art ou la vie que par la description d'un aspect de l'œuvre ou de sa réalisation ou une notation biographique.

D'autres genres appellent un plan plus classique. L'éditorial se déroule habituellement selon une ligne prévisible : l'auteur ne prend position qu'après avoir exposé sa version et son interprétation des faits. La nouvelle livre d'abord l'essentiel, la conclusion d'un événement.

De plus, à l'intérieur de chaque genre, plusieurs types de plans sont possibles. Toutefois, quels que soient le genre rédactionnel et le type de plan choisis, il faut toujours que le texte ait une ossature forte. Cela signifie au moins deux choses. D'abord, le lecteur doit repérer facilement, surtout dans un long article, les grandes parties ou divisions du texte. Ensuite, à l'intérieur de chacune des parties, la division en paragraphes doit répondre à une logique.

Le paragraphe, en effet, n'a pas la même fonction que la phrase. Celle-ci apporte une information ou une idée. Celui-là fait état de quelques informations ou idées relatives à un même thème ou sous-thème. En passant d'un thème ou d'un sous-thème à un autre, on fait donc un alinéa. D'ailleurs, un changement de paragraphe devrait signaler le passage à une autre question, à un autre thème ou sous-thème.

Il s'ensuit que la plupart des paragraphes compteront plus d'une phrase, sauf si on n'a pu éviter de faire une phrase longue ou si on entend accorder un traitement minimal à un thème ou sous-thème. Un paragraphe d'une seule phrase sert aussi à marquer un temps fort, un tournant du texte. Ainsi, après plusieurs paragraphes exposant chacun, en quelques phrases, une des nombreuses difficultés que traverse une entreprise, on pourra en placer un très court, du genre : *Décidément, rien ne va plus à tel endroit.* Cette synthèse, dont la brièveté attirera l'attention, aidera le lecteur à mieux dégager le sens de l'énumération précédente.

Si la division en paragraphes répond toujours à une logique, en écriture de presse, elle répond aussi à une métrique. Il faut autant que possible varier la longueur des paragraphes, pour créer de la diversité. Il importe plus encore de rédiger des paragraphes courts, qui donnent une mise en pages plus aérée, plus attrayante, en particulier si le texte est monté sur une seule et étroite colonne. La règle : une fois monté, le paragraphe formera en général un bloc dont la hauteur n'excédera pas la largeur.

Quiconque sait faire le plan d'une nouvelle pourra adapter les principes de son organisation à d'autres genres rédactionnels, obéissant à des règles de structuration généralement plus souples. Voyons donc comment s'organise une nouvelle.

LE PLAN DE LA NOUVELLE

Oublions l'école !

Quelle sorte de plan donner à la nouvelle ? Premier élément de réponse : il ne ressemblera pas à celui d'un travail scolaire ou scientifique. Dissertations, essais et rapports comportent en principe une introduction, qui pose le problème et annonce ce qui va suivre, un développement ou corps qui expose, selon un ordre logique, l'argumentation ou les résultats, une conclusion, qui synthétise le tout et dont on tire des leçons, des conclusions ou des pistes pour une recherche ultérieure.

Dans une nouvelle, pas d'introduction. On va droit au fait : quoi de nouveau ? On dit tout de suite ce qu'on a à dire, sans annoncer d'abord qu'on va le dire. Au fait ! Au fait !

Pas de conclusion. Le lecteur conclura lui-même, s'il y a lieu. Vous êtes là pour le tenir au courant, pas pour philosopher ou lui faire la morale.

Pas de transitions élaborées : *Ayant traité de cela, nous allons maintenant...* Le lecteur sait bien que vous venez de traiter de cela, il voit bien que vous abordez ensuite autre chose. Si le *lead* est bien fait, si le plan est logique, de telles transitions n'offrent qu'une occasion pour le lecteur d'abandonner la lecture. Un ou deux mots suffiront. *Le ministre a <u>aussi</u> annoncé... <u>Quant au</u> chef de l'opposition, il a dénoncé ce... L'ouragan n'a <u>pas davantage</u> épargné le village voisin de Saint-Ange... <u>D'autre part</u>, le secrétaire d'État se rendra le mois prochain en Russie...* À vrai dire, sauf exception, on n'a pas, à cette étape-ci, à se préoccuper des transitions ; réduites au minimum, elles relèvent de la rédaction et non du plan, même détaillé.

Ni essai ni rapport, la nouvelle, comme son nom anglais *newstory* l'indique, est une sorte de *récit*. Cependant, elle ne suit pas non plus le plan classique du conte ou du récit : ordre chronologique du déroulement des événements, mise en situation et présentation des personnages puis progression vers un point culminant et un dénouement. Habituellement, la nouvelle commence au contraire par... le dénouement. Elle nous apprend tout de suite comment ça s'est terminé : les Canadiens ont gagné, on déplore trois morts dans un accident à tel endroit, etc. Elle dit l'essentiel d'abord, éliminant le suspense (pour garder le lecteur au poste, il faudra donc compenser par un style qui rendra l'histoire aussi passionnante que les courts textes de fiction qu'on appelle aussi des *nouvelles*).

Le *lead* et le reste

La nouvelle ne comporte souvent à vrai dire que deux parties principales, d'ampleur inégale :

- une amorce ou *lead* qui, habituellement, livre en quelques lignes l'essentiel de l'information (et un maximum d'information) dont, parfois, la source[1] ;
- le corps de l'article, où l'on développe, habituellement dans le même ordre, les points du *lead* en y ajoutant des informations complémentaires. Selon l'ampleur du texte, le corps de l'article comportera des divisions et des subdivisions.

Pour les petites nouvelles simples, il y a donc peu de plans acceptables. Pour les nouvelles plus longues et plus chargées, les choses se complexifient un peu. Commençons par les premières, qui vont nous permettre de saisir les principes fondamentaux de la structuration d'une nouvelle.

---

1. Relativement à l'endroit où il convient d'indiquer la ou les sources de l'information, voir le chapitre VI sur le *lead*.

LA P'TITE NOUVELLE TOUTE SIMPLE

Simple comme une pyramide...

Toute nouvelle répond à six questions fondamentales[2] (qui ? quoi ? quand ? où ? comment ? pourquoi ?) avec lesquelles on peut circonscrire l'essentiel d'une quelconque information. Les journalistes anglo-saxons les appellent les « cinq W ». Elles sont six, comme les trois mousquetaires étaient quatre : *who, what, when, where, why et how.*

Pour illustrer la forme de base de la nouvelle, ces mêmes journalistes utilisent très souvent l'image de la pyramide inversée, associée aux six questions fondamentales (voir Figure 4.1). Cette figure symbolise le principe premier de l'organisation d'une nouvelle : la présentation des éléments par ordre décroissant d'importance.

Figure 4.1

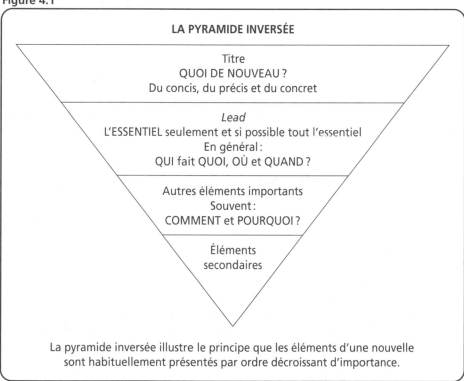

LA PYRAMIDE INVERSÉE

Titre
QUOI DE NOUVEAU ?
Du concis, du précis et du concret

Lead
L'ESSENTIEL seulement et si possible tout l'essentiel
En général :
QUI fait QUOI, OÙ et QUAND ?

Autres éléments importants
Souvent :
COMMENT et POURQUOI ?

Éléments
secondaires

La pyramide inversée illustre le principe que les éléments d'une nouvelle sont habituellement présentés par ordre décroissant d'importance.

Dans une nouvelle, on va des informations les plus importantes vers les moins importantes. Le titre livre la quintessence de l'information, le *lead* en donne l'essentiel, les paragraphes suivants apportent des

---

2. Quintilien les a formulées il y a vingt siècles : *quis, quid, ubi, cur, quomodo, quando.* Il ajoutait *quibus auxiliis* (avec quelles aides ou quels moyens), qu'on rattache maintenant plutôt au *comment* ou au *qui.*

informations valables mais pas indispensables pour être au courant de l'événement. Si l'auteur dispose d'assez d'espace, il ajoutera ensuite des éléments simplement utiles ou complémentaires, et il pourra terminer avec des détails, des rappels, des éléments documentaires pertinents mais non essentiels à la compréhension de la nouvelle.

Ainsi, le lecteur qui parcourt son journal à toute vapeur ou que le sujet traité laisse froid n'a pas, pour se renseigner sur l'essentiel, à lire tout le texte. Il peut décrocher après quelques lignes ou quelques alinéas et savoir quand même, en gros, de quoi il retourne.

Ainsi, et c'est la deuxième fonction de la règle de l'ordre décroissant d'importance des informations, la rédaction pourra, au besoin, raccourcir la nouvelle en quelques secondes ; il lui suffit de supprimer des paragraphes, en commençant par les derniers.

Cette opération s'avère souvent nécessaire : l'espace a été mal évalué, le journaliste a dépassé le nombre de mots demandé, on veut ajouter une photo, une nouvelle de dernière heure vient encore réduire l'espace disponible, etc.

En général, dans les médias de quelque importance, cette tâche échoit non aux auteurs des nouvelles mais au *pupitre,* aux rédacteurs. Ceux-ci relisent et corrigent les textes (en principe) mais ils n'ont ni le temps ni le droit de les récrire[3]. Dans ces conditions, le coup de la pyramide inversée est un coup de génie : il permet au *pupitre* de raccourcir un article en un instant et sans le massacrer (si le texte respecte la règle de l'ordre décroissant et celle du *tuyau de poêle,* exposée plus loin).

... mais instable comme une pyramide inversée

Malgré son utilité et sa popularité dans les quotidiens, l'image de la pyramide risque de prêter à confusion. En effet, contrairement à ce que le schéma pourrait laisser croire, la grosseur des sections de la pyramide représente le poids relatif des informations qu'elles contiennent et non la longueur des parties du texte illustrées. En d'autres termes, elles correspondent à la qualité et non à la quantité des informations rapportées. Ainsi, dans le schéma reproduit à la page précédente, la plus grande section de la pyramide, au sommet, renvoie au titre de la nouvelle (quelques mots), la deuxième, au *lead* (quelques lignes), la plus petite, au reste du texte, souvent beaucoup plus long. Si les surfaces étaient

---

3. Au Québec, la plupart des conventions collectives de journalistes stipulent qu'un texte ne peut être modifié de façon significative sans l'accord de son auteur. Or, souvent, on ne peut joindre ce dernier (quand les rédacteurs sont à l'œuvre, bien des reporters ont terminé leur journée de travail) ou il refuse de donner son accord. Si l'auteur ne veut pas refaire lui-même son texte dans les délais imposés, ou ne le peut, il faudra retirer sa signature, sinon supprimer l'article, ce qui déplaît à l'auteur comme à l'entreprise. En effet, celle-ci considère la signature comme un élément important de marketing (personnalisation de la nouvelle, vedettariat des auteurs) et déteste payer pour la production de textes inutilisés. La signature contribue aussi à la réputation de l'auteur et, dans le cas des meilleurs journalistes, à la crédibilité du texte et... du journal.

plutôt proportionnelles au nombre de mots ou de caractères, on pourrait remettre la pyramide solidement sur sa base !

D'autre part, les six questions et leur répartition dans les sections de la pyramide peuvent aussi induire en erreur. D'abord, *qui* et *quoi* sont souvent les deux questions les plus importantes, et *comment* et *pourquoi*, les moins importantes, mais c'est loin d'être là une règle absolue. Chacune des six questions peut concerner des détails et, inversement, chacune peut, à l'occasion, constituer l'axe d'une nouvelle :

- *Un ministre accusé de vol à l'étalage* : qui ; *Jacques Bouchard contre la pub adaptée* : qui (« un des pères de la publicité au Québec ») ;
- *L'ouragan du siècle dévaste toute une région* : quoi ; *Mégapanne d'électricité en Ontario* : quoi ; *Baisse du taux de chômage* : quoi ;
- *Deux jours après sa libération sur parole, il tue un épicier* : quand ; *Vingt centimètres de neige à Québec le 12 mai* : quand ; *Il meurt à quelques heures de sa retraite* : quand ; *Élections le 15 novembre* : quand (ou quoi, selon l'actualité) ;
- *Chute de neige au Sahara* : où ;
- *Arrêté pour le vol d'un objet de huit dollars, un adolescent se donne la mort* : pourquoi ;
- *Une famille sauvée par son détecteur de fumée* : comment ; *Des centaines d'agriculteurs acculés à la faillite par la hausse des taux d'intérêt* : comment.

Par ailleurs, un événement comporte souvent plusieurs *qui*, plusieurs *quoi*, etc. Il convient de tous les relever pour, ensuite, choisir ceux qui sont importants et ceux qui sont secondaires, à un moment donné. Seuls les premiers apparaîtront dans le titre et dans les premiers alinéas des nouvelles consacrées à l'événement. Mais, avec l'évolution du dossier, des éléments d'abord prioritaires passeront à l'arrière-plan, d'autres qui étaient secondaires deviendront centraux. On devra en tenir compte en dressant le plan des nouvelles dérivées de l'événement.

Un exemple (voir Article 4.1, p. 84). Le texte sur la mort d'un travailleur qui allait prendre sa retraite le jour même met en scène une douzaine d'acteurs : cinq collectifs – l'entreprise Alouette, le sous-traitant MDI, le chantier (1600 employés), le bureau du coroner, la CSST – et sept acteurs individuels – le travailleur décédé, sa conjointe, deux travailleurs blessés, un autre qui a échappé par hasard à l'accident, un travailleur témoin et un directeur de chantier. Titre, sous-titre et *lead* ne font intervenir que trois acteurs individuels : le travailleur décédé et ses deux collègues blessés (dans cette partie, « l'aluminerie Alouette, à Sept-Îles » marque le lieu plutôt qu'un agent). Aujourd'hui, l'essentiel de la nouvelle, en effet, est qu'un homme (qui) est mort (quoi) et que deux autres (qui) ont été blessés (quoi) dans un accident (comment/quoi) survenu au chantier Alouette de Sept-Îles (où) hier matin (quand). On centre donc le tir sur ces points. Mais, dans quelques jours, dans quelques semaines, des éléments aujourd'hui secondaires, concernant la recherche de responsabilité, par exemple (pourquoi), prendront la vedette et se trouveront au sommet de la pyramide inversée.

Toute comparaison boite. Évitons de trébucher sur la pyramide inversée, et retenons deux choses:

- une nouvelle bien faite présente les informations selon un ordre décroissant d'importance;
- une nouvelle complète répond à six questions: qui et quoi, quand et où, comment et pourquoi, dans cet ordre (s'il ne contrevient pas à la règle précédente).

Article 4.1

Un travailleur d'Alouette perd la vie à quelques heures de sa retraite

Claude Duclos et deux de ses collègues ont fait une chute de 40 pieds après qu'une plate-forme eut cédé

STÉPHANE TREMBLAY

♦ ♦ ♦

SEPT-ÎLES – À quelques heures seulement de prendre sa retraite, Claude Duclos, 52 ans, un monteur d'acier de Laval, a perdu la vie dans un accident de travail survenu hier matin au chantier de l'aluminerie Alouette, à Sept-Îles. L'accident a aussi fait deux blessés, dont un grièvement.

Le chantier de l'aluminerie où se trouvent 1 600 employés a immédiatement été fermé et ne devrait reprendre ses activités normales qu'en début de semaine.

Le travailleur qui a perdu la vie était tout heureux de dire plus tôt à ses collègues qu'il avait reçu un billet d'avion de sa conjointe pour lui permettre de retourner dans sa famille pour sa retraite.

Les trois hommes se trouvaient à bord d'une plate-forme élévatrice lorsque cette dernière aurait cédé. Pour une raison encore

inconnue, le chariot élévateur supporté par de lourdes et gigantesques barres métalliques se serait brisé. Une chute mortelle d'une quarantaine de pieds.

Selon un travailleur rencontré près du chantier, M. Duclos «comptait plus de 35 000 heures de travail dans le domaine de la construction. Sa conjointe venait de lui envoyer son billet d'avion pour le retour à la maison. Il prenait sa retraite à 15 h 30 aujourd'hui (hier). C'est bête de voir une vie prendre fin de cette manière», répétait ce travailleur atterré.

L'accident est survenu vers 7 h 45. Deux autres travailleurs qui étaient dans le chariot élévateur ont été grièvement blessés, dont un serait dans un état critique. Les deux hommes de Tracy et de Montréal sont respectivement âgés de 54 ans et de 24 ans. Ils ont été transportés à l'hôpital,

souffrant de multiples blessures. Les trois monteurs d'acier de la compagnie MDI de Terrebonne auraient été attachés à la nacelle comme le veulent les règles de sécurité. Selon les informations du SOLEIL, un quatrième ouvrier devait prendre place dans la nacelle, mais il aurait fait demi-tour pour aller chercher des outils.

Le sous-traitant MDI n'a pas commenté les événements. Une enquête de la CSST et du bureau du coroner a été instituée afin de déterminer les causes de l'accident.

PREMIER ACCIDENT

C'est le premier accident de travail à survenir sur ce chantier depuis le lancement des travaux d'agrandissement de l'aluminerie en mai 2002.

En septembre 2003, la compagnie était fière de mentionner qu'elle venait de franchir le cap des 700 000 heures de travail sans

accident grave. «C'est la priorité, c'est la préoccupation première de tout ce que l'on peut faire en construction. Dans nos rencontres hebdomadaires avec les entrepreneurs, nous mettons l'accent sur la sécurité. Pas question d'accepter une situation qui pourrait porter atteinte à la sécurité de nos travailleurs. On réfléchit sur la méthode de travail afin de fonctionner dans un environnement sécuritaire. Après, on produit», disait alors Gervais Savard, le directeur (construction) de la phase II de l'aluminerie Alouette.

Dans son ensemble, ce vaste chantier de 1,4 MM $ nécessitera plus de trois millions d'heures de travail. Quelque 1 600 hommes de partout au Québec et du Nouveau-Brunswick sont sur le terrain afin de réaliser ce projet d'expansion consolidateur et stabilisateur pour l'économie régionale.

Le Soleil, 7 novembre 2003

Modulaire comme un tuyau de poêle

Le *pupitre*, on l'a vu, doit souvent raccourcir des textes. Or tous ne suivent pas l'ordre décroissant d'importance, car la règle ne s'applique pas à tous les genres rédactionnels, ni même à toutes les nouvelles (*cf. infra*). Mais il y a plus: il faut souvent modifier en partie le contenu même des articles. Des informations nouvelles, des détails complémentaires parviennent à la rédaction jusqu'au bouclage. Une donnée présentée au conditionnel est confirmée, une autre qu'on croyait sûre est niée ou rendue suspecte, le bilan des morts s'alourdit de quart d'heure en quart d'heure... Le *pupitre* doit pouvoir intégrer ces informations rapidement, c'est-à-dire en ne refaisant que la partie du texte qui est directement concernée.

Par conséquent, une nouvelle et, plus généralement, tous les articles susceptibles d'être modifiés entre la rédaction et l'impression (ou entre deux éditions) doivent être structurés de façon à permettre des transformations locales qui n'affectent pas l'ensemble. Partout dans le texte, on doit pouvoir retirer un morceau (un paragraphe, voire un bloc de quelques alinéas) et lui en substituer un autre, sans retoucher le reste de l'article.

De plus, les éléments documentaires, les rappels d'événements passés liés ou comparables, les détails isolés, doivent pouvoir se placer et se déplacer n'importe où dans la nouvelle quand on l'allonge, la raccourcit, l'ampute d'un bloc ou lui en ajoute un.

Ces exigences touchent davantage les journalistes des agences de presse, dont les médias clients considèrent les dépêches comme une matière première transformable à leur gré. Mais le journaliste maison n'y échappe pas : la rédaction doit parfois modifier ses textes. De plus, il sait qu'une agence peut, à l'occasion, reprendre un de ses articles pour le distribuer (sous sa signature à elle) à l'ensemble de ses abonnés[4].

Bref, les textes de presse s'insèrent dans une production de type industriel, avec division du travail poussée. On doit, par conséquent, pouvoir les manipuler et les transformer rapidement à divers points de la chaîne de montage journalistique.

L'image du jeu de meccano ou celle, plus fréquemment utilisée en journalisme, du tuyau de poêle illustre ce mode de construction des textes : on peut supprimer, déplacer ou remplacer une section sans avoir à refaire d'autres parties de l'article.

D'où un autre « tuyau » pour établir un plan : non seulement les parties et les paragraphes du texte sont établis selon une logique, mais les paragraphes sont rédigés de façon à être indépendants les uns des autres.

Voyons ce que ces diverses règles relatives au plan donnent dans la pratique.

Quelques exemples pyramidaux

Considérons d'abord, pour mieux comprendre ces règles, quatre petites nouvelles ordinaires, deux sur un fait divers (Articles 4.2 et 4.4), deux sur des déclarations (Articles 4.3 et 4.5) (deux types d'événements qui

---

4. De tels échanges figurent dans les contrats entre la Presse canadienne et ses membres-clients, qui doivent lui faire parvenir chaque jour, avant telle heure, quelques textes susceptibles de l'intéresser. Cela explique qu'on puisse voir le même jour un même article signé PC dans un journal et coiffé d'une signature maison dans un autre. (Il arrive aussi que des journaux ou des journalistes peu délicats présentent comme un produit maison une dépêche d'agence.)

comptent pour une large part de l'information *rapportée*). Les trois premières illustrent parfaitement la pyramide inversée, la dernière montre qu'il faut parfois s'en éloigner, en gardant mais en réaménageant les principes qui ont inspiré la métaphore de la pyramide.

Un déraillement (Article 4.2 ci-dessous) Un déraillement dans la région (proximité) mais sans gravité (faible importance, peu d'intérêt) : le journal y va d'une brève (de 159 mots) en page 18, sans photo ni embellissement typographique[5].

Article 4.2

Déraillement d'une quinzaine de wagons

ÉLIZABETH FLEURY

■ **[1]** Une quinzaine de wagons d'un convoi du CN ont déraillé près de la cour de triage de Charny, hier après-midi.

[2] Selon le porte-parole du CN, Pierre Leclerc, le train qui transportait des conteneurs se serait subitement immobilisé en sortant de la cour de triage. «Les employés sont allés voir ce qui se passait et ont constaté que 15 wagons avaient légèrement déraillé. Heureusement, tous les wagons étaient debout», a précisé M. Leclerc.

[3] Au moment d'écrire ces lignes, hier après-midi, les employés s'apprêtaient à déplacer une vingtaine de wagons afin de réparer les rails endommagés par le déraillement. «Ça pourrait prendre plusieurs heures, prévoyait M. Leclerc. C'est sûr qu'il y aura nécessairement un impact sur le trafic puisque c'est la voie principale qui a été endommagée.»

[4] Un incident semblable s'était produit dans la cour de triage de Charny en mai 2002, alors que six wagons, dont un contenait de l'acide sulfurique, avaient déraillé.

Le Soleil, 13 novembre 2004

Article 4.3

PRÊTS ET BOURSES

«Tout le monde doit faire sa part», dit Delisle

■ **[1]** La députée de Jean-Talon, Margaret Delisle, estime justifiée la transformation de 103 millions $ de bourses en prêts pour les étudiants.

[2] «Cette décision n'a pas été prise de façon irréfléchie, a-t-elle commenté, hier. Elle a été prise en fonction du manque à gagner des finances publiques avec à l'esprit que tout le monde doit faire sa part.»

[3] Lors du congrès des membres du PLQ de la semaine prochaine, une proposition portera sur une hausse des frais de scolarité pour améliorer le financement des universités. Sans se prononcer sur la question, la présidente du caucus régional a indiqué qu'il serait «irresponsable d'escamoter ce débat».

Le Soleil, 12 novembre 2004

Déraillement d'une quinzaine de wagons
1. *Une quinzaine de wagons d'un convoi du CN ont déraillé près de la cour de triage de Charny, hier après-midi.*

   Quoi, où, quand : le lecteur apprend par cette seule phrase l'essentiel, y compris que l'accident n'a causé ni morts, ni blessés, ni catastrophe écologique – autrement, il le sait par son habitude de la presse, cela aurait figuré dans l'attaque.

   Qui, secondaire dans ce *lead* : le CN.

---

5. Comme pour la nouvelle suivante, j'ai ajouté des alinéas pour mieux faire ressortir le plan et son rapport à la pyramide inversée. On remarquera dans mes commentaires que l'élaboration d'un plan suppose qu'on a déjà trié et hiérarchisé les informations (voir le chapitre III, *Choisir*).

2. *Selon le porte-parole du CN, Pierre Leclerc, le train qui transportait des conteneurs se serait subitement immobilisé en sortant de la cour de triage. « Les employés sont allés voir ce qui se passait et ont constaté que 15 wagons avaient légèrement déraillé. Heureusement, tous les wagons étaient debout », a précisé M. Leclerc.*

   Deuxième *qui* (le porte-parole, source autorisée et crédible), précisions sur le *quoi*.

3. *Au moment d'écrire ces lignes, hier après-midi, les employés s'apprêtaient à déplacer une vingtaine de wagons afin de réparer les rails endommagés par le déraillement. « Ça pourrait prendre plusieurs heures, prévoyait M. Leclerc. C'est sûr qu'il y aura nécessairement un impact sur le trafic puisque c'est la voie principale qui a été endommagée. »*

   Autres *quoi*: réparations, impact (sans gravité et imprécis). *Quand*.

4. *Un incident semblable s'était produit dans la cour de triage de Charny en mai 2002, alors que six wagons, dont un contenait de l'acide sulfurique, avaient déraillé.*

   Rappel d'un autre événement, qui indique qu'un déraillement, cela peut être dangereux (acide sulfurique), donc important et intéressant.

Cette mini-nouvelle ne mènera personne au prix Pulitzer mais elle se lit bien, parce que chaque information a droit à une phrase et chaque phrase ne traite que d'une information, et aussi parce qu'elle respecte le principe de l'ordre décroissant d'importance des informations auquel le lecteur est habitué ; cet ordre, en révélant dès l'attaque l'essentiel, accélère la saisie du reste.

Une déclaration (voir Article 4.3) Une députée de la région se dit d'accord avec la réduction des bourses aux étudiants décidée par le gouvernement Charest. La députée est d'ici (proximité), elle est connue dans la région (notoriété), elle se prononce sur un sujet controversé (intérêt, conflit, actualité) : *Le Soleil* lui accorde un article. La décision ne relève pas d'elle et est déjà prise (faible impact de la déclaration) et Mme Delisle n'est tout de même pas une vedette de la politique. De plus, ce jour-là, le journal consacre près de quatre pages aux réactions à la mort de Yasser Arafat dans le monde, ce qui restreint l'espace disponible pour le reste. Il opte pour une courte nouvelle (119 mots), montée sans alinéas mais éclairée d'une petite photo.

Prêts et bourses – « Tout le monde doit faire sa part », dit Delisle

1. *La députée de Jean-Talon, Margaret Delisle, estime justifiée la transformation de 103 millions $ de bourses en prêts pour les étudiants.*

   Qui dit *quoi*: l'essentiel de la nouvelle est là.
   Où: à Québec (Jean-Talon).
   Quand: maintenant (*estime*, au présent).

2. *« Cette décision n'a pas été prise de façon irréfléchie, a-t-elle commenté hier. Elle a été prise en fonction du manque à gagner des finances publiques avec à l'esprit que tout le monde doit faire sa part. »*

   Pourquoi, trois éléments : réflexion/finances publiques/équité.
   Quand, précision : la déclaration a été faite hier.

3. *Lors du congrès des membres du PLQ de la semaine prochaine, une proposition portera sur une hausse des frais de scolarité pour améliorer le financement des universités. Sans se prononcer sur la question, la présidente du caucus régional a indiqué qu'il serait « irresponsable d'escamoter ce débat ».*

Deuxième *quoi* : une position prudente (il faudra en discuter) sur un événement parent qui ne viendra que plus tard : information de plus faible valeur journalistique. On la place à la fin, ce qui permet aussi de terminer en ouvrant sur la suite des choses.

Qui, précision : la députée a une autre fonction, celle de présidente du caucus régional. Cette information fait valoir l'importance (relative) de la source, donc l'intérêt de ce qu'elle raconte.

Comme la précédente, cette petite nouvelle politique attaque avec une phrase qui livre l'essentiel, présente les informations par ordre décroissant d'importance, et consacre une phrase à chaque information. Notons que, même s'il porte sur un débat, le texte reste factuel et se passe d'introduction comme de conclusion.

Un accident mortel (Article 4.4) Traitant d'un fait divers – crime, accident, catastrophe, citrouille géante et compagnie –, même un texte un peu plus long peut suivre un plan fort simple et tout à fait pyramidal. C'est le cas de la nouvelle ci-dessous sur un accident mortel à l'usine Stadacona.

Article 4.4

USINE STADACONA

Un employé reçoit un coup mortel à la tête

Jean-François Néron

♦ ♦ ♦

[1] Un travailleur de 50 ans a perdu la vie dans un bête accident survenu hier matin à l'usine de pâtes et papier Stadacona à Québec. Un bris causé sur un appareil à haute pression serait à l'origine du décès.

[2] La victime, un résidant de Sainte-Foy, était à l'emploi de l'usine depuis 26 ans. L'homme y occupait le poste d'aide-conducteur aux machines à papier. L'accident est survenu vers 9 h 30 à la machine numéro deux.

[3] « Le travailleur s'affairait à débourrer un rouleau de papier – enlever le surplus de papier accumulé – avec un appareil à haute pression lorsque le boyau de l'appareil s'est pris dans le rouleau qui tourne à une grande vitesse (3500 pieds papier/minute) », explique Lucie Michaud, porte-parole de la Commission de la santé et de la sécurité au travail (CSST).

PAS DE CASQUE

[4] Avec la force de rotation, la poignée a glissé des mains du travailleur et le boyau s'est brisé, libérant un embout métallique d'environ 9 à 10 pouces de long et pesant environ cinq livres. Le boyau est alors devenu comme un serpent fou actionné par la puissance de la pression d'air qui s'en dégageait. Sans que l'homme puisse se protéger, l'embout lui a frappé l'arrière de la tête, le tuant sur le coup.

[5] Le travailleur ne portait pas de casque de protection au moment du drame. Toutefois, précise Mme Michaud, ils ne sont pas tenus d'en porter un à cet endroit de l'usine.

[6] L'inspecteur de la CSST appelé sur place a exigé de l'entreprise qu'elle applique une mesure temporaire pour éviter que ne se reproduise un tel scénario, dans l'attente de l'application d'une mesure permanente.

[7] Les conclusions du rapport d'enquête de la CSST pourraient servir à l'ensemble de l'industrie.

[8] De son côté, la papetière a transmis un communiqué pour offrir ses condoléances à la famille de la victime. On y mentionne également que les employés bénéficient d'aide psychologique. Le dernier décès à survenir à la Stadacona remonte à janvier 2002.

Le Soleil, 2 décembre 2004

1. Le *lead*, le premier paragraphe, ici, raconte l'histoire en deux phrases. Dans la première : qu'est-il arrivé (*quoi*) ? À *qui* ? *Quand* ? *Où* ? Dans la seconde : *pourquoi* (ou, si l'on préfère, en quelles circonstances) ?

2. Autres informations importantes sur la victime (deux phrases), détails sur le lieu et l'heure (une phrase).

3. et 4. Autres informations sur les circonstances de l'accident ; sources (autres *qui*) : CSST, porte-parole.

5. *Pourquoi,* bis : pas de casque (une phrase) ; le casque n'est pas obligatoire (une phrase).

6. La CSST exige une mesure temporaire (laquelle ? On ne le saura pas ; une phrase).

7. Le futur rapport de la CSST devrait être utile (une phrase).

8. Communiqué de l'entreprise (deux phrases) ; rappel du dernier accident (une phrase).

Comme il se doit, l'importance des informations va en décroissant et le texte reprend les thèmes du *lead*, dans le même ordre : le travailleur (paragraphe 2), les circonstances (paragraphes 3, 4), le pourquoi (paragraphe 5). S'ajoutent ensuite des informations complémentaires sur la CSST et les questions de sécurité au travail (paragraphes 6, 7), qui prendront de l'importance et donneront lieu à d'autres nouvelles dans les prochains jours. Puis (paragraphe 8) on a droit au communiqué de l'entreprise, et l'article se termine sur un petit rappel. Une pyramide inversée tout à fait classique, quoi.

La règle du tuyau de poêle est aussi respectée. On peut supprimer, au besoin, des paragraphes, en commençant par la fin, sans les récrire ; et si le *pupitre* voulait en déplacer, pour mettre davantage l'accent sur la question de la sécurité, par exemple, il pourrait aussi le faire presque sans retouche. Ceci, parce que chaque paragraphe constitue un tout et aborde un sous-thème différent, et parce que le journaliste, à chaque paragraphe, a identifié précisément l'acteur principal du sous-thème : *la victime, le travailleur, Mme Michaud, l'inspecteur de la CSST* (plutôt que *il, elle, cette dernière*).

Un publicitaire contre la pub « adaptée » La déclaration élémentaire et le fait divers se prêtent bien à la nouvelle courte et au plan simple, presque évident. Avec d'autres types de nouvelles, établir le plan peut s'avérer plus délicat.

Ainsi, pour son petit papier sur une intervention publique de Jacques Bouchard (voir Article 4.5, p. 90), le journaliste avait retenu des informations diverses et parfois ardues : 1) la prise de position récente et les arguments du célèbre publicitaire contre la publicité dite adaptée (aussi nommée traduite ou mondialisée) ; 2) des éléments documentaires sur la position inverse des grands annonceurs mondiaux, sur la carrière et la vie de Jacques Bouchard, sur l'évolution de la publicité francophone au Québec depuis les années cinquante ; 3) une ou deux observations sur la réaction du public à l'exposé de M. Bouchard ; 4) l'opinion de ce dernier sur la valeur du modèle des 36 cordes sensibles qu'il a proposé 25 ans plus tôt pour décrire le consommateur québécois.

Article 4.5

Jacques Bouchard part en guerre contre la pub adaptée

Le père des « 36 cordes sensibles des Québécois » invite la relève à résister à la mondialisation publicitaire

CLAUDE VAILLANCOURT

♦ ♦ ♦

Le créateur publicitaire Jacques Bouchard, considéré comme l'un des pères de la publicité au Québec, a invité cette semaine la nouvelle génération de publicitaires à relever le défi que pose la mondialisation et à éviter de tomber dans le piège de l'adaptation des réclames que préconisent maintenant les grandes chaînes commerciales.

L'auteur du livre *Les 36 cordes sensibles des Québécois*, qui a longtemps dirigé l'agence de publicité BCP, soutient que « la traduction (des messages publicitaires) qu'on appelle maintenant adaptation, c'est de la même merde ».

« Quand vous traduisez, a-t-il spécifié aux membres de la Société des communicateurs de Québec, il ne se passe rien. Il n'y a ni événement économique, ni événement culturel. »

La remarque du publicitaire, aujourd'hui à la retraite, tient du fait que des grandes chaînes, comme McDonald's, ont décidé de souscrire à la publicité mondialisée alors que pendant plusieurs années, elles ont été admirablement bien servies par des agences québécoises qui particularisaient leurs produits. « Ce sont les anglos qui disent qu'une bonne traduction vaut mieux qu'une mauvaise création, a plaidé le B de l'agence BCP. Il va falloir vous lever, vous battre, et voir à quoi ressemble votre industrie. »

M. Bouchard dit ne pas vouloir donner de conseils. Mais ses propos étaient écoutés de façon religieuse (une ancienne corde sensible) par les publicitaires, pour la plupart en début de carrière, qui s'étaient rassemblés dans un bar de Québec à l'occasion de cet entretien.

Dans son exposé, M. Bouchard a retracé l'histoire de l'industrie de la publicité au Québec et les efforts des pionniers de sa génération pour se débarrasser des traductions à partir des années 1950. Les luttes de BCP et d'une agence comme Cossette ont ensuite porté leurs fruits, ce qui a amené Bouchard à publier, en 1978, son livre qui fait école dans le milieu publicitaire québécois.

De retour de France, où il a tâté la vie de châtelain pendant quelques années, M. Bouchard a constaté, avec les participants, que la majorité des 36 cordes sensibles qu'il avait détectées sont toujours valables.

S'il devait en ajouter une autre, a-t-il fait remarquer, ce serait la montée des Québécoises après la Révolution tranquille. L'ouverture des Québécois sur le monde est un autre aspect qui le fascine depuis son retour de France.

Le Soleil, 1er novembre 2003

L'auteur aurait peut-être pu présenter ces types de contenus séparément, chacun à son tour. Il a plutôt choisi de faire alterner, tout le long du texte, déclarations et notations documentaires, présent et passé. Cela donne à l'article une structure un peu moins limpide. Globalement, toutefois, le plan respecte le principe de l'ordre décroissant d'importance des données :

- le nouveau et le percutant, l'intervention récente de Jacques Bouchard, dans les trois premiers paragraphes ;
- l'explication (nécessaire pour le lecteur) sur l'élément déclencheur (l'attitude actuelle des grandes chaînes) et l'appel à la résistance (4e paragraphe) ;
- l'accueil réservé à l'intervention de Jacques Bouchard par son public de spécialistes (5e paragraphe) ;
- les rappels historiques sur la publicité au Québec (6e paragraphe) ;
- l'opinion de Jacques Bouchard sur la valeur actuelle de ses cordes sensibles (7e et 8e paragraphes).

De plus, avec ses rappels constants du rôle passé du conférencier et de son importance, le plan est de nature à valoriser l'événement et à maintenir éveillée la curiosité des lecteurs.

Quoiqu'il soit un peu en dents de scie, ce plan est donc acceptable. Il faut bien voir, en effet, qu'il n'y a pas de façon évidente de bien organiser un texte qui doit transmettre autant de choses aussi diverses dans un nombre aussi limité de mots (335). En comparant cette structure complexe aux plans élémentaires des nouvelles de faits divers déjà examinés, on conclura donc simplement à l'importance de faire appel à toute sa créativité pour articuler fortement et clairement des informations plus complexes que les petits faits divers.

D'autres plans

On l'a déjà souligné, il n'y a pas de lois en écriture de presse, seulement des modèles et des principes directeurs, à appliquer avec souplesse et discernement. Il est vrai que la pyramide inversée représente la forme type de la nouvelle de base. Vrai aussi que sa maîtrise s'impose comme une exigence minimale du travail journalistique. Ceci dit, outre que la répétition et la standardisation engendrent la monotonie, cette structure ne convient pas à tous les articles, ni même à toutes les nouvelles.

On songera donc à d'autres façons de structurer la nouvelle. Lesquelles? Et quand cela est-il indiqué de les employer? En ce qui concerne le *hard news* et la petite nouvelle simple, je vois surtout deux cas où une certaine fantaisie déviationniste paraît acceptable : les nouvelles qui se prêtent à un plan semi-chronologique et les nouvelles à *lead* « déviant ».

Le plan semi-chronologique La présentation des événements par ordre chronologique plutôt que par ordre d'importance nous éloigne radicalement du modèle pyramidal. Mal adapté à son sujet, ce plan facile peut engendrer l'ennui et frustrer le lecteur, qui doit tout lire pour avoir le fin mot de l'histoire. On le réservera donc aux histoires à suspense, fertiles en rebondissements et dépourvues de temps morts, et au *soft news*.

Plus fréquent est le plan qu'on pourrait qualifier de semi-chronologique. Souvent, le *lead* ou les premiers alinéas d'une histoire simple, comme un petit fait divers, donnent l'essentiel de la nouvelle, ne laissant que des éléments secondaires entre lesquels il est difficile d'établir une hiérarchie. La façon la plus captivante d'organiser la suite du texte, ou la majeure partie de cette suite, peut consister alors à reprendre le récit des événements selon leur déroulement temporel.

Article 4.6

EN **BREF**

Siège à Pont-Rouge

JEAN-FRANÇOIS NÉRON

♦ ♦ ♦

■ Un individu de 22 ans de Pont-Rouge a tenu les policiers en alerte toute la journée hier après s'être barricadé armé dans une résidence du rang du Petit Capsa. En matinée, la mère du forcené a réussi à quitter la demeure pour se rendre chez un voisin et demander de l'aide. Appelé sur place, le groupe tactique d'intervention de la Sûreté du Québec a dû ériger un périmètre de sécurité en évacuant deux résidences voisines. « L'homme se faisait très menaçant et il a même tiré plusieurs coups de feu dans la maison », rapporte Ann Mathieu de la Sûreté du Québec. Les policiers ont pu entrer en communication avec l'individu en début d'après-midi, mais ce n'est qu'en fin de journée qu'il s'est finalement livré aux autorités.

Le Soleil, 2 décembre 2004

Cette combinaison du principe de l'ordre décroissant des informations et du récit classique donne souvent un article susceptible de garder le lecteur en haleine jusqu'au bout.

La brève *Siège à Pont-Rouge* de la page précédente, illustre ce type de plan. L'auteur fait dans l'attaque la synthèse de la journée. Puis il en reprend le déroulement pour raconter ce qui s'est passé *en matinée, en début d'après-midi* et *en fin de journée.*

La nouvelle à *lead* « déviant »   Un *lead* conventionnel, on le verra, livre d'emblée les informations les plus importantes. Il arrive toutefois que le journaliste attaque, tout à fait légitimement, avec un élément de nature à piquer la curiosité du lecteur plutôt qu'à la satisfaire, tel un proverbe, une citation, une question.

Comme le *lead*, si bref soit-il, constitue une des deux parties principales de la nouvelle, on peut voir là une infraction majeure à la règle de la pyramide inversée. Pour le reste, cependant, une fois l'attaque posée, la plupart de ces textes reviennent au schéma de l'ordre décroissant d'importance des informations.

Ainsi, un article qui ouvre sur un constat devinette du genre *Les terrains en Floride sont parfois des châteaux en Espagne* suivra ensuite un cheminement très classique. Par exemple (évidemment, d'autres plans pyramidaux sont possibles) :

- douze hommes d'affaires de Québec victimes d'une escroquerie dans une affaire de terrains en Floride, ces derniers jours (*qui, quoi, où* et *quand*) ;
- les sommes en jeu (*quoi*) ;
- les escrocs (deuxième *qui*) ;
- le procédé utilisé (*comment*) ;
- la nature et l'emplacement des terrains vendus (*quoi* et détail) ;
- les impressions, les propos, etc., de quelques escroqués (détails) ;
- la liste des autres victimes (détail, si aucune n'est connue du public) ;
- les victimes ont porté plainte (ouverture sur la suite des événements).

En général, si on ne reprend pas après l'attaque l'ordre décroissant d'importance, c'est qu'on a choisi le plan chronologique du pur récit – et qu'on œuvre dans le *soft news.* Ainsi :

Les constructeurs de la route XXX n'ont pas prévu qu'elle pourrait servir de piste d'atterrissage à un Boeing 747. Ni M. Jean Létonné, un plombier de Chouette-la-Vie, qui partait hier en vacances.

M. Létonné roulait tout doucement en chantant à pleine voix pour accompagner une radio poussée à fond lorsqu'il entendit un bruit de moteur assez fort pour couvrir ce joyeux vacarme.

Levant les yeux, il s'aperçut alors qu'on le doublait... à la verticale ! À trois ou quatre mètres à peine au-dessus de sa voiture...

Si un tel texte peut s'écarter si franchement de l'ordre pyramidal, c'est que, bien que précisément daté, il relève du *soft news,* du *feature,* du *pittoresque,* dirait Bernard Voyenne. C'est surtout l'incongruité de l'événement qui lui confère son attrait journalistique.

Son plan, qui adopte la forme du récit classique (accompagnée d'un style léger), serait du plus mauvais goût si l'histoire s'était terminée en tragédie. Dans ce cas, il aurait fallu choisir un *lead*, un plan et un style plus conservateurs : *Tant de personnes ont été tuées hier lorsqu'un 747 d'Air Canada a tenté un atterrissage forcé sur la route de...* On préciserait ensuite l'identité des victimes *(surtout des Montréalais revenant d'un voyage en...)*, puis la cause présumée de l'accident, avant de reprendre toute l'histoire en détail : dernières minutes du vol selon la tour de contrôle et divers témoins, déclarations des dirigeants d'Air Canada et de divers personnages publics, ouverture d'une enquête, rappels d'accidents d'avion survenus au cours des dernières années, etc.

On voit, par cet exemple, que, si un *lead* « déviant » peut coiffer tous les types de nouvelles, le plan chronologique ne convient guère au *hard news,* qui appelle en général une présentation des informations par ordre décroissant d'importance.

LA NOUVELLE MOINS SIMPLE

Bien des nouvelles sont moins simples ou plus longues, ou les deux, que celles portant sur les faits divers et les déclarations que nous venons d'examiner. Selon la complexité et le degré de dispersion des données, elles demandent divers aménagements du plan pyramidal.

En effet, le modèle de la pyramide pur et dur, surtout dans une nouvelle longue et complexe, donne au lecteur l'impression que plus il avance dans le texte, moins ça devient intéressant. Toute la dernière partie de l'article, plusieurs feuillets peut-être, ne lui offre que des rappels, des précisions secondaires, des détails. Pour garder son public au poste, l'auteur aura en réserve quelques informations alléchantes et les placera de façon à « réattiser » ici et là la curiosité du lecteur, en les signalant à l'occasion par des intertitres. Plus généralement, il laissera son obsession du lecteur le guider et, sans rejeter le principe de l'ordre décroissant, se permettra des libertés anti-pyramidales.

La pyramide multiple

L'important pour obtenir une nouvelle bien structurée avec des informations variées, c'est de bien identifier les thèmes principaux – les branches maîtresses de l'arbre qu'on entend présenter au lecteur. C'est sur ces branches maîtresses que croissent les branches secondaires et sur celles-ci que s'accrochent, en saison, les boules de Noël et autres colifichets.

Si, en effet, une nouvelle comporte deux ou plusieurs thèmes, pondérer la valeur de chacun des éléments d'information de l'ensemble et les présenter selon cet ordre d'importance produirait un chassé-croisé très bizarre. On obtiendrait, par exemple, deux alinéas sur le thème A, un autre sur le thème B, un autre sur le thème C, puis un alinéa sur le thème A, etc. Cela donnerait un ramassis inintelligible – un tas de branches et non un arbre.

Une façon d'éviter un tel texte en dents de scie est d'appliquer le principe illustré par la pyramide inversée en deux temps : d'abord à l'ensemble du texte, ensuite, à ses principales parties. On pourrait parler d'une pyramide multiple : quelques petites pyramides (schématisant des divisions du texte) s'emboîtent pour en former une grande (schématisant la structure d'ensemble du texte). Si on suit cette approche, donc, les « sous-nouvelles » sont exposées en entier, à tour de rôle (voir Figure 4.2, p. 95) ; il s'ensuit que certaines informations assez mineures apparaîtront avant d'autres, plus importantes, mais relevant d'une sous-nouvelle dont la priorité est moindre. Ainsi maintient-on la lisibilité du texte, en traitant une chose à la fois.

Supposons qu'au terme d'un congrès à la chefferie du Parti machin, votre quotidien publie plusieurs articles, reliés par la mise en pages, sur l'événement : un papier sur la victoire de M. Truc, reconduit comme chef de parti, un autre sur le bilan du congrès dans tel domaine, une analyse de l'évolution à prévoir dans les prochains mois, etc. Votre contribution à vous consiste à produire une nouvelle sur l'attitude, à l'issue de la course à la chefferie, des perdants, A, B et C, qui contestaient le leadership de M. Truc.

Les événements vous simplifient la vie… et simplifient le plan. Devant l'ampleur de la victoire de M. Truc, les trois candidats défaits se rallient illico au chef, chacun à sa façon et avec son style. Vous avez votre axe (votre tronc), les trois candidats défaits se rallient, et vos branches maîtresses : A se rallie, B se rallie, C se rallie[6]. Sous un *lead* synthèse, vous enfilerez donc trois sous-nouvelles[7], chacune (si elle dépasse quelques lignes) prenant la forme d'une petite pyramide, construite, donc, selon l'ordre décroissant d'importance des informations relatives à chaque vaincu. Reste à déterminer l'ordre d'apparition des perdants dans l'article ainsi que l'ampleur du texte à consacrer à chacun. Pour respecter la pyramide globale, vous l'établirez en fonction de l'importance et de l'intérêt de chacune des personnalités pour le parti et pour le public – à moins qu'un autre critère ne s'impose. Vous pourriez, par exemple, le cas échéant, donner la priorité à un vaincu qui ferait des déclarations aussi époustouflantes qu'inattendues.

La nouvelle composite

L'exemple ci-dessus apparaît un tantinet plus complexe que les précédents puisqu'il réunit en fait trois nouvelles. Cependant, il n'y a pas de quoi se faire du mouron : les trois nouvelles étant proches parentes, le plan coule de source.

Quand on demande au journaliste 3000 mots sur le congrès du Parti libéral du Canada aujourd'hui, les choses se corsent pour lui. Il va devoir traiter de sujets fort disparates – par exemple, les votes, les résolutions, les

---

6. Dans des circonstances différentes, ce pourrait être, par exemple, (la vedette) A se rallie, (le candidat un peu moins connu) B claque la porte et (le personnage de second plan) C se rallie. Il faudrait évidemment ajuster le *lead* en conséquence.

7. Voir le schéma de la page suivante.

Figure 4.2

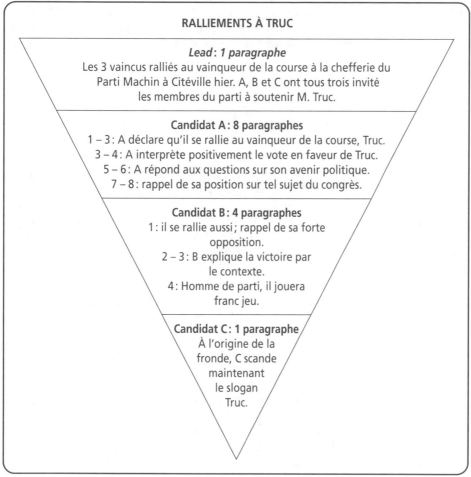

RALLIEMENTS À TRUC

Lead : 1 paragraphe
Les 3 vaincus ralliés au vainqueur de la course à la chefferie du
Parti Machin à Citéville hier. A, B et C ont tous trois invité
les membres du parti à soutenir M. Truc.

Candidat A : 8 paragraphes
1 – 3 : A déclare qu'il se rallie au vainqueur de la course, Truc.
3 – 4 : A interprète positivement le vote en faveur de Truc.
5 – 6 : A répond aux questions sur son avenir politique.
7 – 8 : rappel de sa position sur tel sujet du congrès.

Candidat B : 4 paragraphes
1 : il se rallie aussi ; rappel de sa forte
opposition.
2 – 3 : B explique la victoire par
le contexte.
4 : Homme de parti, il jouera
franc jeu.

Candidat C : 1 paragraphe
À l'origine de la
fronde, C scande
maintenant
le slogan
Truc.

interventions de différents acteurs sur diverses questions, les festivités, les rappels d'événements passés, etc. Comment alors éviter le fourre-tout, le ramassis ? Et comment donner au texte le minimum d'unité qui s'impose ?

Dans le cas d'un congrès du PLC, le journaliste canadien pourra se simplifier la vie tout bêtement en multipliant les nouvelles. Son agence ou son média réserve à un tel événement beaucoup d'espace. Il a donc le loisir de répartir sa matière en deux, trois ou quatre articles ou plus, que la rédaction reliera par les renvois et la mise en pages. Chaque nouvelle racontera alors une seule histoire, et l'unité du texte viendra tout naturellement.

Le journaliste pourra même alors varier le style d'un papier à l'autre : factuel et direct pour une nouvelle « dure », plus personnel pour une description d'ambiance et de tendances, un brin humoristique pour les festivités à majorettes. De telles variations stylistiques, qui seraient malvenues à l'intérieur d'un article unique plus long, stimulent l'intérêt du lecteur. En outre, celui-ci s'attaque plus volontiers à deux ou à plusieurs courtes nouvelles, bien aérées par la mise en pages, qu'à un unique gros pavé. En principe, donc, si on a deux ou plusieurs nouvelles sur un même sujet, on fait deux ou plusieurs articles, ce qui arrange à la fois l'auteur et le lecteur. Souvent, d'ailleurs, la rédaction fait à l'avance cette division, en affectant des journalistes différents à la couverture des diverses facettes d'un même événement.

Cette élégante solution n'est pas toujours suffisante. Il y a des limites au fractionnement et, pour les gros événements, même les articles partiels peuvent être très chargés. De plus, cette solution n'est pas toujours applicable. Afin de satisfaire tous les médias-clients, le journaliste d'agence doit fournir sur le congrès du PLC à la fois des nouvelles thématiques et un ou des textes de synthèse. Le journaliste maison peut aussi avoir à produire une seule nouvelle du genre costaud. C'est souvent pour économiser l'espace – la nouvelle unique réduit la surface de titraille et de blanc – ou, alors, c'est une question de tradition. Certains médias estiment que les textes longs rebutent le public, d'autres, comme *Le Devoir,* considèrent que, pour des événements importants, ils sont tout à fait de mise.

Comment alors donner unité et lisibilité à une nouvelle composite ? On peut y arriver en adoptant un angle, un axe, un fil directeur qui introduit une certaine logique dans la présentation des informations et, notamment, dans les subdivisions principales du texte.

En fait, toute nouvelle bien faite a un angle, sinon elle pécherait par manque d'unité. Pour les événements simples, il s'impose de lui-même, tel l'angle « ralliements » de tout à l'heure. Dans le cas d'événements complexes et composites, il requiert un peu plus de réflexion et d'invention.

Selon les informations dont on dispose, on pourrait, par exemple, pour la nouvelle sur le congrès du Parti machin, choisir l'angle « rapport à M. Truc » et organiser le corps de la nouvelle en deux parties, les éléments favorables et les éléments défavorables au chef. On pourrait aussi privilégier l'axe « position des ténors du parti » ; le corps du texte serait alors structuré autour des personnes en question (présentées selon leur ordre d'importance, évidemment !), autour des principaux sujets sur lesquels elles ont pris position ou, encore, par rapport à la division entre pro-Truc et anti-Truc. Il arrive même que l'angle soit fourni par la chronologie des événements, par exemple s'il s'agit d'une journée fertile en rebondissements et en suspense. Pareil article toutefois ne pourrait être qu'un complément à un ou à plusieurs autres textes de facture plus conventionnelle.

L'essentiel, c'est de trouver un angle, et un angle adapté aux informations à transmettre. Ainsi, on évitera l'axe délégués anglophones contre délégués francophones s'il ne correspond pas à un clivage réel dans les faits rapportés, si, par exemple, les conflits les plus forts opposent les provinces de l'Ouest à l'Ontario, ou la vieille garde aux jeunes loups, et non les francophones aux anglophones.

Judicieusement choisi, l'angle permettra de regrouper les informations selon quelques catégories maîtresses plutôt que de les présenter dans un ordre aléatoire, forcément déroutant pour le lecteur. Il reste tout de même quelques clopinettes intéressantes pour le lecteur qui n'entrent pas dans les cases ainsi construites ? Rien ne s'oppose alors à ce qu'on les regroupe à la fin dans une case « autres ».

Et s'il n'y a guère de rapport entre les diverses informations d'une même nouvelle ? En trouvant quand même un angle, on introduira des liens entre les informations. Si ténus soient-ils, le lecteur aura alors l'impression de suivre un déroulement logique et non de plonger dans un fouillis.

Il ne faut pas oublier le fil directeur en cours de route ! Supposons que vous ayez à écrire un papier sur les activités du premier ministre ces jours-ci, et qu'il y a là-dedans à boire et à manger pour une tribu, et de toutes les cuisines. Supposons également que tout cela tombe à l'improviste sur le pauvre homme, qui avait plutôt prévu quelques jours de repos. Voilà un angle possible : beaucoup de pain sur la planche plutôt que les vacances rêvées. Vous attaquez alors avec quelque chose comme *Le premier ministre annule ses vacances en Floride pour affronter une semaine surchargée à Ottawa*. Vous reprendrez ce thème en guise de transition ici et là (pas toutes les trois lignes !) : *Au lieu de se la couler douce à Miami...*, *Plage et golf sont d'autant plus loin que...* Il faudra aussi y revenir, brièvement, dans la chute de l'article, pour boucler la boucle.

La nouvelle disparate

Les activités d'une même personne à un certain moment, cela présente encore un minimum d'unité. Mais s'il faut réunir, dans un même article, des informations sur ce qui se passe actuellement à tel endroit ou dans tel domaine, des informations si disparates, donc, qu'elles n'offrent aucun angle unificateur ? En information internationale, par exemple, les journaux, pour économiser l'espace, proposent assez souvent des nouvelles du type « l'actualité en Irak » ou « les événements au Proche-Orient[8] ». Nous voilà avec des dizaines d'acteurs, une flopée de *quoi*, une multitude de domaines différents à faire cohabiter dans un même article. Et il faut produire un texte clair et structuré, en un mot lisible, même avec cette matière première hétéroclite.

Pas de panique ! Dans un premier temps, on repère les événements du jour qui offrent quelque valeur journalistique et on rejette les autres, pour ensuite ranger les premiers par ordre décroissant de priorité. Selon l'espace disponible pour sa nouvelle, on les retient tous ou on en élimine encore, en commençant par les moins importants ; il est essentiel, en effet, de garder pour chaque événement retenu assez d'espace pour pouvoir le traiter de façon intelligible. Ce tri effectué, il ne reste qu'à raconter, dans l'ordre, chacune des histoires sélectionnées.

Revoici, en somme, le modèle de la pyramide multiple (voir Figure 4.2, p. 95). Avec une variante : dans une nouvelle aussi hétérogène, on omettra

---

8. Pour écrire ce genre de nouvelle, on recourt généralement à des sources diverses : dépêches d'agences, communiqués, rapports, voire informations des télévisions locales ou internationales.

le *lead* synthèse[9], impossible, pour attaquer directement avec la première histoire, et enfiler ensuite les suivantes l'une après l'autre, de préférence en les annonçant par des intertitres, pour faciliter la lecture de l'ensemble.

Dans une telle nouvelle, comme dans les autres, pas d'introduction (au fait!), pas de conclusion. Même les transitions d'une histoire à l'autre se ramènent à deux ou trois mots[10] : *Quant à... Par ailleurs...* La ville voisine de X a *aussi* connu... Dans le nord du pays, *au même moment...*

Retour à la pyramide

N'allons pas conclure que toutes les nouvelles de quelque ampleur et complexité sont allergiques à la pyramide! Si tous les éléments d'information d'un article se rattachent fermement à un même thème unificateur, le plan pyramidal reste le plus indiqué pour organiser un texte, même long.

La nouvelle du *Devoir* (Article 4.7 ci-dessous) sur la disparition des anguilles illustre bien la structuration selon l'ordre décroissant d'importance dans un texte relativement ample (1260 mots). Dégageons le plan de l'article.

Article 4.7

Saint-Laurent : les anguilles sont en train de disparaître

À plusieurs endroits, les captures ont chuté de 90 %

LOUIS-GILLES FRANCŒUR

♦ ♦ ♦

[1] La population d'anguilles du Saint-Laurent, un des mets à la base de la survivance des premiers colons et d'une partie des classes populaires durant la crise économique de 1929, est en train de s'effondrer, pour des raisons encore inconnues, mais qui ne seraient pas sans rapport avec les changements climatiques et de nouvelles formes de surexploitation commerciale.

[2] C'est ce que révèle une étude inédite de chercheurs du Centre Saint-Laurent d'Environnement Canada et de l'Aquarium de Québec, aidés par les compilations personnelles d'un des derniers pêcheurs d'anguilles du Saint-Laurent, Fernand Gingras, de Saint-Nicholas, près de Québec.

[3] À plusieurs endroits, les captures ont chuté de 90 %, au cours des dernières années et, à certains endroits, on parle même d'une réduction de 98 % des anguilles femelles, les seules présentes dans le fleuve, ce qui est de mauvais augure pour une éventuelle relève de l'espèce. À l'automne 1965, on capturait jusqu'à 6761 anguilles à Saint-David durant la seule pêche d'automne et jusqu'à 603 en une seule nuit. Aujourd'hui, on ne capture pas cela en une année à la pêche expérimentale de Saint-Nicholas, qui est gérée par l'Aquarium de Québec. On y accuse plutôt une baisse de 82 % de l'abondance moyenne des anguilles par rapport à la période 1964-83, tout comme à l'Anse Douville où la baisse atteint 71 %.

[4] « On s'en va vers une catastrophe environnementale, qui pourrait nous conduire à la disparition de l'espèce dans le Saint-Laurent, explique Yves de Lafontaine, un des responsables de cette étude. Depuis 1997 et 1998, l'étude des anguilles capturées par les derniers pêcheurs québécois encore actifs et par la pêche expérimentale de l'Aquarium de Québec nous indique une hausse du poids moyen des anguilles, provoqué par l'absence quasi totale de jeunes dans les captures. En somme, les anguilles qu'on capture, qui proviennent des Grands Lacs et de tributaires du Saint-Laurent, sont plus vieilles et plus lourdes, un

Suite à la page suivante ▶

---

9. On pourrait le remplacer par un chapeau, un court texte de présentation ou une mise en perspective de l'actualité à tel endroit ou dans tel domaine.

10. Ce qui n'exclut pas la possibilité d'ajouter, si on a assez d'espace et selon la longueur de la nouvelle, un ou des intertitres.

signe qui ne trompe pas et qui traduit généralement une population en plein déclin, aux prises avec un sérieux problème de recrutement.»

[5] Selon les chercheurs, on assiste non plus à une diminution, mais à une véritable disparition des jeunes anguilles au barrage de Cornwall.

[6] «Alors qu'elles remontaient par millions, il y a quelques décennies, raconte Yves de Lafontaine, on ne voit pratiquement plus de jeunes anguilles jaunes remonter depuis 1985. Les retours sont tout simplement tombés à zéro en 1999 et en 2000. On espérait que les grosses anguilles qui retournent à la mer après avoir passé entre 15 et 20 ans dans les Grands Lacs arriveraient à reconstituer un cheptel solide. Mais ce n'est pas le cas. »

[7] Les indices scientifiques de l'abondance relative de cette espèce, une des plus abondantes du Saint-Laurent autrefois, coïncident avec les registres personnels de M. Gingras, un pêcheur à la retraite qui a conservé un journal de ses prises pendant des décennies, y compris du poids de ses captures, une donnée essentielle pour évaluer leur valeur commerciale.

[8] Les captures d'anguilles, qu'on enregistre au Québec depuis 1920, ont atteint un sommet d'environ 1000 tonnes métriques entre 1933 et 1935 en raison notamment de la forte demande pour cette denrée économique durant la Grande Dépression. À la fin de la Seconde Guerre mondiale, les captures avaient néanmoins régressé à 250 tonnes, mais elles ont remonté par la suite pour se

situer entre 300 et 600 tonnes métriques dans les années 60 et 70. C'est dans les années 80 que s'est amorcé le déclin de cette espèce, mais les prises se sont quand même maintenues autour de 300 tonnes grâce à un effort de pêche accru. En 1992, nouvelle chute des prises qui sont passées sous la barre des 200 tonnes depuis 1999.

[9] Cette situation a réduit l'intérêt des pêcheurs pour cette espèce et l'intensité de leurs efforts. Le nombre des pêcheurs licenciés est passé d'environ 80 à quatre dans la région de Québec, où les côtes plus rapprochées rendent les pêches à fascines particulièrement efficaces.

[10] Des déclins similaires ont été observés ailleurs en Amérique et même en Europe à peu près au même moment et dans les amplitudes relevées par les chercheurs d'ici sur notre fleuve. Mais si ce constat implique qu'il existe peut-être une cause commune au phénomène, personne n'a pu produire une explication définitive de ce phénomène.

[11] Jusqu'à présent, quatre hypothèses principales sont retenues par les chercheurs.

[12] D'abord la «mauvaise qualité du stock de reproductrices», les seules présentes en eau douce dans le système fluvial et des Grands Lacs. On ignore où sont passés leurs mâles qui ont tendance à se concentrer dans les estuaires aux eaux saumâtres. Les anguilles femelles, explique Yves de Lafontaine, vont pondre en mer après une quinzaine, voire une vingtaine d'années passées dans les eaux douces de rivières comme le Richelieu ou l'Outaouais

ou dans les Grands Lacs. Prédateurs redoutables, les anguilles stockent des contaminants chimiques comme le DDT, les BPC et le Mirex en concentrations telles que les pays européens ont interdit leur importation chez eux dans les années 80. Ces molécules bioaccumulables ont, entre autres choses, la capacité d'altérer sensiblement la capacité de reproduction des espèces qui les stockent dans leurs graisses, humains compris... Cette contamination n'a cependant pas ému les Américains et les Asiatiques qui ont rapidement absorbé la récolte québécoise !

[13] Deuxième raison, les barrages hydroélectriques qui coupent la migration, comme Beauharnois ou Moses Saunders à la frontière ontario-new-yorkaise. L'anguille en subit le contrecoup tout comme l'alose, un anadrome qui pullulait dans le Saint-Laurent au XIXᵉ siècle au point qu'on a dû interdire par règlement municipal à Montréal sa pêche durant les heures de travail pour mettre fin à l'absentéisme qui gagnait toute la ville. «Les jeunes anguilles n'arrivent plus à remonter le fleuve vers les Grands Lacs, ce qui diminue le nombre des vieilles qui redescendent. De plus, un bon nombre de vieilles anguilles en dévalaison empruntent le chemin des turbines où elles se font tuer, ce qui diminue encore davantage la reproduction en mer», explique le chercheur d'Environnement Canada.

[14] Les changements climatiques sont aussi mis en cause dans ce dossier en raison des similitudes constatées dans le déclin de l'espèce aux États-Unis et en

Europe, au même moment qu'ici. En mer, les larves ont été historiquement transportées sur les côtes atlantiques par le Gulf Stream. Certains chercheurs pensent que le ralentissement de la circulation haline, c'est-à-dire des grands courants océaniques, aurait pu réduire sensiblement l'apport de larves et, par conséquent, les populations des cours d'eau côtiers.

[15] Quatrièmement, les chercheurs pensent que la pêche intense qu'on a pratiquée en Ontario et aux États-Unis sur les jeunes anguilles présentes dans les petits cours d'eau, là où elles sont le plus vulnérables, aurait influé sur le cheptel de façon radicale. Cette ponction, qui était marginale autrefois, a empêché une importante partie du stock québécois et ontarien d'anguilles d'atteindre l'âge adulte et le stade de la reproduction, un autre facteur explicatif de la faible reproduction.

Les taux de capture ne semblent pas refléter exactement ce déclin. Mais quand on examine de plus près l'effort de pêche, on constate que les pêcheurs ont dû investir beaucoup plus d'efforts pour obtenir des captures malgré tout réduites d'environ la moitié.

[16] Au XIXᵉ siècle, raconte Yves de Lafontaine, un inspecteur des pêches écrivait dans un rapport qu'on pouvait s'abstenir de gérer cette espèce, parce qu'elle avait toutes les caractéristiques d'une éternelle abondance !

1. Les anguilles – historiquement importantes – disparaissent du Saint-Laurent. Motifs probables : changement climatique, surpêche.
2. Trois sources de l'information : des chercheurs (Centre Saint-Laurent et Aquarium de Québec) et un pêcheur œuvrant depuis plusieurs décennies. Où : Québec et environs.
   <u>Paragraphes 3 à 10 Les anguilles en baisse (stocks et qualité)</u>
3. Données comparant les captures récentes à celles des années soixante.
4. Catastrophe, selon un chercheur. La reproduction est compromise car une hausse du poids moyen correspond à une baisse du nombre de jeunes anguilles.
5. À Cornwall : disparition des jeunes anguilles.
6. À Cornwall, on est passé de millions de jeunes anguilles par année à zéro ; espoirs déçus.
7. Les données du pêcheur rejoignent celles des chercheurs.
8. Des données sur les variations globales des prises depuis 1920 au Québec.
9. La baisse du nombre d'anguilles entraîne une baisse du nombre de pêcheurs (de 80 à 4 à Québec).
10. Situation identique en Europe. Les mêmes effets sont peut-être dus aux mêmes causes (<u>transition</u>).
    <u>Paragraphes 11 à 15 Causes de la baisse</u>
11. Les chercheurs voient quatre hypothèses pour expliquer la baisse.
12. *Primo*, les anguilles stockent des contaminants qui affectent leur reproduction. Les États-Unis et l'Asie en consomment quand même.
13. *Secundo* : les barrages. Comme pour l'alose, très abondante au XIXe siècle.
14. *Tertio* : le climat affecte les courants océaniques, qui affectent les larves, donc la reproduction des anguilles.
15. *Quarto* : la surpêche.
16. Au XIXe siècle, l'anguille est si abondante qu'un inspecteur la croit éternelle.

Le premier paragraphe offre une synthèse de l'information : baisse du nombre des anguilles et types de causes possibles. Après avoir cité ses sources (paragraphe 2), le journaliste organise le reste de la nouvelle autour des deux thèmes annoncés dans l'attaque, présentés dans le même ordre : le nombre d'anguilles en forte baisse (paragraphes 3-10), les causes possibles (paragraphes 11-15). Le constat d'une situation actuelle alarmante (paragraphes 3-10) a préséance sur les hypothèses explicatives (paragraphes 11-15). Le titreur partage cette évaluation de l'ordre d'importance, au point de consacrer titre et sous-titre au seul constat.

On le voit par le plan de la nouvelle, chaque paragraphe a son sous-thème. À ceci près que l'auteur accroche en boules de Noël quatre informations délicieuses pour le lecteur mais trop en marge du thème central pour justifier qu'on leur consacre une section de l'article. Dès l'attaque, il souligne l'intérêt historique de son sujet pour les Québécois :

l'anguille a fait sa part pour assurer la survie des premiers colons et celle des classes populaires durant la crise de 1929. Au paragraphe 13, l'histoire fournit encore une comparaison, avec l'alose, et une anecdote pas piquée des vers : elle surabondait et les Montréalais la pêchaient tellement qu'il a fallu en interdire la pêche pendant les heures de travail pour juguler l'absentéisme au travail. Au paragraphe 12, le journaliste, faisant le point sur les contaminants, signale qu'ils n'empêchent pas les Américains et les Asiatiques d'absorber la récolte québécoise. Enfin, la chute nous ramène à l'histoire et à un inspecteur des pêches qui affirmait, au XIXe siècle, que l'anguille, comme espèce, était indestructible. Autres temps…

Cette chute a du piquant et elle reprend habilement le fil historique lancé dès l'attaque et réapparu en cours de route (paragraphe 13) pour boucler l'article. Simple mais « songé » ! Et bien conforme aux habitudes journalistiques. La nouvelle longue, en effet, se distingue encore de la petite nouvelle en ce qu'elle peut échapper, en cas de raccourcissement par le *pupitre*, à la pratique de supprimer des alinéas en commençant par la fin. Si on juge une nouvelle assez importante pour lui accorder tant d'espace, on peut bien prendre la peine de la relire entièrement avant de la contracter, s'il y a lieu. D'autre part, dans une nouvelle ample, le souci du lecteur amène non seulement à relancer son intérêt ici et là, mais à terminer autant que possible en beauté. Pour le récompenser de sa patience ? Peut-être, mais surtout parce qu'on sait que, souvent, devant des articles plus élaborés, le lecteur ira à la chute même s'il a omis de lire certaines parties du texte. On sait aussi que, parfois, il décide de s'attaquer ou non à un papier après avoir jeté un coup d'œil sur le début et la fin du texte.

Remarquons qu'en plus de piquer l'intérêt du lecteur avec quelques éléments anecdotiques ici et là, l'auteur marque les deux tournants de l'article par de courts paragraphes d'une seule petite phrase (paragraphes 5 et 11, 22 mots et 10 mots) qui annoncent le contenu de la section qu'ils ouvrent : *Selon* [...], *on assiste non plus à une diminution, mais à une véritable disparition des jeunes anguilles* [...] ; *Jusqu'à présent, quatre hypothèses principales sont retenues par les chercheurs.*

On notera aussi que les variations dans la longueur des paragraphes – de 10 mots (paragraphe 11) à 151 mots (paragraphe 12) – et dans celle des phrases – de 10 mots (paragraphe 11) à 46 mots (paragraphe 13, 2e phrase), voire 57 mots (1re phrase de l'article) – créent une certaine diversité dans le texte.

Bref, le plan de cette nouvelle suit les règles de l'art.

En résumé, la nouvelle pure et dure, même lorsqu'elle ne suit pas intégralement le modèle pyramidal simple, s'en inspire généralement, à ces nuances près :

- une nouvelle de structure classique commence parfois par un *lead* fantaisie ;
- certaines nouvelles livrent l'essentiel de l'information dans les premières lignes, pour suivre ensuite l'ordre de déroulement des événements (plan semi-chronologique) ;

- dans une nouvelle longue, il convient de garder des munitions pour relancer l'intérêt du lecteur dans le corps du texte, et de fignoler la chute.

Il s'agit là, en somme, d'écarts assez mineurs par rapport à la pyramide inversée. En matière de *hard news,* généralement, on ne poussera pas plus loin l'audace et la déviance.

Pour la nouvelle relevant du *soft news* (comme pour le reportage et d'autres genres journalistiques), tous les plans sont acceptables. Tous ceux où l'on organise les informations selon une logique et où l'on tient le lecteur en éveil. Tout ici est question de jugement, d'imagination, d'adaptation au sujet.

Cela dit, tel quel ou modifié pour l'adapter aux informations à transmettre, le schéma pyramidal reste le guide le plus sûr pour établir le plan d'une nouvelle, à la condition d'y chercher une inspiration et non une recette.

RAPPELS • RAPPELS • RAPPELS

- **Une nouvelle est un arbre, non un tas de branches : une structure, un plan !**

- **Au fait ! Au fait !**

  - *Dire ce qu'on a à dire sans annoncer qu'on va le dire.*

  - *Pas d'introduction,
    pas de longues transitions,
    pas de conclusion.*

- **Le nouveau d'abord.**

- **Introduire les informations par ordre décroissant d'importance.**

- **Les grandes divisions du texte (les branches maîtresses) ressortent clairement.**

- **Les sous-divisions – branches secondaires, thèmes et sous-thèmes – aussi.**

- **Chaque paragraphe correspond à un sous-thème.**

- **Les paragraphes sont rédigés de façon à pouvoir être déplacés sans modifier le texte.**

- **À nouvelle simple, pyramide simple (sauf exception).**

- **Pour une nouvelle complexe, un plan à l'avenant.**

Chapitre V
RÉDIGER

À l'école on apprend ce qu'il ne faut pas faire. Seule la pratique de l'écriture développe le savoir-écrire.

Antonine Maillet[1]

Pour bien écrire, il faut être solidement préparé, comme je le souligne ailleurs : disposer de données suffisantes et valables, maîtriser parfaitement son information, avoir sélectionné les éléments à retenir et les avoir placés par ordre d'importance. Une fois qu'on a une idée claire de ce qu'on veut dire, on cherchera à bien le dire. Cela concerne le vocabulaire et la syntaxe[2]. L'objectif est de parvenir, par un choix judicieux des mots, par des phrases construites selon les règles de l'art, à un style journalistique. Un bon style journalistique, s'entend.

Est-il possible de définir pareil style ? Le style est chose personnelle – *Le style, c'est l'homme !* Chaque journaliste a le sien. Contrairement aux langages scientifiques ou techniques, les langues naturelles offrent toujours un nombre illimité de façons de dire les choses, dans un journal comme ailleurs. Lesquelles sont bonnes et journalistiques ? Lesquelles ne le sont pas ?

À PROSCRIRE ET À COMBATTRE

Éliminons d'emblée le style pseudo-journalistique, l'écriture plate, sèche et froide de certains scribes à la plume déficiente. Tout en reconnaissant leur existence, on se gardera de les ériger en modèles. À l'opposé, rejetons le style littéraire.

Au temps des journaux d'opinion, le journaliste *s'exprimait*. Personnage politique, idéologue, pamphlétaire, esthète, romancier ou poète, c'était souvent un écrivain doublé d'un homme d'action (ou l'inverse), qui passait allègrement du roman ou de l'essai aux gazettes, sans vraiment quitter la littérature. Il lui fallait une belle plume, au sens où les professeurs de lettres l'entendent, ou une plume trempée dans le vitriol.

Maintenant que le journal est un produit industriel, le journaliste *informe*. Il se conçoit comme un communicateur, un *écrivant* mais non

---

1. *Contact*, vol. 1, n° 2, 1987.
2. Et aussi l'organisation globale du texte, le plan. Je ne reviens pas sur cet aspect, traité dans le chapitre IV.

un écrivain[3]. Bien sûr, sa langue est correcte, son style, personnel et vivant. Cela ne l'empêche pas de fuir les effets littéraires, le vocabulaire recherché, les constructions rares, les connotations créatrices d'ambiguïté et de résonances, ouvertes à des lectures multiples, qui font la richesse de l'œuvre littéraire et l'échec du texte de presse.

Artisan plutôt qu'artiste, le journaliste met son écriture au service de l'information et non de l'expression personnelle ou de la création littéraire. Le sculpteur a le loisir de créer des objets aux formes inattendues, pas l'ébéniste. Une table à la surface ondulée trouvera sa place dans le délicieux *Dictionnaire des objets introuvables,* mais pas au magasin de meubles. La presse est, en quelque sorte, un magasin d'informations. Les journalistes efficaces subordonnent leurs éventuelles ambitions littéraires à leur rôle professionnel : faire savoir et faire comprendre, au plus grand nombre.

À RECHERCHER

Mais qu'est-ce qui caractérise le bon style journalistique ? Mentionnons d'abord l'adéquation au média et au public. Ce qui est clair et passionnant pour le lecteur français du *Monde* échappera peut-être au lecteur québécois de *La Presse* ou du *Devoir.* À l'inverse, des expressions associées à la culture populaire ou sportive du public du *Journal de Montréal* apparaîtront comme autant d'énigmes à d'autres personnes. Pour une large part, donc, c'est le public qui détermine le langage.

Il y a aussi l'adéquation au genre rédactionnel et au sujet. On ne rédige pas une notice nécrologique comme un reportage sur un safari photographique au Kenya. On change de ton en passant du billet sur les infidélités conjugales d'une vedette au compte rendu des négociations en cours sur le désarmement nucléaire.

Mais, alors, qu'est-ce qui fait la bonne écriture de presse ? Peut-on dégager, au-delà des différences liées au public, au média, au genre, au sujet, des constantes du bon style journalistique ? Certainement ! Ce style se caractérise essentiellement et toujours par l'adéquation à sa fonction qui, elle, est constante : bien informer, être compris, être lu.

- Bien informer : cela requiert une langue précise et juste.
- Être compris : le texte doit être intelligible et clair pour son public. On y arrive par la simplicité.
- Être lu : cela suppose un style intéressant, c'est-à-dire avant tout concret et beau.

Le style journalistique se caractérise aussi par la concision. Votre média n'a pas d'espace, votre lecteur, pas de temps pour le verbiage.

---

3. Quant à la personne qui cumule les métiers d'écrivain et de journaliste, elle dira des choses différentes de façon différente selon le chapeau qu'elle coiffe. Comme journaliste, elle vise d'abord à informer, non à laisser son nom à la postérité. On n'écrit pas une nouvelle ni même une chronique ou un billet comme on écrit un roman.

Faut-il préciser que la langue est aussi correcte ? Pour devenir joueur de hockey, on apprend d'abord à patiner, ce qui suppose qu'on sait déjà marcher. Maîtriser le français, pour un informateur public, c'est tout juste savoir marcher. La langue est son premier et son principal outil de travail. Sans un outil de qualité, impossible de transmettre efficacement même les idées et les données les plus lumineuses, les plus exactes, les plus riches : il manquera de la précision, des nuances, de la clarté, de l'intérêt. D'autre part, quelles que soient ses autres qualités, un article ou un topo entaché de fautes de français demeure professionnellement inacceptable. Manier avec aisance une langue impeccable représente donc le degré zéro de la compétence journalistique, *un préalable* à l'apprentissage de l'écriture de presse (comme d'ailleurs de toute technique ou connaissance propre aux métiers de l'information et de la communication).

Ajoutons que, lorsqu'on s'exprime sur la place publique, c'est la moindre des choses que de respecter scrupuleusement le sens des mots, l'orthographe, la grammaire, la syntaxe, si l'on entend respecter son public et s'en faire respecter. Fermons vite la parenthèse, tant ces choses sont évidentes[4], et revenons à l'écriture de presse proprement dite.

UNE LANGUE CONCISE

La concision exclut la redondance, mais l'apprentissage l'exige. Je répéterai donc que l'espace est compté et le lecteur, pressé. Il s'ensuit deux choses.

Premièrement, à sens équivalent et à clarté égale, la formulation courte vaut mieux que la longue.

Deuxièmement, il faut éliminer du texte tout élément dont on ne peut démontrer l'utilité.

Faire court

Le verbe vaut mieux que la locution verbale. Sauf exception, on écrira *démanteler* plutôt que *procéder au démantèlement de*, *financer* plutôt que *assurer le financement de*, *démontrer* ou *montrer* plutôt que *faire la démonstration de*, etc.

De façon plus générale, les mots courts sont préférables aux mots longs. Il y a à cela, outre l'économie d'espace, plusieurs raisons. D'abord, ils font le style plus vif, plus ramassé, plus incisif : plus intéressant, donc. Ensuite, le lecteur les perçoit plus rapidement et plus facilement. Ainsi, il retiendra mieux une phrase faite de mots courts qu'une autre de longueur égale composée de mots plus longs. En d'autres termes,

---

4. Évidentes mais parfois désespérantes pour les apprentis journalistes qui découvrent que leur français fait eau de toute part. C'est la mauvaise nouvelle : leur langue est malade. La bonne nouvelle : ça se soigne. Un français déficient est rarement un trait permanent, comme les yeux bleus ou les petits pieds. On trouvera à la fin de ce chapitre quelques suggestions de traitements.

l'emploi de mots courts facilite une bonne compréhension et une lecture rapide, agréable.

D'autre part, la statistique linguistique nous apprend qu'il existe une forte corrélation négative entre la longueur des mots et la fréquence de leur emploi par une population donnée. En termes plus adaptés à l'écriture de presse : les linguistes ont constaté que les mots les plus usuels sont généralement courts et les mots longs, peu utilisés dans l'ensemble. Comparons :

- plus   et   davantage ;
- aussi   et   également ;
- assez   et   suffisamment ;
- trop   et   excessivement ;
- pareil   et   identique ;
- semblable   et   analogue ;
- laid   et   inesthétique ;
- superflu   et   superfétatoire ;
- enquête   et   investigation ;
- pitié   et   commisération ;
- bonté   et   magnanimité ;
- feu   et   élément destructeur ;
- incendie   et   conflagration ;
- explosion   et   déflagration ;
- cacher   et   occulter.

L'emploi de mots courts a donc aussi pour avantage d'aider à respecter la règle du langage usuel (*cf. infra*). A condition, comme toujours, de ne pas exagérer. *Colère* est préférable à *ire*, un archaïsme.

Faire utile

En écriture de presse, l'inutile devient nuisible. Il faut donc tout soumettre au test de l'utilité. Ce test est simple. Est utile :

- ce qui apporte une information nouvelle ;
- ce qui facilite la compréhension de l'information ;
- ce qui facilite la lecture du texte.

Un point, c'est tout. On soumettra au test chaque partie de texte, chaque phrase et même chaque mot.

Hervouet (1979), partant d'un monologue de Fernand Raynaud, nous suggère la méthode du marchand d'oranges qui fabrique un écriteau pour son étalage. *Ici on vend de belles oranges pas chères*, écrit-il. Après quoi, il contemple son œuvre. *Ici ?* Évidemment, pas chez le concurrent. Et de rayer *ici*. *On vend ?* Sûr qu'on ne les donne pas. Et de biffer. *De belles ?* Un vendeur ne présente jamais sa marchandise comme moche. Et de supprimer. *Pas chères ?* Même manège. Reste le mot *oranges*, ridicule au-dessus d'une montagne d'oranges. L'écriteau va aux orties.

Dans ce cas, la chasse à l'inutile a tourné au massacre. Dans la plupart des textes, toutefois, elle permet tout juste d'éviter l'encombrement...

De quoi proverbes, dictons et autres formules lapidaires tirent-ils leur force ? De leur concision. Sans chercher à écrire comme l'a fait La Fontaine dans ses fables, on s'en inspirera.

Diverses recherches ont montré que les mots les plus souvent utiles (ceux qui contribuent à la compréhension et que le lecteur retient) sont les verbes et les noms, alors que les mots les plus souvent inutiles sont les adjectifs et les adverbes. Adjectifs et adverbes ont de plus le défaut d'affaiblir souvent l'expression qu'ils prétendent renforcer. Quelque chose coûte *une fortune*; lui faire coûter *une véritable fortune* ou, pis, *une véritable petite fortune*, n'ajoute rien ; cela enlèverait plutôt de la vigueur, du *punch*. On n'est pas plus ému quand on est *complètement bouleversé* que lorsqu'on est *bouleversé* tout court, c'est-à-dire « en proie à une émotion violente et pénible », à « un grand trouble » (*Le Robert*).

Dans la chasse à l'inutile, ayons donc à l'œil les adverbes et les adjectifs. Suivons le conseil de Colette : *Écrivez d'abord, puis enlevez les adjectifs.*

Grandes et petites transitions sont aussi à surveiller de près. *À ce propos, il faut sans doute aussi mentionner que... Il n'est peut-être pas inutile de rappeler que... Ainsi que nous l'avons déjà laissé entendre... Si on examine bien le fond, on pourrait qualifier ce rapport de... Il convient à ce sujet de signaler que... mais il va sans dire...* Tout ce verbiage est inutile. Si cela va sans dire, ne le dites pas, et si ce n'est pas évident, n'affirmez pas que ce l'est. Pour le reste, examinez, qualifiez, signalez, mais sans annoncer que vous allez le faire.

Annoncez encore moins que vous l'avez déjà fait, ce qui est avouer le péché mortel de redondance. Dans ce contexte, faute avouée n'est pas pour autant pardonnée. Plutôt que d'avouer, réparez. Si, en vous relisant, vous vous rendez compte qu'une même information revient deux ou plusieurs fois, retouchez votre texte, jusqu'au plan si nécessaire, pour éliminer la redondance inutile. Cela concerne les répétitions mais aussi les phrases, voire les alinéas, vides d'information nouvelle.

Les conclusions en forme de synthèse (ou de pseudo-synthèse) disparaîtront en général à cette étape. *Voilà ce qui ressort de la conférence de presse donnée hier par la ministre pour faire le point sur les investissements culturels du Québec.* Sauf les quatre premiers mots, tout cela a déjà été dit (sinon votre nouvelle cloche : refaites-la). Quant à *Voilà ce qui ressort*, ou votre lecteur vous fait confiance, et cette affirmation est inutile, ou il ne vous fait pas confiance, auquel cas cet appel à sa foi ne changera rien.

Résistons aussi à la tendance à toujours compter les choses sans raison particulière : *Deux pays, le Canada et les États-Unis, ont convenu... L'homme d'affaires a réclamé deux mesures dans ce sens [...] premièrement [...] deuxièmement...* Disons simplement ce que font le Canada et les États-Unis ou ce que réclame l'homme d'affaires[5]. Le lecteur sait compter jusqu'à deux ; il s'intéresse peut-être aux mesures réclamées, mais pas à leur nombre ni à leur ordre d'apparition dans le discours[6]. De même, les propos d'un conférencier peuvent avoir de la valeur journalistique,

---

5. À moins que le nombre de pays ou de mesures ne soit significatif pour une raison ou une autre.
6. De plus, en annonçant un chiffre, on s'oblige, en quelque sorte, à tout couvrir plutôt qu'à choisir uniquement le *newsworthy*. Voir le chapitre III, « Choisir ».

mais pas le moment de son discours où il les a tenus ; éliminons donc les fausses précisions du type *Elle a commencé par* souligner... *Il a poursuivi en disant que... En terminant,* il a demandé aux membres... pour ne garder que les mots utiles.

La redondance utile

Il existe une redondance utile : celle qui, sans apporter d'information nouvelle (par définition), permet au destinataire d'un message de le percevoir facilement ou de le mieux comprendre.

Ainsi, à clarté égale, on choisira la formulation la plus courte ; si l'intelligibilité l'exige, on optera pour la plus longue. *Suspendre sine die* est plus concis que *suspendre pour une période indéterminée*, mais beaucoup de gens ignorent le sens de ces mots latins. *Exit* donc la formule latine !

Ainsi, encore, les explications, exemples, illustrations et rappels sans lesquels le lecteur devrait jouer aux devinettes ont leur place dans tout texte de presse, étant bien entendu que ces adjuvants de l'intelligibilité sont eux-mêmes amenés avec un maximum de concision.

Parmi les mesures destinées à amener des médecins en région figure la prolongation d'un an de l'internat médical, avez-vous écrit. Quel rapport entre cette mesure et l'objectif à atteindre, se demanderont les non-initiés, en l'occurrence la grande majorité du public. Il convient de dégager le sens de l'information en précisant les avantages escomptés : comme on profitera de cette prolongation pour faire faire une partie de l'internat en région, on y amènera ainsi des presque médecins ; ils seront mieux préparés au type de médecine qui se pratique là et il leur viendra peut-être le goût de s'y établir. Voilà qui allonge votre nouvelle. Peu importe, puisque la clarté l'exige.

La règle d'or, ici : si vous en parlez, dites-en assez pour que le lecteur comprenne de quoi il retourne, sinon n'en parlez pas. Et en évaluant cet *assez,* songez que le lecteur n'a pas mené d'interviews sur le sujet, n'a pas assisté à la conférence de presse donnée par X, n'a pas entre les mains les pièces du dossier que vous avez monté, etc.

Les mots « vides » introduisent de la redondance syntaxique. Contrairement aux mots pleins (noms, verbes, etc.), ces mots outils n'ont pas de valeur sémantique, pas de signification en eux-mêmes. Ils servent simplement à construire la phrase, à la rendre conforme à l'usage. Ce faisant, ils la rendent aussi conforme aux habitudes de lecture du public. Par conséquent, la redondance qu'ils apportent accélère et facilite la lecture, en plus de diminuer les risques d'ambiguïté. Elle est utile.

Comparez : *Auteur dit faut rejeter mots inutiles* et *L'auteur dit qu'il faut rejeter les mots inutiles.* Un texte en style télégraphique, malgré sa concision, est long et difficile à lire, et forcément plat. Sans aller aussi loin, vous pouvez être tenté de prendre des libertés avec le français, en particulier avec la syntaxe, sous prétexte de faire court. Résistez à la tentation. Prenez tout l'espace nécessaire à l'expression correcte et harmonieuse de ce que vous avez à dire (mais pas un caractère de plus !). Méfiez-vous notamment des raccourcis étranges. *S'asseoir* est devenu synonyme de *négocier* dans le langage de l'action sociale et, souvent, dans celui des médias. *Il va falloir que les parties s'assoient* au lieu de *Il va falloir que les parties négocient*, lit-on et entend-on, par exemple. Pourtant, on a souvent plutôt avantage à se tenir debout pour faire aboutir des négociations ! *« On va s'asseoir avec tous les groupes de la communauté avant de signer l'entente »*, a promis M. Picard ; *« Je crois qu'il devrait s'asseoir avec l'opposition et former un gouvernement d'unité nationale »*, a déclaré M. Chrétien. De tels exemples (ici tirés du *Soleil*, 3 septembre 2002) abondent dans la presse. Le lecteur devinera sans doute qu'il s'agit de s'asseoir à une table de négociation mais épargnons-lui ces ellipses bizarres.

« Redondons » un peu pour mieux faire saisir l'importance en écriture de presse de ces trois exigences fondamentales et parfois un peu contradictoires : correction, clarté, concision. Répétons que concision n'est pas brièveté. Un texte court peut être bavard, un texte long, fort concis. Le premier dit peu de choses en beaucoup de mots, le second un maximum de choses en un minimum de mots – ou plutôt en un optimum de mots.

Autant on chassera l'inutile, autant on évitera de confondre rédaction et contenu, forme et fond, mots inutiles et informations secondaires. Des informations secondaires peuvent être utiles, voire indispensables. Fort heureusement, l'information de presse ne nous parvient pas uniquement sous forme de capsules et de brèves !

En écriture de presse, la concision est une vertu cardinale. Une information aussi complète et attrayante que possible en est une autre. Il faut donc éviter le double écueil du verbiage et d'une écriture elliptique. Vous trouverez vite lequel vous menace le plus.

UNE LANGUE SIMPLE

> *Quand vous voulez écrire : il pleut,*
> *écrivez : « il pleut ».*
>
> G. Simenon[7]

Des mots de tous les jours

Selon la théorie de l'information, une communication réussie exige que le destinataire perçoive un message (à peu près) identique à celui qu'a voulu transmettre la source. Rejoignant le bon sens, la théorie pose que, pour y arriver, la source doit utiliser un code connu du destinataire pour fabriquer son message.

En termes plus simples, et plus journalistiques, puisque tous les lecteurs doivent comprendre le texte et le comprendre de la même façon, il faut employer des mots de tous les jours, des mots connus de tous, et dans le sens que tous leur accordent.

---

7. Cité par *L'Événement du jeudi* (19 au 25 mars 1987). C'est Valéry, semble-t-il, qui avait créé la phrase, en la critiquant. Léautaud, partisan d'un style simple et naturel, la défendait.

Article 5.1

Le barrage Daniel Johnson aura désormais les pieds bien au chaud

LOUIS-GILLES FRANCŒUR
♦ ♦ ♦

Le barrage Daniel Johnson, situé à la Manicouagan, avait somme toute la grippe. Et pour mettre fin aux écoulements qui suintaient de nombreuses fissures, les ingénieurs ont décidé de lui mettre les pieds bien au chaud en hiver.

Comme l'œuf de Colomb !

C'est ce qu'a fait savoir hier la direction d'Hydro-Québec en révélant les conclusions des études entreprises au cours des dernières années pour déterminer si ce barrage avait la stabilité requise pour y maintenir une production hydroélectrique maximale.

L'apparition d'une importante fissure en forme d'écaille, en mai 1981, ainsi que l'augmentation sensible des fuites d'eau dans les structures internes avaient suscité des doutes sur la stabilité du principal monument de la Révolution tranquille. Au point d'ailleurs que la direction de la société d'État décidait d'abord de diminuer la quantité d'eau stockée en amont et envisageait d'appuyer le barrage sur de nouveaux butoirs, une entreprise évaluée à plus de $ 350 millions.

L'examen de ce problème pendant des années se termine sur une conclusion optimiste : la « Manic », comme on la désigne toujours en chanson, demeure « solide et sécuritaire ».

Les appuis de béton que l'on avait envisagé de construire à la base des grandes voutes, il y a deux ans, ne sont plus requis.

Mais pour maintenir la « marge de sécurité actuelle » à long terme, Hydro-Québec devra s'attaquer à la cause des fissures et des écoulements : le gel. En effet, les problèmes relevés par les ingénieurs s'expliquent à leur avis par le différentiel thermique entre la surface extérieure du barrage, aux prises avec des températures sibériennes, et l'intérieur qui se rapproche de la température de l'eau.

Il suffira de garder désormais les pieds du barrage au chaud pour que diminuent ses écoulements saisonniers…

Le conseil d'administration d'Hydro-Québec a donné le feu vert à cette nouvelle stratégie et autorisé la réalisation du « confortement thermique », une expression hydro-québécoise pour désigner les futures chaussettes que l'on tricotera au barrage.

D'ici à ce que les piliers soient convenablement isolés, on les gardera à la chaleur dans des abris temporaires installés au bas des immenses voûtes.

Hydro-Québec estime qu'elle est désormais en mesure de relever le niveau de l'eau dans le bief amont et elle étudiera le comportement sismique du barrage. Elle colmatera par ailleurs les fissures et brèches par des méthodes classiques.

Le Devoir, 22 janvier 1988

Une obscure affaire de « confortement thermique » se transforme en aimable histoire de chaussettes à barrage. Plus besoin d'être ingénieur pour comprendre la nouvelle et s'y intéresser. Étudier « la résistance du barrage aux tremblements de terre » serait plus simple qu'étudier « son comportement sismique ». Compte tenu du public cible, ne chipotons pas. Disons plutôt bravo au journaliste pour l'ensemble de sa nouvelle.

Or, ils ne sont pas si nombreux, ces mots connus de tous. La langue française comprend à peu près 100 000 mots et elle s'enrichit d'environ 1 000 à 2 000 mots par an. Aucun francophone ne les connaît tous. L'ensemble des mots qu'on utilise soi-même, le vocabulaire actif, varie, selon les milieux et les personnes, de 700 ou 800 mots (moyenne des élèves du primaire) à 5 000 ou 6 000 mots et parfois plus. Quant au vocabulaire passif – l'ensemble des mots que l'on comprend sans les employer soi-même –, il peut, dans le meilleur des cas, couvrir de 10 000 à 12 000 termes. Enfin, 3 000 mots seulement constituent 97 % du vocabulaire des francophones, et ces mots les plus usuels sont en grande majorité des mots simples.

Lorsqu'on écrit pour le grand public, on sait donc qu'une partie de ses lecteurs dispose d'un vocabulaire passif restreint, constitué surtout de mots usuels. On sait aussi que la lecture de la presse se fait rapidement, dans un contexte de loisir ou de transport et de refus de l'effort. On ne demande donc pas au lecteur de jouer du dictionnaire.

Bref, la première qualité d'une bonne écriture de presse est sa simplicité, et en particulier l'usage d'un vocabulaire familier au commun des mortels.

Des obstacles à la simplicité

Cette qualité première d'une bonne écriture de presse est facile à dire, facile à comprendre, et parfois difficile à mettre en pratique. N'y arriveront pas sans effort les personnes qui s'expriment habituellement de façon alambiquée ou qui nagent comme poissons dans l'eau dans divers langages techniques, politiques, scientifiques, littéraires ou autres. Écrire pour la presse les obligera à modifier radicalement leurs habitudes langagières (leur façon de s'exprimer). D'autres, au style plus sobre, éprouveront néanmoins de la difficulté à rédiger en termes simples certains textes. Voici pourquoi.

Souvent, la nature même de l'information à transmettre requiert l'usage de mots rares ou recherchés. Il est question d'*habeas corpus*, de prévarication et de libelle diffamatoire, de bureautique et de productique, ou de la théorie de la désintégration positive proposée par tel psychologue, ou encore de l'indice synthétique de divorcialité du démographe. Ciel ! Il n'y a pas d'autres mots pour désigner avec précision ces réalités. Le dirigeant a accusé son collègue de procrastination, pas d'autre chose. Il ne faut pas, sous prétexte de simplicité, déformer l'information.

Que faire ? Garder ces mots rares incontournables mais les expliquer brièvement, en termes simples et dès leur première mention. Autant que possible sans en avoir l'air : le lecteur veut suivre l'actualité, pas un cours de français. Y aller légèrement, dans ses propres mots, sans s'encombrer de références ni chercher à donner au public une formation complète sur la matière. S'en tenir aux éléments nécessaires à la compréhension du texte. *Le meurtrier a eu recours à l'héparine, substance qui empêche le sang de se coaguler...* et non *à l'héparine, que* Le Robert *définit comme une substance polysaccharidique acide à propriétés anticoagulantes [...]*. L'expression polysaccharidique acide, intelligible pour les chimistes ou les médecins légistes, n'ajoute ici que de la confusion ; les propriétés anticoagulantes appartiennent au langage de la médecine, pas à celui de tous les jours.

En général, il suffit d'accoler au mot détestable un synonyme ou une périphrase : *Mme X a accusé le chef du gouvernement de procrastination. D'après elle, cette habitude de tout remettre au lendemain a provoqué...*

Autre obstacle : on doit souvent travailler avec des textes adaptés à leur public premier mais pas au grand public. Un rapport médical fourmille de termes techniques et il n'y a rien à redire à cela. Encore faut-il le traduire pour son public. J'ai appris un jour dans un quotidien québécois qu'un bébé était mort du « choc hypovolémique causé par le tranchement de l'artère jugulaire » ! En clair : on lui avait tranché la gorge. Sans commentaire !

Si l'on doit récrire en tout ou en partie des textes destinés à un public limité, il faut éviter d'en modifier le sens mais ne pas craindre d'en changer la forme. Ainsi, le passage suivant, tiré de *La francisation en marche*[8], sans être illisible demeure bien abstrait :

> *Une des manifestations les plus importantes du caractère évolutif du français [...] et du dynamisme des francophones vis-à-vis de leur langue est certes cette nouvelle tendance à vouloir rendre compte du rôle accru et toujours en croissance des femmes dans l'ensemble des activités humaines, en féminisant les titres et les appellations d'emploi. Dans la perspective [...] des mesures interventionnistes de la part des États, comme la promulgation de lois à caractère linguistique, par exemple, il est du plus grand intérêt pour l'avenir d'une langue comme le français que de telles interventions ne soient pas simplement localisées au seul plan national mais entreprises en concertation avec tous les États francophones et dirigées vers un plus grand universalisme de la langue française.*

Il pourrait donner, pour un grand public, quelque chose comme :

> *Les francophones bougent, et font bouger leur langue. La féminisation des titres et des noms d'emplois illustre à merveille ce dynamisme : le français évolue et s'adapte pour rendre compte du rôle croissant des femmes dans toutes les activités humaines. Plusieurs États s'occupent de langue, et y consacrent des lois. Ils le font actuellement sans se concerter. Pour mieux assurer l'avenir du français, tous les États francophones devraient se donner une politique commune pour rendre le français plus universel.*

Autre obstacle encore à la simplicité : en information publique, on doit souvent utiliser, outre des sources techniques, des sources qui se distinguent par un style à coucher dehors.

Les diverses bureaucraties, sans en avoir le monopole, inventent quantité d'expressions combinant exclusivité et barbarisme. Ces régions-là sont pleines de *s'éduquant (s'éduquants ?) sur la problématique desquels il y a urgence de se positionner, dans la perspective d'une mise en œuvre de politiques sur le plan de la désinstitutionnalisation d'apprentissages que par ailleurs les instances publiques incorporent au niveau de leurs orientations globales comme des prestations auxquelles les bénéficiaires de l'extension de l'enseignement ont droit et elles ont fait la priorisation de ce projet.* Par exemple...

Voilà qui exclut clochards et vagabonds, même promus *personnes itinérantes.* Ils s'en consoleraient en se noyant dans des flots de bière, pardon, dans les produits de *l'industrie brassicole,* qu'on les comprendrait. Ne sommes-nous pas tous menacés de devenir *bénéficiaires,* de l'assistance publique ou des pompes funèbres – mille excuses, des services des thanatologues ? Et pourquoi pas, à la station-service, des *carburologues* ? Ou, encore, des *feedbackologues* au lieu de diplômés en communication (*sic* toujours) ? Faut-il pleurer, faut-il en rire[9] ?

On voit fleurir ce genre de charabia dans d'innombrables déclarations, conférences, discours, communiqués, rapports, qui constituent

---

8. D'octobre 1986, mais encore d'actualité…

9. Avec tel cordonnier *savatologue,* docteur ès godasses de surcroît, aucune hésitation, le rire l'emporte. Mais il fait de l'humour, pas de l'épate, et il écrit dans sa vitrine, pas dans la presse grand public.

pour les journalistes une matière première. Il faudra dire les choses autrement. Et tant pis, ou plutôt tant mieux, si le vide de pensée et d'action que dissimule souvent le baragouin s'en trouve révélé au grand jour[10].

Le communiqué de presse affirmait-il que *l'attitude du ministre conduit à secondariser la problématique du sport amateur*? On pardonnera plus facilement l'attitude du ministre que la façon dont son opposant la décrit! De grâce, traduisons pour nos lecteurs que, selon le député X, ce ministre accorde trop peu d'importance au sport amateur. Et renoncez à jamais aux *problématiques*: un tel machin n'a pas sa place en écriture de presse; et quand on l'utilise comme synonyme de *problème*, ou *question*, ce qui est fréquent, on commet en plus une faute de vocabulaire.

Les recherches du sociologue du droit l'ont amené à conclure que *la sévérité de la magistrature est inversement proportionnelle à l'efficacité du pouvoir judiciaire*. On apprendra à son public que, d'après ce chercheur, plus un tribunal est lent et inefficace, plus les juges ont tendance à rendre des sentences sévères, et inversement. Le sociologue a peut-être *exemplifié abondamment*, ce qui permettra de *donner beaucoup d'exemples* pour illustrer sa trouvaille. Quant au conférencier, même s'il a savamment traité des *facteurs de cancérisation*, on se contentera de faire avec lui la revue des causes du cancer.

Une fois encore, il s'agit tout simplement d'écrire pour son lecteur. La solution de facilité qui consiste à lui refiler le jargon des sources marque l'incompétence chez un informateur. Le jargon est dans l'air du temps. Même le casse-croûte du coin propose maintenant des hot dogs à *rethermaliser* plutôt qu'à réchauffer. Alors, vigilance!

Il arrive que les obstacles se combinent, que le langage inaccessible des sources rende encore plus obscur le sujet complexe à traiter. Ce n'est pas une raison pour baisser les bras et renoncer à un style simple sous prétexte que l'information à transmettre ne l'est pas. Au contraire, plus la difficulté du sujet croît, plus il faut soigner la clarté, donner des explications et des exemples, trouver une façon de le présenter dans des mots usuels. On ne se résignera pas davantage à simplifier à outrance le fond, la complexité des événements et des situations, prétendument impossibles à rendre pour le grand public. Cela s'appelle de la déformation, de la fausse information.

Certes, il est souvent bien compliqué d'être simple! Cependant, les choses les plus ardues peuvent se dire avec simplicité et clarté, comme le montrent chaque jour les grands vulgarisateurs et les bons journalistes. Il suffit... d'y travailler très fort.

Un truc pourra sans doute vous faciliter la tâche. Avant de rédiger, expliquez de quoi il en retourne à un jeune de 12 ou 13 ans à l'esprit vif (vous voulez être clair, pas infantile).

---

10. J'exagère un peu, mais n'invente rien. Tous les exemples de ce chapitre proviennent de tels textes et parfois, *horresco referens*, de la presse elle-même. (Sur le rôle mystificateur du blabla obscur, on lira avec plaisir et profit le roman de René-Victor Pilhes, *L'imprécateur*). Parfois, il est vrai, le jargon part d'un bon sentiment. Quand même, que pensent les *psychiatrisés* de se voir ainsi transformés en objets passifs de l'action médicale?

Supposons que vous sortiez d'une conférence de presse où le ministre de la Justice, discourant sur le *phénomène de la psychologie du délinquant,* a révélé que *la problématique de la criminalité féminine diffère de la problématique de la criminalité masculine* (*sic*). Répétez cela à la jeune personne et elle vous mord, en toute légitime défense. Fort de cette motivation, vous trouverez bien le moyen de lui apprendre, sans massacrer ni le français ni l'information, que les femmes ne commettent pas le même genre de crimes que les hommes. Si vous n'y arrivez pas, c'est que vous n'avez pas bien saisi la pensée du ministre : retournez à la case départ, à la maîtrise de l'information à transmettre.

Vous verrez que l'exercice, qui peut se faire mentalement pour un jeune public imaginaire, favorise à la fois la rigueur de l'information et la clarté de l'expression.

Des pièges

Piège anti-simplicité numéro un : croire que ce que la vie nous a rendu familier l'est aussi aux autres.

Un syndicaliste s'imagine volontiers que tout le monde sait faire la différence entre le syndicat local et la fédération ou la centrale syndicale. Il n'en est rien, et si cette distinction est au cœur d'un article, il faudra lui consacrer quelques mots. Pour le professeur de l'Université Laval, distinguer un département d'une faculté est chose élémentaire. Cela ne l'empêche pas de perdre pied quand un collègue de l'Université du Québec lui parle de modules et de familles.

Quant au diplômé de l'une ou l'autre institution, il se souviendra qu'en général, une mineure est une personne de moins de 18 ans. Par conséquent, dans son article sur les nouveaux programmes à l'université, il décrira sommairement mineures et majeures pour tous ceux qui ignorent tant la réalité que la terminologie de ces choses scolaires. Qu'il se rappelle les difficultés éprouvées à expliquer à des gens qui n'ont pas connu l'université ce que c'est que de faire des études en sociologie, en biochimie ou... en communication. S'il écrit pour un média de masse, son public compte une forte proportion de non-initiés.

Il m'est arrivé de lire, dans plusieurs travaux universitaires, qu'Hydro-Québec et la Ville de Québec sont de bons exemples d'entreprises privées. C'était anticiper beaucoup sur la mode de la privatisation... Le journaliste qui écrit un papier sur la fonction publique réfléchira à cela, et aux enquêtes selon lesquelles bon nombre de citoyens s'avouent incapables de nommer leur premier ministre tout en réduisant allègrement l'État québécois à la police et au bien-être social.

Ces gens ne sont pas ignorants. Simplement, ils ne savent pas les mêmes choses que ceux qui les informent. À ces derniers d'en tenir compte, car, contrairement à ce qu'on croit souvent, les premiers consomment aussi de l'information, écrite comme électronique. Ils ont le droit de s'y retrouver.

Évidemment, le journaliste n'a pas pour rôle de tout enseigner à tout le monde. Il s'en tient à l'information d'actualité, ce qui lui interdit de gloser sur la nature de l'université ou sur celle de l'entreprise. N'empêche qu'il doit garder à l'esprit que tout le monde n'est pas aussi familier que lui, à cause de son métier, avec le langage des tribunaux, de l'économie, du théâtre, de la justice, etc. Dût-il souffrir à la tâche, il arrivera à expliquer les termes rares qu'il ne peut éviter et, pour le reste, à s'exprimer avec des mots connus de tous, employés dans un sens accepté de tous.

Autre piège anti-simplicité : le rapport privilégié avec son milieu professionnel plutôt qu'avec son public.

Le public des médias de masse ne communique guère avec ses informateurs : quelques lettres, courriels ou appels téléphoniques, de brèves réponses à des sondages occasionnels et superficiels, et puis voilà. Avec qui le journaliste discute-t-il d'actualité, de sélection de l'information, d'interprétation des événements, de fiabilité des sources, d'écriture, de ses articles, de ceux des autres, bref, de métier ? Avec ses supérieurs hiérarchiques, avec les collègues de sa *boîte* et ceux des médias concurrents, qu'il rencontre quotidiennement, qui le lisent et qu'il lit (ne fût-ce qu'à des fins de comparaison et de compétition). Qui l'apprécie, qui le moque, qui le félicite, qui détermine son statut professionnel ? D'autres professionnels de l'information.

Dans ce contexte, on ne s'étonnera pas que le public imaginaire du journaliste, celui auquel il pense en rédigeant ses articles, soit formé la plupart du temps de gens du métier, comme l'indiquent certaines recherches. Cela se comprend. Il reste qu'il doit se soucier avant tout de son public, anonyme mais adoré, et combattre cette tendance, qui l'éloigne d'un langage accessible à tous.

Troisième piège, très méchant (attention !) : la tendance à vouloir faire chic, savant, cultivé, instruit, ferré, initié, branché, *in*.

On croit éblouir le lecteur par l'étalage de sa science, par l'ampleur et l'ésotérisme de sa palette terminologique ? On ne fait que l'assommer. À moins qu'on ne le fasse rigoler. *Hé ! Hé !* ricane-t-il, *la culture, c'est comme la confiture, moins on en a, plus on l'étale.* Ou s'insurger : *Quand on est incapable de se faire comprendre, on n'écrit pas dans les journaux !* Ou voir rouge : *Conscientiser ! Conscientiser ! Il se prend pour qui, celui-là ? Il voudrait pas me psychiatriser aussi ?*

Le manque de simplicité peut donc provoquer, outre l'incompréhension, des réactions aux antipodes de l'admiration recherchée. Raison de plus pour chercher à informer plutôt qu'à épater. Fait-on un article sur un grand financier ? Même au sortir d'un cours de sociologie, on s'abstiendra d'écrire qu'il a connu une forte mobilité sociale ascendante, ou d'affirmer que cela – question de conscientisation, sûrement – le porte à occulter le poids de la stratification sociale dans le concret de sa réalité. *Poil au nez !* répondra le lecteur, s'il est d'humeur enjouée. De bonne humeur ou pas, il s'empressera de chercher ailleurs de la prose plus lisible.

Le lecteur fuira de même si l'auteur, s'imaginant faire chic, préfère systématiquement les pronoms à rallonge aux tout simples *il, elle, lui, eux*, etc. *Le président est arrivé hier dans la capitale. Ce dernier...* Pourquoi toujours *ce dernier, celui-ci, cette dernière, celle-ci* quand *il* ou *elle* suffisent ? Pourquoi toujours *lequel* au lieu de *qui*? *M. X a rencontré hier dans la capitale provinciale Mme Y; celui-ci a exposé à cette dernière ses vues, lesquelles...* Voilà un *celui-ci* trop loin de son antécédent pour être correct. Et quel galimatias ! Ces pronoms à rallonge sont de temps à autre utiles à la clarté de la phrase. Dans les autres cas, on les évitera pour rester clair, simple et agréable à lire.

La complication inutile gâte beaucoup de travaux d'étudiants qui s'imaginent que le correcteur est dupe du charabia ou préfère, à l'expression juste et simple d'une pensée claire et précise, l'hermétisme et les *buzzwords* (mots rares et aptes à épater la galerie). Même dans le contexte scolaire, il faut faire la différence entre langage technique (nécessaire) et jargon (à rejeter). Dans un texte de presse, ce qui dans un travail scolaire était déjà agaçant (et improductif) devient intolérable.

Chœur des protestations, maintes fois entendu : « C'est bien la peine de faire des études universitaires pour s'exprimer comme à l'école primaire ! »

Premier élément de réponse : si vous refusez d'écrire pour le grand public, votre place est partout sauf en information publique ! Plus fondamentalement, il ne s'agit pas, surtout pas, d'écrire comme à l'école primaire. On vise à faire simple et beau, simple et efficace, mais simplicité n'est ni pauvreté, ni platitude. Valéry, souvent cité en exemple pour la simplicité de sa langue, l'est aussi pour la profondeur de sa pensée, et tout autant pour ses qualités de styliste. Flaubert n'écrivait pas comme Lacan, ni Balzac comme Julia Kristeva. Plus près de nous et du journalisme, le plaisir de lire, par exemple, Pierre Foglia, Lysiane Gagnon, Nathalie Petrowsky ou le regretté Jean-V. Dufresne vient autant de la forme que du fond et, pourtant, ces journalistes écrivent simplement, sans phrases alambiquées et sans « mots à cinq piastres ».

En plus d'embellir les textes et de les rendre plus intelligibles, la simplicité fera éviter bien des faux pas à ceux dont le vocabulaire est pauvre. Ils risqueront moins alors d'employer des mots dans des acceptions impropres, tel ce scribe qui annonçait la tenue d'une activité « sans lucrativité financière » de son association...

Simple, ni simplet ni simpliste

La règle de la simplicité ne doit jamais faire oublier l'exigence d'un français correct. Il est plus simple d'*acheter une voiture* que de *faire l'acquisition d'un véhicule automobile,* mais l'achat d'un *char* est réservé aux militaires (ou aux organisateurs du défilé de la Saint-Jean). Comme le dit un de mes collègues, *Évitez les tournures familières : vos lecteurs, y sont pas niaiseux !*

Dans un reportage sur la calvitie, un journaliste de la télévision française donnait un jour à voir des *hommes au dôme céphalique en voie de désertification.* Le même jour, un de ses collègues de la presse écrite évoquait une personnalité qui portait plainte contre son voisin à cause des *vocalisations excessives de ses chiens.* Le premier voulait faire rire. Sa plaisanterie a dû échapper à bien des téléspectateurs. Le second a fait rire à coup sûr... en se couvrant de ridicule[11]. Cela dit, on n'admettrait pas plus *Ce monsieur, il perd ses cheveux* ou *Les pauvres bêtes, elles font trop de tapage*. Ne bêtifions pas!

Il faut se rappeler par ailleurs qu'il existe différents niveaux d'expression linguistique. Des termes courants acceptables dans un contexte familier peuvent détonner sur la place publique. Vous n'offusquerez que les puristes en médisant de votre « docteur » au bar du coin. Dans un article, en revanche, rien ne nous justifie de dire *un docteur* pour *un médecin*, mot aussi connu, aussi usuel (un médecin de famille). Nous savons bien qu'il y a des docteurs ailleurs qu'en médecine – en communication même.

Le souci de simplicité ne doit pas faire renoncer à un vocabulaire riche, à un style varié. Pour éviter la répétition, source d'ennui, on fera appel, à l'occasion, à des mots moins courants. Il faut alors s'assurer que le contexte en éclaire le sens. Dans un entrefilet sur les tribunaux, on parlera de *juges*. Dans un article plus élaboré, *juge* alternera avec *magistrat*, quoique *juge* soit plus usuel et, dans ce cas, plus précis. Après tout, le lecteur au vocabulaire le plus pauvre peut l'enrichir, ce qui arrivera si les mots nouveaux qu'on lui présente sont bien utilisés. Voilà une retombée positive d'une bonne écriture de presse, encore que tel ne soit pas son objectif premier, et que ni cet argument ni celui du style n'excuseront jamais l'hermétisme ou la pédanterie qui font employer sans nécessité des termes vraiment rares.

Cela dit, la pièce rare des uns est la monnaie courante des autres. L'habitué des *Cahiers de droit* s'impatiente quand on se croit tenu de lui expliquer « règlement *ultra vires* ». Dans une revue sociologique, la stratification sociale passe comme du beurre dans la poêle, la névrose d'angoisse n'inquiète nullement un public de psychologues, et les linguistes font joujou avec les axes syntagmatique et paradigmatique.

D'accord, vous écrivez dans la presse, pas dans une revue scientifique. N'oubliez pas pour autant que le lecteur du *Devoir*, s'il aimerait voir préciser que tel *publiciste* œuvre en droit public et non en publicité, n'a en revanche pas besoin de se faire définir « constitutionnaliste ».

Tenir compte de son public, c'est aussi éviter de l'ennuyer en disant des choses qu'il sait déjà, de le décevoir en s'enfermant dans un vocabulaire rudimentaire. Sans compter, on l'a vu, qu'il est parfois nécessaire d'employer des mots rares pour rendre des concepts précis et des réalités complexes, c'est-à-dire simplement pour donner une information exacte.

Toutefois, quels que soient le sujet, le média et le public visés, il existe toujours des façons (relativement) simples et des façons compliquées de dire les choses. Qu'il écrive dans un quotidien de masse ou dans une feuille confidentielle, celui qui choisit la seconde manière, qui, entre autres choses, emploie sans raison des termes peu familiers à ses lecteurs, se rend coupable de « jargonnage », ce qui fait qu'il communique mal, et informe mal.

---

11. Ce n'est pas sa faute, me direz-vous, la plainte était rédigée ainsi. Mais oui, c'est sa faute! C'est lui qui écrit son texte, lui qui le signe ; il est responsable de son langage.

En particulier...

Voici une liste partielle des choses à éviter pour rester accessible à tous.

- Les mots exclusifs aux langages techniques ou scientifiques
  On a observé une dislocation tectonique sur une lune d'Uranus. Le séismographe a enregistré une secousse tellurique à San José. Il s'agit d'une rupture de l'écorce terrestre et d'un bon vieux *tremblement de terre.* Commençons par dire les choses ainsi, quitte à recourir aux termes plus techniques ensuite, si le contexte les rend clairs.

- Les jargons sociaux de toutes sortes
  Les bénéficiaires ont raconté leur vécu de femmes. Au cours de cette émission, M. Bouchard est apparu tout à fait branché, voire chébran, face à un interviewer in, flyé, au boutte. Ce caviar est amusant, dit l'immarcescible Virgule de Guillemets. Les minorités visibles sont souvent victimes de discrimination.

- Les régionalismes
  Ce flo, ce petit mousse, a réussi un exploit que bien des adultes lui envieraient. Il a demandé en guise de récompense une tarte à la farlouche.

- Les néologismes
  L'homme d'affaires s'est clairement positionné sur la prétendue tiersmondialisation qui menacerait de néantiser l'économie britannique.

- Les archaïsmes
  Après l'avoir ouï moultes fois, il m'appert qu'icelui est l'homme idoine.

- Les allusions culturelles
  Cette victoire à la Pyrrhus l'a conduit de Charybde en Scylla. On est six millions, faut se parler, a dit en gros la conférencière aux cégépiens. Mais ils n'étaient pas 12 012 à la messe.

- Les mots étrangers
  Ils viennent de tous les idiomes. Latin: *a priori, a fortiori, sub judice.* Allemand: *weltanschaung* (vision du monde). Mais ce sont surtout les mots anglais qui sont légion sous la plume des Québécois, de quoi provoquer un *breakdown*, mais combattre ce *trend* risque de conduire au *burnout* et de révéler un *generation gap.*

Cela dit, si on organise un *brainstorming* là-dessus, on n'invitera pas trop de journalistes français. Plusieurs ne parlent que de *look*, d'*Usine Center*, de *sponsors* et de *sponsorisation*, de *team sport*, de *cash flow*, de mode *black*, de *dealers*, d'*overdose*, de *junkies*... Question de *marketing*, sans doute. Apparemment, un *jackpot* fait saliver plus qu'un gros lot. En tout cas, même *Le Monde* donne l'impression que le propriétaire d'un réseau de télévision a tout à envier à celui d'un *network*. Et après qu'un éditorialiste du cru a écrit « It is not my cup of tea, comme disent les Anglais », on a lu ou entendu trois fois par jour dans les médias français « Ce n'est pas ma tasse de thé ». Tant qu'à traduire, ne pourraient-ils pas aussi transposer et s'intéresser plutôt à leur verre de vin?...

Suffit! La plupart des mots étrangers incriminés, qui sont de plus des néologismes, sont mal connus du grand public et plus difficiles à assimiler pour lui qu'un nouveau mot français. Presque tous existent en version française et on les privilégiera, tout comme on préférera les bonnes traductions aux mauvaises : pour *brainstorming*, par exemple, on choisira le joli et expressif *remue-méninges* plutôt que l'insipide *tempête sous le chapiteau*. On n'acceptera les mots étrangers que s'ils sont usuels et n'ont pas d'équivalent français (*kung fu, western, water-polo...*).

Et une règle ab-so-lue : ne jamais employer des mots qu'on ne comprend pas soi-même !

UNE LANGUE PRÉCISE

L'expression juste

Ça y est, vous écrivez simplement, avec des mots usuels et de préférence courts. Encore faut-il livrer une information exacte et précise. Cela exclut le vague, l'à peu près, le terme impropre...

Ainsi, tout *prévenu* n'est pas un *coupable*. *Infraction*, *délit* et *crime* ne sont pas synonymes, encore qu'entrer chez le voisin par *effraction* constitue bien une *infraction* à la loi (et « entrer par infraction », une infraction à la langue française). Pour rester dans le domaine du droit, on a plus ou moins à craindre des rigueurs de la justice selon qu'on est accusé de coups et blessures ayant entraîné la mort, d'homicide, d'assassinat ou de meurtre mais, à tout coup, on risque un séjour dans une *prison* ou dans un *pénitencier*, selon le cas.

Il s'agit là de termes techniques, juridiques en l'occurrence. Impossible de « couvrir le Palais de justice » sans maîtriser ces termes du métier ; sans savoir, par exemple, qu'une étude légale est une recherche que la loi n'interdit pas de mener et non point un bureau d'avocats ou un cabinet juridique.

Il n'y a pas que l'information spécialisée à exiger de la rigueur terminologique. Untel donne une poignée de main à son *adversaire* à l'issue du match : pure routine. Vous lui faites serrer la paluche de son *ennemi* : vous venez peut-être de déclencher des rumeurs sur une guerre entre les deux sportifs. Le maire a accepté un *compromis* : voilà un homme raisonnable ; une *compromission* : le voici malhonnête. Lénine, homme de gauche, a écrit un livre intitulé *Le gauchisme, maladie infantile du communisme* ; on évitera avec lui de confondre un homme de gauche et un gauchiste. Un journaliste expliquait récemment que les Inuits ont réclamé la création d'un district électoral autochtone *sous prétexte* que leur communauté diffère des autres. Faute de savoir qu'un prétexte est une mauvaise raison, le journaliste présente la demande sous un jour négatif.

On le voit, pas d'information exacte, précise et dépourvue d'ambiguïté en dehors du mot approprié, de l'expression juste. Se méfier particulièrement des variations sur une même racine. Combattre son *inclination* à ne pas tenir compte de l'*inclinaison* du toit quand un sentiment *d'isolement* fait songer à améliorer l'*isolation* de la maison, surtout que le *prolongement* (espace) du toit entraînera une *prolongation* (temps) des travaux. Ce ne sont pas là des questions *oiseuses* d'un *oisif* mais des choses nécessaires à une écriture précise.

Quant aux mots de longueur inégale dérivés d'une même racine, ils devraient déclencher le réflexe du mot court. La *technique* diffère de la *technologie* autant que le *problème* de la *problématique*! Exposer la *méthodologie* qu'on a suivie pour retrouver son chemin ou pondre une brève, c'est commettre un triple péché de pédantisme, d'hermétisme et d'imprécision. Il arrive que le mot long soit aussi le mot juste, mais rarement qu'on ne puisse trouver une formulation qui permette de l'éviter. « Faciliter l'accès à l'université » est aussi précis qu'« accroître l'accessibilité aux études supérieures » et formulé dans un langage plus... accessible.

Il faut éliminer de son texte non seulement toute imprécision qui peut induire en erreur mais aussi tout ce qui peut prêter à des interprétations différentes, à des suppositions, à des déductions et autres produits de l'imagination débordante et, dans ce cas, indésirable du lecteur. On n'y arrivera qu'avec une vigilance de tous les instants. Les gens ont en effet l'imagination fertile et l'art de trouver aux phrases les sens les plus inattendus, pour peu qu'on laisse la porte entrouverte à la folle du logis. Quiconque a pré-testé un questionnaire soi-disant étanche à l'ambiguïté sait bien qu'il se trouve toujours quelqu'un pour interpréter à sa façon telle ou telle question au sens pourtant « évident ».

Il s'en trouvera mille pour une information pas tout à fait claire. Glissons sur les articles totalement confus, rares heureusement, qui découragent le lecteur en quelques lignes. Mais retenons qu'il suffit, pour l'empêcher d'interpréter correctement une nouvelle, d'un soupçon de flou, d'une ou deux formulations maladroites, d'un plan un peu cahoteux – surtout si ces lacunes affectent le *lead,* qui devrait guider et faciliter la lecture du reste du texte[12].

Article 5.2

Un irritant de moins pour les endeuillés
La Ville cessera « bientôt » de facturer
une taxe de bienvenue aux héritiers

La taxe de bienvenue, à part son nom, n'a jamais rien eu d'agréable. Surtout pour ceux qui doivent s'en acquitter parce que leur conjoint, récemment décédé, leur a « légué » cette maison qu'ils habitent depuis longtemps. Pour des raisons aussi bonnes qu'évidentes, la Ville de Québec les exemptera bientôt de payer ces frais.

PREMIER RAPPORT DE L'OMBUDSMAN

Le Bureau de l'ombudsman de Québec, qui déposait hier le premier rapport annuel de son existence, a interpellé la Ville et la province à cet égard, tout comme l'Union des municipalités du Québec avant lui.

« Nous sommes informés par le Service des finances de la Ville que semblables demandes (d'être exempté de la taxe) se répètent quotidiennement », écrivent les commissaires […]

Le Soleil, 2 décembre 2004

---

12. Voir le chapitre suivant.

La nouvelle de la page précédente (partiellement reproduite) en fournit un exemple. Au lieu d'aller droit au fait, l'auteur attaque avec un lieu commun – eh non, les gens n'aiment pas les taxes, mais il n'y a pas là de quoi faire une nouvelle. Il emploie l'appellation ironique « taxe de bienvenue » sans la guillemeter, ce qui crée de l'ambiguïté. En revanche, il met le terme *léguer* entre guillemets, et le lecteur se demande bien pourquoi : les gens concernés héritent ou n'héritent pas ? Seuls les conjoints sont mentionnés comme héritiers ; il faudra attendre quatre paragraphes plus loin (si on se rend jusque là) pour savoir que les enfants des personnes décédées auront aussi droit à l'exemption. Quant à ces *raisons aussi bonnes qu'évidentes,* elles ne sont certes pas évidentes pour tout le monde[13].

Le reste est à l'avenant. La taxe de bienvenue n'est expliquée que comme *droits supplétifs* sur les *transferts d'immeubles* ; droits supplétifs ? Supplétifs à quoi ? Et ne serait-ce pas la propriété des immeubles qui est transférée plutôt que les immeubles ? D'ailleurs, sont-ce vraiment tous les immeubles qui sont touchés ou seulement la maison familiale, comme le lecteur l'avait cru à la lecture du premier paragraphe ?

Au deuxième paragraphe apparaît *Le Bureau de l'ombudsman de Québec, qui déposait hier le premier rapport annuel de son existence.* L'existence du Bureau ou de l'ombudsman ? pourrait-on se demander si on lit un peu vite. Surtout, on bute ici sur une des difficultés que suscite le plan. Cet alinéa, qui dit seulement que le Bureau et l'UMQ ont interpellé la Ville et la province, comme l'intertitre qui le surmonte, donnent l'impression qu'on change de nouvelle.

Cessons de chicaner, mais convainquons-nous que c'est ainsi qu'il faut se relire, en « tataouinant » pas mal pour s'assurer que le produit fini conviendra au public. Et rappelons qu'avant de s'attaquer à la rédaction, on doit maîtriser parfaitement le sujet et faire du ménage dans ses informations, ce que l'auteur n'a peut-être pas fait dans ce cas-ci…

Jamais de compromis, donc, sur la clarté pour le lecteur. Pour éviter l'ambiguïté, on se méfiera avant tout du flou, du vague.

On a mis sur pied un programme d'aide. Qui ça ? Pour qui ? *La présidente du syndicat a exprimé son désaccord sur le sujet.* Mais encore ? Sur lequel des vingt-deux thèmes dont il vient d'être question ? Elle l'a exprimé comment, ce désaccord : a-t-elle froncé les sourcils, répondu calmement aux arguments de l'adversaire, tenté de l'étrangler ? Quel genre de désaccord : sur un détail marginal dans l'ensemble, sur des éléments centraux de la proposition, sur tout ? Elle a nuancé tels propos, les a simplement niés, les a qualifiés d'imbéciles et de nazis ?

Pour produire du vague, rien de plus efficace que les *phénomènes* et les *problèmes*. Ah ! le phénomène de la psychologie du délinquant ! Ou encore le phénomène de la modernité : c'est beau, c'est grand, c'est généreux. Ça accueille la brosse à dents électrique, l'angoisse nucléaire, les

---

13. Et en affirmant qu'elles sont bonnes, le journaliste tombe un peu dans le commentaire, qu'il convient d'éviter dans une nouvelle (voir le chapitre VIII).

livres vendus au kilo, la peinture constructiviste, les *born again*, les écolos, les montres à eau, les bungalows... Tout, n'importe quoi, et son contraire.

Pour varier un peu le style, passer des phénomènes aux problèmes, tout aussi hospitaliers. D'une information sur des citoyens qui contestent des décisions de Revenu Québec devant les tribunaux, des novices ont fait une nouvelle sur *les gens qui ont des problèmes avec l'impôt*. C'est ce que j'appelle élargir les perspectives. Ainsi se trouve admise dans le club toute personne qui manque d'argent pour payer ses impôts, n'arrive pas à remplir seule sa déclaration de revenus, reçoit en retard les formulaires de son employeur, fait l'objet de poursuites par le fisc, en arrache dans ses études en fiscalité...

Après le flou artistique, la *formulation aberrante* offre le meilleur moyen d'injecter de l'imprécision dans un texte.

> *Vous n'êtes pas sans ignorer que la cause du problème est due à plusieurs raisons. Ce point est à l'étude du mandat de la commission d'enquête, mandat qui doit suggérer des moyens d'améliorer les problèmes et d'approfondir les lacunes.*

Écrivez cela et il se trouvera des gens pour dire que vous ne devriez pas *ignorer* qu'une cause due à quelque chose, c'est de la causalité au carré, au cube si ce quelque chose est, de surcroît, un ensemble de causes. Ni *être sans savoir* que lorsque la maladie s'améliore, le malade dépérit, même si le mandat de son médecin étudie très fort pour découvrir un remède. On aurait tort de *sans* faire pour si peu, cela va *s'en* dire. Nous avons déjà assez de *difficultés avec nos problèmes* comme ça. Quand même, il pourrait *sans* dire des choses sur les rapports entre efficacité et correction de la langue... Notamment, qu'écrire au son *ait* aussi une bonne façon de semer la confusion.

À cause de sa cocasserie, on pourrait croire que la formulation aberrante est une rareté ou le monopole des esprits brouillons. Il n'en est rien ! Tout lecteur de la presse un peu attentif pourra amasser en peu de temps une jolie collection de perles, dont plusieurs offertes par de bonnes plumes. Même chose pour le professeur qui lit les travaux de ses étudiants, même très doués, ou... qui relit sa propre prose. En corrigeant un seul très court travail sur les conditions de vie dans les prisons, j'en ai relevé une bonne cinquantaine. Il y avait là *des objectifs qui visent à* (très populaires), des *incarcérés surpeuplés*, cela, *faute de manque de place*, des règlements concernant *l'admissibilité à cette alternative*, des mesures qui *faisaient état* des soins de santé, d'autres mesures qui *offraient un programme*, etc. *Des policiers subissaient des coupures, des surveillants allaient acquérir un volet social.* J'ai aussi appris que les criminels au Québec sont moins dangereux qu'ailleurs : nos assassins sont de braves gens bien de chez nous !

Trêve de plaisanteries. Répétons qu'on ne doit jamais demander au lecteur de jouer aux devinettes. Il faut donc, nous l'avons déjà vu, livrer toute l'information nécessaire à la compréhension immédiate du texte. En ce qui concerne la façon de la présenter, chercher toujours le mot précis, le mot juste, bannir les termes vagues ou impropres ainsi que les formulations aberrantes.

Comment y arriver ? Je vois deux moyens de développer la précision. D'abord, relire ses brouillons d'un œil féroce, malveillant, en cherchant la petite bête – en l'occurrence, tout mot et toute formulation susceptibles d'être compris de travers ou de faire surgir des questions sur le sens précis de l'information (revoir l'Article 5.2, *Taxe de bienvenue*, p. 120 et l'épisode *La présidente a manifesté son désaccord*, p.121).

Ensuite, jouer abondamment du dictionnaire, cette merveille qui vous apprend en deux secondes que *à cet effet* ne saurait signifier *à ce sujet*, ni *opportunité* se substituer à *occasion*. Jouer en particulier du dictionnaire analogique, cette merveille des merveilles qui fait trouver un mot qu'on ignore à partir d'un parent que l'on connaît, un mot juste qui se dérobe à partir d'un autre moins précis (dans le contexte) mais associé par le dictionnaire à celui qu'on cherche.

Dans le doute, ne jamais s'abstenir : courir et recourir au dictionnaire ! Cent fois sur le métier remettez votre ouvrage, et 1 000 fois sur le bureau, vos dictionnaires[14].

Des mots piégés

Certains mots sont à surveiller parce qu'ils conduisent à exprimer des positions idéologiques sans qu'on le veuille, sans même qu'on s'en rende compte, et parfois des positions qu'on désapprouve.

Les prescriptions du *politically correct* résultent en général d'excellentes intentions. Sur le plan du langage, elles déclarent tabous des mots qui désignent des infirmités ou des caractéristiques physiques ou comportementales généralement jugées indésirables, comme *handicapé*, *fou* ou *aliéné*, *aveugle*, *sourd*, *homosexuel*, *Noir*, l'objectif étant de ne blesser personne et d'affirmer, dans le langage même, l'égale valeur de tous les êtres humains. L'objectif est louable, mais le moyen choisi est une arme à double tranchant, qui peut à l'occasion se retourner contre ceux-là même qui militent pour améliorer les attitudes à leur égard.

Proscrire le mot *aveugle*, c'est poser implicitement que le terme est insultant, donc qu'il y a quelque chose de péjoratif, sinon de honteux, à être aveugle. On obtient ainsi l'inverse exact de l'effet recherché. C'est d'autant plus risqué si les appellations substituées au mot « incorrect » sont lourdes et maladroites, donc peu sympathiques, voire ridicules ; elles accentuent alors une impression de malaise devant une réalité – la cécité, la surdité, etc. – qu'on n'ose nommer sans circonvolutions. Cet effet pervers est encore plus prononcé quand une seule des catégories d'un ensemble fait l'objet d'un tabou. On continue à parler de *Blancs*, mais il faudrait dire, aux États-Unis, *des Afro-Américains*, en France, des *Blacks*. De même, *hétérosexuel* serait un terme neutre, *homosexuel* un mot péjoratif, à remplacer obligatoirement par *gay* ou *lesbienne*. D'aucuns pourraient en déduire que le Blanc vaut mieux que le Noir, ou l'hétéro que l'homosexuel.

---

14. Le *Larousse*, dictionnaire encyclopédique, et *Le Robert*, dictionnaire de langue analogique, doivent tous deux être consultés 100 fois par jour !

Bien sûr, ce serait un peu simpliste ; les uns n'ont pas subi comme les autres l'ostracisme, et les partisans du changement de langage ne manquent pas d'arguments valables. Différents choix terminologiques peuvent donc se justifier. Quels que soient les vôtres (ou ceux de votre journal), il importe de savoir que choix il y a et de ne pas laisser les autres, vos sources notamment, choisir pour vous. Le « moutonnisme » ne donne pas du bon journalisme, et l'indépendance commence dans le langage.

D'autres mots tendent des pièges peu visibles. Portés par divers groupes sociaux, relayés par les médias, ils s'imposent si bien qu'on ne perçoit plus ni leurs origines ni leurs connotations tendancieuses.

Article 5.3

Quatre personnes de la même famille sont mortes ; on apprendra ensuite que, pour les quatre, la mort « a été très violente ». Quatre victimes, tuées par une autre personne ? On le croirait, si on ne savait pas qu'en langage journalistique, drame familial signifie meurtre de membres d'une famille nucléaire par quelqu'un de la même famille. Ici, auteur et titreur ont tellement peur des mots que la cause du décès n'apparaît pas dans le titre (ce pourrait être un accident, une maladie) et le lead s'en tient prudemment à quelque chose « qui a toutes les apparences d'un drame familial ».

SAINT-PASCAL DE KAMOURASKA
Une famille entière décimée

Collaboration spéciale
■ RIVIÈRE-DU-LOUP – La municipalité de Saint-Pascal au Kamouraska, a été le théâtre d'un drame horrible hier matin. Un homme de 28 ans, une femme de 21 ans, ainsi qu'une fillette de cinq ans et un bébé de un an, tous de la même famille, sont morts dans ce qui a toutes les apparences d'un drame familial. La surprise était grande dans le voisinage. Le couple avait même fait des projets de mariage. [...]

Le Soleil, 13 septembre 2001

Lorsqu'un homme tue quelqu'un, la presse, comme tout le monde, parle de *meurtre* et de *criminel*. Et quand des groupes terroristes qui tuent un maximum de civils, des enfants, de préférence, se désignent eux-mêmes comme des *martyrs*, nous protestons qu'il y a confusion, que les martyrs sont les victimes et non les tueurs. Cependant, dans un contexte plus familier, si un homme tue sa conjointe ou ses enfants, la presse mue le crime en *drame familial*, le tueur en *victime*. Le fait de tuer sa femme et ses enfants plutôt que des gens moins proches ou des étrangers semble ainsi constituer une circonstance atténuante. Atténuante ou aggravante, en fait ? Sans en débattre, prenons au moins conscience du message implicite que véhicule ici le choix des mots (Articles 5.3 et 5.4).

Article 5.4

La PC attaque avec le motif des décès, c'est-à-dire non pas avec trois meurtres et un suicide, mais bien avec le chagrin causé par une rupture. Le drame familial est décidément du meurtre vite pardonné. L'homme a pourtant tué sa femme et noyé ses deux enfants.

Drame familial à Brossard

LONGUEUIL (PC) – Le désespoir d'un homme qui acceptait vraisemblablement mal une récente rupture serait à l'origine d'un atroce drame familial qui a fait quatre morts, dimanche, dans l'arrondissement Brossard.

Martin Brossard, 33 ans, aurait assassiné sa conjointe, Liliane de Montigny, 31 ans, et aurait fait de même avec ses deux filles, âgées de quatre ans et d'un an et demi. Il se serait ensuite enlevé la vie par pendaison, au salon de leur maison. [...]

Le Soleil, 23 avril 2002

Il en va de même pour l'espèce de commercialisation du langage qui sévit un peu partout (voir Article 5.5). On *gère* tout maintenant, y compris ses sentiments ; d'aucuns prétendent même gérer leurs relations avec leurs enfants ! Les partis politiques et les Églises se battent pour des *parts de marché*, les écoles qui montent au palmarès en acquièrent de la *valeur ajoutée*, on conseille aux jeunes de savoir *se vendre* sur le marché du travail, on *vend* ou on *achète* une idée ou une théorie au lieu de la proposer ou de l'accepter, des hommes et des femmes, déjà transformés en *ressources* humaines, *valent cher* ou *pas cher*... La logique marchande et administrative envahit la langue. L'écrivant n'est pas obligé de suivre le courant ni d'attraper la maladie du gestionnaire. L'esprit critique, la méfiance conseillée au journaliste, devraient s'appliquer au vocabulaire dans l'air du temps. L'idéologie aussi commence dans le langage.

Article 5.5

> DÉMISSION-SURPRISE
>
> ## Plusieurs n'achètent pas les raisons invoquées par Tobin
>
> ■ SAINT-JEAN, T.-N. (PC) – Les experts, les politiciens et les participants aux tribunes radiophoniques ne croient pas à la raison familiale avancée par Brian Tobin pour justifier son départ de la vie politique. [...]

Le Soleil, 16 janvier 2002

Présenté comme une question de croyance dans le lead, *le scepticisme ambiant est devenu dans le titre affaire de transaction commerciale. Il vaudrait mieux laisser le langage commercial au commerce.*

UNE LANGUE VIVANTE

Vos textes transmettent une information précise et facile à comprendre. Bravo, mais ne vous assoyez pas sur vos lauriers ! Il faut encore intéresser le lecteur. Pour cela, d'une part, lui offrir des textes bien fignolés, de lecture agréable. D'autre part, le toucher, évoquer pour lui des personnes et des situations qu'il connaît, l'amener à se sentir concerné : le faire participer à l'information.

Rapprocher l'information des lecteurs

Il est toujours possible, me direz-vous, de faire participer le lecteur à la construction d'une usine automobile à Saint-Bruno, encore que pour le public gaspésien... Mais que faire de l'effondrement des cours mondiaux de la potasse ? Il y a des sujets qui dispensent presque d'avoir du talent : l'anthropophagie de Bokassa, les enfants esclaves de Manille, le SIDA dans le monde, la grève dans les hôpitaux ou dans les transports en commun ici, les Jeux olympiques, etc. Comment ne pas les gâcher ? Et, dans les autres cas, comment attirer le lecteur ?

Le mot clé, ici, c'est rendre l'information concrète. Question de langue (on y reviendra) mais aussi, plus généralement, de manière de présenter l'information. Il faut arriver à rapprocher de son public ces événements qui, *a priori,* lui passent mille coudées au-dessus de la tête, soit par manque d'intérêt, soit par incompréhension, et, évidemment, ne pas le détourner de sujets pour lui plus alléchants par une présentation plate et abstraite. En d'autres termes, on doit mettre en valeur ce qui est proche et concret et trouver le moyen d'infuser du concret, du tangible, dans l'étranger et l'abstrait.

Les tractations entre les pays de l'Organisation des pays exportateurs de pétrole (OPEP) se déroulent à l'autre bout du monde, en plus d'être complexes et difficiles à suivre. Pour intéresser le lecteur, il faudra lui faire sentir (en quelques mots, sans en faire une thèse) qu'il est concerné, ou que ses voisins ou concitoyens le sont: ils vont payer l'«huile à chauffage» (mazout léger) ou l'essence plus cher, ou moins cher, l'emploi dans la région ou le pays va s'en trouver stimulé ou affaibli, «notre» hydroélectricité va devenir plus compétitive ou moins, etc.

Pour d'autres événements lointains, les rapports avec le public n'apparaissent qu'à travers une analyse en profondeur sur le moyen ou le long terme. Certes, les économies mondiales sont interdépendantes, de sorte que la façon dont on résoudra la crise de l'endettement des pays du tiers-monde finira par toucher tout le monde. Ce n'est pas simple à glisser, mine de rien et en termes concrets, dans une nouvelle sur les négociations en cours entre le Brésil et le Fonds monétaire international. Aussi devrait-on garder ce type d'explications pour des médias (revues et magazines) et des genres rédactionnels (analyses et dossiers) qui s'y prêtent. Dans l'information rapportée, il faudra y renoncer, à moins qu'elle ne porte directement sur le sujet (appel du pape ou position des participants à un sommet international à ce propos, par exemple).

On n'en cherchera pas moins à concrétiser l'information, en montrant qu'elle met en cause des êtres humains bien réels[15]. On donnera alors à voir non pas seulement des relations entre superinstitutions – États, grands organismes internationaux, multinationales, etc. –, mais leurs retombées pour les hommes et les femmes concernés: plus ou moins de chômeurs, de victimes de la faim, d'enfants qui pourront ou ne pourront pas fréquenter l'école, etc.

Des choses très matérielles peuvent, surtout en atteignant «l'hyperdimension», devenir abstraites. Le lecteur convertit lui-même sans difficulté 20 000 dollars en mois de travail ou en petite voiture. Il sait qu'un million de dollars représente beaucoup d'argent. Mais 100 millions, 100 milliards dépassent l'imagination concrète de la plupart des gens, qu'il s'agisse de dollars, de hot dogs ou de journées de travail.

Quand on joue avec de tels chiffres, il convient de les ancrer dans la réalité, de les ramener à une échelle humaine en établissant des proportions, des comparaisons, des équivalences, etc. Un être humain sur 10 fait ceci, le budget annuel de cette multinationale représente trois fois celui du Québec. L'argent consacré chaque jour par ce pays à l'armement suffirait à nourrir tel autre pays pendant un an. Avec les

---

15. En information rapportée, on fera cette démonstration indirectement, par ses sources, puisque le journaliste doit demeurer invisible (voir le chapitre VIII).

sommes coulées dans le Stade olympique, on aurait pu construire une piscine non moins olympique dans x centaines de localités du Québec, avec le béton coulé dans la Manic, construire une route à deux voies de Sept-Îles à Saint-Truc, etc. (Mais, attention, certains de ces exemples ne sont pas «innocents» : les réserver à l'information commentée.)

Même les êtres humains peuvent paraître abstraits en se multipliant, surtout s'ils vivent loin de nous. On pourra rapprocher les 500 000 morts de telle guerre en cours en disant, par exemple, que ce bilan équivaut à passer par les armes toute la ville de Québec. Ou on dira *Il y a eu 30 millions de naissances par année en Chine entre telle année et telle année, soit à peu près la population du Canada à chaque année.*

À la suite de beaucoup d'acteurs sociaux (à moins que ce ne soit l'inverse), la presse raffole des chiffres. Ceux-ci donnent à tout des apparences de précision ; on les assène à qui mieux mieux comme autant de preuves de ceci ou de cela. D'où des guerres des chiffres qui passionnent les combattants, mais laissent souvent le public aussi froid que les guerres de drapeaux de nos représentants fédéraux et provinciaux à l'étranger. Attention, donc, de ne pas en abuser.

D'ailleurs, même petits, les chiffres ne sont pas nécessairement parlants pour le lecteur et, inversement, même grands, ils peuvent lui paraître concrets. La hausse d'un taux de chômage, c'est abstrait ; 100 000 chômeurs de plus, c'est concret. *Dix mille dollars pour la campagne à la mairie de Sainte-Foy de M. X,* titrait le quotidien. Et alors ? Est-ce un record d'économie ? Un peu excessif ? Totalement déraisonnable ? La plupart des gens n'en ont pas la moindre idée. Il faut leur fournir un point de comparaison, par exemple la dépense moyenne des autres candidats, et titrer avec autre chose.

Comparaisons, proportions et exemples doivent éclairer l'information, pas l'étouffer ! Allons-y brièvement et sans systématisme : inutile de trouver une comparaison pour chacun des 22 nombres d'une nouvelle. Surtout, que ce souci de concret ne fasse pas oublier d'autres règles de l'écriture de presse, par exemple celle qui interdit au journaliste de prendre position ailleurs que dans l'information commentée. Alors, même s'il est exact que le revenu quotidien du patron équivaut au salaire annuel du mieux payé de ses employés, on évitera cet exemple dans sa nouvelle sur la grève en cours, quoique rien n'empêcherait de citer un gréviste qui fait ce calcul, si cela entrait dans l'argumentation syndicale.

Choisir des mots concrets

Le moyen le plus efficace de rendre son langage concret, c'est de l'humaniser. En fin de compte, l'information publique porte presque toujours sur des gens, *des hommes et des femmes* qui agissent ou qui subissent, gagnent ou perdent, produisent ou consomment, etc. C'est dans ces termes qu'il faut, autant que possible, présenter l'information au public. Les êtres humains offriront toujours plus d'intérêt pour lui que les notions abstraites et les généralités. Rien de ce qui est humain ne lui est étranger... à condition de le lui présenter comme tel.

Par conséquent, il faut préférer les *patrons* ou les *dirigeants d'entreprises* (selon le contexte) au *patronat* et aux *milieux patronaux*, les *syndiqués* à leurs *institutions syndicales*, les *étudiants* ou les *enseignants* à l'*enseignement*, les *agriculteurs* à l'*agriculture*, etc.

Dans d'autres contextes que celui de l'écriture de presse, les règles du jeu peuvent différer. Ainsi, comme il n'y a pas de science du particulier, les gens de science ont volontiers recours à des catégories abstraites et générales. Ainsi encore, les partisans de la désexisation ou de l'androgynisation de la langue suggèrent de désigner si possible la fonction plutôt que la personne pour éviter des répétitions : *la direction* plutôt que *le directeur ou la directrice,* par exemple. Si valable que soit l'objectif, on se gardera de suivre systématiquement cette pratique dans la presse, sauf dans les rares médias qui donnent priorité à la désexisation de la langue. D'abord parce qu'un style abstrait est moins vivant. Ensuite parce que l'abstraction stylistique produit ce qu'on pourrait appeler de l'abstraction sociologique. En lisant que la direction d'une entreprise a fait tel choix, on aura peut-être l'impression qu'une machine impersonnelle et abstraite en est arrivée là par une espèce de fatalité. Il en ira tout autrement si on apprend que le président Untel a pris telle décision.

En écriture de presse, donc, on doit donner à voir des êtres humains à l'œuvre et à l'épreuve, parler de choses tangibles et concrètes.

Même les gens du comté ne se précipitèrent sans doute pas sur un article intitulé *Lotbinière a-t-il un marché socioculturel ?*, malgré le fait qu'il faisait la manchette de leur hebdomadaire régional. De quoi était-il question ? De salles de spectacle, d'un sondage régional sur leur fréquentation et de la construction éventuelle d'une nouvelle salle dans le comté. En plus d'être faux – le spectacle en salle n'est pas tout le socioculturel –, le titre posait une question académique et abstraite. Pourtant, à en croire les résultats du sondage rapporté par le journal, le sujet pouvait intéresser beaucoup de lecteurs du *Peuple de Lotbinière*. Au lieu de les décourager ainsi, pourquoi ne pas se demander, par exemple, si le comté pourrait *faire vivre une nouvelle salle de spectacle* ? C'est de cela qu'il s'agissait : précision de l'information. *Vivre* est un mot fort, une *nouvelle salle de spectacle* a pour les habitants de la région des résonances autrement plus réelles qu'un *marché socioculturel* : le style concret fait le texte vivant.

Un article adjacent nous apprenait qu'une *étude de viabilité* avait conclu que *la viabilité d'un comité permanent d'organisation culturelle est possible* et que *cet organisme* élaborerait un projet de salle *multifonctionnelle et polyvalente.* Ce jour-là, décidément, la culture, ainsi (mal) traitée par l'hebdo, ne risquait pas de faire accourir les foules !

Une langue forte

Si vous décrivez une vedette comme toute simple, votre lecteur comprendra que vous l'avez trouvée ouverte, accueillante et accessible, et que cela n'exclut pas que vous admiriez aussi chez elle une forte et belle personnalité. En écriture, de même, *simplicité n'est pas pauvreté* (Hervouet).

Comment arriver à bien écrire ? Il s'est publié et se publiera sur la question des centaines de livres, que je n'ai la prétention ni de remplacer ni de résumer. Je me limiterai ici à quelques éléments, sur lesquels l'expérience m'a appris qu'il n'est pas inutile d'insister.

D'abord, délayage et verbiage font dormir le lecteur. Mais passons sur la concision, dont j'ai déjà souligné qu'elle contribue à la vivacité du style.

À bas les clichés

À l'inverse, clichés, poncifs et lieux communs alourdissent le style. Un comédien peut être beau sans être beau comme un dieu, ou comme un pâtre grec. Belle comme le jour, long comme un jour sans pain, etc. ; de telles images ont déjà eu la force de la nouveauté, mais il y a de cela belle lurette. Mieux vaut se passer de comparaisons que de tomber dans le ressassé. En outre, les clichés font souvent pécher contre la précision : les assassins n'ont pas tous une mine patibulaire et, par définition, les professeurs vraiment éminents sont rares. Il arrive que certains le deviennent par la seule grâce des médias. Un journaliste qualifie son informateur d'éminence, pour donner de la crédibilité à sa source, ses collègues des médias reprennent en chœur, et voilà un honnête professeur promu au rang de notoriété...

Dans ce cas, tant pis pour la vérité et tant mieux pour le promu. Toutefois, les lieux communs, tout auréolés qu'ils sont de sagesse séculaire, peuvent aussi s'avérer destructeurs. L'affreux *Il n'y a pas de fumée sans feu* alimentera encore longtemps la calomnie, malgré tous les démentis du monde.

À bas donc les clichés, stéréotypes et autres platitudes, qui font obstacle à la justesse de l'information souvent et à l'agrément de la langue toujours. Se méfier en particulier des clichés proprement journalistiques, qu'il peut être tentant de reproduire quand on écrit pour la presse. Il n'y a guère que des journalistes pour appeler le feu *l'élément destructeur*, l'incendie une *conflagration* ou un grand voilier une *cathédrale de la mer*. N'en concluons pas que l'emploi constant de ces clichés représente le fin du fin du professionnalisme !

De la variété

L'ennui naquit un jour de l'uniformité. Un ingrédient essentiel du style vivant est la variété. Il faut multiplier les façons de dire, chercher les synonymes, les formulations équivalentes... On verra à renouveler constamment aussi bien sa syntaxe que son vocabulaire ; par exemple, enchaîner, après quelques phrases très brèves, avec une autre un peu plus longue ; passer du style direct à l'indirect, du nom sujet à l'infinitif sujet, de propositions indépendantes à des principales avec subordonnées (pas douze à la fois, les subordonnées !), etc.

Les tics de langage comptent parmi les pires ennemis de la variété. Certains termes, certaines expressions sont dans l'air du temps et l'on a tendance à en abuser, sans s'en apercevoir. D'accord pour faire *face à* l'adversité mais, de grâce, évitons *C'est un facteur important face à sa carrière* (dans, pour sa carrière), *son opinion face à la peine de mort* (sur), et remplaçons *peu motivés face à l'apprentissage* par *peu motivés à apprendre.* Un article ou un topo peut comporter un ou deux *au niveau de* parfaitement appropriés[16], mais pas quinze! Il doit se trouver bien des lecteurs qui ne supportent plus de lire qu'un maladroit s'est blessé *au niveau du doigt,* que cette personne réussit bien *au niveau de sa carrière* et n'a pas à se plaindre *au niveau de sa santé,* que tel sportif s'améliore *au niveau du tennis,* de sorte qu'il a des espoirs *au niveau des médailles.*

De tels tics verbaux, il en existe beaucoup et souvent, malheureusement, ce sont des mots ou des usages incorrects en français qui deviennent ainsi trop populaires. Ci-après (Encadrés 5.1 et 5.2), une critique des verbes «générer» et «s'impliquer», destinée à faire réfléchir sur la façon dont ces mots omniprésents appauvrissent le vocabulaire et alourdissent le style.

Encadré 5.1

Éviter de [s'impliquer]

Le verbe *impliquer* renvoie à une relation nécessaire entre deux choses (*A implique B*) ou à une situation négative (*être impliqué dans une affaire de drogue*). Son emploi à la forme pronominale (*s'impliquer*) et dans le sens de *s'engager* est récent; le *Larousse* l'accepte mais *Le Robert* le mentionne comme « critiqué », donc à éviter en langage soutenu. De plus, la tendance à le mettre partout, à le substituer à des dizaines d'autres verbes plus corrects et plus précis dans un contexte donné, entraîne répétitivité et pauvreté de vocabulaire. Donc, dire de préférence:

Non pas...	... mais plutôt
[S'IMPLIQUER] dans la vie communautaire	**S'engager** dans la vie communautaire
[S'IMPLIQUER] dans la politique	**Participer** à la vie politique, **se lancer dans** la politique, **s'occuper de** politique
[S'IMPLIQUER] pour faire changer cela	**Se mobiliser** pour faire changer cela
[S'IMPLIQUER] dans une association	**Participer, être membre, adhérer**
[S'IMPLIQUER] dans une campagne	**S'associer** à une campagne, y **collaborer**
[S'IMPLIQUER] dans la rédaction de	**Contribuer** au texte, y **collaborer**
[S'IMPLIQUER] dans un débat	**Intervenir** dans un débat, y **participer**

Suite à la page suivante ▶

16. Appropriés, c'est-à-dire dénotant ou connotant la hauteur, le degré d'élévation, le plan horizontal ou l'échelon. Dans tous les autres cas, *au niveau de* est avantageusement remplacé par de petits mots comme *à, au, sur, dans, de,* etc., ou, plus rarement, par des expressions comme *sur le plan de, en matière de,* etc.

▶ [S'IMPLIQUER] dans une cause   **Militer**, **se battre** pour
[S'IMPLIQUER] en alphabétisation   **Travailler**, **œuvrer**, s'**occuper** de
[ÊTRE IMPLIQUÉ] dans un club   **Être actif** dans, **être un pilier** du

et, SELON LE CONTEXTE :

- aider, assister, épauler ;
- apporter son aide, sa collaboration, sa contribution, son soutien, son appui, son concours, son assistance ;
- mettre l'épaule à la roue, donner un coup de main, un coup de pouce, prendre part à, consacrer du temps, des efforts ;
- donner de son temps, de sa personne, se donner corps et âme, se dévouer, etc.

Encadré 5.2

Dé-génèrons !

On *génère* tout de nos jours, même des états d'âme ! Sauf dans quelques rares acceptions techniques (générer des listes, des images par ordinateur), on peut considérer ce néologisme comme un barbarisme, qui aggrave son cas en étant inutile – et même nuisible, puisque l'abus du terme appauvrit le vocabulaire. Pour une expression plus précise et plus variée, et en tenant compte du contexte,

Ne disons pas...	... mais plutôt
[GÉNÉRER] un effet, une impression	produire
[GÉNÉRER] des richesses, des retombées	créer, entraîner, occasionner
[GÉNÉRER] des fonds, des profits	lever, trouver, amener
[GÉNÉRER] des attentes, l'enthousiasme	susciter, éveiller, soulever
[GÉNÉRER] la sympathie, la méfiance	attirer, éveiller
[GÉNÉRER] la confusion	semer
[GÉNÉRER] le succès de	assurer, causer
[GÉNÉRER] des habitudes, des événements	faire naître, engendrer, donner naissance à
[GÉNÉRER] des réactions	provoquer, donner lieu à
[GÉNÉRER] des conséquences	avoir, comporter, entraîner
[GÉNÉRER] un nouveau paysage	forger, modeler, dessiner, faire apparaître, créer
[GÉNÉRER] un mouvement de foule	déclencher, provoquer
[GÉNÉRER] de la pression	exercer
[GÉNÉRER] des changements	apporter, introduire
[GÉNÉRER] de la satisfaction	donner satisfaction, satisfaire
[GÉNÉRER] des économies	réaliser, permettre
[GÉNÉRER] une clientèle	constituer, construire, développer, attirer

Dans l'écriture d'information, l'auteur renvoie très fréquemment aux déclarations de ses sources. Il doit donc varier les verbes déclaratifs, sinon le texte deviendra vite répétitif. L'encadré ci-dessous propose une liste de plus de 80 verbes qui peuvent, dans certains cas, équivaloir à *dire* – mot court, usuel et simple, qui reste le meilleur des verbes déclaratifs, mais qu'il faut savoir remplacer, pour des raisons à la fois de variété et de précision du vocabulaire.

Encadré 5.3

Verbes déclaratifs

Dire	Insinuer	Faire valoir
Affirmer	Suggérer	Expliquer
Déclarer	Laisser entendre	
Formuler	Sous-entendre	Prétendre
		Conclure
Lancer	Indiquer	
S'exclamer	Constater	Répondre
S'écrier	Annoncer	Rétorquer
	Révéler	Répliquer
Redire	Dévoiler	
Répéter	Remarquer	Nier
Rappeler	Observer	Contester
Ajouter		Démentir
Insister		Rejeter
	Enchaîner	Refuser
Mentionner	Poursuivre	
Rapporter		Demander
Préciser	Proclamer	Interroger
Signaler	Soutenir	Questionner
Souligner	Avancer	
	Proposer	Marteler
Raconter	Suggérer	Crier
Relater	Souhaiter	Hurler
		Brailler
Estimer	Confier	
Penser	Avouer	Chuchoter
Croire	Admettre	Souffler
Prédire	Concéder	Soupirer
	Reconnaître	Roucouler
Informer		Balbutier
Avertir	Confirmer	Marmonner
Prévenir	Certifier	Bafouiller
	Attester	
Alléguer	Assurer	Gémir
Jurer		

Bien s'assurer que le verbe choisi correspond au sens et au contexte. Ainsi, on *avoue* une faute, une erreur, mais pas une bonne action ou un coup de génie ; une source ne *dévoile* pas, ne *révèle* pas, ce que tout le monde sait déjà ; Untel ne *mentionne* pas que le pays vient de déclarer la guerre[17] !

La liste proposée dans l'Encadré 5.3 n'est pas exhaustive, il existe d'autres équivalents à *dire*. Il faut se limiter toutefois aux verbes et aux locutions verbales qui ont une parenté de sens quelconque avec *dire*. Bannissons les *philosophe-t-il, rit-elle, sourit-elle, exagéra-t-il* ou, pire (ce verbe n'existant pas en français), *a-t-il imagé*, d'ailleurs syntaxiquement incorrects, même s'ils pullulent dans la presse.

Des mots vigoureux

Pour obtenir un texte dynamique, choisissez le mot fort, riche, savoureux, pétant de santé. Au premier rang des suspects, *être, avoir* et *faire*. Ces trois indispensables ont la grande vertu de la simplicité, mais ils pèchent parfois contre la précision et souvent contre la variété. Évitons de les multiplier – mais tout autant de remplacer une répétition par une autre, encore pire, en substituant systématiquement, par exemple, *posséder* à *avoir* (« posséder une attitude » !).

Cela dit, pour acquérir une langue vivante, cherchez le verbe ! De tous les mots, c'est le plus apte à traduire l'action, à faire voir des gens qui agissent, des choses qui bougent, des événements qui se bousculent... Comparez *Il y a eu au Conseil municipal une décision en faveur de la construction, de la rénovation ou de la restauration de résidences* à ceci : *Les conseillers municipaux ont décidé de faire construire, rénover ou restaurer des résidences.* Ou, encore, *Un écrasement d'avion a eu lieu* et *Un avion s'est écrasé* ou, mieux, pour un titre, par exemple : *Un CF-18 plonge dans le Saint-Laurent.*

De l'actif, du positif

Faites agir, donc. Et, pour cela, choisissez la forme active. Dehors les tournures passives ! Vous avez écrit : *Un discours a ensuite été prononcé par M. X. Il a été acclamé par les congressistes.* Biffez-moi tout cela, et faites agir : *M. X a prononcé un discours. Les congressistes l'ont acclamé.* Méfiez-vous dans ce cas comme dans d'autres de l'influence de l'anglais sur notre syntaxe. L'anglais admet l'usage assez fréquent de la forme passive, alors qu'elle heurte le génie de la langue française. *It has been said by someone that this is to be considered as an exception,* sans être élégant, étonne moins que *Il a été dit par quelqu'un que cela doit être considéré comme une exception* (!).

Autre inconvénient, majeur, de la forme passive : elle produit souvent de la nouvelle sans acteurs. *Le budget a été augmenté de... Il a été décidé que... Des travaux ont été entrepris pour...* Non seulement le texte ne nous

---

17. *Mentionner* signifie dire en passant, sans accorder d'importance à la chose. Pour les informations le moindrement significatives, on trouvera donc un verbe plus approprié.

montre pas les gens comme actifs, mais il les fait disparaître ! Le budget s'est-il augmenté tout seul ? Non. Alors n'en donnons pas l'impression.

Comme dans cette brève d'une seule phrase entendue un jour à un téléjournal : *L'accusation de possession de drogue qui avait été portée contre l'ex-femme de [X], Mme [Y], est tombée aujourd'hui...* Boum !

On préférera aussi les tournures positives aux tournures négatives. Écrivons *refuser* au lieu de *ne pas accepter, nier* des propos au lieu de *dire qu'ils ne sont pas vrais,* etc. (Remarquez, au passage, comme la forme positive favorise la concision). Surtout, n'oublions pas de ne jamais utiliser de doubles négations... L'abus des tournures négatives nous menace tous, dans un pays où les personnes jolies sont dites *pas laides* et les très jolies *pas laides du tout,* où l'on se porte toujours *pas mal* plutôt qu'assez bien et où la température est *pas froide* à 40 degrés au-dessus de zéro et *pas chaude* à 40 en dessous !

Il ne s'agit pas de bannir toute forme négative. La négation existe en français ! Ainsi, l'euphémisme et la litote, qui sont bien dans l'esprit de la langue française, requièrent la négation (souvent pour le premier, par définition pour la seconde). Si vous affirmez en dégustant un grand cru que *ce petit blanc n'est pas mauvais,* vous ajoutez quelque chose au message *Voilà un excellent vin* : une note d'humour, ou de snobisme. Plus généralement, *ne pas s'opposer à une démarche,* c'est autre chose que *de l'appuyer,* et *ne pas y voir d'inconvénients* ne signifie pas *qu'on y voit tous les avantages du monde.*

Il en va de même, d'ailleurs, des tournures passives. Le passif dépanne dans les (rares) occasions où l'on s'interdit de nommer les acteurs, pour des raisons de sécurité, de protection des sources ou de diplomatie. Il sert aussi quand l'identification précise et concise de l'acteur de la nouvelle relève de la mission impossible, comme dans ce *lead* sur une démarche entreprise par une seule personne mais qui en engage plusieurs autres : *Une demande d'autorisation pour intenter un recours collectif contre le fabricant d'automobiles GM a été déposée vendredi dernier à la Cour supérieure de Montréal* (*Le Soleil,* 17 novembre 2004).

Surtout, le passif peut introduire une nuance de sens. *Être dépassé par les événements* rend bien l'état d'impuissance auquel on est réduit dans ces cas-là. Et vous écrirez bien *Le ministre dissident n'a pas été invité à la soirée qui a suivi cette rencontre* puisqu'il s'agit de souligner une exclusion, que le ministre *subit* pour sa pénitence. On le voit, même une formulation à la fois passive et négative peut, à l'occasion, se justifier.

Il reste que nous abusons des tournures négatives et passives et que celles-ci alourdissent le style. Mieux vaut donc les réserver aux cas où leur usage introduit dans le texte une nuance utile à la précision de l'information. Soit un accident mettant en scène un cycliste et un piéton. Selon les circonstances de l'accident, vous pouvez vouloir raconter l'histoire sous l'angle du cycliste qui blesse le piéton ou, plutôt, sous l'angle du piéton malchanceux. Dans le premier cas, vous recourrez à la forme active et vous « ferez agir » le cycliste : *Un cycliste a heurté et blessé gravement un passant hier dans le quartier Montcalm.* Dans le second cas, vous utiliserez la forme passive pour mettre l'accent sur ce qui arrive à la victime : *Un piéton a été blessé gravement par un cycliste hier dans le quartier Montcalm.*

Vous voulez mettre l'accent sur le décideur ou sur la signification de sa décision ? Vous écrirez : *Untel a nommé Chose à la vice-présidence.* Votre intérêt porte surtout sur ce qui arrive à Chose ? Vous opterez pour *Chose a été nommé vice-président.* Bref, l'usage des formes passive et négative doit répondre à des exigences sémantiques ou stratégiques ; ces formes offrent donc un outil de plus pour atteindre à un langage efficace.

Des images

Les fleurs de rhétorique, on l'a vu, sont incompatibles avec le style journalistique. En revanche, bien utilisées, les figures de rhétorique, de mots ou de construction, font beaucoup pour alléger le style. Elles sont légion et portent les noms les plus bizarres, de l'épenthèse à l'apocope, en passant par la catachrèse après un détour par l'antonomase. Pour tout savoir sur elles, vous voudrez bien consulter votre grammaire préférée. Pour le moment, retenons simplement qu'une langue imagée a plus de vigueur qu'une autre. *Toute la ville est en émoi* fait plus nerveux que *tous les habitants de la ville,* la *source* ou la *racine* d'un mal, plus concret que la *cause* ou le *facteur.*

Figures et images peuvent aussi conduire tout droit à la catastrophe. Utilisée parcimonieusement, la litote a du *punch* ; omniprésente, elle ennuie. La métaphore rend de bons et loyaux services à qui sait la bien choisir, mais gare au ridicule ! Écrivez qu'un nouveau chef prend les rênes d'un restaurant (*sic*), et le lecteur se demandera si votre plume ne s'est pas un peu emballée. Quant à la métaphore double ou multiple, renoncez-y tout à fait. Il faut presque du génie pour la réussir. Pensez au célèbre char de l'État qui naviguait sur un océan de problèmes ! Une dépêche de l'AFP attaquait un jour avec ceci : *Le premier pas vers la convertibilité du rouble devrait voir le jour avant la fin de l'année.* Un premier pas qui voit le jour... De même allez-y *moderato* avec la métonymie, sinon vous risquez de décrire un jour un lieu inexploré comme un endroit où la main de l'homme n'a jamais mis le pied...

Les figures, c'est comme le parfum, séduisant à petite dose, étouffant en trop grande quantité. À utiliser donc avec prudence et discrétion. Surtout, toujours donner priorité à la clarté sur les effets de style. Votre lecteur ne doit jamais se demander ce que vous voulez dire exactement. Encore moins mal interpréter votre texte, ce qui arrivera si, par exemple, il prend au pied de la lettre ce que vous entendez au sens figuré. L'hyperbole (exagération), d'ailleurs très difficile à réussir, comporte souvent un tel risque. *Elle est venue mille fois dans cette région depuis cinq ans.* Ah, vraiment ? Environ quatre fois par semaine ? Tant que ça ? Cette fausse précision peut semer le doute dans l'esprit du lecteur. Bannissez donc l'hyperbole, à moins d'être à 120 % sûr de votre affaire !

De l'humour ?

Quoi de plus agréable à lire qu'un texte plein d'humour ? Que vaudraient *Le principe de Peter,* les articles du *Journal of Irreproducible Results* et *L'acceptation globale* si les choses y étaient dites sur le mode grave ? Combien de personnes liraient *L'imposture scientifique en dix leçons* si cette défense de la méthode scientifique contre le charlatanisme ne rejetait *les contes de la science vague* en niant que Rika Zaraï soit *soluble dans la médecine*[18] ?

En revanche, quoi de plus triste que la plaisanterie ratée, la tentative d'humour qui tombe à plat ? Dans le domaine de l'humour, la demande est forte, l'offre faible. Qui ne fait pas partie des rares privilégiés de l'humour ne forcera pas son talent et laissera à d'autres le soin de faire rire ou sourire.

Surtout, on doit se rappeler que, passé un certain âge, la plupart des gens ne trouvent rien de spécialement drôle au joual ou à la vulgarité (en admettant que son média accepte ces pratiques). *Pipi, caca* suffit à déclencher l'hilarité dans un groupe d'enfants, mais votre public ne vous appréciera pas plus si vous faites dire à un interviewé *Shu tanné en ciboère* plutôt que *J'en ai assez.* Au contraire, des lecteurs s'en offusqueront peut-être. Ces évidences n'en sont pas pour tout le monde, si l'on en juge par le « comique » de certaines feuilles. Si, donc, vous savez manier élégamment l'humour, bénissez le ciel, mais gardez quand même cette arme pour les thèmes et les genres rédactionnels qui s'y prêtent.

Tous les thèmes peuvent prêter à rire, y compris la mort, mais pas dans un journal, sauf dans le cas d'un journal satirique. Vos lecteurs bondiront si vous riez d'eux ou si vous prenez à la blague des choses pour eux sacrées ou graves. Il y a parmi eux des agriculteurs qui détestent les fines allusions aux *habitants,* des enseignants que les histoires d'*intellectuels à lunettes* et de *têtes d'œuf* hérissent et des femmes au foyer qui refusent de se faire présenter comme des attardées. Combattez les préjugés, respectez votre public, et ne tournez pas en dérision ce qu'il respecte. Il a circulé des plaisanteries aussi drôles que féroces sur les astronautes de la NASA morts dans l'explosion d'une navette, ou sur les icônes qui saignent à Sainte-Marthe ; gardez-les pour des cercles restreints, ou pour *Safarir.*

L'humour ne convient pas à tous les genres rédactionnels. Le billet l'appelle. La chronique d'opinion le permet. L'éditorial ne l'interdit pas... Son emploi est beaucoup plus délicat en information rapportée ou expliquée. Tout alors est question de jugement et de sujets. Un reportage sur le festival du rire ? Bon moment pour essayer de faire sourire. Une nouvelle sur un fait divers tragique ? Jamais ! Plus généralement, en information pure et dure, l'humour n'a guère sa place. Les dépêches d'agence n'en font presque jamais – encore que j'aie vu une nouvelle de la PC sur un ministre qui allait faire le joli cœur dans sa circonscription le jour de la Saint-Valentin.

18. M. DE PRACONTAL, Paris, Éditions La Découverte, 1986. Un livre qui fait grimper votre QI de 20 points, comme le dit l'auteur à propos d'un autre livre.

Quoi qu'il m'en coûte de prévenir encore mon lecteur contre une chose aussi délicieuse, je dois ajouter que l'humour contrevient souvent à la règle de la clarté universelle. Tel chroniqueur brocarde les sexistes en reprenant par ironie leurs raisonnements et se retrouve avec une avalanche de lettres... dénonçant son sexisme. Des dizaines de personnes ont félicité (sans rire) Yvon Deschamps pour la volée de bois vert qu'il administrait aux syndicats dans *Les unions, qu'ossa donne ?* alors que ce monologue illustre plutôt l'utilité du syndicat contre le patron abusif. Il convient donc d'utiliser l'humour avec circonspection.

Voilà bien des précautions à prendre. Toutes ces normes ne risquent-elles pas de paralyser l'écrivant, surtout débutant ? Il ne faudrait pas. Certes, les lecteurs ne doivent pas se demander si l'auteur en a fumé du bon, mais personne ne lui demande d'adopter un style compassé. Pour les sujets non dramatiques surtout, qu'il ose la créativité, qu'il s'abandonne au plaisir d'écrire. C'est en écrivant qu'il se forgera un style.

LA SYNTAXE DE L'ÉCRITURE DE PRESSE

La structure des phrases figure évidemment parmi les ingrédients d'une langue correcte, concise, simple et vivante. Si j'ai gardé ce sujet pour le dessert, c'est pour éviter la redondance, car chaque règle syntaxique propre à l'écriture de presse a à voir avec deux ou plusieurs des qualités de langue recherchées. (Quant au paragraphe et au plan, j'en ai déjà traité dans le chapitre IV.)

Des phrases courtes

On sait, par les tests de lisibilité, que le lecteur comprend et retient mieux une phrase courte qu'une phrase longue. L'obsession du lecteur étant notre première qualité, nous rédigerons des phrases courtes.

De toutes les règles de l'écriture de presse, celle-là est sans doute la plus connue. On raconte dans les milieux journalistiques que le fondateur du *Times* de Londres avait coutume de dire à tout journaliste débutant : *Un sujet, un verbe, un complément ! Pour ajouter un adjectif, il vous faut ma permission.* L'anecdote est peut-être apocryphe (mot rare). On l'attribue d'ailleurs parfois à Beuve-Méry, fondateur du *Monde,* ou à d'autres grands rédacteurs. Elle a le mérite de souligner l'importance de la phrase courte dans le style journalistique. Tout comme cette plaisanterie de *Libération* sur un concurrent obséquieux devant le pouvoir : *Chez eux, c'est : un sujet, un verbe, un compliment !*

Jusqu'à combien de mots une phrase est-elle courte ? Dans un journal grand public, une vingtaine de mots. Pour un public très scolarisé, 25, 30 mots.

Une information, une phrase

Pour obtenir des phrases courtes, pratiquez bien sûr la chasse aux mots inutiles. En outre, respectez le principe suivant : une information, une phrase, une phrase, une information. Si votre phrase, quoique concise, est longue, c'est qu'elle contient deux ou plusieurs informations. Scindez-la en deux ou en plusieurs phrases.

Les informations condensables en deux ou trois mots font évidemment exception à cette règle. Ainsi, on insérera *hier à Québec* après *Trois cents étudiants ont manifesté contre l'augmentation des frais de scolarité*. En revanche, pour décrire le parcours de la manifestation, il faudra une, deux ou plusieurs autres phrases, selon le nombre de détails retenus. Et si une information livrable en quelques mots comporte quelque valeur journalistique, de l'imprévu, par exemple, on lui accordera son juste espace. La manifestation en question s'est produite *après* qu'on a eu renoncé à augmenter les frais de scolarité ? Cela mérite une phrase.

En livrant les informations une à une, en autant de phrases denses et courtes, on s'assure que le lecteur s'y retrouvera facilement et rapidement. Cela permet également de mettre chaque information de quelque importance en valeur, plutôt que de l'escamoter dans un entassement de propositions[19].

Des difficultés

Des phrases courtes, des phrases monovalentes : c'est essentiel. Pourtant, on trouve à foison dans n'importe quel journal des phrases de 40, 50, voire 70 mots et plus, y compris et même surtout dans les *leads,* qu'il convient pourtant de rédiger avec un soin particulier.

Il faut dire que les journalistes écrivent souvent sous pression. Seuls ceux qui maîtrisent à fond le style journalistique parviennent alors à en respecter toutes les règles. En outre, ils cherchent à économiser l'espace. Or, à nombre de caractères égal, on peut entasser plus d'informations dans une phrase longue que dans quelques phrases plus courtes.

> *Deux ressortissants italiens, membres des Brigades rouges italiennes, Roberto Peli, trente et un ans, et Umberto Passigatti, vingt-sept ans, arrêtés au mois d'octobre 1986 à Gif-sur-Yvette (Essonne), ont été condamnés, mercredi 17 juin, à neuf mois de prison ferme pour vol, recel de voiture, détention et usage de fausses pièces d'identité par la cinquième chambre correctionnelle du tribunal de grande instance d'Évry.* (*Le Monde*, 20 juin 1987)

Ouf ! Plus de 60 mots, et que de matière ! Pour respecter nos deux règles, il faudrait, à tout le moins, répartir les éléments de description des accusés sur deux phrases et consacrer une phrase distincte à chacune des informations suivantes : l'arrestation, les motifs de la condamnation, l'autorité judiciaire concernée. Par exemple :

> *Deux membres des Brigades rouges italiennes, Roberto Peli et Umberto Passigatti, ont été condamnés à neuf mois de prison ferme mercredi 17 juin.* **Les deux hommes, âgés respectivement de 31 et 27 ans, sont des** *ressortissants italiens.* **Ils ont été trouvés coupables** *de vol, recel de voiture, détention et usage de*

---

19. Nous reviendrons dans le chapitre consacré au *lead* sur les règles de rédaction concernant la mise en valeur des informations importantes.

fausses pièces d'identité. **C'est** *la cinquième chambre correctionnelle du tribunal de grande instance d'Évry* **qui a prononcé la sentence.** **Les deux brigadistes** *avaient été arrêtés à Gif-sur-Yvette au mois d'octobre 1986.*

Il y a moyen de formuler cela autrement, et mieux. Mais impossible de passer ainsi d'une à plusieurs phrases sans ajouter un certain nombre de mots (plus d'une vingtaine, dans le cas présent). Tant pis : la lisibilité reste toujours la priorité.

Autre difficulté : les titres et fonctions des acteurs de la nouvelle, la correspondance complète des sigles et autres précisions indispensables en écriture de presse allongent nécessairement la phrase. Soit *La cinquième chambre correctionnelle du tribunal de grande instance d'Évry a prononcé la sentence.* Voilà une phrase minimale, un sujet, un verbe, un complément, mais le sujet seul requiert 11 mots.

En outre, il y a des limites à la fragmentation : il faut dire dès l'attaque qui sont les condamnés, c'est-à-dire leur nom et leur principale caractéristique journalistique, en l'occurrence leur appartenance aux Brigades rouges. D'où, dans mon exercice de réécriture, une première phrase de 23 mots : longuette, pour un grand public, mais incompressible.

Le journaliste se résignera donc à des phrases de 20, 25 mots quand, et seulement quand, elles sont incontournables. Il s'en permettra une de 30 mots à Noël, en sachant que cet écart annuel représente la limite supérieure de l'audace en la matière.

Toutefois, dans une phrase qui comporte des sous-phrases, des parties séparées par une ponctuation forte (le point-virgule toujours, les deux points parfois), la règle s'applique aux sous-phrases. Ainsi pour cette amorce de 50 mots d'une nouvelle du *Devoir* (30 novembre 2002) :

Le comité d'étude sur la rémunération des médecins spécialistes vient de remettre son rapport : le gouvernement Charest fera face à une note de 500 à 700 millions s'il entend respecter l'engagement de corriger les écarts de rémunération entre les médecins spécialistes québécois et leurs confrères du reste du Canada.

Un point pourrait ici remplacer les deux points sans rien changer d'autre au texte. Ce qui les précède équivaut donc à une phrase de 15 mots. Le reste, 35 mots, ferait une phrase un peu longue mais structurée simplement : une proposition principale, une circonstancielle. La longueur de cette sous-phrase est attribuable au seul complément de *corriger,* qui comprend 16 mots : *les écarts de rémunération entre les médecins spécialistes québécois et leurs confrères du reste du Canada.* Comment dire l'information autrement sans la tronquer ? Gardons les 35 mots.

Des phrases de structure simple

Généralisons : la longueur de la phrase importe moins que sa structure. Sans être souhaitable en écriture de presse, une phrase fort longue reste lisible si elle est de structure simple et bien rédigée (c'est le cas des phrases du *Monde* et du *Soleil* analysées ci-dessus). Par exemple, si elle énumère des actions en répétant la même forme syntaxique simple, en alignant des sous-phrases facilement isolables. Ainsi, nulle nécessité de raccourcir cette phrase de 51 mots, car elle équivaut, en fait, à une série de propositions indépendantes d'une dizaine de mots chacune :

> *Les manifestants sont arrivés à 14 heures, ils ont rapidement mis en place un service d'ordre, puis ils ont scandé des slogans contre la mondialisation, après quoi les dirigeants ont prononcé des discours sur le même thème, et le tout s'est terminé sans anicroche et dans le calme vers 17 heures.*

Il faut donc préférer les propositions indépendantes, coordonnées ou juxtaposées – entendez : les structures simples – aux principales avec subordonnées, relatives, conjonctives et compagnie. Celles-là sont difficiles pour le lecteur, empêtré dans les qui-que-dont-au-sujet-desquels de la syntaxe, et tout autant pour les auteurs s'ils ne sont pas virtuoses en la matière. Ils font alors d'une pierre deux coups en optant pour des phrases simples.

Courtes, les incises !

La capacité de mémoire immédiate des lecteurs varie de 8 à 16 mots. D'où la nécessité de rédiger des phrases et surtout des sous-phrases courtes. Pour la même raison, il faut limiter les incises à 10 ou 12 mots courts au plus, sinon le lecteur retient l'incise mais oublie ce qui la précède : il perd le fil. À bannir définitivement : les incises multiples, qu'elles soient courtes ou interminables, à la René Lévesque.

> *Monsieur Chose – dont chacun sait qu'il n'en est pas à sa première expérience dans ce domaine – on se souviendra longtemps de son passage aux Pêcheries – et d'ailleurs même ses adversaires le reconnaissent – a pour sa part choisi de...*

Plus généralement, il ne faut jamais séparer par plus d'une douzaine de mots deux mots reliés entre eux – le verbe de son sujet, le pronom de son antécédent, un mot ou une proposition de son complément, etc. Prenons un exemple un peu extrême, tiré d'une vieille dépêche de la PC :

> *La campagne de boycottage que voulait mener aux États-Unis la Confédération des syndicats nationaux contre le manoir Richelieu et la chaîne d'hôtels et restaurants appartenant à l'homme d'affaires Raymond Malenfant, pourrait bien avoir lieu quand même, étant prise en charge cependant par des syndicats américains.*

Quand il y arrive, le lecteur a de fortes chances d'avoir oublié ce qui *pourrait bien avoir lieu,* à savoir la campagne de boycottage, abandonnée quelque 30 mots plus haut (et remarquez, quand enfin le verbe vient, la virgule qui s'obstine encore à le séparer de son sujet).

Une structure prédictible

Plus la syntaxe se conforme à l'usage le plus courant, plus la phrase est facile à lire pour le lecteur. On évitera donc les constructions, même correctes, qui présentent des fantaisies syntaxiques ou relèvent du style littéraire. Par exemple, certaines inversions : *Grande fut sa stupéfaction en découvrant que...*

Il convient aussi de resituer régulièrement le lecteur, de lui rappeler de quoi il est question, en particulier en début de phrase. *C'est pourquoi l'association a choisi de...* : votre lecteur sait que vous allez annoncer une décision prise par cette association et que cette décision se fonde sur le motif que vous venez d'invoquer. L'enchaînement de vos informations étant ainsi souligné, le lecteur attaque cette dernière phrase en sachant à quoi s'attendre. C'est non seulement la syntaxe, mais le texte même qui devient prédictible, et la lecture en sera d'autant facilitée.

Il faut enfin jalonner votre texte de rappels. Plusieurs paragraphes consécutifs portent sur les faits et gestes d'un même acteur social ? Il ne suffit pas de l'identifier une fois – *Mme Machin, historienne et présidente de la Ligue de ceci* – puis de la désigner par un seul pronom : *Elle a fait ceci... Elle a déclaré cela...* Il faut, toutes les deux, trois ou quatre phrases (selon leur longueur, selon le nombre d'acteurs en cause), rappeler de qui il s'agit : *Mme Machin a... La présidente de la Ligue a... L'historienne s'est dite...* (La règle du « tuyau de poêle » exige aussi qu'on écrive de cette façon. Voir le chapitre IV.)

De même, si les informations que vous donnez sur cette personne portent sur une série de comportements (des actions, des prises de position sur différents thèmes, des revendications, etc.), vous combinerez le rappel de son identité à celui de l'objet général de son intervention :

> *Elle a dit ceci... a également souligné que... a en outre rappelé... a aussi affirmé... en revanche a nié... a cependant confirmé... Quant à la question de... En ce qui a trait à... Toutefois...* etc.

Toutes ces expressions rappellent au lecteur que les différentes informations de votre article, ou de telle partie de votre article, se rattachent à un même thème unificateur.

Ces mots de transition sont aussi utiles comme points de repère dans des phrases un peu longues, comme liens entre deux informations parentes mais séparées par plusieurs mots :

> *[Le bilan de la coopération francophone a été dressé] par, d'un côté, le chef de la délégation du pays sortant, Mme Lucette Michaux-Chevry, secrétaire d'État français à la francophonie, d'autre part le représentant de la prochaine puissance invitante, Mme Monique Landry, ministre canadien des Relations internationales. (Le Monde, 12-13 juillet 1987)*

D'un côté annonce qu'au moins deux personnes sont concernées, *d'autre part* signale qu'on passe à la deuxième. De tels repères permettent au lecteur de s'orienter dans une phrase (inévitablement) surchargée.

Notons que ces mots de transition ne visent qu'à rendre le texte lisible et prédictible. Ils n'ont rien à voir avec les transitions inutiles où l'auteur explicite sa démarche, du genre *Maintenant que nous avons vu ceci, nous allons aborder cela,* dont j'ai déjà dit tout le mal qu'il fallait en penser dans le contexte de l'écriture publique d'information.

Gare à l'anacoluthe !

Pour conclure sur la syntaxe, je ferai une mise en garde contre l'anacoluthe. Ce mot charmant désigne une «rupture ou discontinuité dans la construction d'une phrase», selon *Le Petit Robert*, qui en donne ces exemples : *Et pleurés du vieillard, il grava sur leur marbre* et *Tantôt il est content ou alors il pleure* (au lieu de Tantôt... tantôt...). Ne pas oublier, donc, qu'après *d'une part* on doit trouver *d'autre part* et, plus généralement, qu'une construction adéquate importe autant qu'un vocabulaire juste pour arriver à un texte correct et facile à lire. Cette phrase, trouvée dans une nouvelle (*Le Soleil*, 3 septembre 2002), ne peut que semer la confusion : *Mais il tient surtout à ce que sa communauté en soit mieux informée, un autre reproche adressé à son prédécesseur.*

Surtout, parce que cette anacoluthe-là revient souvent, se rappeler que les participes présents ou passés ne peuvent se passer de sujet que s'ils ont le même que la proposition qui suit. Ainsi, *Échouant à l'examen, le professeur conseille à l'étudiant...* signifie que le professeur échoue à l'examen ; sinon, il faut plutôt écrire *L'étudiant échouant à l'examen, le professeur lui conseille... S'exprimant lui-même dans un français soigné, ses amis...* Et, pour aider à la fois à comprendre et à se rappeler, cette perle d'anacoluthe, avec cette fois le participe passé : *Bien que pourri, le soldat traversa le pont* !

LES TEMPS DE L'INFORMATION

Faut-il rapporter l'information en général et la nouvelle en particulier au passé ou au présent historique ? L'orthodoxie, dans ce cas, varie. D'aucuns ne jurent que par le présent, généralement plus vivant que le passé. D'autres estiment que, comme on raconte des choses qui sont déjà survenues, la logique impose le passé.

Parfois, le passé s'avère effectivement incontournable. C'est le cas avec les cinq W, par exemple. Il faut bien écrire *Le président a déclaré hier*, *Un tremblement de terre a secoué la région hier*, puisque *Le président déclare hier* ou *Un tremblement de terre secoue la région hier* seraient absurdes.

Dans d'autres cas, le présent l'emporte. Pensons au titre déjà cité *Un CF-18 plonge dans le Saint-Laurent* ; c'est non seulement le verbe et la forme active (*plonge*) mais aussi l'emploi du présent qui lui confèrent son caractère dynamique. En faisant un rappel d'événements passés, on peut de même préférer le présent pour rendre l'histoire plus vivante. Après *Machin a été condamné hier à deux ans de prison par le juge Untel*, on passera au temps présent pour raconter l'histoire des démêlés de Machin avec la justice : *En 1997, il est arrêté pour tentative de meurtre... Deux ans plus tard, il écope de trois ans de prison pour vol à main armée... Il réussit à s'évader du pénitencier de... En mars 2003, on le retrouve...* De même, si on raconte une histoire complète et assez longue, disons l'intrigue d'un film, l'emploi du présent met de la vie dans le texte.

En révélant un événement récent, mais dont l'effet va durer, on optera encore plus franchement pour le présent. Ainsi, *Le ministère de l'Éducation gèle les frais de scolarité,* au présent, fait ressortir que la décision s'appliquera pendant des mois ou des années. Et cela, même s'il faut enchaîner après la phrase au présent avec une autre au passé : *Lévis augmente les taxes. Le maire a annoncé hier...*

Dans la nouvelle *Au banc des pénalités* (ci-dessous), le journaliste et le titreur racontent la nouvelle au présent. *Le commentateur* [...] *est envoyé au banc* [...] *le CPQ donne raison* [...] *blâme* [...] *dit le CPQ* [...] Le blâme du Conseil de presse étant prononcé une fois pour toutes, cela se justifie tout à fait.

Le seul inconvénient de cette façon de faire a trait aux difficultés de la concordance des temps et du passage harmonieux d'un temps à l'autre. Si on a des lacunes grammaticales dans ce domaine, il vaut mieux, en attendant de les avoir corrigées, raconter les événements au temps passé, moins délicat de maniement que le présent historique.

Article 5.6

Au banc des pénalités
Le CPQ blâme Don Cherry pour ses commentaires sur Jean-Luc Brassard

ALAIN BOUCHARD

♦ ♦ ♦

QUÉBEC – Le commentateur de hockey Don Cherry, de CBC, est envoyé au banc des pénalités par le Conseil de presse du Québec (CPQ).

Dans un jugement rendu en décembre et publié hier, le CPQ donne raison au plaignant Gilles Rhéaume et blâme Don Cherry pour les propos qu'il a tenus à l'endroit du skieur acrobatique Jean-Luc Brassard, lors d'une émission diffusée le 21 février 1998 en direct des Jeux olympiques de Nagano, au Japon.

Cherry avait alors été particulièrement cinglant à l'endroit du porte-drapeau de l'équipe canadienne durant le défilé d'ouverture, traitant entre autres Brassard de « french guy... that nobody knows about ».

« Malgré la latitude dont il disposait (comme commentateur), dit le CPQ, Don Cherry a outrepassé les limites de sa fonction non seulement en tenant des propos confus mais également injurieux, et en errant sur les faits. »

RACISME

La plainte de Rhéaume, déposée en tant que membre du Mouvement souverainiste du Québec, soutenait que Don Cherry avait fait preuve d'« un racisme primaire et grossier », en feignant de ne pas connaître Brassard pour pouvoir mieux le dénigrer.

L'ombudsman de la CBC, pendant anglophone de la SRC, avait déjà lui-même reproché à Cherry son comportement dans cette affaire, et son employeur promis de l'avoir désormais à l'œil. Cherry avait notamment eu le tort, à son avis, d'assimiler le porte-drapeau canadien et ceux qui réclamaient plus de respect pour le français à ceux qui voulaient briser le pays.

Ce que le vice-président de la CBC, Jim Byrd, est venu reconnaître à nouveau devant le CPQ, tout en assumant la défense de son commentateur vedette.

Le Soleil, 5 janvier 1999

M. Cherry a reçu un blâme. Le présent exprime que cela n'est pas « détricotable », qu'il ne pourra plus ne pas avoir reçu de blâme.

RAPPELS • RAPPELS • RAPPELS

Deux ou trois exemples

N'écrivez pas...

... mais plutôt

Mots inutiles

- Elle affirme qu'il est faux de prétendre que...
- « Inquiets de la situation dans laquelle les jeunes sont placés par le peu de débouchés qui s'offrent à eux dans le monde du travail... » (*sic*)
- L'investigation s'est étendue sur une période de deux ans et a nécessité des investissements de...

- Elle nie que...
- Inquiets de la rareté des emplois pour les jeunes...

- L'enquête a duré deux ans et coûté tant.

Tournures passives et négatives

- Une enquête a été effectuée par l'agence.
- Il ne s'occupe pas assez de...
- Elle n'a pas voulu donner son accord.
- Lafleur ne rate pas sa rentrée.

- L'agence a mené une enquête.

- Il néglige...
- Elle a refusé son accord.
- Lafleur réussit sa rentrée, revient en lion.

Mots rares

- L'impact des stress environnementaux atmosphériques sur la décroissance de la productivité de l'écosystème forestier.
- La papetière craint pour ses approvisionnements en matière ligneuse.
- Le niveau d'hydrolicité des réservoirs d'Hydro-Québec...

- Les liens entre la pollution de l'air et la baisse du rendement des forêts.

- La papetière craint pour ses approvisionnements en bois.

- Le niveau de l'eau dans les réservoirs d'Hydro-Québec...

... et un exercice

Chaque jour, repérez dans votre journal des phrases qui comportent des mots inutiles, des mots rares inutiles ou inexpliqués, des tournures passives ou négatives injustifiées. Récrivez ces phrases.

LE TRAVAIL SUR LE FRANÇAIS : QUELQUES NOTES

Des habitudes

> *– Si j'aurais réussi cet examen…*
> *– Si quoi ?*
> *– Si je l'aurais pas échoué…*
> *– Pardon ?*
> *– OK, je sais, les « si » mangent les « rais ».*
>   *Mais je suis en vacances !*

Voilà une attitude qui garantit qu'on ne progressera guère en français, car la langue est une question d'habitudes. Des habitudes si profondément ancrées qu'elles en deviennent comme naturelles. On peut porter avec aisance ses habits du dimanche mais, quand on arbore son français du dimanche, s'il diffère trop de celui de la semaine, on trébuche à tout coup dans ses atours : le naturel revient au galop.

La seule façon d'améliorer sa langue, c'est donc de se forger un nouveau naturel, de remplacer de mauvaises habitudes par de bonnes habitudes. Cela suppose une attention constante et un travail régulier.

Un travail régulier : fixez-vous des objectifs sur trois mois, sur six mois, sur un an. Choisissez des moyens de les atteindre. Travaillez-y tous les jours, de 20 minutes à une heure.

Une attention constante. Ce travail systématique portera beaucoup plus de fruits si, le reste de la journée, vous demeurez à l'affût de tout ce qui concerne la langue. Si le moindre doute vous fait courir au dictionnaire et à la grammaire. Si vous dévorez tous les textes traitant des difficultés de la langue qui vous passent sous les yeux. Si vous plongez dans toute conversation métalinguistique qui survient dans votre entourage. Vous acquerrez ainsi non seulement de bonnes habitudes langagières mais, plus fondamentalement, la bonne habitude de vous y intéresser, qui vous permettra de continuer indéfiniment à améliorer votre langue.

Un tout

La langue est chose multiple et indivisible. On ne peut pas « parler comme un pied » le plus souvent et correctement à l'occasion, ou mal parler et bien écrire. Bien sûr, nous passons tous fréquemment d'un niveau, d'un registre de langue à l'autre ; cela est correct et souhaitable. Il importe toutefois, surtout quand on s'exprime sur la place publique, d'être aussi à l'aise dans le registre *soutenu* que dans le *populaire* ou le *vulgaire*.

Il faut se convaincre, d'autre part, que le français n'est pas seulement ni même principalement une question d'orthographe. Le vocabulaire, la grammaire, la syntaxe, la ponctuation contribuent plus encore que l'orthographe à la qualité de l'expression.

Des outils

Enrichissez votre bibliothèque d'outils linguistiques de base. Consultez-les à propos de tout et de rien, au moindre prétexte et même sans prétexte aucun. Pour pouvoir vous en servir efficacement, prenez la peine de lire les introductions des dictionnaires, qui expliquent la construction de l'ouvrage et la façon de décoder les milliers d'informations qu'il donne par des abréviations sur les mots (en plus de leur orthographe) : origine, genre, accord, sens variables, domaine, champ d'application (sens selon que le mot s'applique aux choses ou aux personnes, par exemple), niveau de langage, contraire, etc. Si vous n'apprenez pas à interpréter ces indications, vous passez à côté d'une mine d'informations précieuses. Par exemple : le dictionnaire vous dit « débuter, v. intr. » ; vous savez donc que *débuter* est un verbe intransitif et que, par conséquent, si on peut *débuter dans* un métier ou dans le monde, ou, dans un discours, *débuter par* une citation, vous ne pouvez « débuter un travail » puisqu'en français correct, *débuter* n'accueille pas de complément d'objet direct.

Parmi les ouvrages fondamentaux :

- un dictionnaire encyclopédique, *Le Petit Larousse,* par exemple. C'est extrêmement utile pour les connaissances générales, pour savoir qui était Hitler, pour distinguer le Tibet du Tibesti, les drapeaux des pays, pour avoir une idée du processus de fabrication de l'aluminium, et mille autres choses ;
- un bon dictionnaire de langue. Procurez-vous *Le Petit Robert* (ou, mieux encore, *Le Grand Robert*). Il est fait pour régler tous les problèmes d'écriture et de langue, grâce à ses innombrables exemples et citations, qui mettent les mots en contexte, et à son approche analogique, qui associe à des mots que l'on connaît d'autres mots parents (à l'entrée *cheval,* par exemple, les mots pour décrire son anatomie, ses robes [couleurs], ses allures, ses races, etc.) ;
- une ou deux bonnes grammaires, par exemple *Le bon usage* de Grevisse et son *Précis de grammaire* ;
- des dictionnaires des difficultés, par exemple *Le français correct. Guide pratique,* du même Grevisse, le *Dictionnaire des difficultés de la langue française* de Larousse, le *Dictionnaire des difficultés de la langue française au Canada* de Dagenais et le *Multidictionnaire des difficultés de la langue française,* de Marie-Éva De Villers. Faites-en des livres de chevet ;
- un dictionnaire des synonymes. Il peut contribuer à une expression plus précise et plus variée. Renoncer toutefois aux ouvrages qui donnent seulement, pour chaque mot-vedette, une liste de mots « synonymes ». Ceux-là sont plus dangereux qu'utiles, étant donné que les mots sont polysémiques – changent de sens selon le contexte. Choisir donc un ouvrage qui distingue les différentes acceptions d'un mot-vedette et apporte, par des exemples et des citations, des éléments de contexte. Le *Nouveau dictionnaire des synonymes* de Genouvrier, Désirat et Hordé (« Références Larousse »), par exemple ;

- des outils mis au point par les médias d'information eux-mêmes, pour améliorer la qualité de la langue de leurs journalistes. Paul Roux à *La Presse*, Guy Bertrand et tout le service de linguistique à Radio-Canada, entre autres, proposent des lexiques, des chroniques et d'autres écrits intéressants.

L'informatique, qu'il s'agisse de cédéroms ou d'Internet, propose aussi toutes sortes de dictionnaires, de grammaires et d'autres ouvrages linguistiques.

Ainsi, l'excellente version sur cédérom du *Petit Robert* offre une lecture facile, avec ses jeux de caractères et de couleurs. Elle comporte un grand nombre d'hyperliens (par exemple, vers des notices biographiques des auteurs des citations), des infobulles qui expliquent les abréviations sur les marques d'usage et de domaine, la sonorisation des mots à la prononciation douteuse et plusieurs citations. Tous les verbes y sont conjugués à tous les temps et à tous les modes. Et chacun peut y effectuer en quelques secondes des recherches étonnantes, qui auraient pris naguère des semaines à des chercheurs. Un excellent rapport qualité-prix !

Pour régler rapidement et efficacement les questions de terminologie, point besoin non plus de papier. *Le grand dictionnaire terminologique* de l'Office québécois de la langue française, GDT pour les intimes, y répond en deux clics de souris avec une concision, une rapidité et une efficacité admirables. Le GDT couvre trois millions de termes spécialisés du vocabulaire industriel, scientifique et commercial, dans 200 domaines d'activité (métiers, techniques, informatique, téléphonie, etc.), en français et en anglais. Le *Grand dictionnaire* est mis à jour fréquemment, de sorte qu'on y trouve même des néologismes très récents, avec leur traduction en français ou en anglais. Vous êtes en train d'écrire un reportage sur un artiste qui utilise des outils dernier cri (un *airbrush*, par exemple) ou une nouvelle sur le dernier système sans fil au nom bizarre et anglais que vient de lancer Telus. Vous ne savez pas trop ce que sont ces machins, et encore moins quels termes français pourraient les désigner. Plutôt que de garder à la fois le doute et le terme anglais et de vous donner bonne conscience en le mettant en italique ou entre guillemets, ouvrez le *Grand dictionnaire*; deux secondes plus tard, vous aurez et une définition de la chose et un mot français pour la désigner. Il faut se lever tôt pour prendre le GDT en flagrant délit d'ignorance d'un terme dans le vaste domaine qu'il couvre ! Pour faire mentir l'adage selon lequel *There's no such thing as a free lunch*, le GDT est accessible gratuitement dans Internet. Une adresse à retenir, donc : www.granddictionnaire.qc.ca.

Bien utilisé, un logiciel de correction comme *Correcteur 101* s'avérera aussi précieux, et plus encore un logiciel d'aide à la rédaction du français comme *Antidote* – www.druide.com –, qui réunit dictionnaires de définitions, de synonymes, de conjugaison des verbes et grammaire des difficultés, et fait le pont avec le *Dictionnaire visuel multimédia*. En surfant sur le Net, vous trouverez d'autres outils, dont certains gratuits, comme

Le devoir conjugal, qui conjugue plus de 7 000 verbes français, à l'adresse www.pomme.ualberta.ca.

Des moyens

Votre français a besoin de plus que des retouches ? Il serait bon de suivre un ou des cours de français correctif. La plupart des institutions collégiales et universitaires en offrent, sur place ou à distance, crédités ou non. Parmi les cours à distance, signalons CAFÉ, le Cours autodidactique de français écrit, offert par l'Université de Montréal et fort bien conçu (cafe.etfra.umontreal.ca).

Si vous êtes étudiant, vous recevrez régulièrement des travaux corrigés sur lesquels on a signalé des fautes de français. Chaque fois que cela se produit, il faut d'abord vous assurer que vous avez bien compris en quoi consiste l'erreur. Ensuite, jurez-vous que jamais, jamais, on ne vous y reprendra. En une seule session, vous arriverez ainsi à éliminer une bonne quantité de mauvaises habitudes.

Par ailleurs, il faut lire, beaucoup et bien. Il s'agit ici non pas d'une lecture-consommation, mais d'une lecture active : curieuse, attentive, soucieuse de tout ce qui concerne la qualité de la langue et l'efficacité de l'expression. Des bons textes, pour s'en inspirer, et des mauvais, pour savoir quoi éviter.

Une suggestion, pour développer l'habitude de la lecture productive : trouvez chaque jour, dans votre quotidien préféré, cinq phrases qui vous frappent par leur clarté, leur concision, leur élégance. Analysez-les pour découvrir à quoi cela tient.

Trouvez également cinq phrases boiteuses et entachées de fautes de français (soyez assuré qu'il y en a au moins cinq !). Repérez ce qui cloche. Récrivez-les.

Enfin, comme c'est en forgeant qu'on devient forgeron, il faut écrire, beaucoup écrire. La correction et surtout la facilité, l'aisance, ne viennent qu'avec la pratique. Si possible, trouvez quelqu'un qui accepte de corriger et de commenter vos textes. Quelqu'un de compétent en la matière, évidemment, sinon son intervention risque d'empirer les choses plutôt que de les améliorer.

CHAPITRE VI

LE *LEAD*

QU'EST-CE QU'UN *LEAD* ?

Dans la presse nord-américaine – et ailleurs –, on n'attaque pas une nouvelle n'importe comment. La nouvelle commence par un *lead*, emblème de la compétence professionnelle et parfois cauchemar du journaliste. En apparence tout simple (sinon, il est raté), il n'en requiert pas moins réflexion et travail ardu.

La double exigence à laquelle répond le *lead* est en effet quelque peu contradictoire : synthétiser l'information tout en donnant au lecteur le goût d'en savoir davantage, lui permettre d'interrompre sa lecture tout en l'incitant à la poursuivre. La nouvelle, on l'a vu, s'oppose au récit ou au conte en ceci qu'elle commence par la conclusion. Elle livre d'entrée de jeu la clé de l'énigme, le mot de la fin, les informations les plus cruciales. Comment alors inciter le lecteur à rester au poste ? Il faut, pour cela, outre un peu de chance, un *lead* bien pensé et bien rédigé, qui mette en relief l'importance des informations, tout en offrant une lecture aisée, agréable.

Pour en donner une définition simple, disons que le *lead*, c'est le début d'une nouvelle, ce qui suit immédiatement le titre. Parfois condensé en une seule courte phrase, il atteint rarement et ne dépasse jamais une quinzaine de lignes (de 60 caractères). En un ou deux courts paragraphes, il livre l'essentiel de l'information.

Le respect des règles ici énoncées ne constitue jamais qu'un ingrédient du bon *lead*, ingrédient nécessaire mais nullement suffisant. Il restera toujours à bien choisir son contenu et à imaginer une façon vivante de le présenter. Il y a donc autant de bons *leads* que l'art et l'imagination des auteurs peuvent en inventer. Autrement dit, leur nombre est illimité. Autrement dit, leur rédaction est affaire de jugement et de talent. Bref, il n'existe pas de recette garantissant un excellent *lead*, quoique le respect des normes évite les exécrables.

Ce chapitre, comme les autres, cible les fonctions minimales et fondamentales de l'écriture de presse, non la prouesse ou la virtuosité. Par conséquent, on y insiste sur les principes de base, assez stricts, plutôt que sur les variations personnelles, d'ailleurs imprévisibles et « incodifiables ». Que le journaliste en herbe se rappelle toutefois qu'il doit produire de l'informatif et de l'intéressant même avec des sujets ternes et dans un cadre contraignant – telle est la marque d'une bonne écriture de presse. Pas de fantaisie déviante mais pas de platitude répétitive, voilà la consigne (personne ne vous a promis un lit de roses...). Dans le *lead* plus encore qu'ailleurs, il importe de relever ce défi.

Avant de passer aux règles de fabrication du *lead*, quelques précisions terminologiques et des remarques sur son rôle s'imposent.

PRÉAMBULE ? CHAPEAU ? ATTAQUE ? *CATCH-PHRASE* ?

On appelle souvent le *lead* le *préambule*. Puisqu'en matière de langage, l'usage est roi, ce terme apparaît acceptable. Il comporte toutefois un inconvénient : il suppose habituellement, en dehors du contexte journalistique, un exposé de motifs ou d'intentions, un discours ou une démarche qui *précède* l'essentiel du texte ou de l'action : tout le contraire d'un bon *lead*, qui va droit au fait et est une partie intégrante de l'article qu'il ouvre.

On dit aussi parfois *chapeau*. Le terme introduit une confusion entre le *lead* et ce que les dictionnaires, spécialisés ou pas, appellent en général un chapeau, au sens journalistique, à savoir *Un texte court qui surmonte et présente un autre texte* (Le Petit Robert), un *Texte rédactionnel [...] pour présenter un article ou faire à son propos une mise au point* (Voyenne, 1967). Or, le *lead* ne *présente* pas un *autre* texte, il est le début et la partie la plus importante d'un texte. De surcroît, le mot *chapeau* a aussi une acception typographique, celle d'un texte composé sur une plus grande justification qu'un autre texte (ou le reste du même texte) qu'il surmonte et qu'il semble ainsi coiffer. Le chapeau, au sens journalistique, est habituellement présenté sous forme de chapeau, au sens typographique. Recourir au même mot pour désigner une troisième réalité du monde de la presse, c'est risquer la confusion.

Il y a lieu aussi de distinguer *lead* et *attaque* ou *amorce*. Tout article a une attaque, une amorce, c'est-à-dire une façon de commencer, qu'il convient de soigner. Seule la nouvelle a un *lead* proprement dit, c'est-à-dire une ouverture qui respecte les règles spécifiques que nous allons examiner.

Le *lead* se distingue enfin du *catch-phrase* anglo-saxon, désignant la première phrase d'un article, qui doit être rédigée de façon à accrocher, à « attraper » (*to catch*) le lecteur. Il arrive assez souvent que le *lead* se résume au *catch-phrase*, mais c'est loin d'être toujours le cas[1].

Pour éviter toute ambiguïté, le mot anglais *lead* semble préférable, parce qu'il est passé dans l'usage journalistique courant. Si l'on veut avant tout éviter l'anglicisme, on suivra l'exemple de Sormany (1990) et l'on optera pour *amorce*, en veillant, le cas échéant, à ce que le contexte rende clair qu'il s'agit de l'amorce d'un article du genre nouvelle.

DES FONCTIONS IMPORTANTES

Le *lead* est le noyau de la nouvelle, elle-même ingrédient de base de l'information journalistique. C'est dire qu'il joue, dans l'écriture comme dans la lecture de presse, un rôle fondamental.

---

1. Certains auteurs définissent le *lead* comme la première phrase d'une nouvelle, comme l'équivalent du *catch-phrase*. C'est mettre beaucoup d'accent sur l'accrochage et trop peu sur les autres fonctions du *lead*. Aussi la plupart adoptent-ils plutôt une définition qui va dans le sens de celle qui est proposée ici.

À l'instar du titre, le *lead* vise à attirer le lecteur, à piquer sa curiosité, à l'inciter à poursuivre sa lecture de la nouvelle. On doit donc le rédiger dans un style particulièrement alerte, qui donne le goût d'aller plus loin.

Destiné à séduire le lecteur, le *lead* doit aussi le servir. Comme le titre, mais de manière plus détaillée, il balise le journal. À chacun alors de décider si tel ou tel sujet mérite plus de son temps. Dans le cas contraire, le *lead* l'aura quand même informé, lui aura appris l'essentiel de l'information. Un lecteur pressé qui parcourt les titres d'un journal puis les *leads* des nouvelles sur des sujets qui l'intéressent se tient au courant de l'actualité dans les domaines de son choix – si titres et *leads* sont bien faits, évidemment. Offrir au public un concentré de l'actualité, telle est la principale fonction des *leads*. Dans les nouvelles sur des sujets difficiles, s'il est bien rédigé, le *lead* facilite aussi le décodage du reste de l'article, en dégageant le sens global de la nouvelle (voir Article 6.1, ci-dessous).

Article 6.1

Google bientôt en Bourse

■ **NEW YORK (AFP) – Le moteur de recherche Google, grand succès de la nouvelle ère d'Internet, envisage son introduction en Bourse pour s'affirmer encore davantage comme un acteur incontournable face aux géants Yahoo! ou Microsoft.**

La direction de la maison mère californienne du célèbre moteur vient de rencontrer plusieurs banquiers d'investissement, susceptibles de conseiller un placement du capital auprès du public dès mars 2004, a révélé hier le *Financial Times*. [...]

Le Soleil, 25 octobre 2003

Livrant l'essentiel de l'information (repris dans le titre), ce lead *en dégage le sens pour le lecteur : Google, qui veut se retrouver au sommet du monde Internet, va en Bourse. Le lecteur peut choisir d'arrêter là. S'il poursuit, cette amorce l'orientera dans la lecture d'informations financières un peu arides.*

Dans un « journal omnibus » grand public, comme le sont la plupart de nos quotidiens, il y a de tout, pour tous. Même si le thème à traiter vous paraît sans intérêt, il y a tout à parier qu'au moins une partie des lecteurs pense différemment. Un bon informateur traite donc une petite nouvelle de rien du tout avec autant d'égards que le *scoop* du siècle. Quelle que soit la nouvelle qu'il ouvre, tout *lead* mérite qu'on lui accorde le plus grand soin.

Les *leads* exercent encore d'autres fonctions, dont celle de faciliter le travail d'écriture périphérique. Un coup d'œil sur un *lead* bien troussé, et le rédacteur du *pupitre* décide illico du type de mise en pages qui convient à la nouvelle : espace, emplacement, corps (hauteur) et graisse (épaisseur du trait) des caractères du titre et du texte, ajout ou non d'une photo d'accompagnement, filet, encadré, inversé, tramé, etc.

Qualité tout aussi essentielle, du point de vue de l'auteur de la nouvelle, le bon *lead* aide aussi le *pupitre* à titrer (voir Article 6.2, p. 152). Même s'il n'a pas le temps de lire tout l'article, le rédacteur le coiffera d'un titre approprié : exact, précis, concret, en parfaite correspondance avec le texte. Étant donné le rôle central de la titraille dans le choix des lecteurs, ce n'est pas là un mince avantage pour qui veut être lu.

Il arrive qu'un bon titreur pas trop pressé, qui a lu attentivement tout l'article, compense par le titre l'ambiguïté, l'abstraction ou la platitude d'un mauvais *lead*. On aurait tort, toutefois, de compter là-dessus... Les bons titreurs existent, j'en ai rencontré, mais ils sont habituellement pressés. Pour que l'écriture périphérique du journal mette en valeur votre prose, faites donc des *leads* de première qualité.

Article 6.2

En allant droit à l'essentiel, ce lead *aussi sert bien le lecteur, qui connaîtra en gros l'information s'il décroche aussitôt. Il aide également le titreur à créer un bon titre rapidement, sans lire toute la nouvelle.*

Une plante antimines
Les militaires canadiens et américains développent une nouvelle arme

■ (PC) – Les militaires canadiens et américains veulent développer une nouvelle arme pour lutter contre les mines terrestres : des plantes génétiquement modifiées.

Les chercheurs des deux pays collaborent avec l'Université de l'Alberta pour concevoir ces plantes, un projet qui bénéficie d'un budget de 135 000 $.

Plusieurs autres universités ont aussi été engagées dans ce projet par le gouvernement américain.

Si l'objectif est atteint, ces plantes pourraient agir comme les canaris dans les mines de charbon d'autrefois, quand leur mort signalait la présence de gaz nocifs pour les humains.

Au lieu de mourir comme ces oiseaux, les plantes changeraient plutôt de couleur au contact d'un sol contenant du TNT ou d'autres produits chimiques, qui entrent dans la fabrication des mines terrestres.

« Le niveau des fuites (dans le sol) varie selon les mines », a indiqué Anthony Faust, un chercheur au service de détection des mines du ministère de la Défense.

Selon le professeur Michael Deyholos, qui dirige l'équipe de recherche à l'Université de l'Alberta, plusieurs questions demeurent toutefois sans réponse.

Les plantes changeraient de couleur au contact d'un sol contenant des mines terrestres

« Pour dire la vérité, nous ne savons pas exactement comment cela fonctionnerait, reconnaît le professeur. Certaines bactéries peuvent détecter la présence de TNT dans le sol. Nous pourrions leur prélever un gène et le greffer sur la racine d'une plante. »

En présence de TNT, le gène enverrait un signal qui changerait la couleur des fleurs ou des feuilles de la plante.

Les mois requis pour que la plante pousse la rendrait cependant inutilisable dans les zones de combats. Par contre, cette technique serait utile lors de missions de maintien de la paix.

Les semences des plantes génétiquement modifiées pourraient alors être disséminées par avion, ce qui permettrait d'identifier les zones ne présentant pas de danger pour la circulation.

« Les techniques de déminage actuelles coûtent très cher, ce qui nous incite à chercher des moyens plus économiques », a expliqué Anthony Faust.

Les Nations unies estiment à plus de 110 millions le nombre de mines ensevelies dans le monde.

Le Soleil, 14 octobre 2003

LE CONTENU DU *LEAD*

Que rejeter hors du *lead* ?

Il faut exclure du *lead* toute information non indispensable à la saisie immédiate et intelligente de l'événement rapporté. « Le meilleur *lead* est le plus court », dit-on souvent. Formule séduisante mais incomplète : le meilleur *lead* est le plus court possible.

Ce possible est délimité par deux facteurs en particulier : la complexité de l'événement et le degré de familiarité du public cible avec le contexte.

Un coup d'État dans un lointain pays agité dont vous avez dû chercher l'emplacement et le statut politique dans une encyclopédie ? Le *lead* devra livrer assez d'information pour que le lecteur s'y retrouve sans avoir à lire tout l'article, c'est-à-dire relativement beaucoup. De la pluie après trois mois de sécheresse dans la région immédiate ? Vous pouvez réduire le *lead* à une courte phrase et même, une fois n'est pas coutume, à un segment de phrase : « Enfin, de la pluie ! »

Le *lead* annonce d'autres informations, ou des informations plus détaillées, mais il ne pose pas de devinettes. On bannira donc du *lead* toute donnée sur laquelle on ne reviendra pas dans le corps de l'article, à moins qu'elle ne se suffise à elle-même.

Les policiers l'ont arrêté après une poursuite pleine de péripéties : bon pour le *lead*, si vous donnez ensuite le détail de ces péripéties ; superflu, dans le cas contraire. *Ce geste du comité, qui a suscité diverses oppositions…* Vous allez revenir dans l'article sur l'origine et la nature de ces oppositions ? Parfait ! Vous les abandonnerez, ou leur consacrerez trois lignes à la fin d'un article de 10 feuillets ? Alors, boutez les diverses oppositions hors du *lead*.

Que retenir ?

Imaginez que votre *chef de pupitre* vous accorde dix secondes, pas une de plus, pour lui faire part du contenu de la nouvelle que vous vous apprêtez à rédiger. Ou, encore, supposez qu'il vous demande, l'infâme, de produire avec les 1000 informations que vous avez amassées une brève de quatre ou cinq lignes.

Qu'allez-vous retenir ? L'essentiel. L'essentiel seulement. Si possible, tout l'essentiel. Voilà avec quoi vous ferez le *lead*. Chercher, avant même de rédiger la nouvelle, un titre efficace, c'est-à-dire concret et explicite, aide aussi à cerner l'essentiel. Dans cette démarche, il faut vous reporter non pas à vos sources mais à vos propres critères de sélection et de hiérarchisation de l'information (voir le chapitre III).

Le ministre annonce la création d'un programme d'aide à l'investissement ? Concentrez le tir là-dessus, sur le nouveau donc, même si le ministre a passé le plus clair de sa conférence de presse à rejeter la responsabilité du marasme actuel sur le gouvernement précédent. Comme toutes les ritournelles, cette attribution rituelle des malheurs du pays à l'opposition offre peu d'intérêt journalistique, et encore moins à la centième répétition. Peut-être faudra-t-il en faire état, mais pas dans le *lead*. En revanche, si on a levé pendant la période de questions un lièvre de belle taille, plus alléchant que l'objet officiel de la conférence (un conflit entre le ministre et son premier ministre, par exemple), pleins feux sur le lièvre ! Gardez alors le programme d'aide pour le corps de l'article, ou pour un autre article.

Lorsqu'on prépare son *lead*, on se demande donc ce qui est le plus nouveau – le plus récent, le plus imprévisible, le plus inhabituel, etc. Qu'est-ce qui est le plus important, a le plus de valeur intrinsèque ? Qu'est-ce qui est le plus intéressant pour le public visé ? Les éléments qui cotent le plus haut à l'index de ces trois valeurs sont ceux qu'on devrait trouver au début d'une nouvelle.

Voici un lead qui ne casse pas des briques :

> *Le coordonnateur de l'Office des droits des détenus a affirmé que trois pré-*
> *venus – il a parlé de 5 à 10 témoins directs – qui se trouvaient à Parthenais*
> *au moment de l'évasion tragique de Roch Binette, le 20 mai, étaient prêts à*
> *venir témoigner que des gardiens auraient pu avoir aidé la chute mortelle de*
> *l'évadé.* (*La Presse,* 5 décembre 1986)

L'auteur place le cœur de l'information à la fin du *lead*, attaquant avec des informations à la fois moins essentielles et confuses. Sa rédaction aggrave encore les effets négatifs de sa sélection. Au lieu de consacrer une phrase à chaque information clé, il essaie de tout dire en même temps. Résultat : un *lead* à la limite de l'intelligible, une phrase mal tournée de près de 60 mots, un écart de 26 mots entre le sujet *trois prévenus* et son verbe *étaient* (*prêts à venir témoigner*) et une devinette, née du rapprochement des trois prévenus prêts à témoigner et de 5 à 10 témoins directs.

Qu'est-ce qui était nouveau ? L'évasion tragique ? Elle datait de six mois. Qu'est-ce qui était important et intéressant ? Que des gens étaient prêts à témoigner ? Oui, mais les précisions sur ces gens et leur nombre pouvaient attendre : l'objet de leur éventuel témoignage aurait dû avoir priorité. Que l'ODD l'ait annoncé ? Certainement, mais était-il urgent de savoir par la voix de qui ? Le sens de la nouvelle, c'était avant tout que des gardiens auraient provoqué la chute mortelle d'un détenu et l'ODD affirme avoir des témoins. Voilà donc ce qu'il aurait fallu apprendre d'abord au lecteur. On aurait pu ajouter : l'ODD réclame une enquête publique. En effet, une telle demande souligne la gravité de l'accusation et annonce d'autres accusations contre les autorités pénitentiaires et judiciaires dont fera état la nouvelle ; elle laisse en outre prévoir un feuilleton journalistique[2].

Point besoin d'accumuler tant d'erreurs pour gâcher un *lead*. En voici deux exemples.

> *« Nous ne demandons pas de subventions. Nous voulons un prix pour notre*
> *lait, qui couvre le coût de production au Québec. » C'est le message qu'enten-*
> *dent marteler les cinq producteurs laitiers tout au long du trajet de plus de*
> *500 kilomètres qui sépare Québec d'Ottawa.* (*Le Soleil,* 9 décembre 2004)

Pas mal, ce *lead*. Pourtant, si le lecteur veut savoir ce qui se passe, il a intérêt à ne pas s'en contenter. Il pose une devinette : *les cinq producteurs laitiers*. Quels cinq producteurs laitiers ? Il apprendra, deux paragraphes plus loin, qu'un convoi pour un lait équitable (quoi) réunira en fait 14 producteurs représentant chacune des régions du Québec (qui). L'information manque et de clarté et d'exactitude, le *lead* n'est pas autosuffisant, il ne fait pas la synthèse de la nouvelle pour le lecteur.

---

2. Sans le bon travail du titreur, le lecteur s'y perdait tout à fait. Les titre et sous-titre rectifiaient la sélection que l'auteur avait (mal) faite : *La chute mortelle d'un détenu aurait été « hâtée », selon des témoins. L'Office des droits des détenus demande une enquête.*

La requête en accréditation syndicale des personnificateurs de Bonhomme Carnaval touche une corde sensible. Du côté patronal comme pour le syndicat, les commentaires sont brefs et prudents par peur de faire disparaître la magie. (*Le Soleil,* 24 novembre 2004)

La sélection ici se défend, le *lead* résumant bien l'ensemble d'une nouvelle qui consiste en gros à dire qu'il n'y a pas de nouveau et que les gens concernés marchent sur des œufs (d'ailleurs seule la valeur de proximité explique que le journal couvre une information aussi faible). Il faudrait quand même deux mots pour préciser cette *magie*. Surtout, le journaliste aurait pu compenser la pauvreté de l'information par un style plus alerte, plus à l'image du joyeux Bonhomme.

On voit, surtout par ce dernier exemple, que le « tataouinage » prôné au chapitre précédent est particulièrement de rigueur au moment de relire le *lead*.

Encore le nouveau !

Enfonçons encore une fois le clou de la nouveauté, pour combattre la tendance de certains à faire de l'essai, historique ou sociologique, plutôt que de la nouvelle.

Certes, il arrive parfois que la signification d'un événement réside autant dans ses liens avec des événements passés que dans les faits les plus récents. Il faut alors en tenir compte en rédigeant le *lead*. Ainsi, pour une nouvelle sur un attentat qui n'a occasionné que des blessures légères et a raté son objectif, on pourrait attaquer avec les précédents : *Jérusalem a connu hier son troisième attentat en cinq jours. Il a été commis à* [...] Le lecteur apprend tout de suite que cet événement d'une portée limitée s'inscrit dans une série qui, elle, détermine une situation grave. Toutefois, on doit le faire brièvement et revenir illico, dans le *lead* même, à ses moutons, c'est-à-dire à l'actualité immédiate. De même, si deux Airbus s'écrasent à quelques jours d'intervalle, on fera dès le *lead*, en quelques mots, le rapprochement entre les deux faits.

Le plus souvent, toutefois, les rappels n'ont pas leur place dans l'attaque et ils n'y apparaîtront, fort brièvement, que si leur absence compromet la compréhension de l'information. De même pour les explications.

Quand le dernier feuilleton sur les prestations d'aide sociale a commencé, on pouvait amorcer la nouvelle en demandant : *Peut-on vivre avec 555 $ par mois ? Les assistés sociaux affirment que non et réclament...* Mille débats plus tard, quand divers acteurs sociaux interviennent dans le dossier, le *lead* porte sur leurs interventions, et non sur la pénible situation des *bénéficiaires*. Quoi de nouveau ? L'Organisation populaire des droits sociaux dénonce l'appauvrissement des femmes et des immigrants ? Option citoyenne reproche au premier ministre de rompre sa promesse de lutte contre la pauvreté ? Voilà la matière du *lead*. La situation difficile des assistés, quoique toujours digne d'intérêt, attendra la suite de l'article ou n'apparaîtra pas du tout dans la nouvelle.

À moins que l'actualité ne relance la question initiale comme telle quand, par exemple, le Collectif pour un Québec sans pauvreté met les

Article 6.3

MÉDIAS

La télé-réalité fait grincer des dents
au *Journal de Montréal*

PAUL CAUCHON

♦ ♦ ♦

Les journalistes du *Journal de Montréal* n'apprécient pas la façon dont leur propre journal couvre la télé-réalité : le syndicat qui les représente a en effet contesté par voie de grief la couverture journalistique de *Star Académie*.

Le même syndicat s'apprête aussi à contester sous forme de grief l'actuel traitement journalistique de l'émission *Occupation double*.

« La majorité des articles sur *Star Académie* l'hiver dernier auraient dû être identifiés en haut de page comme étant de la publicité ou de la promotion au lieu d'être présentés comme étant des articles journalistiques », soutient Guy Desrochers, président du Syndicat des travailleurs de l'information du *Journal de Montréal* (FNC-CSN), qui regroupe tous les journalistes du quotidien de Quebecor.

Le syndicat en veut à la direction du journal à la fois pour le contenu des articles et pour la façon dont celle-ci a procédé en confiant la couverture journalistique de cette émission à des employés temporaires.

On se souvient que l'hiver dernier, *Star Académie*, présentée à TVA, avait fait l'objet d'une couverture massive et intensive de la part du *Journal de Montréal*, propriété, tout comme TVA, de Quebecor. On y trouvait entre autres une chronique quotidienne qui racontait tout ce qui se passait sur le site de l'« académie ».

Le même procédé est repris cet automne avec *Occupation double*, également présentée à TVA, alors qu'on trouve une et même deux pages quotidiennes sur cette émission dans *Le Journal de Montréal*. Guy Desrochers, qui n'écoutait pas *Occupation double*, est demeuré stupéfait quand il s'est rendu compte que cette émission est

hebdomadaire alors que la couverture dans son propre journal est carrément quotidienne.

Au printemps dernier, son syndicat avait déposé quelques griefs portant sur *Star Académie*, griefs qui n'ont pas encore été plaidés devant un tribunal, et il entend bientôt présenter de nouveaux griefs au sujet d'*Occupation double*. Le syndicat évalue aussi la possibilité de saisir le Conseil de presse du Québec de ce dossier.

En mai dernier, le syndicat avait également proposé à la direction du *Journal de Montréal* la création d'un comité paritaire sur la convergence et la concentration. « Plutôt que de laisser tout le monde médire de nous, nous nous sommes dit qu'il fallait aborder de front la question de la convergence et civiliser le traitement journalistique, explique M. Desrochers. Il faut arrêter de jouer à l'autruche et parler ouvertement de cette convergence. Mais la direction

semble nier l'existence même d'une convergence. »

Selon nos informations, le traitement par *Le Journal de Montréal* de *Star Académie* et d'*Occupation double* a laissé plusieurs journalistes de ce quotidien très mal à l'aise, mais c'est la première fois que le syndicat en parle publiquement.

Par ailleurs, le président du syndicat prend avec un grain de sel les commentaires du grand patron de TQS, Luc Doyon, qui critiquait hier dans une lettre envoyée au *Journal de Montréal* la couverture journalistique de *Loft Story*, diffusée à TQS. « *Loft Story* appartient à une autre convergence, avec TQS, Cogeco, Rythme FM, explique-t-il. Dans le fond, c'est une chicane d'une convergence contre une autre. »

Le Devoir, 30 octobre 2003

Ici, le lead *annonce le récent (le grief) mais, surtout, il souligne une autre forme de la nouveauté, l'inusité de l'action de journalistes qui attaquent leur propre journal sur sa politique rédactionnelle.*

députés au défi de concocter un budget personnel pour tenir un mois avec si peu. Le journaliste de la PC (*Le Soleil*, 11 novembre 2004, sous le titre *27 députés québécois « goûtent » à la pauvreté*) attaque alors avec la question :

Un député pourrait-il vivre avec un revenu de 555 $ par mois ?

Vingt-sept députés de l'Assemblée nationale ont eu à répondre à cette question, hier, lors d'un déjeuner à huis clos avec des membres du Collectif...

Le ministre de la Justice rend public le rapport d'une commission d'enquête. Le journaliste qui en rend compte va droit aux conclusions : *Les constructeurs du pont de la rivière Sainte-Marguerite sont exonérés de tout blâme.* Suivra immédiatement un rappel minimal : le pont s'est écroulé x mois plus tôt, faisant tant de morts. Quant aux détails sur l'accident, sur la création de la commission, sa composition et son mandat, ils n'apparaîtront que plus tard dans l'article, s'il est assez long pour les accueillir. Et cela, même si le communiqué qui nous apprend la nouvelle consacre, lui, trois pages à ces rappels et explications avant d'en venir au nouveau, à savoir aux conclusions de la commission.

Dans le cadre d'une enquête sur les Jeux olympiques de 1976, l'ex-maire de Montréal avait fait préparer plusieurs rapports selon lesquels l'éléphant blanc (rose ?) qui, pendant des lustres, avait fait couler tant d'encre n'avait jamais existé. Vision d'ivrogne ! Il n'y avait jamais eu de déficit olympique ! Mieux, les Jeux ont été fort rentables pour les gouvernements ! Prenant connaissance de ces conclusions non publiées, *Le Devoir* y allait à la une, *en exclusivité*, d'un article s'amorçant avec cette affirmation fracassante : *Il n'y a jamais eu de déficit olympique.* De quoi étonner, et attirer, les contribuables du Québec !

Rappelons que le banal des uns est parfois l'inattendu des autres. Au décès de Camille Chamoun (en août 1987), les médias en chœur ont mis l'accent, dans les titres notamment, sur le fait qu'il était mort de mort naturelle : chez les dirigeants des factions libanaises, c'était l'exception plutôt que la règle, et M. Chamoun lui-même avait échappé à cinq attentats avant de mourir banalement dans son lit.

Disons aussi qu'on doit signaler la nouveauté des événements, surtout si elle n'est pas évidente pour tous. Il faut dès le *lead* faire savoir que ça s'est passé hier ou aujourd'hui, mettre en valeur, lorsqu'il y a lieu, qu'il s'agit d'une première ou d'une chose inattendue (dans les exemples ci-dessous, les soulignés sont de moi).

> *Relancé publiquement et, <u>à sa grande surprise</u>, sur le dossier des jeux des pompiers et policiers, le ministère du Développement économique…* (*Le Soleil*, 25 novembre 2004)

> *La ville et la Chambre de Commerce de Laval s'unissent pour* [construire] *un immeuble qui logera des services municipaux, provinciaux et privés.* […] <u>*C'est la première association du genre au Québec.*</u> (*La Presse*, 6 mai 1987)

> <u>*Créant un précédent dans les annales judiciaires*</u> *canadiennes, la Cour d'appel du Québec vient d'autoriser…*

> <u>*Dans une décision sans précédent*</u>*, la Cour suprême des États-Unis a refusé hier…*

> <u>*Aujourd'hui, pour la première fois depuis 40 ans*</u>*, les Polonais éliront…*

> <u>*À la surprise générale*</u>*, le gouvernement a décidé de remettre à plus tard le débat…*

« Plus ça change, plus c'est pareil. » Le nouveau, c'est parfois un événement qui se répète, quelqu'un qui persiste et signe, bref le non changement. Le *lead* doit aussi le faire ressortir. Ainsi (mes soulignés) :

> <u>*Autre session parlementaire, même chicane sur les procédures.*</u> *L'opposition officielle dénonce le fait que le gouvernement se prépare à recourir au bâillon pour forcer l'adoption en vrac de plusieurs projets de loi.* (*Le Soleil*, 9 décembre 2004)

Et la source ?

La source de la nouvelle doit-elle apparaître dans le *lead* ? Une fois de plus, il va falloir exercer son jugement. En gros, le principe est le suivant. Non, pour une source à la fois officielle, crédible et évidente pour les lecteurs. Oui, dans les autres cas (sauf exceptions...).

La Cour d'appel du Québec tranche en faveur de... Votre lecteur ignore pour le moment si vous l'avez appris par un communiqué, une conférence de presse, une interview avec un des juges ou en vous procurant un document au greffe. Il est convaincu cependant que vous tenez votre information de la Cour elle-même, sinon vous n'oseriez pas cette affirmation. Reportez alors la confirmation de la source et le moyen de transmission au corps de l'article.

Si la nouvelle annonce quelque chose d'inouï, va à rebrousse-poil de notions ancrées, la mention de la source s'impose au contraire dès l'amorce de l'article. *Les fumeurs vivent plus longtemps* : la source ne saurait attendre. *Le directeur de l'usine est un assassin* : dire aussitôt selon qui ! Son pire ennemi ou le coroner ? *Un expert met en doute les dangers de la conduite en état d'ébriété* : le *lead* de cet article du *Devoir* (voir chapitre III, Article 3.3, p. 64), annonçait *deux* sources : l'universitaire ontarien qui formule cette conclusion, le média par lequel *Le Devoir* l'a appris (« rapportait hier le *National Post* »). Cet avis va déclencher des débats orageux entre des gens aux convictions aussi passionnées qu'opposées, aussi le journal entend-il affirmer sa neutralité et préserver sa crédibilité par cette double attribution.

Si la valeur de l'information présentée dans la nouvelle dépend directement de la source, celle-ci figurera dans le *lead*. C'est le cas, par exemple, des nombreuses nouvelles tirées de rapports, sondages, etc., comme l'illustre l'extrait de la nouvelle (p. 167) *Les Canadiens jugent les médias trop sensationnalistes* examiné dans la section sur le *lead* sélectif.

De même, lorsqu'une information vous parvient par une fuite ou un autre moyen détourné, il faut l'indiquer dès le *lead*, surtout si la source reste anonyme pour le lecteur.

Tel est aussi l'usage lorsqu'on reprend un *scoop* révélé par un média concurrent, à la fois par souci d'élégance (ou des apparences) et pour souligner que c'est cet autre média, et non le sien, qui se porte garant de l'authenticité de la nouvelle.

Lorsque la façon dont on a obtenu l'information influe sur son statut, il convient aussi de l'indiquer dans le *lead*. Tel n'était pas le cas pour la décision de la Cour d'appel. Il en va autrement, en général, pour les faits et gestes des gouvernants et dirigeants. Si ce sont eux et non le journaliste qui prennent l'initiative de porter leurs interventions sur la place publique, il faut l'annoncer brièvement, dans le *lead*. *Hydro-Québec a nié hier, par voie de communiqué, que...* Il n'est pas nécessaire toutefois de le faire dès la première phrase. *Le président du Conseil du patronat a proposé aujourd'hui que Québec supprime certaines subventions aux entreprises. Lors d'une conférence de presse, M. Chose a expliqué...*

On voit que les cas où le *lead* inclut la source sont nombreux. Dans les autres cas, la source apparaîtra en général dès le deuxième paragraphe, comme dans cette nouvelle du *Devoir*, intitulée *Les anglophones boudent le français* (Article 6.10, p. 166) :

> *Le français perd du terrain partout au Canada. Les inscriptions aux cours de français langue seconde sont en diminution dans toutes les provinces, compliquant ainsi la tâche du gouvernement fédéral, qui souhaite doubler le nombre de diplômés bilingues au pays d'ici dix ans.*
> *C'est ce que révèle le dernier rapport annuel du groupe Canadian Parents for French (CPF), qui sera dévoilé ce matin.* [...]

Mais il arrive qu'on la reporte à la toute fin. Dans l'article ci-dessous, portant comme titre *Saisie de 685 kilos de cocaïne* (*Le Devoir*, 11 février 1994), la journaliste résume la nouvelle dans le *lead*, nomme les auteurs du coup de filet dans le deuxième alinéa :

> *Quatorze Québécois ont été arrêtés cette semaine, à Montréal et à Los Angeles, dans le cadre d'un vaste coup de filet impliquant la saisie de 685 kilogrammes de cocaïne.*

Article 6.4

Saisie de 685 kilos de cocaïne
Quatorze Québécois arrêtés à Montréal et Los Angeles

CAROLINE MONTPETIT

♦ ♦ ♦

Quatorze Québécois ont été arrêtés cette semaine, à Montréal et à Los Angeles, dans le cadre d'un vaste coup de filet impliquant la saisie de 685 kilogrammes de cocaïne.

L'opération a été menée conjointement par la Sûreté du Québec, la Gendarmerie royale du Canada, le service de police de la Communauté urbaine de Montréal et la Drug Enforcement Administration de Los Angeles. Le réseau de « courriers » québécois, démantelé par les corps policiers, transportait régulièrement de la drogue d'est en ouest des États-Unis, soit de l'État de la Californie à celui de New York, et était affilié, semble-t-il, au puissant cartel de Cali, basé en Colombie.

Ce cartel est responsable, selon les corps policiers, de quelque 80 % de la drogue exportée de Colombie.

La valeur de la drogue saisie est estimée à un demi-milliard de dollars sur le marché canadien. Les Québécois recrutés par cette organisation n'avaient pas de casiers judiciaires et passaient ainsi pour de simples touristes.

« C'est ce qui faisait la force de l'organisation », de dire le porte-parole de la Sûreté du Québec, Robert Poéti.

Ils recevaient, selon les informations récoltées, environ 20 000 $ par voyage.

Le porte-parole de la SQ, Pierre Lemarbre, a indiqué hier que cette saisie portait « un dur coup à un des réseaux les plus importants et les mieux structurés que nous ayons vus jusqu'ici ».

Les forces policières estiment que le réseau doit avoir mené quelque 10 voyages entre les États de la Californie et de New York depuis le mois d'octobre 1993, transportant ainsi quelque 4000 kilos de cocaïne.

Les saisies sont survenues les 7 et 8 février derniers, à Los Angeles, et impliquaient notamment deux véhicules de loisir, immatriculés respectivement au Québec et en Alberta.

Les courriers ne se donnaient pas la peine de dissimuler la drogue, qui était transportée, tout bonnement, dans des sacs de hockey, à l'intérieur des véhicules.

Les quatre Québécois arrêtés aux États-Unis font présentement face à la justice américaine, tandis que les dix autres ont été formellement accusés au Palais de justice de Montréal hier.

Un Américain, vraisemblablement impliqué dans l'approvisionnement, a également été arrêté à Los Angeles.

Dans la foulée de ces arrestations, 670 000 $ en argent, trois kilos de cocaïne supplémentaires, une livre de haschich et deux pistolets 9 mm chargés à bloc ont également été saisis sur le territoire, cette fois, des policiers de la Sûreté du Québec.

« Les compagnies de location de véhicules ne sont nullement impliquées dans ce réseau », a ajouté Robert Poéti.

Les informations sur cette saisie ont été rendues publiques hier, dans le cadre d'une conférence de presse diffusée simultanément à Montréal et à Los Angeles.

Le Devoir, 11 février 1994

> *L'opération a été menée conjointement par la Sûreté du Québec, la Gendarmerie royale du Canada, le service de police de la Communauté urbaine de Montréal et la Drug Enforcement Administration de Los Angeles.*

et renvoie la source au seizième et dernier paragraphe de la nouvelle, et, encore, indirectement :

> *Les informations sur cette saisie ont été rendues publiques hier, dans le cadre d'une conférence de presse diffusée simultanément à Montréal et à Los Angeles.*

Chacun sait que les réussites des corps policiers sont généralement annoncées par leurs relationnistes, de sorte que la conclusion s'impose : ce sont les corps policiers cités au deuxième alinéa qui ont organisé cette conférence de presse. Ce serait encore plus clair si l'auteure l'avait précisé.

Il arrive enfin que, pour la protéger, on escamote tout à fait la source ou la laisse dans le flou artistique. Par exemple, dans un texte sur un congédiement injuste, le journaliste pourra laisser ouverte la question de savoir si c'est le congédié, un collègue de travail, son syndicat ou quelque autre personne ou groupe qui l'a informé. Surtout s'il émaille sa nouvelle d'informations factuelles et sûres, les lecteurs ne lui en voudront pas (voir les deux articles ci-dessous).

Deux attaques centrées sur le pourquoi.

Article 6.5

Congédié pour avoir exigé une note de service en français

ANDRÉ NOEL

♦ ♦ ♦

Un ouvrier d'une usine de Pointe-Claire a été congédié après avoir écrit « En français SVP » sur une note de service rédigée en anglais et affichée au-dessus de l'horloge-poinçon.

Le propriétaire de la compagnie Willsup Inc., George William, a demandé lui-même à Carol Glémaud de quitter l'usine, vendredi midi, deux heures après que la note eut été affichée. [...]

La Presse, 14 octobre 1987

Article 6.6

Licencié pour une bouteille de pastis

Licencié pour une bouteille de pastis. C'est la mésaventure qui survient à un ouvrier de Talbot-Poissy, surpris par un gardien avec une bouteille de pastis dans son sac, alors que [...]

Libération, 28 janvier 1987

Du bon usage des six questions

La formule qui-quoi-où-quand-comment-pourquoi est souvent utile pour décider du contenu d'un *lead*, surtout dans le cas des nouvelles simples, sans trop de qui, de quoi, etc.

> *M. Jean Untel a perdu la vie hier lorsque sa voiture a embouti un camion-citerne sur le boulevard Charest. La neige tombait alors si dru, a déclaré le chauffeur du camion, qu'il n'a aperçu la voiture qu'au moment de la collision.*

Qui? M. Untel et le chauffeur. Quoi? Une mort accidentelle. Où? Boulevard Charest (pour un média non local, il faudrait préciser : à Québec). Quand? Hier. Comment? Collision. Pourquoi? Visibilité nulle. La formule ne vaut cependant qu'à condition de ne retenir que les éléments d'information réellement centraux.

On a déjà considéré que tout bon *lead* devait répondre avec un degré assez élevé de précision à chacune des six questions. Une norme aussi rigide introduisait de la monotonie dans les pages des journaux et donnait souvent des *leads* longs et surchargés. La pratique journalistique a évolué sur ce point. Ses artisans ironisent maintenant sur le « *lead* corde à linge », celui sur lequel l'auteur essaie de tout accrocher. Ils estiment qu'il vaut mieux y aller moins systématiquement, au cas par cas, et qu'il faut éliminer du *lead* tout ce qui n'est pas au cœur de la nouvelle (voir l'article ci-dessous).

Article 6.7

Un porteur de flambeau meurt d'un infarctus

YVES CHARTRAND

♦ ♦ ♦

Un membre de l'équipe de coureurs qui transportent le flambeau des Jeux du Québec de Matane à Saint-Jean-sur-Richelieu est mort, foudroyé par une attaque cardiaque.

Le triste accident est survenu samedi, en début d'après-midi, à la sortie de la ville de Matane, moins de 3 kilomètres après que le cortège se fut mis en branle.

La victime est M. Pierre Larose, 37 ans, membre du club des Courailleurs de Saint-Jean et frère de l'ex-hockeyeur du Canadien Claude Larose. [...]

Journal de Québec, 31 juillet 1989

Reportant même l'identification de la victime au corps du texte, l'auteur offre un lead *minimal et suffisant.*

Ainsi, l'identification précise des acteurs (nom, âge, adresse, profession ou fonction) n'a d'importance véritable que si ces personnes sont connues du public visé ou si ces éléments confèrent à l'événement un intérêt particulier, par exemple si le voleur surpris en flagrant délit est un chef de police. De même pour les détails concernant l'heure et le lieu, le comment, le pourquoi. On ne retiendra que ceux qui peuvent attirer le lecteur. Par conséquent :

NON PAS : *Deux jeunes gens de Kamouraska, Jean Lévesque, 22 ans, du 132, rue des Roses, mécanicien, et Jacques Tremblay, 25 ans, du 44, rue Laviolette, menuisier en chômage, ont perdu la vie hier soir vers 23 h 40 sur la route 5, entre Saint-Truc et Saint-Machin, lorsque leur voiture a percuté un pilier de [...], après avoir dérapé à cause de [...]. Ils ont été tués sur le coup, a déclaré [...]*

MAIS PLUTÔT : *Deux jeunes gens de Kamouraska ont trouvé la mort hier soir dans un accident de la route, près de Saint-Truc.*

Le journaliste de l'hebdomadaire local ajoutera au *lead* au moins le nom et l'âge des victimes. Son public à lui souhaite une identification précise de ces gens, qui peuvent être des parents, des voisins, des connaissances. Pour une nouvelle dans un quotidien national, le *lead* pourrait inclure ces précisions, mais tout aussi légitimement se limiter aux deux lignes de la seconde version : du point de vue de ses lecteurs, l'essentiel est dit. Chacun peut décider soit d'interrompre là sa lecture, soit de la poursuivre.

Il en irait autrement si la personnalité des victimes ou de l'une d'entre elles présentait quelque valeur journalistique ou si les circonstances de l'accident sortaient de l'ordinaire. Il faudrait, dans ce cas, le faire savoir dès les premières lignes. Ainsi en serait-il si M. Lévesque était le président de l'Association pour la sécurité routière, ou M. Tremblay, le champion provincial de boxe, ou, encore, si la voiture avait heurté un orignal ou dérapé sur une flaque d'huile répandue sur la chaussée par deux enfants en train de se livrer à une « expérience scientifique ».

Dans tous les cas, si un acteur figurant dans le *lead* apparaît dans la nouvelle non pas comme quidam, victime ou héros des circonstances, mais en raison d'un rôle ou d'une fonction qu'il exerce, on précisera cette fonction dans le *lead* : porte-parole, dirigeant, membre de ceci ou de cela. À plus forte raison si c'est à cause même de l'importance de ce rôle qu'il fait la nouvelle : *Manmohan Singh, le premier ministre de l'Inde…* Et plus encore si le public lecteur connaît mal et la personne et le rôle, comme dans cette nouvelle publiée par *Le Devoir* (25 novembre 2004) :

> *Le mouvement de libération du Soudan (SLM), l'un des deux groupes rebelles du Darfour (ouest du Soudan), a affirmé hier que la trêve signée en 2003 était désormais rompue […] Tous les accords […] sont rompus, a déclaré Mahjoub Hussein, porte-parole du SLM […]*

Toutes les informations contenues dans ce *lead* sont nécessaires, une partie du public québécois ignorant qui sont ces gens et même où se trouve le Darfour, voire le Soudan. Il fallait donc caractériser brièvement les deux acteurs du *lead* – le SLM, M. Hussein – et même le lieu de l'événement, le Darfour.

Le nom d'un acteur peut être reporté au paragraphe suivant le *lead* s'il ne s'agit pas d'une personne connue ou destinée à le devenir à cause de son rôle dans l'actualité. Il importe évidemment de savoir tout de suite que c'est un biochimiste au service de l'Association Pro-Lait qui vient de conclure que la margarine présente plus de danger pour la santé que le beurre. Cela figurera donc dans le *lead*. Toutefois, en particulier si le *lead* est déjà long, son nom peut attendre sauf, bien sûr, si le chercheur en question est un prix Nobel ou un ancien ministre de la Santé…

Bref, on doit exercer son jugement. Il faut identifier les points forts de chaque nouvelle et les inclure dans le *lead*, et rejeter tout le reste dans le corps de l'article. Voire hors de l'article, à l'occasion. Dans *Saisie de 685 kilos de cocaïne* (Article 6.4, p. 159), aucun des 14 Québécois arrêtés n'était identifié, la nouvelle se concentrant plutôt sur le travail de la police et la collaboration de différents corps policiers qui, eux, sont nommés dès le deuxième paragraphe.

Pour décider du contenu du *lead*, on doit travailler : les nouvelles à 32 *qui*, 14 *quoi*, etc., demandent un sérieux coup de balai. Il reste qu'un bon *lead* contient presque toujours les principaux *qui* et *quoi*, très souvent les principaux *où* et *quand*, et souvent les principaux *comment* et *pourquoi*.

Article 6.8

Soong Mayling, veuve de Chiang Kai-shek, meurt à 106 ans

■ TAIPEI (AFP) – Soong Mayling, la veuve du général chinois Chiang Kai-shek, chassé vers l'île de Taïwan en 1949 par les troupes communistes de Mao Tsé-toung, est décédée hier à l'âge de 106 ans, a-t-on appris auprès de sa famille.

Mme Chiang, qui était tombée malade en février, est morte pendant son sommeil à son domicile de Long Island, dans la banlieue de New York, où elle résidait depuis 1991, a précisé son arrière-belle-fille, Fang Chih-yi. Issue d'une riche famille chinoise, Soong Mayling, éduquée aux États-Unis, avait [...]

Le Soleil, 25 octobre 2003

Ce lead *apporte plusieurs informations, toutes indispensables, car bien des gens ignorent qui était Soong Mayling. Il faut d'entrée de jeu mettre en valeur la signification historique du personnage, dont le reste de l'article racontera la vie.*

Le *lead* synthétique

Je serais portée à distinguer deux grands types de *leads,* les synthétiques et les sélectifs. Ces appellations renvoient évidemment à des différences de degré et non de nature, puisque tout *lead* cherche à présenter un concentré d'information, une synthèse, tout en exigeant une forte dose de sélectivité.

Précision : ne confondons pas le *lead* synthèse (ou synthétique), qui livre une information concrète, avec le *lead* « table des matières », qui annonce le thème général et non le contenu de l'article. Voilà une espèce qu'on espère en voie de disparition ! *L'Accord sur l'ALÉNA suscite des réactions diverses...* On s'en serait douté. *Le groupe a discuté de santé et d'écologie.* Mais encore ? *Le militant s'est opposé à trois des projets d'Hydro-Québec.* Lesquels ? À propos de quoi : de relations de travail, d'environnement, de ventes aux États-Unis, de festivités locales ? L'amorce « table des matières » se situe, on le voit, aux antipodes du bon *lead.* Elle remplit une fonction d'indexation (de quoi ça parle ?) et non d'information (que se passe-t-il ?).

En règle générale, la nouvelle simple, sans trop d'acteurs et de faits cruciaux, est mieux servie par un *lead* synthétique. La nouvelle complexe, surchargée d'acteurs, d'actions, de lieux rivalisant tous en importance appelle un *lead* sélectif. Entre ces deux extrêmes, toutes les situations, et toutes les hésitations, sont possibles.

Les faits divers fournissent habituellement de la nouvelle simple. De même pour maints événements plus percutants, au moment où ils éclatent (*breaking news*). Le noyau dur de l'information à transmettre s'impose alors comme une évidence. (Par la suite, dans la mesure même où ils sont importants, ces événements s'inséreront dans des séries ou dans des feuilletons, dont la plupart des épisodes se prêteront à des *leads* plus divers.)

Décider du contenu du *lead* pour une nouvelle annonçant l'assassinat du président des États-Unis ou un attentat contre le pape se fait en deux demi-secondes : la victime, son sort, si possible une caractérisation minimale de l'agresseur, le lieu et le moment, en une ou deux courtes phrases sans détails et sans fioritures.

Dans les heures suivantes, on pourra ajouter au *lead* des éléments cruciaux et nouveaux : le vice-président a prêté serment et est devenu le nouveau président des États-Unis, par exemple. Le lendemain et dans les mois qui suivent, l'assassinat n'est plus qu'un rappel dans les multiples feuilletons journalistiques issus de l'événement premier : il n'a plus de place dans le *lead* que sous la forme d'une brève notation documentaire.

De même, pour une catastrophe, naturelle ou technique, le choix du *lead* est tout simple : les morts ou, « à défaut », les dégâts, la cause et le lieu. Douze mille morts dans des inondations en Chine, tant de victimes dans l'écrasement de tel avion hier, à tel endroit. Si la catastrophe est provoquée par l'homme, on ajoute évidemment cette information. Elle deviendra même le cœur de la nouvelle, et du *lead,* si la nature de l'agresseur a quelque chose d'inattendu, de scandaleux ou d'énorme : *l'URSS*[3] *abat un avion commercial de la Korean Airlines avec 350 passagers à bord.*

C'est vrai aussi d'événements plus prévisibles, au moment où ils sont annoncés ou se réalisent : élections le 15 novembre, le non l'emporte au référendum, Untel médaille d'or aux Jeux olympiques... Le journaliste appelé à faire connaître de telles nouvelles, contrairement à ceux qui auront à les compléter en les présentant sous divers angles plus particuliers, n'a pas à se creuser les méninges pour écrire son *lead*.

Dans ces cas, comme dans la plupart des faits divers, le *lead* approprié est synthétique. On attaque avec un concentré de l'information, qu'on développera ensuite point par point dans le corps de l'article (voir le chapitre IV sur le plan).

Comme il remplit au mieux les principales fonctions du *lead*, attirer et informer, on privilégie le *lead* synthèse même dans des nouvelles plus complexes. Ainsi, l'article 6.9 rend compte des attaques des partis de l'opposition et de quatre groupes de défense de l'environnement contre le projet prétendument de développement durable du premier ministre. Le journaliste amorce avec un *lead* à deux temps et deux alinéas, qui répondent à la définition même d'une synthèse (comme le titre et ses sous-titres donnés à l'article d'ailleurs).

> *Les milieux environnementaux, qui ont fait échec au projet du Suroît, ont accueilli hier avec une volée de bois vert l'intention du premier ministre Jean Charest de lancer le Québec à fond dans l'exportation d'électricité comme pilier de son imminente « Politique de développement durable ».*

> *L'opposition, de son côté, voyait dans la sortie du premier ministre une politique énergétique « improvisée », principalement dictée par les besoins d'un changement d'image et de slogans nouveaux au début de la deuxième partie du mandat gouvernemental.*

Le reste de l'article ne fait que préciser, par des citations directes ou indirectes, les motifs de l'opposition des uns et des autres, en commençant, comme dans le *lead*, par les défenseurs de l'environnement. Greenpeace, le RNCREQ, l'AQLPA et la Coalition-vert-Kyoto font à tour de rôle valoir leurs arguments sur 11 paragraphes (de 11 lignes en

---

3. Devenue depuis la Russie.

Article 6.9

Énergie : Charest a-t-il tout faux ?

— Oui, répond le milieu environnemental
— Le premier ministre improvise, ajoute l'opposition

LOUIS-GILLES FRANCŒUR

♦ ♦ ♦

Les milieux environnementaux, qui ont fait échec au projet du Suroît, ont accueilli hier avec une volée de bois vert l'intention du premier ministre Jean Charest de lancer le Québec à fond dans l'exportation d'électricité comme pilier de son imminente « Politique de développement durable ».

L'opposition, de son côté, voyait dans la sortie du premier ministre une politique énergétique « improvisée », principalement dictée par les besoins d'un changement d'image et de slogans nouveaux au début de la deuxième partie du mandat gouvernemental.

Plusieurs, dont Greenpeace et le Regroupement national des Conseils régionaux de l'environnement du Québec (RNCREQ), un groupe de concertation, ont flairé un vilain piège dans cette sortie du premier ministre Charest, qui lance sur la place publique les priorités de son gouvernement en énergie alors que, la semaine dernière, son ministre des Ressources naturelles annonçait une commission parlementaire dont l'indépendance par rapport au gouvernement a immédiatement été décriée, de même qu'a été contestée la valeur de certains experts retenus.

Pour Steven Guilbeault, de Greenpeace, « les groupes environnementaux vont devoir discuter rapidement de la pertinence de participer à une commission parlementaire alors que les orientations déclarées du premier ministre tracent déjà la marche à suivre du gouvernement. Il appartient désormais à M. Charest de faire la preuve que sa commission parlementaire a encore assez de crédibilité pour que ça vaille la peine d'y aller. »

On ne sentait donc nulle part hier que le vent d'un nouveau « projet du siècle » soufflait sur le Québec, loin de là !

Au RNCREQ, on évoquait plutôt le risque d'un gouffre économique majeur pour le Québec et on était soufflé de voir un premier ministre évoquer pour la première fois dans l'histoire du Québec la possibilité de sacrifier une partie du patrimoine naturel dans un strict but d'exportation. Jusqu'ici, et même encore l'an dernier pour le Suroît, les besoins des Québécois ont toujours constitué la justification de base des grands projets.

Pour le porte-parole du RNCREQ, Jean Lacroix, les récentes audiences du Suroît ainsi que le résultat de l'appel d'offres pour la première tranche de 1000 MW en éolien ont indiqué que cette filière rivalisait en ce qui a trait au prix avec les projets hydroélectriques en préparation, comme Rapide-des-Cœurs ou le détournement de la Rupert, et que cette filière battait même plusieurs des plus importants projets hydroélectriques comme la Romaine ou Grande-Baleine, dont les coûts pourraient dépasser 10 cents du kWh.

Or, l'éolien pourrait être encore plus rentable, ajoute Jean Lacroix, si son prix n'avait pas été gonflé par des conditions particulières. Et si Hydro-Québec n'avait pas à payer aux promoteurs le profit qu'il faut empocher parce qu'elle lancerait ses propres projets et transférerait cette rente à la population du Québec.

« Dans les faits, ajoute le porte-parole du RNCREQ, il faut qu'on cesse d'avoir à se prononcer sur un projet à la fois, comme le Suroît. Il faut pouvoir évaluer l'ensemble des filières d'abord et des projets ensuite pour en déterminer la rentabilité sociale et environnementale, question de déterminer s'ils sont compatibles avec une vraie logique de développement durable. Et cela suppose qu'on se demande préalablement s'il y a des solutions plus intéressantes au plan social et environnemental. C'est ça qu'un véritable exercice parlementaire devrait permettre de dégager avec rigueur et non de faire dire n'importe quoi au concept de développement durable. »

Pour André Bélisle, président de l'Association québécoise de lutte contre la pollution atmosphérique (AQLPA) et porte-parole de la Coalition-vert-Kyoto qui a opposé des milliers de manifestants au Suroît en plein hiver, « le premier ministre Charest devrait savoir que s'il veut faire du développement durable sérieusement, il doit dans un premier temps stopper tout ce qu'on s'apprête à lancer comme projets d'énergie thermique au Québec, à commencer par la centrale de Bécancour autorisée par son gouvernement ainsi que le programme de cogénération qui va produire autant de gaz à effet de serre que les émissions du défunt Suroît.

« Deuxièmement, dit-il, s'il poursuit dans une logique de développement durable, le gouvernement doit d'abord mettre fin au gaspillage d'énergie en doublant, voire en triplant les objectifs de l'actuelle politique d'efficacité énergétique d'Hydro-Québec et d'amorcer au Québec une véritable politique de gestion de la demande en énergie et en électricité. Troisièmement, Québec doit maximiser la production d'énergies renouvelables nouvelles, soit l'éolien, le solaire et surtout la géothermie dont le potentiel est le plus systématiquement négligé, alors que c'est probablement de ce côté qu'on peut réaliser les gains les plus substantiels à court terme pour réduire les gaz à effet de serre et la nécessité de nouveaux projets hydroélectriques. Selon une grille de développement durable, l'hydroélectricité, en raison de ses séquelles sur les espèces vivantes, les écosystèmes et les émissions de gaz à effet de serre, vient en quatrième lieu, après les autres filières. Pas en première place, comme le propose le premier ministre en prétendant faire du développement durable tout en priorisant une filière qui a plus d'impact que toutes les autres, sauf le thermique. »

Selon Steven Guilbeault – désagréablement surpris des propos du premier ministre « alors qu'on l'imaginait sur la bonne voie avec l'abandon du Suroît et ses intentions en matière d'éolien » – il n'a jamais été démontré que les ventes d'électricité du Québec aux États-Unis y remplaçaient de l'électricité polluante, d'origine thermique. Il semble au contraire, dit-il, que tous les producteurs de thermique continuent de vendre à plein régime et que les ventes québécoises ne font qu'ajouter à la terrible consommation des Américains, les champions énergivores de la planète. À son avis, nos ventes déplaceraient plutôt de bons projets, comme de l'éolien, parce que c'est plus cher. « Comme le thermique est moins cher, c'est la filière qui reste en place malgré tout. »

Steven Guilbeault, qui a piloté le dossier du Suroît pour le Regroupement des organismes environnementaux en énergie, qualifie la sortie du premier ministre « de proposition à l'emporte-pièce, qui manque visiblement de réflexion et de sérieux ».

Il rejoint ainsi les propos de la députée Diane Lemieux du Parti québécois, qui évoquait, selon la Presse canadienne, la « soudaine conversion » du premier ministre à la grande hydroélectricité, une conversion qui « sent la diversion à plein nez » de la part d'un gouvernement impopulaire dans les sondages et embourbé dans des projets laborieux et controversés comme l'amaigrissement de l'État et les PPP.

Pour la députée Diane Lemieux, le premier ministre a voulu plutôt lancer un ballon politique. À preuve, dit-elle, il n'a pas osé nommer un seul nouveau projet hydroélectrique à part ceux déjà inscrits sur les listes d'Hydro-Québec : « Lorsqu'on lui a parlé de Grande-Baleine, il a aussitôt reculé. »

Quant à Mario Dumont, il déplorait un nouvel emprunt des libéraux au programme de son parti, lequel préconisait la relance des grands projets hydroélectriques au cours de la dernière élection.

moyenne). Les trois derniers (de six lignes en moyenne) sont accordés aux politiques : deux pour le PQ, un pour l'ADQ. L'ordre de priorité annoncé dans l'amorce est respecté. Un seul élément du *lead*, l'incise *qui ont fait échec au projet du Suroît*, ne se retrouve à peu près pas dans le corps du texte ; c'est une chose du passé qu'on ne s'attend pas à y revoir, mais qui valorise la nouvelle, en signalant d'entrée de jeu que les groupes environnementaux cités peuvent influer sur le cours des choses.

Tout ceci fait que le lecteur qui abandonne la lecture à la fin du *lead* perd des précisions (évidemment), mais pas le sens général, la portée de la nouvelle.

Chaque fois que plusieurs personnes ou groupes se prononcent ou agissent ainsi sur un même objet, le *lead* synthèse a de fortes chances de s'avérer le plus approprié : *Les syndicats partent en guerre contre les lois du gouvernement limitant le droit de se syndiquer, le patronat les appuie.* Ensuite, le plan est tout tracé : on exposera les positions des différentes centrales ou fédérations syndicales concernées (CSN, FTQ, CSQ, CSD, SFPQ, etc.) puis celles de divers groupes patronaux (Conseil du patronat, Chambre de commerce, Centre des dirigeants d'entreprises, etc.). Même s'il s'en tient au *lead*, le lecteur saura en gros ce qui se passe.

Article 6.10

Les anglophones boudent le français

HÉLÈNE BUZZETTI

♦ ♦ ♦

Le français perd du terrain partout au Canada. Les inscriptions aux cours de français langue seconde sont en diminution dans toutes les provinces, compliquant ainsi la tâche du gouvernement fédéral, qui souhaite doubler le nombre de diplômés bilingues au pays d'ici dix ans.

C'est ce que révèle le dernier rapport annuel du groupe Canadian Parents for French (CPF), qui sera dévoilé ce matin. « Les inscriptions en immersion française ont atteint un plafond, écrit le CPF dans la présentation de son rapport. Il est encore plus inquiétant de constater que de moins en moins d'élèves s'inscrivent à des cours de français de base, aux niveaux élémentaire et secondaire, partout au Canada. » Le CPF en conclut que « cela signifie que de moins en moins d'enfants ont la possibilité de devenir bilingues ».

Les chiffres parlent d'eux-mêmes. Pendant l'année scolaire 2001-02 (la dernière année étudiée par ce rapport), le nombre d'enfants qui ont suivi des cours de français au Canada a chuté de 2,8 %, soit une diminution de presque 48 000 élèves. C'est en Ontario et en Saskatchewan que les baisses sont les plus marquées, avec un recul du nombre d'inscriptions de 27 205 et 5878 élèves respectivement.

Ces diminutions sont compensées, quoique faiblement, par une légère augmentation du nombre d'inscriptions aux programmes d'immersion française. Dans ce cas, presque tout le programme scolaire est dispensé en français. L'augmentation est en moyenne de 1 % pour 2001-02 par rapport à l'année précédente. Mais ce chiffre ne représente que 3000 enfants pour l'ensemble du Canada. Il y a donc une perte nette de 45 000 personnes ins-

crites dans une formation donnée en français au pays.

Au Québec, la situation suit aussi la tendance canadienne. Les petits anglophones ont tendance à délaisser les cours de français (réduction de 1577 enfants en 2001-02) mais à s'inscrire de plus en plus aux programmes d'immersion (3331 élèves de plus, pour une augmentation de 8,2 %).

Le gouvernement fédéral a récemment adopté un ambitieux programme de revalorisation des langues officielles, piloté par le ministre Stéphane Dion. Au nombre des objectifs fixés figure celui de faire doubler le nombre de jeunes diplômés pouvant s'exprimer autant en français qu'en anglais d'ici 2013 : on espère qu'un jeune de 15 à 19 ans sur deux pourra parler les deux langues. À cette fin, on fera d'ailleurs passer le budget de 42 à 70 millions par année.

Le groupe Canadian Parents for French n'est pas plus optimiste

pour autant. Il fait remarquer que le nombre d'inscriptions non seulement diminue mais ne peut pas être attribué à une baisse généralisée de la cohorte étudiante. À preuve, les « taux de pénétration » des programmes de français diminuent, ce qui signifie que la proportion de jeunes qui y sont admissibles et qui s'y inscrivent bel et bien diminue sans cesse. Ce taux est de 73 % au Nouveau-Brunswick, le champion dans le domaine, suivi de près par le Québec (64 %), mais il passe sous la barre symbolique des 50 % en Ontario et descend même à 39 % au Manitoba. Une baisse a été enregistrée dans toutes les provinces en 2001-02, sauf au Manitoba et à Terre-Neuve, où les augmentations ont été négligeables (0,1 %).

C'est encore un *lead* synthèse qui ouvre la nouvelle *Les anglophones boudent le français*, (voir Article 6.10). Tirée d'un rapport sur l'apprentissage du français au Canada, la nouvelle comporte une flopée de données chiffrées sur la situation dans les provinces, dans l'ensemble du pays, relativement aux cours de français, à l'immersion en français, aux objectifs du gouvernement fédéral en la matière, etc. Un *lead* sélectif serait contre-indiqué ici, car c'est le tableau d'ensemble de la situation qui importe, les données isolées les unes des autres n'ayant guère d'intérêt. La journaliste opte donc pour un *lead* synthétique, dégageant le sens des données pour le lecteur : le français recule, malgré les objectifs fédéraux en la matière. Elle consacre une phrase à chacune des informations pour mieux la mettre en valeur. Elle attaque avec la plus importante (aujourd'hui) de ces informations, dans un *catch-phrase* que sa concision rend percutant : *Le français perd du terrain partout au Canada.*

La nouvelle ci-dessous sur *La carte nationale canadienne* présente un *lead* synthèse mais un titre sélectif, sur les coûts liés au projet. Le *lead*, en effet, résume l'argumentation du commissaire à la vie privée sur la carte d'identité, objet de l'ensemble de la nouvelle (sauf le rappel du dernier paragraphe). Devant ce *lead* assez chargé, le titreur n'a pas su dresser sa propre synthèse – ou peut-être a-t-il préféré souligner l'enjeu pour les contribuables (les milliards de dollars), option qui aurait pu donner aussi un *lead* acceptable.

Article 6.11

La carte nationale canadienne coûterait 5 milliards $ à mettre sur pied

OTTAWA (PC) – Le gouvernement fédéral devrait rejeter l'idée d'une carte d'identité nationale car elle serait inexploitable, injustifiée et coûterait jusqu'à 5 milliards $ à établir, a déclaré hier le commissaire à la protection de la vie privée.

Robert Marleau a précisé devant le Comité permanent de la citoyenneté et de l'immigration que la question entourant la nécessité d'une carte d'identité nationale « est présentement l'une des plus importantes pour les Canadiens ». [...]

Le Soleil, 19 septembre 2003

Le *lead* sélectif

Sous le titre *Les Canadiens jugent les médias trop sensationnalistes*, une nouvelle de la PC (*Le Soleil*, 6 mai 2002) propose un *lead* sélectif (option reprise par le titreur du *Soleil*) :

> *Les Canadiens, et encore davantage les Québécois, trouvent que les médias font preuve de trop de sensationnalisme dans le traitement des nouvelles. C'est ce qui ressort d'un sondage Léger Marketing, dont les résultats ont été communiqués à la Presse canadienne.*

En fait, l'article, après avoir consacré les trois premiers alinéas aux opinions sur le sensationnalisme, passe ensuite, sur six alinéas, aux réponses à d'autres questions : les journalistes ont-ils de la marge de manœuvre par rapport aux propriétaires des médias pour donner une information objective ? quels sont les médias les plus crédibles, télévision, radio, journaux ? pour se terminer avec les données habituelles sur la fiabilité du sondage.

Contrairement aux données de la nouvelle *Les anglophones boudent le français* (Article 6.10, p. 166), qui favorisaient une approche synthétique, chacun des sujets abordés dans le sondage a son propre intérêt, même isolé des autres. En outre, ramasser en deux ou trois phrases ces diverses opinions relatives à la presse donnerait du fil à retordre. Bref, le journaliste choisit l'objet qui lui paraît le plus significatif ou le plus intéressant et ouvre sa nouvelle avec un *lead* sélectif, après quoi il traite les thèmes abordés un à un, en eux-mêmes et pour eux-mêmes.

Parfois, on opte pour un *lead* sélectif parce qu'il s'avère carrément impossible de faire une synthèse de l'article en quelques lignes. Ainsi, dans une nouvelle sur une flopée de nominations à divers postes, le *lead* synthétique serait du dernier plat, parce qu'il ne permettrait pas d'entrer dans le concret, de nommer des gens : *Le premier ministre annonce 22 nominations à divers conseils, commissions et sociétés.* Bof... Mieux vaut attaquer avec une (ou deux) des nominations, et la situer immédiatement après dans l'ensemble :

> *Le choix d'Isabelle Labelle à la tête du service de production figure parmi les quinze nominations annoncées hier à Montréal par le président de la multinationale Toutacier.*
>
> ou
>
> *Jean Lebeau a nommé Isabelle Labelle directrice de la production de Toutacier. Cette nomination figure parmi les quinze nominations annoncées hier par le président de l'entreprise montréalaise,*

puis énumérer les 14 autres selon un ordre (approximatif) décroissant d'importance.

Le plus souvent, toutefois, avec une nouvelle multiple, le choix entre *lead* synthèse et *lead* sélectif relève de l'appréciation, sinon des goûts personnels, du journaliste. L'une et l'autre option présenteront des avantages et des inconvénients.

Ainsi le *lead* d'une nouvelle sur un ouragan cherchera parfois à donner les informations cruciales sur son impact, ou parfois concentrera le tir sur les seules pertes de vie. Dans le premier cas, on aura, par exemple, *L'ouragan Alex a frappé hier les Maritimes avec des vents violents et des pluies diluviennes, faisant trois victimes et privant la région d'électricité.* Dans le second, *L'ouragan Alex a déjà fait trois morts dans les Maritimes. À Halifax...*

Si l'on opte pour le *lead* synthétique, il faudra éviter de tomber dans la généralisation abusive et surtout dans l'abstrait (*diverses oppositions...*). Avec un *lead* sélectif, on s'assurera que les éléments privilégiés sont significatifs et on verra assez tôt dans le texte, si possible dès la fin du *lead*, à situer ces éléments dans l'ensemble de la nouvelle.

LA RÉDACTION DU *LEAD*

On doit rédiger le *lead* en respectant plus que jamais toutes les règles d'une bonne écriture de presse. Le *lead* doit être encore plus concis que le reste, encore plus précis, encore plus concret, encore mieux écrit. Le journaliste s'y fait encore plus invisible, il y respecte encore mieux le principe de l'ordre décroissant d'importance des informations, etc.

Cela dit, insistons quand même sur quelques aspects particuliers...

Priorité à l'essentiel

Tout l'art du *lead* consiste à mettre en valeur le nouveau, l'important, l'intéressant... Pour leur donner du relief, on les présentera en premier. Plus généralement, on placera :

- l'essentiel de la nouvelle dans le *lead* ;
- l'essentiel du *lead* dans la première phrase ;
- l'essentiel de la première phrase au début de celle-ci.

Le lecteur retient mieux, en effet, le début d'une phrase ou d'un paragraphe que sa fin ou son milieu, s'il est en situation naturelle, c'est-à-dire devant un texte significatif et non une suite aléatoire de mots (Richaudeau, 1969). L'ordre décroissant d'importance des informations, qui facilite le travail du *pupitre*, sert donc aussi à assurer une meilleure rétention de la nouvelle. Mettre une information en premier, c'est la mettre en valeur.

Des souris donnent du lait de brebis ! Dites d'abord cela. Si vous commencez plutôt par expliquer qu'un laboratoire britannique au nom interminable effectue des manipulations génétiques sur des animaux pour améliorer des produits agricoles, et patati, et patata, vous perdez une belle occasion d'attirer le lecteur. Vous escamotez dans un fatras sans intérêt une chose étonnante et intéressante. *SNC-Lavalin va construire une centrale à la litière de volaille.* Pas croyable ! Attaquez avec cela et non, comme l'a fait la PC, avec le contrat intervenu entre SNC-Lavalin Power et une entreprise du Minnesota, dont vous traiterez plus tard dans le texte. (Sources : *Le Monde,* 15 août 1987, *Le Devoir,* 15 décembre 2004)

En général, la question «Qui fait quoi ?» ou, à défaut, «Qui dit quoi ?» permet de trouver l'essentiel d'une nouvelle. Parfois, le *qui* a priorité : *La reine d'Angleterre visite le Canada, Le pape dénonce l'égoïsme des pays riches face aux pays endettés du Tiers-Monde.* Dans d'autres cas, le *quoi* l'emporte. Ainsi, à son dévoilement, les médias ont accordé priorité au contenu du rapport de la Commission Coulombe et non à ses auteurs ni aux acteurs du secteur. *Le Soleil,* par exemple (15 décembre 2004), sous le titre en manchette *SOS forêts,* y va d'un *lead* nettement axé sur le *quoi* :

C'est un impitoyable constat de surexploitation de la matière ligneuse et de l'écrémage des tiges de qualité en forêts feuillues que les membres de la Commission Coulombe ont dressé après un an d'étude de la gestion de la forêt publique québécoise.

Le contenu à retenir pour l'amorce tient compte aussi du public cible, lequel dépend non seulement du média mais aussi de la rubrique : le sport, l'international, l'économie, etc. Le même accident donne lieu à un *lead* classique axé sur la perte de vies humaines dans une page « Actualités » du *Soleil* (22 novembre 2004) :

> *Les 53 occupants d'un avion de ligne chinois n'ont pas survécu hier à la chute de l'appareil, un Bombardier CRJ200, sur un lac gelé en Mongolie intérieure, accident qui a aussi fait un mort au sol, ont annoncé les autorités chinoises.*

et à un *lead* bien différent, le lendemain, il est vrai, dans le cahier « Économie » :

> *Le cours de l'action de Bombardier a reculé de plus de 7 % hier, au lendemain de l'écrasement de l'un de ses appareils CRJ200 en Chine.*

Encore plus que vous, le titreur ira à l'essentiel. N'oubliez pas pour autant le principe de l'indépendance *lead*-titre. Suggérez un titre, mais n'allez pas tenir pour acquis que le *pupitre* le retiendra. Il faut donc mettre le nouveau et l'important dans votre *lead*, sans vous préoccuper de savoir si le titreur reprendra ou non les informations choisies pour l'attaque. La redondance qui en résulterait, le cas échéant, ne fait que renforcer l'information « priorisée » par le *lead* et personne n'y trouvera à redire dans le contexte de l'écriture de presse.

Pour l'essentiel, le haut de gamme

Accordant toujours à l'essentiel tout le respect qui lui est dû, on lui consacre des propositions indépendantes ou principales, réservant les relatives, circonstancielles et autres subordonnées aux éléments plus secondaires.

Par conséquent, tout comme on évite d'attaquer avec des détails, on n'ira pas parquer les informations les plus percutantes dans de minables subordonnées. À proscrire et à combattre, entre autres attaques trop souvent vues :

> *C'est samedi soir à Saint-Dilon que... C'est jeudi prochain au Grand Théâtre que... C'est aujourd'hui en fin de journée qu'on saura si... C'est un membre de ceci qui... et tous les C'est... que... Lors d'une conférence de presse tenue à l'hôtel Hilton de Québec hier... Le premier ministre a affirmé hier en conférence de presse au Parlement de Québec que...*

Dévoilons d'abord en quelques mots, et en propositions indépendantes ou principales, ce que nous avons appris. Comment l'avons-nous su, à quel moment ? Ces précisions peuvent se reporter à la fin du *lead*, voire au paragraphe suivant. À moins, bien sûr, que le comment ou le quand n'aient eux-mêmes une bonne *valeur journalistique*. Après des années d'incognito et de silence, l'écrivain Réjean Ducharme convoque la presse : une telle rupture serait à signaler dès le *lead*. De même si quelqu'un tenait sa conférence de presse sur un iceberg à la dérive dans la mer de Beaufort...

Il reste que, sauf exception, la tenue d'une conférence de presse n'est pas une nouvelle en soi et que son lieu précis n'intéresse pas grand monde. En principe, donc, une nouvelle ne s'amorce pas avec la conférence de presse ou le communiqué ou, plus généralement, avec la façon dont on a acquis l'information.

Le premier ministre du Québec, M. Jean Charest, a annoncé hier que Québec se dotera de... Inversons : *Québec se dotera de... Le premier ministre l'a annoncé hier....* Disons d'abord ce que fera l'acteur de la nouvelle, ensuite seulement qu'il l'a annoncé. L'action ou la décision ont (presque toujours) plus d'intérêt que le fait de l'annoncer. D'ailleurs, renonçons une fois pour toutes à commencer une nouvelle ainsi : *M. Machin, telle fonction, a annoncé que...* ou *déclaré que...*, etc. Ce genre d'introduction sent le communiqué à plein nez. De plus, à cause de la prédominance du discours et des événements « préfabriqués » dans nos médias, une proportion énorme des nouvelles pourraient commencer (et hélas ! commencent) de cette façon. Cela devient lassant.

On écrira *Les jeunes libéraux du Québec ont voté ceci, parce qu'ils estiment que cela*, dans cet ordre : l'action l'emporte en général sur ce que son auteur en dit. Mais pas toujours ! Il arrive que les motifs offrent autant d'intérêt que l'action elle-même.

Vous voilà alors aux prises avec deux informations également importantes. Comment les mettre toutes deux en valeur ? C'est là l'occasion rêvée de pousser au maximum la concision et de contourner la règle de priorité aux propositions indépendantes ou principales, tout en variant un peu le style. Attaquez avec une (courte) proposition participiale, ou conjonctive, ou quelque proche parente.

Pour avoir exigé d'être servie en français, Mme X a été expulsée aujourd'hui de...

Dans l'espoir de sauver les bélugas du Saint-Laurent, Greenpeace lance une campagne...

Ayant perdu son référendum, Sillery renonce à...

Son élection enfin confirmée, le député de Chauveau s'en prend à...

Tout en soulignant le lien entre les deux informations, on sert l'une en lui donnant la première place, l'autre en lui accordant la proposition principale. Ainsi avions-nous procédé pour insister sur l'inédit de certains événements : *Pour la première fois en 40 ans... Créant un précédent dans les annales judiciaires canadiennes, la Cour...*

Le procédé n'est valable que si les deux informations offrent autant d'intérêt l'une que l'autre, et à condition de ne pas en abuser. N'oublions pas qu'il faut varier le style !

Du *punch*, et droit au cœur !

Le *lead* ci-dessous va droit au fait et s'en tient aux faits. Chaque mot est utile, et cette concision même produit un style alerte :

ROME (AFP) – Pour un sketch à la télévision italienne, une crise a éclaté brusquement entre Rome et Téhéran : l'Iran a rappelé hier son ambassadeur à Rome et expulsé trois diplomates italiens en poste à Téhéran. (*Le Devoir*, 28 novembre 1986)

En deux sous-phrases de moins de 20 mots, les acteurs sont campés, le nouveau est livré précisément et concrètement : un rappel et trois expulsions hier. De plus, en attaquant avec *le pourquoi*, le *lead* met en évidence le caractère inusité du motif de la crise. Quel lecteur résistera à l'envie d'aller voir comment un sketch télévisé peut provoquer une crise diplomatique ? Pas de propositions subordonnées, pas un adjectif. Un seul adverbe, *brusquement*, qui annonce une information à venir : la surprise des hommes politiques italiens devant l'ampleur qu'une affaire de sketch a pu prendre en quelques heures. De la belle ouvrage, en somme !

Les lecteurs ne sont pas toujours aussi choyés, comme avec cette nouvelle sur la rémunération des salariés de l'État québécois (*Le Soleil*, 1er décembre 2004), qui s'amorçait ainsi :

> *Le père Noël est passé avant le temps, hier, pour les syndicats du secteur public à la suite du dépôt du rapport de l'Institut de la statistique du Québec qui confirme, une nouvelle fois, le retard des employés du gouvernement par rapport à l'ensemble des autres salariés québécois et ce, tant au chapitre des salaires que de celui de la rémunération globale.*

Côté sélection, rien à dire, si on exclut le père Noël. Celui-ci retarde l'annonce de la nouvelle, en plus d'embrouiller les choses : pourquoi diable, se demande le lecteur, le fait d'apprendre qu'ils sont moins bien rémunérés devrait-il réjouir les employés du secteur public ? (Quelque vingt lignes plus bas, il apprendra, mais un peu tard, que les données de l'ISQ viennent renforcer la position des syndicats dans leurs négociations avec le Conseil du Trésor.)

Côté rédaction, les temps sont difficiles. Ce père Noël qui passe à la fois *avant le temps* et *à la suite du dépôt* d'un rapport sème le doute. Les mots *tant au chapitre des salaires que de celui* font trébucher : *que de celui* ? *qu'à celui* ? Surtout, cette phrase fourre-tout trop longue (62 mots) essouffle le lecteur.

Faire agir l'ISQ et respecter la règle « une information, une phrase » suffiraient à rendre le *lead* plus lisible. Par exemple :

> *L'Institut de la statistique du Québec établit, une nouvelle fois, que les employés du gouvernement sont moins bien payés que l'ensemble des autres salariés québécois. Un rapport de l'ISQ déposé hier confirme que les salaires ainsi que la rémunération globale dans le secteur public sont inférieurs à ceux du secteur privé.*

Pour garder l'idée d'une publication qui tombe pile, on pourrait ajouter une troisième phrase, du genre *Les données de l'ISQ amènent de l'eau au moulin des syndicats du secteur public, qui négocient actuellement les clauses salariales.*

Même le *lead* d'un fait divers, normalement facile à trousser, peut souffrir de l'incapacité de l'auteur à aller droit au fait, comme dans cette nouvelle de la PC (*Le Soleil*, 1er décembre 2004) :

> *Dans Lanaudière, enquêteurs de police et pompiers arpentaient les débris d'une résidence unifamiliale de Saint-Jean-de-Matha, où une mère et trois de ses fils ont péri, la nuit dernière, dans un tragique incendie ayant débuté avant 2 h.*

Une femme et trois de ses enfants meurent dans un incendie, le quatrième est gravement brûlé, et l'auteur commence par annoncer qu'enquêteurs et policiers arpentaient les débris d'une résidence familiale – sans dire d'ailleurs ni quand ni pourquoi. Cette déambulation policière n'est quand même pas la nouvelle. L'important d'abord ! Dans le *lead*, l'important seulement !

Ici, il suffirait, pour retaper le *lead*, d'attaquer avec la nouvelle – qui est mort hier, quand, où, comment – et d'expulser l'arpentage des débris dans le corps du texte. Ou plutôt aux oubliettes, puisque le reste de l'article n'y revenait pas. Apparemment, cette information vide de sens ne figurait là qu'en guise d'introduction (pour retarder le moment d'annoncer un événement aussi triste ?). Pas d'introduction, au fait ! au fait !

Malgré la première impression de grave déficience qu'ils donnent, ces deux *leads* se laissent facilement corriger. Dans les cas plus lourds, une seule solution : tout effacer et recommencer, en fonction du plan, et après s'être répété 10 fois : « Il faut écrire pour son lecteur. »

Du conflit, du drame...

Le chantier de l'usine Gaspésia donne de plus en plus l'impression d'avoir été <u>un véritable nid à chicanes.</u> (*Le Soleil*, 15 décembre 2004, Article 6.12, p. 174)

<u>Yves Michaud repart en croisade.</u> Il vient d'envoyer aux six grandes banques deux propositions suggérant un plafond salarial pour les hauts dirigeants et la fermeture des filiales bancaires dans les paradis fiscaux. (*Le Soleil*, 17 novembre 2004, Article 6.13, p. 175)

Le rapport de la Commission Coulombe <u>risque fort d'attiser la polémique</u> avec l'industrie forestière en recommandant de réduire de 20 % la « possibilité ligneuse » pour le sapin, l'épinette, le pin gris et le mélèze […]. (*Le Soleil*, 15 décembre 2004)

L'idée d'envisager l'union civile plutôt que le mariage pour les couples de même sexe n'est pas conforme à la Charte des droits et libertés, croit le ministre de la Justice, Martin Cauchon, <u>qui vient ainsi de rabrouer Paul Martin.</u> (*Le Devoir*, 19 septembre 2003)

<u>Moins de 24 heures après</u> que le premier ministre Jean Charest eut abandonné l'espoir de sauver le Grand Prix de Montréal [...], les politiciens responsables du dossier, tant à Québec qu'à Ottawa, <u>l'ont contredit hier</u> [...]. (*Le Devoir*, 19 septembre 2003)[4]

Le *pupitre* a joué dans ses titres sur les conflits exposés dans les *leads* par les journalistes :

- *Gaspésia : un véritable nid à chicanes*
- *Le Robin des banques reprend du service*

---

4. Dans ces exemples, les soulignés sont de moi.

- *Le rapport Coulombe risque fort d'attiser la polémique*
- *Martin Cauchon rabroue Paul Martin*
- *Si Québec a perdu la foi, Montréal et Ottawa l'ont toujours*

Et cela, même si la dimension conflictuelle ainsi soulignée était relativement marginale (dans les deux dernières nouvelles surtout). Le titreur met aussi souvent en évidence un conflit, actuel ou potentiel, qui demeure implicite dans le *lead*. Par exemple un article s'amorçant ainsi :

> *La prochaine année sera tout sauf reposante pour les locataires de logements. L'association des propriétaires du Québec (APQ) vient de recommander à ses membres une hausse de 5 % des prix des loyers.* (*Le Soleil,* 16 décembre 2004)

a reçu comme titre *Prix des loyers : <u>bras de fer en vue</u> entre les proprios et la Régie*. C'est que, on l'a vu (chapitre III, « Choisir »), le conflit est une composante majeure de l'intérêt.

Notons que, dans le cas du nid à chicanes de Gaspésia (ci-dessous), le *catch-phrase* est renforcé par le deuxième paragraphe[5] qui, avant de révéler qu'il y a une nouvelle chicane, énumère celles qui l'ont précédé : *Après les problèmes de relations de travail, de productivité, de discrimination syndicale, de relations avec les entrepreneurs* […] *une autre source de conflit* [...] *a affecté le projet* […] Une mauvaise nouvelle qui s'inscrit dans une série, souligne ainsi le journaliste, en devient encore plus mauvaise, plus forte[6]. Les intertitres – *Pressions, Le torchon brûlait* – renforcent encore la trame conflictuelle.

Article 6.12

Gaspésia : un véritable nid à chicanes

Pierre Pelchat
♦ ♦ ♦

■ **Le chantier de l'usine Gaspésia donne de plus en plus l'impression d'avoir été un véritable nid à chicanes.**

Après les problèmes de relations de travail, de productivité, de discrimination syndicale, de relations avec les entrepreneurs, de gestion déficiente des coûts, les audiences de la Commission d'enquête Lesage sur les dépassements de coûts ont mis en lumière, hier, une autre source de conflit qui a affecté le projet de 500 millions $.

À trois mois du début des travaux en mai 2002, les gestionnaires du projet, avec en tête la papetière Tembec, ont mis à la porte la firme d'ingénierie BPR de Québec qui avait été associée au projet depuis ses débuts.

« On n'en croyait pas nos yeux », a affirmé, hier, le vice-président de BPR, Jacques Bédard, qui témoignait, hier, devant la Commission.

La sortie a été signifiée à BPR après la présentation par la firme d'ingénieurs d'une nouvelle évaluation des coûts de construction du projet qui passaient de 350 à 410 millions $ en mars 2002. Ce dépassement de coûts important faisait suite à l'obtention de soumissions précises de fournisseurs pour l'achat d'équipements et de fournitures. […]

Le Soleil, 15 décembre 2004

---

5. Qu'on pourrait d'ailleurs considérer comme faisant partie du *lead* s'il exposait plus précisément le nouveau conflit, *la mise à la porte de la firme d'ingénierie BPR*, annoncée seulement à l'alinéa suivant.

6. Voir la section « Encore le nouveau ! » de ce chapitre, qui expliquait déjà que, parfois, la répétition d'un événement est significative en soi et qu'il faut alors en traiter dès le début de la nouvelle.

Chamaille, chamaille ! Même le citoyen effrayé par le caractère hautement complexe et technique du dossier Gaspésia pourrait bien se laisser attraper par le début et la titraille de cet article.

Dans la nouvelle sur le Robin des banques (ci-dessous), c'est encore le conflit que le journaliste met en évidence par son *catch-phrase* : *Yves Michaud repart en croisade.* Le reste du *lead*, classique puisqu'il annonce les deux parties du corps de l'article (plafond salarial, fin des paradis fiscaux), adopte un style plus neutre, mais encore vif : simple, concis, clair. Pour garder au *lead* son impact, l'auteur expédie à l'avant-dernier paragraphe l'énumération des six banques (il aurait dû, sans doute, mentionner au moins dans l'amorce qu'il s'agit des six grandes banques *canadiennes*). Au deuxième paragraphe, il enchaîne avec une phrase forte, qui rappelle le titre de Robin des banques de M. Michaud et joue, par des citations, sur son style vigoureux : les propositions *s'attaquent au cancer, à la racine du mal,* hauts salaires et paradis fiscaux *corrompent, vicient* le capitalisme. Les banques ont le cancer, le capitalisme se fait corrompre, et le lecteur devrait poursuivre sa lecture !

Article 6.13

Le Robin des banques reprend du service

ANNE-LOUISE CHAMPAGNE

◆ ◆ ◆

■ **Yves Michaud repart en croisade. Il vient d'envoyer aux six grandes banques deux propositions suggérant un plafond salarial pour les hauts dirigeants et la fermeture des filiales bancaires dans les paradis fiscaux.**

Ces deux propositions « s'attaquent au cancer, à la racine du mal », soutient le Robin des banques. « Ce sont ces deux choses qui corrompent, qui vicient » le capitalisme. Le reste, telle l'indépendance des vérificateurs, n'est qu'accessoire, précise-t-il.

Il demande donc, d'une part, que « le conseil d'administration fixe un plafond salarial pour les hauts dirigeants de la banque et de ses filiales, incluant toute forme de rémunération et avantages ».

Les rémunérations extravagantes, écrit-il, induisent les dirigeants en tentation permanente de faire passer leur intérêt personnel avant ceux des actionnaires. Il qualifie de fumisterie les rapports des « soi-disant experts en rémunération, soustraits à la connaissance des actionnaires. Leurs intérêts sont d'aller dans le sens de la direction, comme ceux des membres du conseil de rémunération ».

M. Michaud ne s'avance pas à suggérer lui-même la hauteur de ce plafond. « C'est au conseil d'administration à (le) fixer », dit-il, en prenant soin de rappeler que le rôle primordial des c.a. est de défendre les actionnaires.

L'autre proposition veut « que la banque procède à la fermeture de sa ou ses filiales dans les paradis fiscaux ». Non seulement l'évasion fiscale favorise l'escroquerie et les activités illicites, elle prive aussi le Canada et les États fédérés de revenus qui iraient autrement à la santé, à l'éducation, à la recherche et au développement économique.

Les deux textes ont été envoyés à la Banque Royale, la Banque de Montréal, la Scotia, la Banque TD, la CIBC et la Banque Nationale.

M. Michaud n'écarte pas la possibilité de se présenter aux assemblées d'actionnaires de ces institutions, si sa santé le lui permet.

Le Soleil, 17 novembre 2004

Les propos de M. Michaud, la chamaille à Gaspésia se prêtaient à une certaine dramatisation. Toutes les nouvelles n'ont pas ces ingrédients conflictuels ou dramatiques : gardons-nous d'en inventer, et gardons-nous d'abuser du trémolo.

Toutefois, n'hésitons pas à faire valoir le drame lorsqu'il existe, surtout que c'est souvent lui qui fait aussi l'inattendu. Ainsi, dans une nouvelle déjà citée, *La Presse* garde un ton neutre, respecte la règle de l'attribution et donne la parole à toutes les parties. Elle met toutefois en évidence le drame, et le conflit entre groupes linguistiques (le congédié est un immigrant francophone), en amorçant la nouvelle avec le motif dérisoire du congédiement :

> *Un ouvrier d'une usine de Pointe-Claire a été congédié après avoir écrit «En français SVP» sur une note de service rédigée en anglais [...] et en titrant Congédié pour avoir exigé une note de service en français.*

Jouons donc sur l'émotion et le drame, s'il y a lieu. Évitons toutefois de tomber dans la commisération ou le prêchi-prêcha explicites. Dans le cadre de l'information rapportée, il faut informer, pas faire de la morale, de la psychologie de salon ou du militantisme. Épargnons au lecteur les lieux communs et les conseils moralisateurs, trouvons plutôt le moyen d'attaquer avec quelque notation intéressante, captivante si possible, voire amusante, si le sujet s'y prête.

Une lecture facile

Ne revenons pas sur la question de la clarté, de l'intelligibilité. Mais redisons l'importance d'un texte coulant, sans aspérités, qui permet de lire vite et bien. Surtout dans le *lead*, le lecteur doit saisir immédiatement le sens de chaque phrase, la portée de chaque information, ce qui est affaire à la fois de sélection et de rédaction. Par conséquent :

> NON PAS : *Le système judiciaire québécois dispose d'un nombre insuffisant de magistrats, de sorte qu'on y trouve actuellement 60 000 dossiers de contravention au Code de la sécurité routière avec plaidoyer de culpabilité en attente de comparution et 42 000 dossiers sans plaidoyer en attente de la décision d'un magistrat.*

> MAIS : *Faute de juges, plus de 100 000 causes reliées à des infractions au Code de la sécurité routière s'empilent dans les palais de justice du Québec, en attente de décisions.*
> (*Le Soleil*, 24 novembre 2004)

Dans la première version, pas de quoi crier au meurtre. Il reste que la phrase est surchargée, le style lourd et abstrait, et qu'on s'y perd un peu. Pour la durée du *lead*, le journaliste du *Soleil* regroupe les deux types de dossiers, arrondit les chiffres (*plus de 100 000 causes*), dégageant mieux le sens de la nouvelle. Il adopte un langage simple, concis et concret : *Faute de juges, des causes s'empilent dans les palais de justice du Québec.* Le temps d'un *lead*, je préférerais le *Code de la route* au *Code de sécurité routière*, mais n'ergotons pas.

Désigner les acteurs collectifs de façon concise fait beaucoup pour alléger le *lead* et, surtout, le *catch-phrase. Paris et Rome* plutôt que *le premier ministre et le ministre des Affaires étrangères de France et leurs homologues italiens...*, par exemple.

Conservateurs et néo-démocrates ont accusé hier le gouvernement Martin... : cela se lit mieux que *les députés du Parti conservateur du Canada (PCC) et du Nouveau parti démocratique (NPD) à la Chambre des communes ont été nombreux hier à accuser...* Il faudra, bien sûr, réintroduire assez tôt les informations omises dans la première phrase, dont le fait que cela se passait à Ottawa. Notons que, en précisant qu'il s'agit du *gouvernement Martin*, on fait en sorte que la première phrase soit autosuffisante pour la plupart des lecteurs. Si on ne pouvait s'en assurer, il faudrait renoncer au raccourci.

Des *leads* fantaisie

Même s'il peut y avoir des milliards de *leads*, bon nombre d'entre eux se rangent dans des catégories reconnaissables, à commencer bien sûr par celle du *lead* classique, sur lequel portent les pages précédentes. Quant aux *leads* « déviants », je n'en présenterai brièvement que quelques-uns. Sauf les deux premiers, dont il ne faut pas non plus abuser, ils se prêtent rarement à l'information rapportée. (Dans les exemples qui suivent, je m'en tiens, en général, au début du *lead*, pour alléger le texte.)

Le lead *citation*

> *« Le gouvernement n'a pas à intervenir dans la question de l'avortement, ce n'est pas lui qui élève les enfants. » Dans son intervention devant [...] hier à Québec, le président de l'Ordre des médecins du Québec, le Dr...*

> *« Si j'accède aux demandes syndicales, je vais droit à la faillite », a affirmé hier le président de la société Généreux, dont les employés se sont mis en grève mardi.*

> *« Le crime paie toujours. » Ainsi M. Arsène Malenfant, détenu au pénitencier de Laval, explique-t-il le succès remporté par son livre,* Autobiographie d'un mafioso.

Le *lead* citation peut se combiner avec tous les autres types de *leads*. Il constitue une attaque acceptable pour à peu près tous les genres rédactionnels, y compris la nouvelle, surtout si la source offre quelque valeur journalistique. D'innombrables nouvelles partent de citations. Qu'on les fasse tantôt sur le mode indirect, tantôt sur le mode direct introduit au moins un peu de variété dans un univers journalistique envahi par les déclarations. Mais il est hors de question de commencer toutes ses nouvelles par une citation !

Il faut également s'assurer, lorsqu'on choisit ce type d'amorce, que la citation d'ouverture est pertinente, concrète, intéressante et claire pour le lecteur. À éviter, par exemple, ce *lead* :

> *« C'est la dernière fois que les députés de la région de Québec se trouvent dans la situation de réagir », a déclaré, hier, le ministre [...] en commentant le dossier [...] du déménagement des fonctionnaires de Québec à Montréal [...].* (*Le Soleil*, 1er septembre 1988)

Cela veut dire quoi, « se retrouver dans la situation de réagir » ? Que le ministre se soit bel et bien exprimé dans ces termes ne justifie nullement qu'on pose une devinette aux lecteurs, et surtout pas dans l'attaque.

Le lead *citation vaut si la citation est opportune et accrocheuse et la source, mise en valeur, comme dans la nouvelle sur la* Cour d'appel. *Trois dignes juges donnent dans le sarcasme, fait plutôt rare, et l'extrait choisi résume bien leur position, deux choses que l'auteur souligne dès le deuxième alinéa. Dans la nouvelle* Garneau, *la citation capte l'attention : style énergique, contraste avec les habituels appels à l'aide gouvernementale. Mais tous les lecteurs ne connaissant pas M. Garneau, il aurait mieux valu faire état avant le cinquième alinéa de sa position dans l'industrie du textile.*

Article 6.14

COUR D'APPEL
Arthur et Fillion mordent la poussière

RICHARD HÉNAULT
♦ ♦ ♦

« La peinture impressionniste qu'ont tenté de brosser les intimés ne résiste pas à une analyse sérieuse. »

En cette seule phrase particulièrement lapidaire, voire sarcastique, trois juges de la Cour d'appel, dont le juge en chef Michel Robert, livrent toute leur appréciation des arguments d'André Arthur, de Jeff Fillion et de leur avocat, Me Guy Bertrand. Aussi le tribunal donne-t-il d'emblée raison à Robert Gillet et déclare-t-il irrecevable la requête d'Arthur, Fillion et compagnie alléguant que la Cour supérieure ne pouvait pas entendre leur cause. […]

Le Soleil, 16 décembre 2004

Article 6.15

LE TEXTILE EN CRISE
Garneau : « À nous de nous adapter »

CLAUDE VAILLANCOURT
♦ ♦ ♦

« Les gouvernements ont pris la décision d'ouvrir les marchés. C'est à nous d'en subir les conséquences et de nous adapter. »

Louis Garneau n'a pas déchiré ses vêtements quand il a appris la fermeture prochaine de six usines de textiles à Huntingdon. « Ça me fait de la peine puisque je me suis déjà approvisionné à cet endroit », lance d'abord l'homme d'affaires, qui sait bien que les célébrations de Noël seront entachées par cette annonce.

Mais, croit-il, la survie de l'industrie passe par de la recherche et du développement dans des produits spécialisés plutôt que dans des produits génériques.

« On voyait venir cela depuis des années et ce n'est pas pour rien que nous avons fait enregistrer quelque 75 brevets au nom de la compagnie. »

Leader d'une entreprise qui compte plus de 500 employés, Louis Garneau exporte aujourd'hui dans 33 pays et entend poursuivre sur cette lancée. […]

Le Soleil, 15 décembre 2004

Le lead *anecdotique*

Hier Jean Santerre, de Pauvrelieu, a avalé un litre de lait. Et rien d'autre. « Ça va être comme ça jusqu'au prochain chèque du Bien-être », explique-t-il.

Mélanie Dubé, sept ans, a fait aujourd'hui ses premiers pas. Victime de la maladie de…

Deux conducteurs impliqués dans une collision sont passés hier des propos aigres-doux aux embrassades, après avoir échangé leurs pièces d'identité pour un constat à l'amiable. Les deux hommes, qui ne se connaissaient pas, venaient de se découvrir cousins germains !

L'anecdote éveille toujours la curiosité. Aussi la rencontre-t-on souvent au début de divers textes de presse, reportages, analyses, dossiers, et jusque dans la nouvelle. Il n'y a rien à redire si l'anecdote a un rapport évident avec le sujet de l'article et se limite à quelques lignes.

Le lead *énumération*

Vérifications et contrôles inadéquats, commissions versées en trop aux pharmaciens, laxisme. Le vérificateur général a révélé hier d'importantes lacunes au régime d'assurance-médicament […] (*Le Soleil*, 9 décembre 2004)

Affaiblie par la crise du bois d'œuvre, la maladie de la vache folle, l'envolée rapide du huard, les feux de forêt et les pannes électriques, l'économie canadienne devrait enfin rebondir dans les prochains mois. Les économistes de la Banque…

Contradictions, dédale inextricable, fuite en avant, désastre, confusion, débordement, multiplication des mesures d'exception, enlisement. Le rapport sur le zonage agricole rendu public hier par…

Plus de 20 000 personnes ont dû quitter leur demeure. Les revenus liés aux activités de chasse et pêche subiront cette année une baisse de plus de 50 pour cent. Un million et demi d'hectares de bois ont disparu. On signale de la fumée jusqu'au Labrador.

Les incendies de forêt qui ravagent le Manitoba depuis une semaine…

Le *lead* énumération est valable quand il y a quelque chose d'intéressant à énumérer. Il permet de dégager de façon concise et alerte le sens d'une information. Dans certains cas, il ne convient qu'aux nouvelles sur des choses qui durent et sont déjà connues du lecteur. Ainsi, au moment où les incendies de forêt se déclenchent, le *lead* ci-dessus serait à éviter ; impossible, pour un événement qui éclate, d'attendre au deuxième alinéa pour dire précisément de quoi il s'agit et où cela se passe.

Le lead *question*

Peut-on arriver à dépenser dix-sept millions de dollars ? La gagnante de la Super Loto de cette semaine, Mme Eurydice Lachance, de Longueuil, se pose la question depuis hier.

Comment réagiriez-vous si les Travaux publics entreprenaient, sans avertissement, de creuser un énorme trou dans votre terrain ? C'est la mésaventure qu'a connue hier…

Que faire si un orignal vient s'ébattre dans votre piscine ? La famille d'Honorius Dubois, de Loretteville…

On réserve en général le *lead* question aux sujets légers. Pas de *La Russie écrasera-t-elle la révolte tchétchène dans le sang ?* ni de *Qu'ont ressenti les victimes du DC-10 qui s'est écrasé aujourd'hui près de Tripoli pendant les douze minutes qu'a duré…*

Utilisons ce *lead* avec parcimonie. La question a des vertus accrocheuses mais, en principe, la première phrase du *lead*, comme les autres, apporte une information, pas une interrogation.

Cela dit, dans certains cas, le *lead* question apparaît incontournable. Ainsi dans l'article intitulé *Jacques Chirac était-il vraiment à North Hatley ? Tempête politico-médiatique en France au sujet des vacances québécoises du président*, la nouvelle, c'est... qu'on ne sait pas, c'est qu'on s'interroge, qu'on se perd en conjectures. On ne saurait mieux le dire qu'en posant dès l'attaque une question qui reflète les incertitudes exposées dans le texte : *Le président Jacques Chirac a-t-il vraiment passé toutes ses vacances à North Hatley ? Sinon, où se trouvait-il ?* (*Le Devoir*, 19 septembre 2003)

> *Le Canada perdra-t-il sa souveraineté sur les glaces de l'Arctique lorsque le réchauffement du climat les aura liquéfiées ? Les États-Unis, entre autres, lorgnent depuis belle lurette le passage du Nord-Ouest qui épargnerait beaucoup de kilomètres aux cargos qui doivent faire la navette entre l'Atlantique et le Pacifique.*

> *L'Amundsen, qui largue les amarres […] en direction de l'Arctique...*

C'est une autre raison qui motive le choix d'un *lead* question pour une nouvelle portant le surtitre *Importante expédition scientifique* et le titre *Le réchauffement de l'Arctique étudié sous toutes ses coutures* (*Le Devoir*, 13-14 septembre 2003). L'article décrit des programmes de recherche, nomme des scientifiques de plusieurs pays, etc. Il apparaît, en somme, plutôt aride. L'auteur tente donc d'allécher les lecteurs en jouant, quitte à tomber dans l'hypothétique, sur la valeur d'enjeu pour les Canadiens : le réchauffement climatique pourrait leur faire perdre la souveraineté sur l'Arctique au profit, notamment, des États-Unis.

Le lead *apostrophe*

> *Sortez vos mitaines et vos pelles. Le Québec connaîtra demain sa première chute de neige...*

> *Si vous voulez passer Noël en Floride, il est déjà temps de réserver. À l'agence de voyage Letour...*

Les commentaires sur le *lead* question valent pour le *lead* apostrophe. De plus, il faut se rappeler que qui interpelle se met en scène – le *vous* implique le *je* – et manque ainsi à la discrétion journalistique. On évitera donc le *lead* apostrophe dans les vraies nouvelles.

Cette règle est moins impérative dans les petits médias locaux, proches de leur public. Même si *L'Étincelle de Sainte-Hénédine* ne foisonne pas de ce type d'attaque, on ne s'offusquera pas d'y lire : *Le conseil municipal a de bonnes nouvelles pour vous. Vos taxes seront allégées l'an prochain de...*

Et, parfois, on regrette que le journaliste n'ait pas choisi le *lead* apostrophe. C'est le cas du titreur d'une nouvelle (*Le Soleil*, 3 décembre 2004) qui s'ouvrait – correctement – ainsi :

> *Finie l'attente pénible au téléphone pour retrouver sa voiture remorquée au lendemain d'une opération de déneigement. La Ville de Québec a mis en ligne un service Internet qui permet de retracer son véhicule en quelques clics de souris.*

Le *pupitre* l'a coiffée d'un titre sur deux branches qui pourrait inspirer un *lead* plus accrocheur :

> *Votre auto est remorquée ?*
> *Vous la trouverez dans Internet !*

Le lead *ironique*

On savoure à l'occasion des *leads* ironiques. Il faut du jugement pour les choisir, de la virtuosité pour les réussir et un statut pour se les permettre ! Le *lead*, je le rappelle, appartient au genre rédactionnel « nouvelle », quintessence de l'information rapportée, produite par un journaliste ONI (objectif, neutre, invisible). Comme d'autres attaques fantaisie, on réservera donc l'amorce ironique à d'autres genres journalistiques que la nouvelle.

Le lead *historique*

Le *lead* historique, moins osé, exige aussi doigté et science. Réussi, c'est un bijou ! Entamer une nouvelle en mettant en parallèle des événements passés et actuels peut jeter sur l'actualité un éclairage fascinant. Encore faut-il bien choisir sa comparaison, rappeler le passé en quelques mots seulement, tout en s'assurant que le lecteur suit. Pas si simple ! On comprend que le *lead* historique, dont la nouvelle sur la mort de Soong Mayling offre un exemple minimal, soit si rare.

Mieux vaut laisser aux journalistes chevronnés les *leads* ironiques, les historiques, et tous les autres *leads* difficiles que je n'ose même pas mentionner ici.

RAPPELS • RAPPELS • RAPPELS

Tourner un lead *est affaire de créativité autant que de normes.*

- Les fonctions du *lead* :
  - *éveiller l'intérêt du lecteur ;*
  - *lui faciliter le choix des articles à lire ;*
  - *le guider dans la lecture des articles complexes ;*
  - *lui apprendre l'essentiel de l'information ;*
  - *aider le* pupitre *à titrer et à faire la mise en pages.*

- Le contenu du *lead* :
  - *le plus nouveau, le plus important, le plus intéressant ;*
  - *en général, les noms et fonctions des principaux acteurs ;*
  - *la source, sauf si elle est officielle, crédible et évidente ;*
  - *souvent, le* lead *répond aux « six questions » ;*
  - *le* lead *doit être « autosuffisant » : jamais de devinettes ! ;*
  - *le* lead *est indépendant du titre ;*
  - *le* lead *synthétique est le plus fréquent, le* lead *sélectif s'impose parfois.*

- L'écriture du *lead* :
  - *concision ! précision ! clarté ! phrases courtes ! ;*
  - *l'essentiel en premier ;*
  - *les informations cruciales dans des propositions principales ou indépendantes ;*
  - *indépendance l* lead-titre *;*
  - *varier les* leads, *mais y aller prudemment avec les* leads *fantaisie.*

CHAPITRE VII
LE REPORTAGE

On veut pas l'sawoère... on veut le woère!

Yvon Deschamps[1]

« Notre envoyée spéciale en Afghanistan » est là, en personne. Elle a observé, écouté, questionné, pris des notes. Et, maintenant, elle raconte. De ce lointain pays, la journaliste prête à ses lecteurs ses yeux et ses oreilles et ils peuvent partager, sans quitter leur maison, un peu de la vie des Afghans : bonheurs ou tragédies, rêves, actions, idées, traditions, travail, jeux, décor, ambiance. Elle leur offre, pour reprendre l'expression d'Abraham Moles, de l'*expérience vicariale* : à travers elle, *par procuration*, ses lecteurs rencontrent des gens et des cultures auxquels ils n'ont pas directement accès.

Que son reportage l'amène au bout du monde ou dans le village d'à côté pour traiter d'une guerre civile ou du gavage des oies, tel est le reporter : un témoin au service du lecteur, à qui il raconte ce qu'il a vu et entendu. Et tel est le reportage : un témoignage-narration de choses vécues. Un reportage sans terrain est une fraude qui fait scandale et perd son auteur quand elle est révélée. Si nouvelle et reportage visent tous deux à faire comprendre, la première y arrive essentiellement en faisant savoir, le second en donnant à voir, en faisant vivre par procuration.

Le reportage, genre majeur de l'information journalistique, fait ou peut faire appel à toutes les méthodes et techniques journalistiques : exploration documentaire, analyse de données, interview, observation, enquête, etc. Néanmoins, il doit se lire comme un récit. Le moment de la rédaction devient donc indissociable de celui de la collecte d'informations : il faut, en effet, avoir amassé des munitions narratives et rhétoriques pour arriver à produire un récit captivant. C'est pourquoi, sans prétendre couvrir l'ensemble de la démarche journalistique du reporter, nous déborderons un peu de l'écriture proprement dite pour présenter quelques remarques sur la préparation du reportage.

---

1. Passage d'un ancien monologue repris comme titre d'un spectacle (vers 2004). Dans le même genre, un politicien de l'ADQ a déjà dit, pour excuser des entorses à la vérité commises par son parti : « Parfois, les électeurs ne veulent pas le savoir, ils veulent le croire. » Qu'il s'agisse de croire ou de voir, il en va un peu ainsi des lecteurs d'un reportage.

AVANT DE PARTIR

La rédaction, les chapitres précédents l'ont fait valoir, n'est qu'un moment de l'écriture. Dans le cas du reportage, non seulement le terrain, soit le temps de l'observation directe et de l'interview, précède-t-il l'étape de la rédaction, mais le terrain lui-même doit se préparer soigneusement. On ne voit, en effet, que ce que l'on sait regarder[2], on n'obtient de réponses qu'aux questions qu'on s'est posées. Pour poser les bonnes questions au moment de l'enquête, il faut donc déjà avoir des notions justes sur son objet de recherche. En un mot, un terrain réussi suppose, en amont, un travail de préparation.

Ce travail est minimal pour un petit reportage abordant des éléments bien connus du reporter comme de ses lecteurs. Il prend de l'ampleur quand le journal commande un grand reportage, ou quand le sujet à couvrir est complexe et éloigné de la culture du journaliste. Pour observer efficacement une fois sur place, pour formuler des questions intelligentes, le reporter, s'il n'est pas déjà familier avec le sujet et le milieu à explorer, doit donc se documenter avant de partir. Il consulte des sources vives – personnes avec expertise ou expérience pertinente – ou des sources documentaires (sur support papier ou autre) : ouvrages de référence, articles, pages Web ou livres spécialisés, voire œuvres de fiction[3].

Cette recherche, d'ailleurs nécessairement limitée[4], doit enrichir le terrain, non le remplacer ! Un journaliste qui, arrivant sur place, aurait l'impression de tout savoir perdrait la curiosité et l'ouverture d'esprit indispensables à la découverte. Le « pré-terrain » apportera donc autant sinon plus de bonnes et pertinentes questions que de réponses. Certains de ses résultats trouveront certes place éventuellement dans le texte du reportage et l'enrichiront, mais ils ne sauraient à eux seuls constituer un reportage. On peut faire bien des articles, et parfois d'excellents articles, sans sortir de son bureau, mais pas, par définition, un reportage. Qui dit reportage, dit terrain. Et qui dit bon reportage, dit terrain bien préparé.

Sur quoi donc portera cette démarche préparatoire ? Difficile à dire. L'important pour le journaliste est de se construire ou de se donner un cadre qui lui évite d'aborder le terrain en touriste naïf et non averti, ce qui pourrait le mener, par exemple, à généraliser à partir de cas qu'il a observés mais qui sont peu représentatifs de la réalité, voire carrément marginaux. Il devra donc s'aménager un accès à des informateurs fiables sur place (coordonnées, références). Il devra aussi, en général, relever des éléments historiques – origines, évolution du dossier dans le temps

---

2. Shakespeare (je crois) disait déjà *Beauty is in the eye of the beholder,* la beauté est dans l'œil de celui qui regarde. Depuis, la psychologie a maintes fois démontré le caractère structurant de nos perceptions, donc l'importance d'enrichir nos grilles de lecture de la réalité.

3. Certaines font mieux comprendre un pays, une époque, un milieu que les plus savants ouvrages.

4. Faute de temps, faute de ressources matérielles. L'époque des grands reporters « à vie », payés pendant des années pour raconter un pays, voire un continent (Stanley ou Albert Londres en Afrique ou en Amérique latine) est depuis longtemps révolue.

ou dans l'espace, événements charnières, personnages clés –, et diverses données, statistiques notamment, sur les aspects démographiques, économiques, sociaux, culturels et techniques des dossiers qu'il couvrira.

Bref, le reporter recueille des choses essentielles à la compréhension et à l'interprétation des événements et des situations dont il sera témoin. Pour le reste, tout dépend du sujet général du reportage, des angles qu'il prévoit privilégier pour le traiter et de ses connaissances préalables.

Quelques exemples?

Préparation zéro, ou presque, pour un journaliste du *Soleil* de Québec affecté en juin à un reportage sur la cueillette des fraises à l'île d'Orléans ou, en février, à un papier sur la vie de ses concitoyens sous une tempête de neige. Il lui suffira de réfléchir un peu pour trouver un angle d'attaque original et alléchant pour un sujet en soi plutôt banal, mais qui, par sa proximité, pourra intéresser les lecteurs – s'il est bien traité.

Pour un petit papier sur l'élevage des oies ou le gavage des canards dans une ferme en banlieue de Québec, le reporter pourra feuilleter le *Larousse gastronomique,* potasser quelques documents sur les charmants palmipèdes, explorer deux ou trois sites Internet. Cela devrait suffire, surtout s'il a déjà réfléchi au type de reportage qu'il veut faire et s'il oriente en conséquence sa recherche exploratoire. Ainsi, il peut mettre l'accent sur une ou deux des questions suivantes.

- Au Québec, quelle sorte de gens se lancent dans une telle aventure économique et pourquoi ces audacieux producteurs choisissent-ils ce créneau?
- Comment et où peut-on apprendre ce métier rare?
- Qui sont les clients (particuliers, commerces) et les consommateurs locaux des produits du gavage?

Il voudra peut-être parler plutôt de l'historique du gavage, de ses techniques, de son évolution? Ou comparer produits locaux et produits importés? Ou alors raconter, «en se mettant dans leur peau», la vie des canards gavés?

Avec un sujet comme le gavage des palmipèdes au Québec, le travail exploratoire pour un petit reportage peut être d'autant plus réduit que les personnes interviewées sur le terrain seront sans doute intarissables – et compétentes – sur la question.

Pour l'envoyée spéciale en Tchétchénie, en Afghanistan ou en Irak du même quotidien de Québec, c'est autre chose. Certes, elle a l'expérience du reportage, elle a suivi l'actualité relative au pays et possède des connaissances sur l'histoire, la géopolitique et les cultures de la région[5]. Elle devra néanmoins préparer sérieusement son terrain. S'il y a lieu, afin de mieux cibler sa recherche, la journaliste précise d'abord avec la rédaction du journal les angles à rejeter ou à privilégier pour ses reportages[6] – les combats? le recrutement des combattants? l'activité

---

5. Les médias ne confient pas de tels dossiers à des néophytes.
6. Bien entendu, cela pourra changer sur le terrain, au fil des événements et des rencontres. D'où l'utilité d'une préparation assez large, qui permette de saisir toutes les occasions au vol.

diplomatique ? la vie quotidienne des civils ? le rôle des femmes ? la pratique religieuse ? Puis, elle examine encyclopédies et documents *ad hoc*, en ligne ou sur papier (rapports d'organismes internationaux, par exemple), pour obtenir quelques données de base sur l'histoire de la région, sa démographie, son niveau de développement économique et social, etc. Elle survole aussi des publications récentes : livres ou grands dossiers de la presse internationale d'élite sur les tendances et les conflits dans la région, leurs origines, leurs acteurs clés. Elle s'entretient, si possible, avec des experts ou des collègues connaissant bien la région à couvrir.

SUR LE TERRAIN

Une fois sur place, *notre envoyée spéciale* parcourt les rues, arpente les lieux publics, humant l'air du temps et l'humeur de la foule, observant les gens et les choses, notant les propos, les gestes, les manières, les tenues, les formes, les couleurs, les odeurs – sans oublier les questions qui se bousculent dans son esprit. Accompagnée, au besoin, d'un interprète, elle bavarde avec les gens, accueille les questions des curieux, en pose à son tour, sur tout et sur rien. Pour le reporter, en effet, l'ambiance, le décor, les us et coutumes, les plaisanteries qui circulent, les débats de l'heure relèvent de l'incontournable puisqu'ils serviront à camper l'action, à ancrer ses récits dans la culture locale, à les rendre concrets et vivants[7].

Armée de son précieux carnet d'adresses ou saisissant l'occasion qui se présente, la journaliste entre en contact aussi bien avec des gens ordinaires qu'avec des observateurs privilégiés de la vie locale – des participants, des témoins ou des experts en ceci ou en cela, aptes à l'informer et à lui inspirer des sujets et des angles de reportages. Ils apporteront leurs témoignages et leurs connaissances sur la cuisine locale, par exemple, ou un aspect de l'éducation ou du folklore, un débat politique, un sport populaire, la culture de l'opium, un festival, la littérature nationale, la guerre civile, le marché du travail pour les jeunes, les élections en cours[8].

Qu'on fasse un grand ou un mini-reportage, la prise de notes précises et abondantes sur le terrain s'avère déterminante au moment de la rédaction. Il faut pouvoir retrouver, afin de les faire vivre aux lecteurs, ces surprises et ces émois bientôt noyés dans un flux trop vif de sensations ou banalisés par les répétitions de la vie quotidienne sur place. Il faut retenir les trouvailles et les éclairs de génie qui ont surgi pendant l'enquête : anecdotes piquantes, déclarations percutantes, scènes émouvantes, contrastes amusants ou choquants, analyses pénétrantes ; ou les idées d'amorce accrocheuse, de transition brillante, de métaphores

---

7. Elle fait tout cela sans oublier, évidemment, l'a b c de la méthode journalistique : vérification des données, confrontation des sources, etc., sujet qui n'est pas celui de ce livre.

8. Il arrive que des « reporters » ne fréquentent que leurs collègues logés au même hôtel ; on trouvera rarement dans leurs papiers des modèles de reportage…

éclairantes, de moyens de vulgarisation efficace. Tout cela, qui doit enrichir la rédaction du reportage, risque fort d'être perdu si on ne le note pas au fur et à mesure.

LA RÉDACTION DU REPORTAGE

Dans le reportage, bien plus encore que dans la nouvelle, le journaliste raconte une histoire. Il emprunte les moyens du conteur, à qui tous les coups rhétoriques sont permis : insistance sur les acteurs et les faits les plus passionnants, ton expressif, pouvant aller du narquois au tragique, rythme ajusté au sujet, mots savoureux, expressions imagées, digressions et détours (pas n'importe lesquels !) pour mieux créer le suspense… Sa mission : mieux informer le lecteur en le captivant et en gardant son attention jusqu'à la fin. Sa stratégie : lui offrir une mise en scène, voire une scénarisation, qui le fasse entrer dans le monde raconté, s'identifier aux personnes-personnages du récit, s'émouvoir de leurs heurs et malheurs, réfléchir aux difficultés qu'ils affrontent et aux solutions qu'ils proposent – et, si possible, en prime, savourer le plaisir d'un texte bien écrit.

Précisons que le reporter n'en reste pas moins dans le domaine de l'information. Tout en effectuant une sélection et en adoptant un style plus personnels que dans la nouvelle, il doit construire sa narration sans romancer, sans inventer l'événement, sans manipuler les faits, en témoin fidèle. Il vit donc parfois une tension, stimulante mais difficile, entre les exigences de l'efficacité narrative et celles de la fiabilité journalistique.

Comment arriver à faire une bonne histoire avec du fait journalistique ? C'est affaire de fond et de style.

Côté fond, remarquons que les sujets de reportage, en général, s'accordent bien à une approche narrative. Dans la mesure où il ne s'agit pas de résumer des faits d'actualité mais de montrer *du vécu* en rapport plus ou moins direct avec ces faits, le reportage conduit à envisager les gens directement, en tant qu'êtres humains et pas seulement, ou pas du tout, comme acteurs sociaux porteurs de statuts et de rôles, ou comme éléments dans des ensembles anonymes. Ce que vivent ces êtres humains concrets et sensibles se prête bien à la narration.

Le journaliste retient aussi pour son texte toutes sortes de contenus qu'on retrouve peu ou prou dans la nouvelle et qui viendront embellir ou animer son histoire : anecdotes, rebondissements, éléments de portraits, descriptions de tenues vestimentaires, notes sur l'ambiance, le fond musical, le décor, etc., comme dans un récit.

Côté écriture, il existe aussi un certain nombre de moyens, que nous allons maintenant évoquer, pour donner au reportage l'allure dynamique du récit.

Un angle clair

Un sujet bien défini, un angle d'attaque clair et attrayant, voilà qui est aussi important au moment de la rédaction qu'aux étapes préalables. Si le sujet est l'élevage des oies et l'angle choisi, la vie des oies gavées, il faut garder le cap jusqu'à la fin, pour ne pas égarer son public.

Il peut être tentant de dévier, car on a en général amassé des matériaux pour raconter quantité de choses palpitantes. Et qu'il est difficile de sacrifier une partie du fruit de ses recherches. Et encore plus si on a déjà rédigé préalablement des bouts de texte. Le journaliste doit pourtant ne retenir dans son texte que les éléments compatibles avec l'angle choisi[9]. Sinon, il prive les lecteurs du fil directeur qui leur permettait d'embarquer dans le récit, de s'y retrouver, d'en jouir. Croyant enrichir son texte, il le sabote !

Si, donc, vous avez entrepris de raconter la vie de l'oie gavée, vous pouvez certes faire voir divers aspects de son environnement (la ferme, les producteurs, les techniques de production), mais à travers les yeux de l'oie, en revenant toujours à votre fil directeur. À l'attaque, à la chute, à plusieurs reprises entre les deux, votre texte réaffirmera la primauté du volatile.

Dans un grand reportage, toutefois, surtout s'il est publié en plusieurs tranches, vous aurez plus d'un angle. L'important alors : faire en sorte que chacun des textes ait le sien, ait sa cohérence propre.

Trouver un angle fort revêt une importance particulière pour les reportages cycliques, saisonniers, par exemple. Seul un angle inédit évitera de créer chez le lecteur une impression de répétition, sinon de radotage. C'est ce qu'a trouvé la reporter du *Soleil* pour un petit papier (Article 7.1) sur la Saint-Valentin. Elle a posé un sujet doublement nouveau en associant des amoureux septuagénaires, les aimables *Valentins aux cheveux de neige* du titre, aux petits frères des Pauvres qui leur organisent une fête pour l'occasion. Voilà qui change des ventes record de chocolat et des jeunes tourtereaux dînant à la chandelle.

Beaucoup d'anniversaires requièrent aussi un angle bien réfléchi pour attirer les lecteurs. Un record de froid vieux d'un demi-siècle, même s'il n'a jamais été battu depuis, n'aurait aucun intérêt pour eux s'il n'était présenté, comme dans le reportage du *Devoir* de la page suivante (Article 7.2), à travers l'expérience inusitée vécue par les quelques habitants d'un petit bled du Yukon. L'angle, le fil directeur, passe ici par le recours exclusif aux souvenirs d'un trappeur qui vit encore dans la région et qui raconte l'étrange, l'étonnant, l'amusant même, de cette journée où de blancs fantômes flottaient au-dessus du sol et où des adultes jouaient à cracher en l'air pour « entendre leur salive éclater sur le sol comme des morceaux de cristal ».

---

9. Quitte à envoyer en périphérie du texte des éléments complémentaires. *Cf. infra.*

Article 7.1

Des Valentins aux cheveux de neige

Les petits frères des Pauvres apportent un peu d'amour à des gens âgés

La Saint-Valentin et les vieux, la Saint-Valentin et les petits frères des Pauvres. Un angle doublement inusité peut redonner de l'intérêt à un sujet un peu rebattu.

ISABELLE MATHIEU

■ **VANIER – Les amoureux Noëlla Lagacé, 71 ans et Adolphe Simard, 72 ans, n'ont peut-être plus l'âge des sérénades sous le balcon, mais grâce aux petits frères des Pauvres, ils ont passé une Saint-Valentin remplie de chaleur et de tendresse.**

«On était 18 chez nous, alors la Saint-Valentin, on l'avait à l'année longue», badine Adolphe Simard, vêtu de son chandail rouge de circonstance. Sa compagne depuis 39 ans, Noëlla Lagacé, est plus romantique. «Je l'aime cette fête-là, confie la jolie dame dans sa robe grenat, ma fille m'a appelée juste pour me dire : "Maman, je t'aime !" ».

Les bénévoles des petits frères des Pauvres recevaient hier midi plusieurs personnes âgées solitaires de Québec. De valeureux chauffeurs sont allés chercher tous les invités et les ont amenés à la nouvelle maison de l'organisme, à Vanier.

«Bon, à qui est-ce que je n'ai pas volé de becs aujourd'hui ?», lance à la ronde Chantal Robitaille, une des responsables. Les quelques tables sont joliment dressées et la place de chacun est marquée d'un petit carton personnalisé. «Ça nous fait un souvenir», commente Aline Després, une «Vieille Amie» depuis juillet seulement.

Au menu, un repas réconfortant, une visite du comédien Paul Hébert, porte-parole de l'organisme, et une chorale qui a interprété des chansons d'amour d'autrefois, telles *Le temps des cerises, La vie en rose* et *Parlez-moi d'amour.*

«J'adore la musique, surtout le classique et l'opéra», assure Noëlla Lagacé. Son ami Adolphe ne peut s'empêcher de la taquiner. «Elle va pleurer encore !»

Raymonde Brindeau, arrivée de Paris il y a douze ans, n'en revient tout […]

Le Soleil, 15 février 1998

Article 7.2

Le 3 février 1947

Le jour le plus froid

Gordon Toole s'en souvient comme si c'était hier : dans son village, le thermomètre indiquait −81,4 °F

LOUIS-GILLES FRANCŒUR

«Il y avait des formes blanches, immobiles, qui flottaient dans l'air, à cinq ou six pieds du sol entre le bureau de la météo et le bâtiment principal où logeait le personnel. On se demandait ce que c'était. Puis soudain, on a vu quelqu'un sortir de là et venir vers nous. À chaque respiration, la vapeur d'eau qui sortait de sa bouche se solidifiait littéralement dans l'air derrière lui», comme si le Petit Poucet avait changé ses pierres blanches pour des fantômes de vapeur qui restaient là, suspendus, trois ou quatre minutes.

Pour ajouter à l'étrangeté de la situation, ajoute Gordon Toole, «même si l'aéroport où nous étions se trouvait à trois quart de mille du village, on entendait les voix des gens qui y parlaient et les jappements des chiens. Nous avons cherché un moment d'où ça venait avant de réaliser que c'était les bruits du village. Et nous, nous les entendions comme s'ils étaient à côté de nous. On aurait dit que l'air avait changé

sous l'effet du froid et qu'il arrivait à transporter les sons à une distance beaucoup plus grande. On a aussi eu l'impression à quelques reprises que des avions se présentaient au bout de la piste pour atterrir sans avoir demandé la permission. On s'est rendu compte qu'il s'agissait de vols commerciaux qui passaient dans les airs, entre 10 000 et 20 000 pieds d'altitude, et à des dizaines de milles de nous».

Gordon Toole avait 22 ans, ce matin peu banal du 3 février 1947, il y a exactement 50 ans aujourd'hui. Ce matin-là devait passer à l'histoire de la météorologie comme le plus froid jamais mesuré par des instruments en Amérique du Nord.

Le jeune Gordon travaillait pour le ministère fédéral des Transports dans le petit village de Snag, au Yukon, lequel comptait alors 18 habitants, pour la plupart des membres de la base aérienne. Aujourd'hui, Snag n'existe plus, et *Le Devoir* a joint Gordon Toole à Watson Lake où, malgré ses 71 ans, il continue avec sa femme de trapper dans la brousse de l'automne jusqu'au cœur de l'hiver, c'est-à-dire jusqu'au moment

où le froid devient un réel danger en raison des extrêmes qu'il atteint.

Gordon Toole dit se rappeler très précisément de ce que l'équipe de la petite base aérienne, doublée d'une station météo, a vécu ce matin-là lorsqu'elle a commencé à percevoir le côté inusité, pour ne pas dire exceptionnel du moment. Snag faisait alors partie d'un réseau d'aérodromes d'urgence et de stations météo qui reliait l'Alaska au centre du Canada et des États-Unis et qui avait notamment fourni des données météorologiques aux militaires durant le conflit mondial qui venait de se terminer.

Le premier relevé du thermomètre ce matin-là, raconte Gordon Toole, a littéralement coupé le souffle aux employés parce que le mercure s'était stationné sensiblement plus bas que la ligne graduée la plus basse de cet appareil professionnel.

«Nous avons alors pris contact avec Toronto, dit-il, où on nous a demandé de suivre attentivement l'évolution de la température et de noter le point le plus bas qu'atteindrait le thermomètre. Nous vivions alors depuis quelques

Suite à la page suivante ▶

jours une vague de froid exceptionnelle mais, ce matin-là, c'était spécial. Mais nous ne savions pas encore que nous venions de briser un record de température nord-américain. Ils nous ont dit, à Toronto, de faire une marque au crayon sur le thermomètre pour savoir jusqu'où il descendrait. Avez-vous déjà essayé d'écrire sur du verre avec un crayon à une température pareille ? On a finalement fait une marque sur le verre avec une petite lime. Et on a envoyé par la suite le thermomètre à Toronto où ils l'ont fait redescendre jusqu'à la marque indiquée. Ils ont ainsi établi que la température de l'aéroport de Snag avait atteint ce matin-là −81,4 °F (−63 °C).

Ce record n'a jamais été battu depuis en Amérique du Nord. L'événement devait provoquer une véritable ruée de spécialistes et de journalistes, qui débarquaient une semaine plus tard dans ce petit bled perdu du Yukon pour toucher à la vie à −81 °F. Pour les habitants de Snag, cette soudaine célébrité a surtout eu pour avantage de refaire en plein hiver… les réserves de bière, de whisky et de viande ! »

En plus des fantômes blancs formés par la respiration qui se solidifiait derrière les humains, Gordon Toole se rappelle en riant que tous les employés de la base ont craché des dizaines de fois en l'air juste pour voir et entendre leur salive éclater sur le sol comme des morceaux de cristal.

« On faisait une expérience particulièrement intéressante, ajoute-t-il. On mettait un peu d'eau dans un verre. Pas trop. Et on la lançait violemment en l'air. On entendait alors un sifflement lorsque les gouttelettes étaient brusquement saisies par le froid. Et on voyait l'eau retomber par terre comme des grains de riz. »

« À des températures pareilles, poursuit-il, il fallait laisser les véhicules en marche. D'abord parce qu'il devenait impossible de les faire tourner assez vite pour démarrer, du fait que l'huile ressemblait à de la tire. Je me rappelle, dans ces jours-là, quelqu'un avait tenté de faire démarrer le camion à déchets, qui était dans le garage. […]

Le Devoir, 3 février 1997

Comment, en 1947, les 18 habitants de Snag ont-ils vécu une température de −81,4 °F ? Comme un événement intéressant et de façon assez joyeuse, somme toute, témoigne un vieux trappeur.

Au besoin, un chapeau

Le reportage se coiffe fréquemment d'un chapeau. Le journal présente l'article, en dégage le sens et la portée, en facilite la lecture. Dans *Émilie Bordeleau a-t-elle de l'avenir ?* (ci-dessous), le personnage des *Filles de Caleb* fournit une métaphore pour décrire la vie quotidienne dans les écoles de village, alors que le chapeau souligne les enjeux sociaux et politiques des baisses démographiques, donc des clientèles scolaires, dont traite aussi le texte. Tout cela oriente le lecteur.

Article 7.3

Émilie Bordeleau a-t-elle de l'avenir ?

Obligées à des miracles quotidiens, les écoles de village risquent de se répandre… ou de fermer

MARIE-ANDRÉE CHOUINARD

■ **Les chutes démographiques menacent la survie des écoles, ce dont on discute abondamment ces jours-ci dans les officines gouvernementales. Pendant qu'on discute de leur avenir, les écoles de village arrivent à faire des miracles avec une maigre quantité de ressources, à la hauteur du nombre d'élèves qu'elles accueillent.**

École Mgr Labrie, située dans le petit village de Godbout, entre Baie-Comeau et Baie-Trinité, sur la Haute-Côte-Nord. Alors que Montréal subit les affres de la surpopulation des écoles, il y a dans cet établissement d'à peine huit locaux 17 élèves couvrant huit niveaux, de la maternelle quatre ans à la sixième année, que deux enseignantes « multi-polyvalentes » se séparent tous les jours.

Lorsqu'on appelle à cette école, c'est non pas la secrétaire ni même la directrice qui répond mais l'enseignante, qui a fait le sprint de son local, interrompant ses classes le temps de prendre l'appel. « Voilà une des réalités des écoles de village », explique la directrice de l'établissement, Violette St-Pierre, interrogée plus tard sur le quotidien de ces petites écoles dont l'avenir est discuté ces jours-ci dans les coulisses de l'Assemblée nationale, à la commission de l'Éducation.

Dix-sept élèves cette année, et seulement deux enseignantes. « Cette année, nous sommes chanceux parce que nous avons trois spécialistes en plus pour la musique, l'anglais et l'éducation physique », explique Mme Saint-Pierre […]

Le Devoir, 25 septembre 2002

Le chapeau du long reportage sur *Les bébés de Mme Xie* (*infra*) guide encore mieux l'interprétation d'un article fascinant, mais complexe.

Certains la voient comme un monstre, d'autres, comme une bienfaitrice qui a sauvé des petites filles d'une mort certaine. Le « cas » Xie Deming, condamnée à mort pour trafic d'enfants, est révélateur d'une Chine empêtrée dans une planification familiale aux terribles effets pervers.

Article 7.4

Les bébés de Mme Xie

Certains la voient comme un monstre, d'autres, comme une bienfaitrice qui a sauvé des petites filles d'une mort certaine. Le « cas » Xie Deming, condamnée à mort pour trafic d'enfants, est révélateur d'une Chine empêtrée dans une planification familiale aux terribles effets pervers.

PIERRE HASKI
LIBÉRATION

[1] L'affaire est entendue : Xie Deming, la trafiquante de bébés, est un « monstre » et doit mourir. Les juges chinois ne lui ont trouvé aucune circonstance atténuante et, le 30 novembre, ont prononcé la peine capitale à l'encontre de cette paysanne de 57 ans, accusée d'avoir dirigé le plus important réseau de trafic de bébés depuis l'instauration de la République populaire en 1949.

[2] Au total, 52 personnes étaient jugées, dont onze médecins et sages-femmes. Deux peines de mort, plusieurs peines de prison à vie et de longs séjours en prison ont été prononcées à l'encontre des complices de Xie Deming. Une seule a été acquittée. Sur les forums Internet chinois, seul lieu de débat public, les réactions ne se sont pas fait attendre : pour la nouvelle élite urbaine du pays, la peine de mort est un châtiment bien doux. Il faut la « faire souffrir », l'« écarteler », la « démembrer » pour lui faire payer ses crimes.

[3] Ils ne sont pas nombreux, dans cette Chine prospère des villes, à tenter de comprendre la réalité qui

se cache derrière ce procès spectaculaire dont on dit qu'il a été suivi de près par le président Hu Jintao en personne.

[4] Le dossier de Xie Deming est effectivement très lourd : en mars dernier, la police intercepte un bus sur une autoroute de la province du Guangxi, dans le sud de la Chine, et découvre 28 bébés (27 filles et un seul garçon) dans des sacs de voyage. L'un d'eux est mort sous l'effet des calmants qui lui ont été donnés pour l'empêcher de pleurer. Achetés dans le Guangxi pour moins de 50 $, ces bébés sont en route vers d'autres provinces plus au nord pour y être revendus. Le réseau n'en est pas à son premier coup : au total, 118 bébés ont ainsi fait l'objet de transactions en deux ans.

[5] À Fumian, la bourgade rurale de l'est du Guangxi où opérait le réseau, on voit les choses autrement. Dans un temple bouddhiste situé près de la rue principale de la commune, une vieille femme brûle pieusement de l'encens. Elle connaît bien Xie Deming et n'hésite pas à la qualifier de « bienfaitrice ». Devant notre surprise, elle s'explique.

[6] « Il y a quelques années, on pouvait trouver le matin des bébés filles abandonnés dans des cartons devant la mairie ou des dispensaires. Certaines mouraient avant d'être secourues. Xie Deming, elle, leur donne une chance de survivre. Elle ne mérite pas la peine de mort. »

[7] Un point de vue visiblement partagé par beaucoup dans cette

commune située entre ville et campagne, où les habitants quittent progressivement le travail ingrat de la terre pour une industrialisation naissante.

[8] À quelques mètres de là, la maison en briques de Xie Deming est fermée : toute sa famille, complice de ses activités, l'a suivie en prison. Sur un mur voisin, un slogan officiel parfaitement calligraphié : « Punissons sévèrement selon la loi le trafic d'enfants. » Un peu plus loin, un tableau noir de la propagande municipale rappelle les sanctions en cas d'infraction aux règles du planning familial : pour toute naissance « illégale », les parents doivent « payer les frais que représente pour la société cet enfant supplémentaire ». Pour un premier enfant illégal, l'amende sera de trois à cinq fois le revenu moyen annuel, de cinq à sept fois pour le deuxième, de sept à neuf fois pour un troisième… Des sommes impossibles à réunir pour des paysans, certes pas misérables mais en tout cas très modestes.

[9] Le planning familial constitue la toile de fond incontournable de toute cette affaire. La politique de l'enfant unique, instaurée il y a vingt ans pour freiner la croissance démographique du pays le plus peuplé au monde, est unanimement jugée positive du point de vue national. Localement, toutefois, le prix à payer est lourd. D'abord et avant tout pour les filles, premières victimes de la limitation des naissances.

[10] La loi de planning familial intègre elle-même cette discri-

mination. Elle stipule que, si le premier enfant d'une famille paysanne est une fille, la femme peut en avoir un second avant d'être « incitée », sinon forcée, à se faire stériliser. Si c'est un garçon, c'est fini. Le problème se pose donc au deuxième enfant.

[11] « Si le deuxième enfant est aussi une fille, de nombreux parents s'en débarrassent pour conserver une chance d'avoir un garçon », explique la vieille dame du temple. Sa belle-sœur a ainsi noyé trois bébés filles pour tenter d'avoir un fils. C'est dit sans émoi particulier, sur un ton factuel. Comme s'il s'agissait de chatons.

« Une fille mariée, c'est de l'eau jetée »

[12] La course au garçon n'est pas qu'un vestige de traditions dépassées : c'est une nécessité économique. Dans les campagnes chinoises, on ne connaît ni retraite ni sécurité sociale. « Une fille mariée, c'est comme de l'eau jetée », dit un proverbe chinois cité par plus d'un habitant de Fumian. De fait, elle n'appartient plus à sa famille. Seul le fils s'occupera de ses parents lorsqu'ils ne seront plus en état de travailler la terre, lorsqu'ils auront besoin de soins coûteux. « Sans fils, vous êtes seul et abandonné pour vos vieux jours », dit un villageois. De plus, sans descendance mâle, vous serez méprisé par vos voisins.

[13] « Tant que le gouvernement ne résout pas ce problème, les paysans doivent s'en occuper tout seuls, et donc avoir à tout prix

Suite à la page suivante ▶

un fils », souligne un jeune cadre du Parti communiste, compréhensif. Or, toutes les études prospectives montrent qu'il faudra au minimum deux décennies pour qu'un vrai système de couverture sociale ou de retraite parvienne à des régions reculées comme celle du Guangxi. D'ici là, les filles continueront à en payer le prix.

[14] C'est là que Xie Deming devient la « bienfaitrice » de Fumian : elle a permis pendant deux ans de se débarrasser des filles en douceur. Cette femme illettrée, que ses voisins décrivent comme très simple et terre à terre, s'est constitué un vrai réseau de complicités – comprenant des médecins, des sages-femmes, des responsables du planning familial – destiné à l'alerter. « Si les sages-femmes voyaient que la mère ne désirait pas garder l'enfant, elles appelaient Xie Deming et touchaient une commission », explique une villageoise. Des nouveau-nés qu'elle achetait 200 ou 250 yuans (environ 30 à 40 $). « Parfois, ce sont les mères qui lui donnaient

de l'argent pour la remercier et acheter du lait », dit une voisine.

[15] Le réseau de Xie Deming les revendait ensuite à des passeurs, comme ceux du bus intercepté, qui les amenaient à des clients dans l'Anhui et le Henan, deux provinces pauvres situées plus au nord. Mais qui pouvait donc acheter des bébés filles rejetés au Guangxi ? La réponse, là encore, fait entrer dans un univers qui surprend bien des Chinois eux-mêmes. Des familles paysannes préfèrent acheter des filles à la naissance, pour des sommes modestes de deux ou trois mille yuans (330 ou 500 $), afin de les marier plus tard à leur fils. Avantages : pas de dot à payer, qui constitue souvent une barrière infranchissable pour trouver une épouse, et, de fait, une employée domestique à peu de frais dès son plus jeune âge.

Famille modèle et prospérité

[16] Bref, une économie de l'offre et de la demande qui s'est discrètement mise en place, dans laquelle tout le monde trouvait son

compte : les femmes de Fumian qui conservaient une chance d'avoir un garçon, les paysans des autres provinces qui trouvaient des épouses bon marché pour leurs fils, et les intermédiaires sans scrupule qui en ont fait un trafic comme un autre. Le tout au vu et au su de nombreux officiels locaux qui touchaient leur commission au passage, comme cette femme nommée Wang, lourdement condamnée au procès : elle a fourni neuf bébés. Et dans un climat d'acceptation sociale très large.

[17] Une tentative d'obtenir une réaction des officiels du planning familial de Fumian s'est soldée par un échec : notre arrivée dans des locaux sentant bon la Chine bureaucratique d'antan a semé un vent de panique. Les officiels, surpris en pleine lecture du journal, s'inventent une mission urgente pour partir et fermer les bureaux à clé... Au-dessus de leur bâtiment, un immense panneau de propagande montre une famille modèle, les parents et leur fille unique, un 4x4 dans le fond, et un slogan :

« Respecter le planning familial pour bâtir une société de petite prospérité »...

[18] Un petit industriel, engagé comme toute la petite ville dans la monoproduction de pantalons pour des commanditaires de Canton, assiste à la scène en riant. « Ils ont eu peur de répondre aux questions », dit-il. Lui-même a un fils unique et s'estime heureux. Mais qu'aurait-il fait s'il avait eu des filles ? « Il ne fallait pas me poser cette question », dit-il. Avant d'admettre qu'il aurait répudié son épouse et pris une nouvelle femme.

[19] Maintenant que Xie Deming, la « bienfaitrice » de Fumian, attend en prison la date de son exécution, va-t-on recommencer à voir les bébés filles abandonnés dans des cartons dans la rue au petit matin ? Dans cette Chine profonde, aux antipodes de Shanghai et de sa modernité, loin aussi, du discours officiel, il ne fait toujours pas bon de naître fille.

Le Devoir, 20-21 décembre 2003

Ainsi éclairés, nous allons bénéficier au maximum de l'excellente information proposée par l'article, dans un style très vivant.

Le chapeau est de mise dans tous les reportages présentés en plusieurs textes, en particulier quand ils sont étalés sur plusieurs jours, pour annoncer ou rappeler un sujet unificateur. Par exemple, dans une série de cinq articles aux sujets plutôt disparates, *Le Soleil* (18 février 2000) y va d'un indispensable chapeau pour le dernier, intitulé *Le savant dans sa taverne*, qui présente un éminent docteur en histoire venu établir sa résidence dans une ancienne taverne d'un quartier populaire, après s'en être fait quelque temps le tenancier :

> *Le quartier Saint-Roch, en basse ville de Québec, vit une métamorphose urbaine vertigineuse. Notre journaliste en montre quelques visages, dans une série de cinq jours.*

Un tel chapeau met aussi en valeur le reporter (qui a d'ailleurs droit à sa photo). Le média y tiendra encore plus s'il s'agit d'un envoyé spécial. Dans le reportage *Bagdad : en attendant l'apocalypse*, *Le Nouvel Observateur* (13-19 mars 2003) annonce à la fois l'envoyé spécial et le thème du reportage :

> *Dans la capitale irakienne, se protéger, survivre est devenu une obsession, a constaté notre envoyé spécial Jean-Paul Mari. Mais où aller ? Alors pourquoi*

ne pas rester chez soi après avoir accumulé des provisions et creusé un puits en espérant échapper au pire…

Le chapeau relève, en principe, de l'écriture périphérique, donc du *pupitre*, mais le journaliste parfois le propose et souvent y collabore.

Un plan astucieux

Le plan, d'abord, doit être judicieux, coulant, pour accélérer la lecture et faciliter la compréhension. Comme toujours[10], il faut respecter les règles de la division en paragraphes et faire en sorte que le lecteur puisse voir clairement les grandes parties du texte. Pour le reste, le plan du reportage relève plus de la stratégie que de la norme : est valable le plan qui aide le lecteur dans son cheminement et garde son intérêt.

Ce plan sera en général aux antipodes de la pyramide inversée chère à la nouvelle, dont on a vu qu'elle livre d'abord l'essentiel de l'information puis diverses précisions, dans un ordre décroissant d'importance. Dans le reportage, au contraire, surtout s'il est long, il faut créer et maintenir le suspense, ce qui suppose plutôt des détours et digressions bien calculés, des cachotteries, des dévoilements progressifs – donc, souvent, un plan en dents de scie. Dans un tel plan, à chaque nouveau thème amené, une bonne citation, une information étonnante, un bref intertitre ici ou là relanceront le suspense et l'intérêt.

Le reportage sur *Les bébés de Mme Xie*, (Article 7.4, p. 191), part d'un fait divers pour faire comprendre les paradoxes et les effets pervers de la politique de l'enfant unique (ou plutôt du fils unique) en Chine, à travers observations concrètes, témoignages et notations documentaires. Le plan (voir Encadré 7.1, p. 194) fait alterner constamment témoignages, anecdotes et analyses, de sorte que les passages qui pourraient devenir arides sont aussitôt allégés, notamment par les abondantes citations.

Les parties principales du texte apparaissent nettement et sont contrastées, éveillant la curiosité. D'abord, crime et châtiment (alinéas 1-4), puis la criminelle devient une bienfaitrice (5-7). Ensuite, des explications sur la politique officielle de la Chine et ses résultats – toujours avec citations et observations concrètes – (8-11). D'autres éléments sur le contexte, partie amorcée par un intertitre assez percutant, « Une fille mariée, c'est de l'eau jetée » (12-15). La dernière section (16-19), revient sur le thème des avantages du crime de trafic d'enfants.

Comme il se doit, l'auteur fignole amorce et chute. Pour l'attaque, une condamnation à mort, présentée dans des termes dramatiques : l'affaire est entendue, le monstre doit mourir. Pour la chute, la menace qui pèse sur les bébés filles et une dernière phrase qui résume le sens de l'article : « Dans cette Chine profonde […], il ne fait toujours pas bon de naître fille. »

Ce plan, classique pour un reportage, contribue à la fois à l'intérêt de la lecture et à la rigueur de la démonstration.

---

10. Voir le chapitre IV, « Organiser ».

Encadré 7.1

Les bébés de Mme Xie – Plan

Chapeau : le cas Xie Deming révèle les effets pervers
de la politique familiale chinoise

A – Crime et châtiment : procès, condamnation à mort

1. Xie Deming (XD), trafiquante de bébés, condamnée à mort.
2. Plusieurs autres sentences lourdes ; l'élite urbaine s'en réjouit.
3. Ces urbains ne considèrent pas la réalité derrière le trafic d'enfants.
4. Les crimes de XD et de son réseau : 118 bébés vendus.

B – Localement, la trafiquante de bébés est une bienfaitrice.

5. À Fumian, village du réseau, une vieille femme qualifie XD de bienfaitrice.
6. Avant XD, les bébés filles étaient abandonnés et, souvent, en mouraient.
7. Bien des villageois partageraient cet avis.

C – La politique officielle de l'enfant unique

8. À Fumian, la famille de XD est en prison/les autorités affichent des slogans contre le trafic d'enfants et rappellent les amendes énormes prévues pour les naissances « illégales ».
9. Derrière le trafic : la politique de l'enfant unique ; les filles en sont victimes.
10. La discrimination contre les filles est déjà inscrite dans la loi.
11. Résultat : pour garder une chance d'avoir un garçon, on fait disparaître les filles.

D – Le contexte social : « Une fille mariée, c'est de l'eau jetée. »

12. La course au garçon : une nécessité économique autant que culturelle.
13. Pour du changement, il faudra un minimum de sécurité sociale et de retraite pour les paysans ; cela prendra au moins vingt ans.
14. Dans ce contexte, on reconnaît à XD le mérite d'avoir sauvé des dizaines de bébés, réseau médical et mères aidant.
15. Bébés filles : vendues dans les provinces pauvres du Nord. Raison : les familles paysannes les achètent à bas prix pour les marier plus tard à leurs fils ; elles leur évitent la dot (exorbitante pour un paysan) et leur procurent les services gratuits d'une bonne.

E – La loi et ses effets – Famille modèle et prospérité

16. Bref, le trafic repose sur le jeu de l'offre et de la demande et arrange un peu tout le monde, dont les officiels locaux (qui touchent leur commission).
17. Les officiels du planning familial évitent la presse/affiches : planning = prospérité
18. Un petit industriel local avoue qu'il aurait répudié son épouse pour en prendre une autre s'il avait eu des filles.
19. À suivre : la disparition du réseau criminel pourrait signifier le retour de l'abandon et de la mort pour les bébés filles de Fumian.

Ce reportage au plan classique part d'un fait divers pour faire comprendre les effets pervers de la politique de l'enfant unique (ou, plutôt, du fils unique) en Chine par des observations concrètes et des témoignages. Amorce et chute sont soignées : condamnation à mort à l'attaque, menaces planant sur les bébés filles à la fin. Tout le texte établit la relation paradoxale entre la suppression du trafic de bébés et le triste sort des filles.

D'autres plans, plus linéaires, peuvent convenir à l'occasion s'ils ne provoquent pas l'ennui. Ainsi le reportage ci-dessous sur une journée dans la vie d'un urgentologue à l'hôpital suit un canevas linéaire basé sur l'horaire de la journée. Ce plan est parfaitement adapté au sujet : le lecteur voit se dérouler les uns après les autres les événements, captivants, d'une journée à l'urgence. Il retient son souffle, il veut savoir ce qui arrivera ensuite… Bref, il s'accroche et c'est cela qu'on veut : le plan est bon.

Article 7.5

OUF ! 9 heures sur les pas d'un urgentologue...

Robert Fleury

■ QUÉBEC – L'urgence d'un hôpital, quelle tour de babel ! Le va-et-vient d'ambulanciers et de préposés est étourdissant, un chassé-croisé d'infirmières, de résidents et internes. On consulte l'urgentologue de garde à tout moment.

Invité par l'urgentologue Robert Lauzon à passer un quart de travail en sa compagnie à l'urgence de l'hôpital de l'Enfant-Jésus, je l'ai suivi pas à pas lundi.

Le Dr Pierre Brochu prendra les cas mineurs. Georges Dufresne viendra soulager le Dr Lauzon en début d'après-midi. Lauzon s'occupera surtout des cas de civières. Mêmes dans les petites salles, les cas « mineurs » sont sérieux : infections, plaies ouvertes, douleurs aiguës, fractures du poignet, du talon. Rien d'insignifiant. À l'arrivée, ils sont triés selon leur état.

8h00 Transition avec le quart de nuit. C'est calme. On fait la ronde. Le Dr Jacques Villeneuve explique les cas au Dr Lauzon et à ses résidentes. Trois civières sont libres, dix patients attendent pour être hospitalisés. On attend un transfert d'un pays étranger. Mort cérébrale. Un accident, 20 ou 22 ans. Dons d'organes probables.

9h10 Salle 1. Premier cas d'ambulance. Mme B., 81 ans. Début d'infarctus en déglaçant sa voiture. Branchée en deux temps, trois mouvements. Comme au cinéma. Infarctus aigu. Thrombolyse pour libérer ses artères. Le cœur pompe à demi. Mme B. parle, respire difficilement. Moment critique. Nous retenons notre souffle. « Tout se joue dans la prochaine heure », me chuchote le Dr Lauzon.

« Vous faites une petite crise du cœur », lui dit le docteur.

« C'est bien ce que je pensais », répond la dame, pas démontée pour autant. Bénévole, robuste, pas de médicaments. « Elle a de bonnes chances à cause de sa condition physique. Et puis elle est arrivée au début. Un cas idéal », dit le médecin. La famille arrive. Il la rassure. L'équipe est contente. « Le problème, ce sont deux cas semblables en même temps », dit le Dr Lauzon. Car ça mobilise beaucoup de monde.

9h50 Salle 2. Arrivée d'une handicapée en ambulance. Détresse respiratoire. On l'intube. Elle y passe la journée et sera hospitalisée.

10h00 Un ado a des convulsions durant la nuit à la maison. Ne se rappelle de rien. Sous observation depuis. Rien au taco, épilepsie peu probable. Reçoit son congé mais devra passer un électroencéphalogramme. « Sinon, revenez », dit le médecin.

10h05 Le cardiologue est venu voir Mme B. Tout va bien. Il va l'hospitaliser. Un ado est tombé la tête sur la glace. Semble avoir été sonné. Étourdissements. Pas de fracture, le taco est beau. Aura son congé. « Revenez au moindre signe », dit le docteur à sa grand-maman.

10h25 Une abonnée. Très âgée. Arrivée de la veille pour douleurs au ventre. « Vous ne pouvez pas toujours venir à l'hôpital », s'impatiente le médecin. Il veut la convaincre d'aller en résidence. « Elle coûte cher au système. On multiplie les examens pour rien », me dit-il. Je reste à bavarder. « Je ne fais pas exprès », me chuchote-t-elle. « Je suis bien à la maison. » Le CLSC l'entretient, lui donne son bain. Elle a une armoire pleine de pilules !

10h45 Deuxième transfert de Sainte-Anne-de-Beaupré. Des fractures. [...]

Le Soleil, 11 février 1998

Une amorce efficace

En la majeur ou en ré mineur ? Un reportage doit avoir un ton. Dès les premiers mots, on donne le ton de l'article : ironique, attendri, tragique, léger... Ainsi :

> *C'est une petite fille qui pédale sur son tricycle en riant à la caméra. Flash-back. Quelques mois plut tôt : la même petite fille s'écroule sur un tapis, jambes convulsées, gestes en désordre. Entre les deux images, il y a une opération et deux électrodes. Deux minuscules électrodes que les chirurgiens ont fichées au fond de son cerveau. Adieu dystonie musculaire déformante [...]*
> (*Midi Libre*, 11 février 2003)

Ici, le ton est à la fois dramatique (souffrances d'enfant) et résolument optimiste (adieu maladie). Et il le restera tout le long de l'article : 40 opérations, 40 enfants qui retrouvent le sourire, et d'autres champs (maladies psychiatriques) s'ouvrent à la technique de l'implantation d'électrodes dans le cerveau.

Non moins important : dès les premiers mots, aller chercher le lecteur (ce que fait cette petite fille qui rit à la caméra). Citation piquante, anecdote captivante, notation croquante sur le décor ou les gens, proverbe savoureux, etc. : il faut trouver pour l'attaque quelque chose qui capte l'attention du lecteur, suscite chez lui l'émotion ou la surprise, joue sur son sens de l'humour, ou son bon cœur, ou son sens critique, ses attaches culturelles, son attrait pour l'exotique, sa curiosité, badaude ou intellectuelle – tout ce qui peut lui donner envie de lire le reportage.

C'est dire que seule l'imagination – et le jugement[11] – limite le choix de l'amorce d'un reportage. Impossible dès lors de donner des règles précises pour sa rédaction, beaucoup plus libre que celle du *lead* d'une nouvelle. Tout au plus peut-on insister sur sa fonction d'accrochage. Pour le reste, il faut en lire, beaucoup, en étudiant ce qui les rend efficaces ou, au contraire, sans intérêt pour le lectorat visé. Et en rédiger soi-même, beaucoup, pour se faire la main.

Quelques exemples, tout de même. Dans les deux citations qui suivent, des reporters jouent, dans l'amorce de leurs articles, sur l'exotisme, la différence, pour attiser la curiosité des lecteurs français auxquels ils s'adressent : grand froid et taxis bigarrés aux mains d'immigrants à New York, tempête de sable à Bagdad.

> *Il est quinze heures et il fait −15°. Comme tous les* taxi drivers, *il n'est pas blanc, et parle mal l'américain. Encore s'exprime-t-il, ce qui est un atout, puisque, première observation, ils sont de moins en moins prolixes, les Haïtiens, les Iraniens, les Pakistanais, les Sénégalais et autres Tamouls qui maltraitent le volant des grandes barcasses jaunes aux sièges défoncés.* […] (*Le Monde*, 4 mars 2003, reportage sur la ville de New York avant la guerre annoncée en Irak.)

> *Bagdad disparaît dans une brume beige qui estompe toutes les couleurs.* […] *Dans l'atmosphère de fin du monde des premières tempêtes de poussière de l'année* […] (*Le Figaro*, 5 mars 2003, reportage sur la façon dont les habitants de Bagdad se préparent à la guerre.)

Dans un texte déjà cité sur le même thème, *En attendant l'apocalypse à Bagdad*, le reporter a trouvé un angle d'attaque plus original : la tension vécue dans un hôpital psychiatrique de la ville, exprimée à travers le comportement d'un de ses pensionnaires :

> *C'est un jeune homme au visage de vieillard qui marche* […] *Et personne ne peut l'empêcher de psalmodier, des milliers de fois par jour :* « *Avec notre âme, notre sang, nous nous sacrifierons pour toi, Saddam !* »

---

11. Sur la guerre en Irak, par exemple, on évitera, même si on trouve le jeu de mots très fin, d'ouvrir le texte avec « La nuit des mille et une bombes au pays des mille et une nuits ».

Bien des reportages ont des sujets moins graves. Voici une attaque citation tirée du reportage d'un étudiant sur la passion d'un homme qui a abandonné le droit pour la cristallographie : « Il y en a qui reçoivent l'appel de Dieu. Moi, j'ai reçu l'appel des cristaux – à supposer que ce ne soit pas la même chose. » On a vraiment envie de lire la suite.

Dans deux textes d'une série du *Soleil* (20 et 21 novembre 1999) sur les rats, le journaliste mise sur l'effet de surprise pour accrocher les lecteurs, une fois en mettant en scène des humains amoureux des rats :

> *Pendant que le rat terrorise une partie de la planète, des humains en sont tombés amoureux.*

l'autre fois en adoptant carrément dans l'attaque le point de vue… d'un rat !

> *Pour un rat, mieux vaut naître à Québec qu'à Montréal.*

Le *pupitre* collabore souvent avec le reporter pour renforcer son attaque, surtout si elle est excellente. Ainsi, l'article sur les amoureux des rats était coiffé d'un titre fort : « Rat, mon ami » et surmonté d'une photographie d'un homme approchant tendrement un rat de son visage[12]. Le second texte était aussi orné d'une photographie (un homme avec un rat sur l'épaule) et portait un titre monté sur deux branches, pour mieux faire ressortir la rime et les vers octosyllabiques :

> *La capitale les empoisonne,*
> *la métropole les abandonne.*

Il y a là un travail d'écriture périphérique assez poussé pour un petit article : le titreur s'est senti inspiré par l'attaque, qui donne tellement envie de savoir en quoi Québec est plus douce aux rats que Montréal et fait preuve d'une remarquable concision : « Pour un rat, mieux vaut naître… ».

Dans un article sur la Maison Revivre (*Le Soleil*, 23 septembre 1998), l'attaque :

> *Vingt ans plus tard, Geronimo, le premier « client » de la Maison Revivre, y sert des repas… à des bébés, assis dans des chaises hautes.*

amène le titreur à souligner encore dans son sous-titre l'inusité du cas d'un ex-criminel notoire qui sert aux tables dans une maison pour les pauvres : « Le vieux gangster Geronimo fait le service… aux chaises hautes ».

Dans la série sur le quartier Saint-Roch déjà évoquée, un des textes, sur une taverne encore, attaque avec cette phrase peu banale : « Tu vas au fond de toi-même comme au fond de la bouteille », qui annonce très bien le ton du reportage, centré sur la sociabilité et les confidences des habitués d'un endroit qui semble être pour eux une annexe de leur foyer.

---

12. La légende précise, de surcroît, que l'homme a apprivoisé des centaines de rats et que, « comme ils aiment la chaleur et la compagnie, ils vivent toujours dans nos vêtements ».

Sous le titre *Métro, boulot, porno* et le chapeau « Dieu est américain. La vidéo porno aussi. À l'ombre de la plus grande industrie du sexe de la planète, quelques productions québécoises surnagent. [...] », un reportage du *Soleil* (23 octobre 1999) sur la production de films pornographiques au Québec ouvre sur un élément étonnant pour beaucoup, le statut économique mais aussi social des stars du domaine :

> *Les grandes stars du cinéma porno mondial roulent en limousine, fréquentent le jet set et gagnent des salaires à faire rougir Patrick Roy lui-même. Elles possèdent des fans-clubs hystériques, lancent des lignes de vêtements et deviennent la cible des paparazzis. [...]*

Retenons de tous ces exemples que l'amorce du reportage demande un effort d'imagination particulier. Il arrive, certes – mais il ne faut pas trop compter là-dessus – que, de différentes façons, le *pupitre* rattrape une attaque plus ou moins réussie. Ainsi en est-il d'un petit reportage sur l'action de Canards illimités, un organisme voué à la préservation de l'habitat des oiseaux aquatiques, amorcé de façon plutôt terne : « Vachement canard ! », titrait *L'actualité*, ajoutant, en sous-titre : « Dans les îles de Varennes, les vaches broutent pour la survie des oiseaux aquatiques. » De quoi donner quand même envie de lire l'article, pour savoir comment les vaches aident les canards.

Un style prenant

Les principes de base d'un style vivant[13] s'appliquent au reportage comme à tous les genres journalistiques. Par exemple, l'emploi de mots justes et forts, l'usage réussi de la métaphore et d'autres figures de style contribuent toujours à la vivacité du style. Bien choisie, la métaphore peut aussi faciliter la compréhension du texte (rappelons-nous : « Le bonbon et le poison », « Potion magique pour insectes prédateurs »). Cela dit, d'autres moyens stylistiques, sans être exclusifs au reportage, y jouent un rôle plus saillant.

Des citations abondantes

Le moyen sans doute le plus sûr d'exprimer du vécu consiste à faire parler les gens mis en scène dans le reportage, à leur donner la parole plutôt que de reprendre soi-même leurs propos et leurs positions. La citation a le double avantage de montrer des gens qui s'expriment – donc qui bougent, qui interviennent, qui vivent –, et de (paraître) garantir l'exactitude des propos rapportés. En s'effaçant derrière ses informateurs, le journaliste renforce le côté mise en scène, narration, de son texte[14]. On recourra donc abondamment à la citation[15] dans tout

---

13. Voir le chapitre V, « Rédiger ».
14. Paradoxalement, il met aussi en valeur son rôle de journaliste de terrain, qui est sorti de son bureau pour aller à la rencontre des gens que son reportage met en scène.
15. Judicieusement choisie, évidemment (voir le chapitre VI).

reportage. On peut, pour varier, utiliser des citations indirectes, mais on devrait surtout employer les directes, qui suggèrent mieux le caractère vivant et présent des personnes citées.

Répétons-le : jamais de reportage sans citations ! Nombreuses, de préférence ! Et directes, le plus souvent.

Parmi tous les reportages truffés de citations examinés ici, *Le jour le plus froid* (Article 7.2, p. 189 et 190) fournit peut-être le meilleur exemple de l'usage abondant et judicieux de la citation. Le fil directeur choisi par l'auteur, les propos d'un vieux trappeur qui a vécu l'événement 50 ans plus tôt, s'y prête excellemment, d'autant mieux que ce Gordon Toole, à l'évidence, est un conteur de première classe. Beaucoup des choses racontées auraient moins de piment, voire de crédibilité, si elles étaient rapportées par le journaliste dans ses mots à lui. Par exemple, ce passage :

> *On faisait une expérience particulièrement intéressante [...]. On mettait un peu d'eau dans un verre. Pas trop. Et on la lançait violemment en l'air. On entendait alors un sifflement lorsque les gouttelettes étaient brusquement saisies par le froid. Et on voyait l'eau retomber par terre comme des grains de riz.*

En citant, faut-il toujours rapporter textuellement les propos ? Dans le contexte de la presse, lorsqu'on fait parler quelqu'un, il faut respecter scrupuleusement le sens de ses propos, mais rien n'interdit de les arranger un peu pour enlever répétitions et digressions, et pour respecter aussi le français.

Dans un reportage, pour faire plus réaliste, l'auteur peut conserver des tournures très populaires, voire incorrectes – à mettre en général en italique ou entre guillemets. Pas trop cependant, car il risque l'effet boomerang : un texte truffé d'écarts de langage majeurs va lasser, voire choquer, une partie des lecteurs qu'il voudrait attirer. « Trop », c'est combien ? Pour l'évaluer, tenir compte du public cible : un magazine rock pour adolescents peut s'en permettre plus qu'un quotidien d'information générale ou une revue qui se targue d'offrir un style soigné. Dans tous les cas, évitons de pousser le bouchon trop loin ; un papier composé pour l'essentiel de phrases du genre « La gang de chums on est montés sur le stage pis on a fait un show qu'on a tapé live » (*sic*) n'a pas sa place dans la presse.

Un rythme idoine

Le rythme, trop souvent négligé à la rédaction, peut s'avérer un moyen expressif précieux dans un reportage. Ainsi, le texte déjà cité (à propos du plan, voir Article 7.5, p. 195) sur la journée d'un urgentologue retient l'intérêt notamment parce qu'il reproduit, par son rythme haletant, hachuré, la cadence un peu folle et le stress du travail médical à l'urgence, amenant le lecteur à entrer dans l'action, à s'identifier aux protagonistes. Pour mieux évoquer la pression subie par le médecin et son entourage, l'écriture se fait même télégraphique. L'entorse à la règle est tout à fait justifiée dans ce cas (une fois n'est pas coutume).

Dans *Big… et chinois, L'avenir du monde passerait-il par la Chine?* (ci-dessous), sans employer un procédé aussi systématique, l'auteur, tout en livrant une foule d'informations, réussit à faire partager une impression de dynamisme fou, d'ébullition, de créativité sans limites.

- Par le choix des mots, les siens ou celui des autres. Shanghai, ce *vortex,* ce *grouillement perpétuel,* cette *ville en explosion permanente,* ce *fleuve permanent de vélos et de piétons,* est *le Paris des années 20, le New York des années 70,* etc.
- Par la mise en valeur de l'étonnant et la fréquence des phrases courtes, voire des segments de phrase. Par exemple, *Ce fut un succès monstre. Il a aussi emmené l'Orchestre national de Chine en Australie en proposant un nouveau répertoire exclusivement contemporain… et exclusivement chinois. Triomphe là aussi. Cet homme a un flair artistique poussé à l'extrême. Et aussi le sens des affaires. À un tel point […]*
- Par des images, aussi. Le chapeau, déjà, raconte que 20 % de toutes les grues du monde entier se sont donné rendez-vous à Shanghai. Quel spectacle on imagine!
- Par le respect, enfin, de l'angle choisi. Le reporter met en parallèle les arts en délire dans une ville en expansion vertigineuse. La mégalopole apparaît animée d'un mouvement de tourbillon qui donne son ton et son unité à l'article.

Faisons vite nos bagages pour Shanghai!

Article 7.6

Big... et chinois

L'avenir du monde passerait-il par la Chine ?

MICHEL BÉLAIR

On dit qu'il y a quelques années à peine, plus de 20 % de toutes les grues – celles des édifices en construction – du monde entier s'étaient donné rendez-vous à Shanghai : la ville est un chantier permanent depuis le milieu des années 90. Partout, dans tous les quartiers, on voit ces logos commerciaux qu'on retrouve dans toutes les grandes villes occidentales. 60 % du Fortune 500 a pignon sur rue quelque part sur l'un des principaux tentacules du monstre. Et rien n'indique que cela va s'arrêter. Voilà même que l'on prépare ici une sorte de nouvelle révolution culturelle qui risque de secouer la planète tout entière...

Shanghai – C'est le cinéaste François Girard (*Le Violon rouge, 32 films brefs sur Glenn Gould*) qui m'a mis sur la piste avant de quitter Montréal : «Tu verras, Shanghai est une ville en explosion permanente, et tous les créateurs veulent se trouver là.» Il ne faisait pas seulement allusion à la population de cette mégalopole – dont la dernière estimation officielle varie entre 16 et 18 millions d'habitants mais que certains ici fixent à 22 et même 25 millions en tenant compte des «illégaux» venus des campagnes – mais plutôt à l'énergie absolument extraordinaire qui se dégage de la ville.

Shanghai est un grouillement perpétuel. Il y a du monde partout. Au centre-ville, qui encercle une sorte d'immense parc tout vert où trône un extraordinaire musée racontant 5000 ans de culture chinoise, les nouveaux gratte-ciel dessinent avec une étonnante élégance le nouveau visage de la Chine. On dirait une ville tout droit sortie d'un film de science-fiction.

Dans ce quartier tout neuf, comme dans celui de Pu Dong, de l'autre côté de la rivière Huangpu qui traverse la ville, on a tout rasé pour reconstruire. De véritables marées humaines se font face à chaque carrefour, se frayant un chemin à travers les taxis et les bétonneuses. Plus loin, dans les quartiers périphéri-

ques que sont devenues la plupart des anciennes «concessions», la moindre petite rue – comme cette An Fu Road, où se trouve le grand théâtre où a lieu le China Shanghai International Arts Festival (CSIAF) […]

Quand tout ce beau monde sera prêt à montrer et à exporter ce qu'il fait sur le plan commercial comme sur le plan artistique, on en sera probablement encore à se demander si l'avenir du monde passe par la Chine... […]

Pour décrire et faire ressentir plutôt une ambiance de calme, de sérénité, on adoptera au contraire un tempo lent, marqué par des phrases complètes, des mots longuement choisis. Le rythme pourra aussi varier à l'intérieur d'un même article, en harmonie avec les éléments abordés.

Des intertitres, des blocs complémentaires

Sans en abuser, et jamais au début du texte[16], on recourra à l'occasion, dans le corps de l'article, à de brefs intertitres (en général, deux ou trois mots seulement) pour annoncer un nouveau thème, relancer l'intérêt. Ces intertitres étant entourés de blanc, cela aura aussi pour effet d'aérer la page, ce qui contribue au plaisir de la lecture.

Pour maintenir le rythme et l'intérêt du reportage, mieux vaut évacuer du texte principal tout ce qui pourrait l'alourdir et en ralentir la lecture. Reporter, par exemple, le détail des données numériques ou techniques, les énumérations encombrantes, les définitions rigoureuses, etc., à la périphérie du texte. Ces ingrédients, en effet, on les a retenus comme nécessaires à une bonne information, encore que peu propices à une bonne narration. La solution : les regrouper – et, ce faisant, les mettre en valeur – dans différents blocs externes que le lecteur consultera à sa guise, sans avoir à interrompre le fil du récit proposé par le texte principal du reportage. Un reportage à l'écriture nerveuse, complété par une bonne titraille et des éléments périphériques bien choisis peut livrer une information à la fois substantielle et captivante. On utilisera donc, à bon escient, tableaux statistiques, tableaux synoptiques, graphiques, dessins ou photographies légendés, encadrés, pour alléger le texte, en faciliter le plan et animer la page. Tout pour le lecteur !

Éviter encore et toujours le moi haïssable

Le style personnel approprié au reportage ne signifie nullement que l'auteur doit verser dans le narcissisme. Ce sont les autres qu'il met en scène ! Certes, on le sait, il faut sentir, à travers les descriptions et citations, que le reporter se trouvait sur le terrain. Cependant, l'attention des lecteurs devrait se focaliser non pas sur la personne du journaliste mais sur les gens qu'il présente et sur les événements qu'il narre. Dans le reportage comme dans l'écriture journalistique en général, fuyons donc (sauf exception) le *je,* le *nous,* l'interpellation du lecteur – bref, tout ce qui manifeste explicitement la présence de l'auteur, détournant ainsi l'attention de l'objet du reportage. Quand il est nécessaire de signaler notre présence, cachons-nous, comme dans la nouvelle, derrière notre journal : « *Le Devoir* a rencontré Untel. », « Elle a contacté *Le Soleil*[17]. »

---

16. Pour éviter que l'intertitre ne se confonde avec la titraille.

17. Comme le fait, par exemple, l'auteur du reportage *Il joue dans le trafic* (Article 7.7, p. 203). Il se limite à deux brèves allusions à sa présence sur place, en évoquant son journal et non sa personne : « quand LE SOLEIL l'a surpris en action », « L'homme raconte au SOLEIL que… ». Voir le chapitre suivant.

Il y a sans doute lieu d'insister sur ce point, à cause de la tendance à confondre style personnel et propos personnels. Il ne faut pas! Mieux vaut s'inspirer, sur ce point, des éditoriaux: même si, par définition, ils expriment des positions personnelles, les éditorialistes résistent au *je*; ils présentent, en effet, non pas des *moi-je-pense-que* mais des faits et des arguments, choses qui se dispensent fort bien du *je*. De même, le reporter raconte les gestes et les sentiments des autres, non les siens. Pour ce faire, il décrit sans se manifester et il passe par ses sources, leur attribuant le plus souvent possible ce qu'il veut faire voir ou faire savoir à son public.

Une exception (partielle): le reportage axé sur l'action que le journaliste entreprend précisément pour pouvoir expliquer aux lecteurs, de l'intérieur, « comment c'est »: comment c'est de s'adonner à un sport extrême, par exemple, ou de participer à une course de voiliers ou à une chevauchée « médiévale », de vivre une journée en prison ou quelques semaines dans une secte, etc. Il devra alors employer, à l'occasion, la première personne. Mais seulement quand le *je* est incontournable, c'est-à-dire rarement. En effet, le reporter est au cœur de l'action, mais cette action fait intervenir des gens, des techniques, des décors, des gestes dont il peut et doit rendre compte en restant à l'arrière-plan.

Un apport: l'écriture périphérique

Le *pupitre* peut compléter et valoriser l'écriture du journaliste, ses reportages notamment, de bien des façons: rédaction de bons titres, de chapeaux, de légendes, mais aussi mise en pages, infographie. En voici un exemple, intitulé *Il joue dans le trafic* (Article 7.7).

Ce petit reportage (506 mots) sur un agent de la circulation pas comme les autres a droit à tous les égards de mise en pages: presque toute la une d'un cahier, avec beaucoup de blanc, une grande photo légendée, une série de six photos détourées, dont une plus grande en surimpression sur le logo de cahier (QUÉBEC), et, en prime, un titre à la typographie spéciale (*Il joue dans le trafic*), séparé de son sous-titre (*Engelbert Fredette, « piquet » chéri de la Ville de Québec*) par l'amorce du texte, montée sous le titre et longeant les niveaux.

Le traitement de luxe! Non prévu au moment de la rédaction du reportage[18], ce chouchoutage illustre bien à la fois comment l'écriture périphérique peut mettre en valeur le travail journalistique et comment, surtout avec l'actuelle *tendance magazine* des quotidiens, même un petit papier, s'il est un peu accrocheur, peut inspirer le *pupitre* et devenir un objet d'art typographique.

Cette mise en pages fantaisie illustre aussi que le jeu typographique comporte également des risques pour le journaliste et pour son texte. Ainsi, on a déplacé l'amorce du texte entre le titre et le sous-titre. C'est joli, mais les lecteurs peuvent croire qu'il s'agit d'un chapeau et, pour ceux qui l'escamoteront, cela faussera toute leur perception du reportage.

---

18. Information fournie par l'auteur du reportage.

Article 7.7

QUÉBEC

À la recherche
d'elles-mêmes au
Guatemala B 2

Caroline Brunet,
Lauréate de
la semaine B 3

Il joue dans le trafic

Il siffle, il piaffe, il applaudit, il danse, il chante, il grimace, il rigole, il joue la comédie, il se moque gentiment des passants, il fait courir les piétons qui traversent, y compris les petites vieilles de 75 ans, qui sont pourtant folles de lui. Mesdames et messieurs, Engelbert Fredette, « piquet » chéri de la Ville de Québec.

ALAIN BOUCHARD
ABouchard@lesoleil.com

Cet athlétique policier municipal de 56 ans bien sonnées — on lui en donnerait 45 maximum, 35 quand il fait le trafic — remplaçait les feux de circulation de l'intersection René-Lévesque/Belvédère quand LE SOLEIL l'a surpris en action, entre 7 et 9 h, ce matin-là. Des travaux de voirie rétrécissaient René-Lévesque et congestionnaient par conséquent la circulation automobile.

Mais il est tout aussi remarqué ailleurs, quand il donne son *one man show* au beau milieu de la chaussée. Monsieur l'agent y donne chaque fois un véritable spectacle. Au plus grand plaisir des automobilistes et des piétons, qui lui rendent bien sa bonne humeur.

Plusieurs lui envoient chaleureusement la main. D'autres klaxonnent un petit coup. Certaines « admiratrices » lui soufflent même un baiser. Tandis que certains piétons arrêtent leur chemin pour mieux observer la performance d'Engelbert. « En v'là un qui est tout en vie ! » lance un ouvrier de la voirie qui le côtoie depuis quatre matins. «Quel merveilleux policier que cet homme ! » enchaîne une bonne dame ravie de passer par là.

12 HEURES D'AFFILÉE

L'homme raconte au SOLEIL que ce style ne lui est pas venu tout seul. «L'affaire a commencé dans la côte Dufferin, il y a deux ou trois ans. Je m'y suis retrouvé à faire la circulation durant six heures d'affilée, et même 12 heures à au moins une reprise. Je me suis dit: aussi bien avoir du plaisir, et peut-être en même temps rendre la situation moins pénible aux citoyens. »

Albert Fredette réussit particulièrement bien son défi. Il est devenu la coqueluche des chauffeurs d'autobus et de taxi, et de plus en plus des automobilistes ordinaires également. Sans compter les piétons qui le reconnaissent, bien entendu.

« Je ne fais pas ça pour être récompensé, dit-il. Mais le fait est que je le suis constamment, par tous ces gens qui m'envoient un signe d'appréciation. »

Le policier garde sa bonne humeur, même quand les automobilistes sont empêtrés dans leur cellulaire, paralysés par la radio ou rivés à leur agenda électronique. Et que, forcément, ils bloquent le trafic. Plutôt que de les réprimander, il se met alors à simuler le gros dodo d'un bébé inconscient...

À 56 ans, cet agent a décidé d'avoir encore du plaisir à faire la police... surtout quand ça paie temps double. «Pour faire le piquet, notre supérieur fait un appel à tous. Les jeunes ne veulent pas y aller. Moi, je saute sur toutes les occasions. »

Piquet, vous l'aurez compris, est le mot utilisé dans la police pour parler d'un préposé à la circulation. Engelbert Fredette, le champion dans le genre, porte le matricule 360. Ce qui n'autorise pas pour autant à effectuer des demi-tours. Et s'il vous plaît, ne commencez pas à lui demander des autographes !

PHOTOS LE SOLEIL, PATRICE LAROCHE

Cet athlétique policier municipal remplaçait les feux de circulation de l'intersection René-Lévesque/Belvédère quand LE SOLEIL l'a surpris en action, entre 7 et 9 h, ce matin-là.

Le Soleil, 21 septembre 2003

En effet, s'ils commencent par lire ce qui semble l'amorce, ils se demandent bien alors ce que l'agent fait de si spécial pour mériter ce reportage. Ils risquent même, perdant intérêt, de sauter tout à fait l'amorce.

Ce serait dommage, car non seulement ils ne comprendront rien au reportage, mais ils rateront une attaque efficace, à la cadence bien adaptée au sujet, la vitalité et le dynamisme de l'agent de circulation :

Il siffle, il piaffe, il applaudit, il danse, il chante, il grimace, il rigole, il joue la comédie, il se moque gentiment des passants, il fait courir les piétons qui traversent, y compris les petites vieilles de 75 ans, qui sont pourtant folles de lui.

L'amorce propose même, dans une phrase d'animateur de music-hall qui fait écho au spectacle décrit dans le texte, une petite devinette (qu'est-ce donc qu'un « piquet » ?) qui pique la curiosité des lecteurs : *Mesdames et messieurs, Engelbert Fredette, « piquet » chéri de la Ville de Québec.*

L'écriture périphérique, si elle accorde la priorité à l'esthétique de la mise en pages au détriment de l'intelligibilité du texte, risque donc de desservir le reporter, son texte et ses lecteurs. En général, toutefois, elle ajoute plutôt de la séduction visuelle à la séduction de l'écriture.

LE REPORTAGE : À TOUTES LES SAUCES

Pour clore ce chapitre, voici un petit montage qui veut illustrer la diversité illimitée des sujets pouvant donner lieu à des reportages. Ils vont :

- des skinheads nouvelle génération, « skinheads de gauche » buveurs de bière, amateurs de musique et défenseurs de la classe ouvrière, à l'opérateur anglais d'une grue exceptionnelle gîtant dans les parages pour quelques mois ;
- du regard féroce que de jeunes Algériens portent sur leur pays à la pétanque des neiges au Québec ;
- de la déficience intellectuelle au champion ouvreur d'huîtres ;
- de New York attendant la guerre à l'industrie de la vidéo porno au Québec ;
- des difficultés de l'étranger qui veut faire des affaires à Bagdad à l'ambiance conviviale d'une taverne de quartier populaire Saint-Roch ;
- des jeunes Tanguy qui s'accrochent à l'université à de jeunes Palestiniens traversant pour la première fois de Gaza à la Cisjordanie.

Et combien d'autres ! Toutes les facettes de l'expérience humaine peuvent faire vivre le reportage.

Article 7.8

Skinheads, nouvelle génération

*Apolitiques, les jeunes skinheads de gauche
se disent pourtant « prêts à saigner pour la fierté
de la classe ouvrière »*

FABIEN DEGLISE

♦ ♦ ♦

Quatre jeunes. Cinq bières. Un rendez-vous. Et des formules-chocs : «Je veux me battre pour la fierté de la classe ouvrière et je suis prêt à saigner pour elle.»

«On veut bâtir une société plus juste.» «Nous sommes la contre-culture, celle qui s'oppose aux profiteurs.» «Nous vivons pour la bière, la musique, le fun, le soccer et... la violence.» […]

Le Devoir, 2 octobre 2003

Article 7.9

L'histoire d'un homme et de sa grue

ALAIN BOUCHARD

♦ ♦ ♦

■ **C'est l'histoire d'un homme et de sa grue mécanique. Un homme qui la suit partout depuis des années. Un homme qui pourrait peut-être s'en passer à la limite. Mais un homme dont la grue, elle, aurait bien du mal à se passer.**

Le titre pourrait être : qui prend grue prend pays. Ou : qui est l'homme caché dans la grue ? Ou encore : un Anglais errant. Ce qu'est effectivement Dave Smith, à sa façon. […]

Le Soleil, 16 novembre 2003

Article 7.10

Regard féroce de jeunes Algériens sur leur pays

FLORENCE BEAUGÉ
ENVOYÉE SPÉCIALE DU MONDE

♦ ♦ ♦

Alger – La guerre d'Algérie ? Le sujet étonne, paraît presque déplacé. Et d'abord, de quelle guerre parle-t-on ? De celle qui a pris fin il y a tout juste quarante ans, ou de l'autre, celle qui a ravagé le pays ces dix dernières années et qui n'est toujours pas terminée ? Ici, le désespoir est si grand que le temps semble s'être arrêté. Tout se mélange : le passé et le présent. L'avenir ? On ne l'évoque pas. En revanche, on parle, et avec une liberté que l'on ne peut pas imaginer ailleurs. C'est la seule consolation... Se nourrir, se loger, trouver un travail et de l'eau - Alger n'en dispose qu'un jour sur trois, voire un jour sur six - sont des tâches obsessionnelles, qui relèguent tout le reste à l'arrière-plan. Beaucoup se disent convaincus qu'il leur faudra «deux ou trois générations pour s'en sortir» et qu'ils ne verront pas, de leur vivant, une Algérie prospère et heureuse. […]

Le Devoir, 19 mars 2002

Article 7.11

Petits bonheurs à −30 degrés

*Un amateur de sport, une psychologue et une diététiste
donnent une série de conseils pour apprivoiser l'hiver*

ALEXANDRA PERRON

♦ ♦ ♦

■ La pétanque des neiges, vous connaissez ? Un peu de chaleur du Midi en plein hiver, ça ne fait pas de tort, surtout arrosé du traditionnel pastis. Cette idée est celle d'un groupe de joyeux lurons, du Saguenay, bien sûr. D'une douzaine au début, en 1999, ils sont aujourd'hui une quarantaine à se préparer pour la saison qui commence. Apparemment, la célèbre phrase : « Alors ! Tu pointes ou tu tires ? », jetée avec l'accent coloré de Marseille, trouve ici un nouvel écho : «Coudonc, tu glisses ou tu enfonces ?» Voici comment cultiver des petits bonheurs à −30 degrés. […]

Le Soleil, 16 novembre 2003

Article 7.12

SEMAINE DE LA DÉFICIENCE INTELLECTUELLE

Pour Gabriel et pour Yann, le bonheur de se débrouiller

MYLÈNE MOISAN

◆ ◆ ◆

■ Gabriel, 18 ans, adore le ski alpin. À la seule mention de ce sport, ses yeux s'allument et son corps se déhanche, comme s'il dévalait la pente. Pour lui, skier est plus qu'une banale activité hivernale. C'est un pas de plus vers l'intégration à la société, qui a encore un peu peur de sa trisomie 21.

« La déficience intellectuelle, ça fait encore peur », affirme Marie Leblanc, mère de Gabriel. La dame, qui s'occupait hier d'une journée toute spéciale dédiée aux familles, a pris grand soin de préciser qu' « on ne souffre pas d'une déficience, on vit avec. Il y a personne qui a mal ». […]

Le Soleil, 18 mars 2002

Article 7.13

Capable d'ouvrir 398 huîtres en une heure !

Marc Bardier, 58 ans, vient de fracasser un record Guinness

PAUL ROY

◆ ◆ ◆

■ « J'peux-tu en manger une ? » Vers 17h05, Marc Bardier a eu un petit creux. Et comme il venait d'ouvrir 398 huîtres en une heure… les mains dans le dos, vous vous imaginez bien qu'il n'allait pas se commander du poulet ! […]

La Presse, 11 février 1998

Article 7.14

NEW YORK AVANT-GUERRE

Un carnet de route de Philippe Labro
dans une ville en état d'alerte

13 FÉVRIER

Il est 15 heures, et il fait – 15°. Comme tous les *taxi drivers,* il n'est pas blanc, et parle mal l'américain. Encore s'exprime-t-il, ce qui est un atout, puisque, première observation, ils sont de moins en moins prolixes, les Haïtiens, les Iraniens, les Pakistanais, les Sénégalais et autres Tamouls qui maltraitent le volant des grandes barcasses jaunes aux sièges défoncés.

Lorsque nous nous engageons sur le Triboro Bridge, qui mène à Manhattan, il regarde vers la ligne des gratte-ciel plus vide qu'autrefois, cet espace mythique et bleu poudre où, dix-sept mois auparavant, trônaient, impavides et babeliennes, les deux cathédrales du monde moderne. « À chaque fois, dit-il, je tourne la tête, je ne peux pas m'en empêcher. À chaque fois, je me dis, quelque chose n'est plus là. » […]

Le Monde, 4 mars 2003

Article 7.15

Métro, boulot, porno

À l'ombre de la production US,
quelques productions québécoises surnagent

Jean-Simon Gagné

◆ ◆ ◆

■ QUÉBEC – **Dieu est américain. La vidéo porno aussi. À l'ombre de la plus grande industrie du sexe de la planète, quelques productions québécoises surnagent. Voyage au pays de l'exception sexuelle.**

Les grandes stars du cinéma porno mondial roulent en limousine, fréquentent le jet set et gagnent des salaires à faire rougir Patrick Roy lui-même. Elles possèdent des fans-clubs hystériques […]

Le Soleil, 23 octobre 1999

Article 7.16

Barbelés, fouilles au corps, omniprésence de l'occupant

Le blues du businessman qui débarque à Bagdad

PHILIPPE GRANGEREAU

LIBÉRATION

◆ ◆ ◆

Bagdad – Les affaires, en Irak, sont une sorte de parcours du combattant – d'ailleurs souvent au sens propre. Première étape d'un businessman lambda cherchant à se tenir au courant des mille et une occasions offertes par la reconstruction de ce pays : le ministère du Commerce. Celui-ci ayant été pillé et incendié dans les premières semaines de l'occupation américaine, il faut, pour rencontrer ses fonctionnaires, se rendre au ministère du Pétrole. […]

Le Devoir, 24 octobre 2003

Article 7.17

La taverne Jos Dion 70 ans plus tard
« Tu vas au fond de toi comme au fond de la bouteille »

ALAIN BOUCHARD

◆ ◆ ◆

■ « Tu vas au fond de toi comme au fond de la bouteille... » La phrase n'est pas tirée de la pièce *Broue,* qui a 25 ans cette année. Mais elle pourrait l'être. Elle est de Christian, un vieux client de la taverne Jos Dion en basse ville de Québec, qui y vient « parce qu'on ne s'y sent jamais seul, et parce qu'on y parle cœur à cœur ». […]

Le Soleil, 9 novembre 2003

Article 7.18

Les **accros** de l'université
Une minorité grandissante de jeunes adopte ce mode de vie

ALEXANDRA PERRON

◆ ◆ ◆

■ Le phénomène des grands enfants qui « collent » chez leurs parents est un sujet à la mode. Décriée avec humour dans le dernier film d'Étienne Chatiliez, *Tanguy,* puis solutionnée par un nouveau guide signé IKEA, *Comment inciter les enfants à quitter le foyer,* cette réalité ne se vit pas qu'à la maison. Le syndrome de Peter Pan, ce refus de vieillir, existe aussi à l'université. […]

Le Soleil, 3 septembre 2002

Article 7.19

Près d'un mois de retard

Par la route jusqu'en Cisjordanie
Le passage protégé a enfin été inauguré

CHRISTOPHE BOLTANSKI

LIBÉRATION

◆ ◆ ◆

Tarqumiya – Ils se tapent sur l'épaule. Il rigolent l'un l'autre de leur folle équipée. Assis à l'arrière du bus, il viennent de franchir le dernier barrage militaire. Ils sont enfin en Cisjordanie, une région qu'ils découvrent l'un l'autre pour la première fois. Toutes leurs affaires tiennent dans un sac plastique noir posé à leurs pieds. Ils ignorent quand ils retourneront à Gaza. « Nous ne savons même pas où nous coucherons ce soir. Vous connaissez un hôtel à Hébron ? », demandent-ils à un autochtone. […]

Le Devoir, 26 octobre 1999

RAPPELS • RAPPELS • RAPPELS

- Un reportage réussi définit un **sujet** intéressant et adopte pour le traiter un **angle** clair et attrayant.

- Pas de reportage réussi sans un **terrain** bien préparé d'abord, bien exploré ensuite, avec prise de **notes** abondante.

- Un **plan** cohérent en facilite la lecture et en maintient l'intérêt.

- Le reporter **témoigne** de choses **vécues,** il les fait vivre par procuration.

- Il **raconte**, il donne à voir, il met en scène, il scénarise – tout en respectant l'**information.**

- Dans l'**attaque** et dans la **chute**, l'auteur se fait particulièrement créatif.

- Il choisit un **ton** et un **rythme** adaptés au sujet.

- Le reporter fait parler les acteurs, surtout par des **citations** directes, nombreuses et bien choisies. Au besoin, il corrige un peu le style des citations, sans en modifier le sens.

- Sauf exception, il ne dit pas *je,* il évite de se mettre lui-même en scène.

- À l'occasion, des **intertitres** relancent le récit et aèrent la page.

- L'auteur renvoie à la **périphérie** du texte tableaux, données et informations qui s'intègrent mal dans le récit central, dans la narration.

CHAPITRE VIII

ÉCRIRE DANS LA PRESSE :

QUELQUES CONVENTIONS DU STYLE JOURNALISTIQUE

Our reporters do not cover stories from their point of view. They are presenting them from nobody's point of view.

Richard S. Salant, président de *CBS News*, cité par Epstein (1973)

L'objectivité, c'est cinq minutes pour Hitler et cinq minutes pour les Juifs ?

Anne Sinclair, dans une interview à *L'Événement du jeudi*

Remember : there never was a verb better than « said ».

C. H. Brown (1957)

Le moi est haïssable.

Pascal

LE JOURNALISTE INVISIBLE

La presse commerciale occidentale, et surtout nord-américaine, a fait de l'objectivité le premier critère du professionnalisme chez un journaliste. Objectif, neutre, impartial (ONI), voilà notre héros.

Il se veut spectateur de l'actualité, actif par sa quête de l'information mais non engagé dans les événements et les conflits qu'il couvre. Il se définit comme un témoin professionnel, au service du public, à qui il prête ses yeux et ses oreilles, lui donnant ainsi accès à des gens, à des lieux et à des événements qui, autrement, lui échapperaient. Il est, en somme, le fournisseur d'une « expérience vicariale », ou expérience par procuration (Moles 1971).

Dans cette optique, l'informateur n'a pas à prendre position, à appuyer ou à attaquer qui ou quoi que ce soit, ou à penser pour son public : il s'en tient aux faits, qu'il relate en toute objectivité et impartialité.

J'ai déjà mentionné, en introduction, les interrogations que soulèvent la question de l'objectivité et celle, plus large, de la fonction sociale et idéologique des médias d'information. Je n'y reviendrai pas, sauf pour préciser ceci : selon moi, on ne peut pas ne pas avoir de point de vue, et on ne peut pas ne pas choisir ce qu'on va regarder et « rapporter ».

De plus, indépendamment de la question cruciale de savoir comment ces choix sont faits, on ne peut parler de neutralité de la presse qu'au sens très restreint de non partisan. Un journal qui dévoile un scandale n'est pas neutre. C'est le « bon » qui attaque les « méchants », les contrevenants de tout poil. Et personne n'y trouve à redire. Jean Daniel, du *Nouvel Observateur,* est allé jusqu'à comparer la pratique du journalisme à celle de la délation[1]...

Est-ce dire que notre ONI est une créature purement mythique ? Un objet non identifiable ? Point du tout ! La pratique professionnelle tend effectivement, à l'intérieur de l'acceptable, à l'objectivité-neutralité-impartialité. La force de la norme est telle que même les éditoriaux et autres commentaires de presse y échappent rarement. Lorsque les journalistes prennent position, c'est à la manière, en principe pondérée et documentée, de l'expert plus qu'à celle du citoyen engagé. Ils suivent la formule DEE, chère au *Wall Street Journal* : *description des faits* d'abord, puis *explication* et, en dernier lieu seulement, *évaluation.*

L'idéal ONI – par définition inaccessible – n'en détermine pas moins des méthodes de travail et un style d'écriture qui seuls seront considérés comme acceptables dans notre contexte.

L'ONI et la cueillette de l'information

Dès l'étape de la cueillette de l'information, l'ONI tend à l'objectivité-neutralité-impartialité, s'efforce d'aborder sans préjugés, ou en faisant autant que possible abstraction de ses préjugés, les différentes versions, positions, explications ou rationalisations des acteurs sociaux. Il écoute tous les sons de cloche, essaie toutes les lorgnettes, rend des comptes aussi objectifs, c'est-à-dire aussi honnêtes, que possible.

Pour cela, le journaliste a développé diverses techniques et habitudes de travail : se méfier de toutes ses sources, utiliser le plus possible des sources documentaires « incontestables », vérifier toutes les informations, chercher des sources contradictoires, etc. Ces techniques et habitudes ne garantissent pas la perfection et n'éliminent pas l'appréciation et le jugement personnel. Il n'y a pas et il n'y aura jamais de recettes assurant un traitement objectif et honnête de l'information. La quantification n'apporte pas de solution miracle, même si c'est souvent à elle qu'on recourt en premier, notamment pour couvrir les campagnes électorales.

---

1. Dans une interview à feu *L'Événement du jeudi,* n° 10171, février 1988.

Elle a alors son utilité, limitée, mais elle n'est pas généralisable. «Cinq minutes pour Hitler, cinq minutes pour les Juifs...»

Ces méthodes de travail font que différents médias, même s'ils donnent du monde des images relativement contrastées, proposent rarement des descriptions incompatibles d'un même événement. En ce qui concerne les faits, leurs nouvelles se rejoignent, et c'est ainsi qu'ils acquièrent leur crédibilité.

L'ONI et l'écriture

La couverture de l'actualité judiciaire exige le respect absolu de certaines normes de discrétion journalistiques. Elle offre donc un bon point de départ pour décrire le style ONI.

Au Québec, la loi interdit au journaliste de prendre position dans un procès, d'affirmer ou même de laisser entendre qu'un accusé est innocent, ou coupable, que la partie demanderesse a tort ou raison, etc. Tant qu'une affaire est devant les tribunaux (*sub judice*), le journaliste doit écrire comme s'il n'avait pas d'opinion. Et même après le procès, il lui est interdit de critiquer le juge ou le jugement.

Ces règles conduisent à un traitement particulièrement aseptisé de l'information judiciaire et à un style assez impersonnel. Rien à voir avec la presse française, où des victimes du système judiciaire côtoient des accusés à la mine patibulaire, voire des meurtriers, des faussaires, etc. Ici, même la personne qui a avoué sa culpabilité est présentée uniquement comme accusée tant que le tribunal n'a pas rendu sa sentence. Cela ne signifie pas qu'on adoptera l'impossible point de vue de personne cher à M. Salant. Simplement, l'auteur ne parle pas, il fait parler.

Un jeune Noir est abattu à Montréal par un policier qui a dégainé son arme par distraction, enlevé le cran de sûreté par inadvertance et mis dans le mille par maladresse. Un tribunal acquitte le policier. Le journaliste peut bien songer qu'il y a meurtre et meurtre, et se demander ce qu'il adviendrait d'un simple citoyen qui présenterait une telle défense. Il se gardera bien de l'écrire ou même de l'insinuer !

Cependant, il peut, et, en l'occurrence, il doit, donner la parole aux divers acteurs concernés. À l'acquitté, à son syndicat, au ministre de la Justice, mais aussi à la mère du jeune homme, aux divers groupes qui crient au racisme, aux mouvements de défense des droits et libertés, qui dénoncent la brutalité policière et rappellent divers précédents. En d'autres termes, *volens nolens*, le journaliste alimente la polémique en donnant un caractère public aux prises de position de ces gens. Mais tout ce temps, il s'efface derrière ses sources. Pour être crédible – et à l'abri des rigueurs de la justice –, le journaliste se fait invisible.

Jusqu'à un certain point, c'est toute l'information rapportée qu'il faut, dans la tradition journalistique locale, présenter à la manière de l'information judiciaire, c'est-à-dire en donnant toutes les apparences de l'objectivité et de l'impartialité et en se faisant invisible.

Voici donc quelques règles de rédaction qui découlent de ces principes. Elles se recoupent largement.

Ne pas parler de soi, ne pas se mettre en scène

L'ONI ne raconte pas sa vie, même pas sa vie professionnelle. Il épargne au lecteur le récit des démarches effectuées pour traquer l'information ou des difficultés éprouvées dans cette quête.

Il y a une exception à cette règle : les médias mentionnent assez souvent qu'ils n'ont pu joindre une personne mise en cause par une nouvelle pour connaître ses réactions ou son point de vue, obtenir une confirmation ou une dénégation, ou que cette personne a refusé de se prêter à une interview. Ils font ainsi savoir qu'ils se sont efforcés de produire une nouvelle équilibrée, livrant tous les points de vue.

Il faut toutefois souligner ce fait brièvement : ce n'est pas l'objet de la nouvelle. Il faut surtout éviter de laisser entendre que l'absence ou le refus de la personne ont quelque chose de louche. Parfois, c'est effectivement étonnant ; un politicien, par exemple, refuse rarement une occasion de rencontrer la presse. Même dans un tel cas, inutile d'insister. Votre lecteur verra bien lui-même que le comportement a quelque chose d'inhabituel, sinon de bizarre. Retenons donc que nul n'est tenu de se mettre à la disposition de la presse ! Que chacun a le droit le plus strict de l'éviter et que les journalistes ont l'obligation la plus stricte de respecter ce droit. Il arrive trop souvent qu'ils l'oublient.

Des journalistes sont parfois amenés à participer directement à l'actualité, par exemple s'ils sont candidats à une quelconque élection ou font office d'intermédiaires entre les mutins d'une prison et les autorités. Il n'y a là aucun accroc à la règle puisque, dans ces cas, ils laisseront à leurs collègues le soin de couvrir les événements en question.

Un corollaire découle de cette première règle : le moi est haïssable ! Le *je* et le *nous* sont à proscrire. On n'écrira donc pas : *Le député m'a confirmé que... Lors d'une interview qu'elle m'a accordée...* etc. On s'effacera plutôt derrière son média : *Le député a confirmé au* Soleil *que... Lors de l'interview qu'elle a accordée au* Devoir...

Pour la même raison, il faut bannir les possessifs à la première personne. Non pas : *Mes informations sur ce qui se passe dans nos écoles,* mais plutôt : *Les données sur la situation* ou, selon le contexte, *La situation dans les écoles du Québec...*

De la même manière, on ne s'adresse pas directement au lecteur. Pas plus de *vous, vôtre, vos* que de *je,* car qui interpelle, sinon l'auteur ? Or, il doit rester invisible. Au lieu de : *Que feriez-vous avec le gros lot ? Vous saviez sans doute que... Si vous êtes intéressé à...* vous écrirez donc : *Que fait-on avec un gros lot ? On savait déjà que... Les personnes intéressées à...*

Ne pas exprimer d'opinion

L'ONI évite de donner son opinion, aussi bien l'opinion explicite que la prise de position implicite, voire involontaire.

Cette règle implique d'abord qu'il ne qualifie pas, à moins que le qualificatif ne reflète une incontestable unanimité. Il présente le projet ou l'équipe, sans affirmer que le premier est passionnant ou la seconde, formidable. Même si tel personnage s'est mis dans une colère noire, le journaliste évite d'affirmer qu'il était fou de rage, décrivant plutôt ce qu'il a fait. Par exemple : *L'accusé, frappant du poing sur la table, a alors crié...* Évidemment, si le président du Conseil canadien des entreprises s'est présenté à l'assemblée annuelle en maillot de bain rose à pois verts, personne ne lui en voudra de le noter. Même dans ce cas, il est préférable de décrire l'événement de manière factuelle ou, mieux encore, de faire état des réactions des membres du Conseil qui étaient présents. Faites parler !

L'interdiction de qualifier rejoint deux autres impératifs de l'écriture d'information, le rejet des mots inutiles et celui des clichés. Cherchez dans votre journal d'aujourd'hui des qualificatifs. Vous verrez que, dans la plupart des cas, ils sont redondants ou relèvent du tic verbal. *Selon* l'éminent *spécialiste... Ce meurtre* abominable *de deux enfants...*

On a vu aussi que l'emploi inapproprié de certains mots ou expressions peut nous amener à commenter sans l'avoir voulu. *Les étudiants réclament la parité,* sous prétexte que... Alors, si quelqu'un applique tel règlement de façon *stricte,* n'écrivons pas qu'il le fait de façon *intransigeante.* Si un autre *déclare* avoir de louables motifs, ne disons pas qu'il *prétend* être bien intentionné, etc.

Ne pas faire courroie de transmission

Nous avons rappelé, en examinant les critères de sélection des informations (au chapitre III), que le journaliste est au service du public et non de ses sources ou de leurs relationnistes. Ce souci d'indépendance concerne non seulement le fond de l'information, mais aussi la forme, l'écriture.

C'est ainsi qu'il ne faut jamais présenter comme un fait avéré le contenu d'une déclaration, verbale ou écrite.

Par conséquent, on n'écrira pas, même si cela figure dans un communiqué ou un discours : *Le ministre est heureux d'annoncer que... Le président est très sensible aux difficultés que... Le syndicaliste, dont le seul souci est de faire débloquer la situation... Greenpeace est convaincu que... Le PDG a dû à regret congédier...*

Dans le premier cas, on biffe : pure rhétorique politicienne. Au fait ! Dans le dernier aussi, probablement. Dans les trois autres cas, si on choisit de retenir l'information, on laisse parler la source :

Le président s'est dit très sensible...

Le syndicaliste, qui affirme avoir pour seul souci de...

Nous sommes convaincus que la pollution empire, a déclaré hier le porte-parole de Greenpeace...

plutôt que de se porter garant de la sensibilité, du dévouement ou des convictions de ces gens.

Attribuer, encore et encore

Dans toute nouvelle, on l'a vu, il faut citer ses sources, dire comment on a appris l'information. Cette quatrième règle, qui n'est en fait qu'une explicitation des précédentes, a une portée plus générale que cette prescription. Elle signifie que le lecteur doit toujours savoir si c'est vous qui affirmez telle chose ou si vous rapportez les propos d'autres personnes. Habitué aux mœurs journalistiques locales, il tiendra pour acquis que l'auteur de l'article engage sa responsabilité dans tout ce qui n'est pas expressément attribué. S'il lit: *Le témoin devant la commission Dubin a menti,* il comprend que vous portez vous-même cette accusation, que vous prenez position. Faites en sorte qu'il lise plutôt que telle personne a accusé le témoin de mentir.

Quand vous écrivez: *La formation et l'expérience de M. X en font un candidat idéal à ce poste,* le lecteur conclut que tel est votre avis; vous qualifiez. Formulez donc la chose autrement. Par exemple: *Selon le directeur du service, la formation et l'expérience de M. X en font un candidat idéal...*

Supposons maintenant que vous pensiez le plus grand bien du candidat et que le directeur ne vous fournisse nulle «poignée» pour le faire valoir discrètement. Rabattez-vous alors sur les faits: *M. X a fait telles études et a telle expérience dans tel domaine.* Soyez prudent toutefois, ne faites pas trop mousser la candidature, même sous des dehors objectifs. Le style contribue à donner les apparences de l'objectivité, il n'y suffit pas!

Pour toutes les nouvelles à base de déclarations – et Dieu sait si elles foisonnent –, la règle de l'attribution représente un risque de lourdeur. L'auteur semble répéter sans cesse: «Ce n'est pas moi qui l'affirme, c'est ma source.» Afin de minimiser ce risque, injectons de la variété dans les attributions.

Ainsi, alternons citations directes et indirectes (en réservant toutefois les citations directes aux éléments importants, percutants ou colorés). Varions les marques de l'attribution: *Il a dit, déclaré, affirmé, juré, laissé entendre, témoigné, confirmé, rappelé, fait savoir, annoncé, mis en évidence, noté, souligné, fait valoir, avoué, nié, démenti que...*

L'emploi du conditionnel après une attribution la prolonge et évite certaines redites: *Selon ce spécialiste, les BPC de Saint-Basile-le-Grand ne présentent actuellement aucun danger. Leur emballage serait absolument sécuritaire. «C'est par pur électoralisme que le Gouvernement veut les déménager», estime-t-il.*

Ces trois courtes phrases comportent quatre marques d'attribution: *selon,* le conditionnel, les guillemets, *estime-t-il.* Il n'est pas toujours nécessaire de pousser le zèle attributif aussi loin. Il faut cependant s'assurer que le contexte rend parfaitement claire l'origine de tout énoncé qui n'est pas explicitement relié à une source.

Plus un dossier est délicat, suscite l'émotivité, prête à controverse – ou touche la politique –, plus il faut respecter ces règles qui assurent l'invisibilité de l'auteur et font ressortir sa neutralité.

La forme et le fond

Les deux nouvelles ci-après, tirées d'une étude de l'Institut Fraser, prennent au fond des positions fortes – et radicalement opposées. Elles obéissent pourtant aux règles de l'invisibilité du journaliste et de la neutralité de l'écriture. Ni les journalistes ni les titreurs ne qualifient *eux-mêmes* les conclusions de l'Institut, les auteurs ne se mettent pas en scène, etc. Surtout, le texte du *Soleil* porte une bonne douzaine de marques d'attribution en sept paragraphes, celui du *Devoir,* près d'une vingtaine en onze paragraphes (voir Tableau 8.1, p. 217).

Article 8.1

CRÉATION D'EMPLOIS ET DE RICHESSE

Une étude de l'Institut Fraser montre que le Québec possède le pire dossier au pays

Réglementation excessive et impôts en seraient la cause

■ **[1] Montréal (PC) – Le Québec possède de loin le pire dossier du pays pour ce qui est de la création d'emplois et de richesse en raison de sa réglementation excessive et des impôts en vigueur dans la province, selon une étude menée par l'Institut Fraser.**

[2] « Des décennies de mauvaise politique gouvernementale ont laissé les Québécois plus pauvres et avec un niveau de chômage plus élevé qu'il ne faut », indique l'étude intitulée « La prospérité du Québec : franchir l'étape suivante ».

[3] « Si le Québec était une nation indépendante, il serait le 6e pays le plus pauvre parmi les nations de l'OCDE, devançant seulement la Corée du Sud, le Portugal, la Grèce, la Nouvelle-Zélande et l'Espagne », affirme Fred McMahon, auteur de l'étude

et analyste principal à l'Institut Fraser.

[4] La situation devrait pourtant être bien différente parce que, souligne l'auteur, le Québec possède une grande population active, urbanisée, travailleuse et instruite. Il est situé à proximité du marché le plus riche et le plus fécond. Et aussi parce qu'il se trouve sur un des plus grands réseaux de transport naturels de la planète, la voie maritime du Saint-Laurent et des Grands Lacs.

[5] « Normalement, il s'agirait de la recette pour une prospérité immense et un taux de chômage peu élevé. » L'article allègue également que les tentatives à répétition des gouvernements du Québec depuis 1961 à vouloir gérer l'économie par lui-même a invalidé sa capacité de créer des emplois. Une telle stratégie n'a jamais mené au succès

économique, peut-on lire dans le document.

[6] L'étude rapporte que depuis 1990, le nombre d'emplois créés à travers le Canada est près de 50 % plus élevé qu'au Québec, où « les dépenses publiques totales (en pourcentage de l'économie) dépassent celles de tout État des États-Unis ou de toute province industrielle. » Toujours selon l'étude, seuls le Manitoba et les quatre provinces de l'Atlantique, dont les dépenses sont fortement subventionnées par divers programmes fédéraux, dépensent davantage que le Québec.

[7] Pour remédier à la situation, l'Institut Fraser, un organisme indépendant d'intérêt public créé en 1974, propose au Québec, entre autres choses, de s'inspirer de l'Alberta et de se diriger vers un impôt uniforme.

Ces deux nouvelles (Articles 8.1 et 8.2) respectent également les conventions de l'écriture de presse, en particulier celle de l'attribution. Sur le fond, pourtant, les deux prennent fortement position et livrent une information contrastée.

Le Soleil, 25 novembre 2003

Article 8.2

Bilan économique : l'Institut Fraser place le Québec parmi les cancres

ÉRIC DESROSIERS

♦ ♦ ♦

[1] Selon la plus récente étude de l'Institut Fraser, quarante ans d'incuries gouvernementales ont légué au Québec l'un des pires bilans économiques de toutes les sociétés industrialisées.

[2] Selon l'économiste québécois Pierre Fortin, pareille étude en dit beaucoup plus sur le peu de sérieux de l'organisme basé à Vancouver que sur la réalité de la situation québécoise.

[3] Par sa situation géographique, la taille de sa population active ainsi que son niveau de scolarisation, le Québec devrait être une terre de prospérité et de plein emploi, commence l'étude de 82 pages dévoilée hier et intitulée *La prospérité du Québec : franchir l'étape suivante.*

Le pire dossier

[4] Pourtant, il « possède de loin le pire dossier pour ce qui est de la création d'emplois et de richesse » parmi les autres provinces canadiennes et les États américains industrialisés. Cela a eu pour résultat d'en faire la seule région industrialisée du monde à ne pas avoir réussi depuis 1961 à réduire l'écart qui le sépare des plus prospères en ces domaines.

[5] Cette situation, déclare l'auteur de l'étude, Fred McMahon, analyste principal à l'Institut Fraser, serait d'abord attribuable à l'impôt qui accable beaucoup plus lourdement ici qu'ailleurs les particuliers et les entreprises. Elle tiendrait aussi aux dépenses excessives du gouvernement, par exemple en matière de subvention aux entreprises. Elle résulterait également d'un salaire minimum trop élevé, de trop nombreuses contraintes réglementaires en matière de travail ainsi qu'à un niveau trop élevé de syndicalisation.

[6] Elle pourrait se résoudre si l'on se fixait comme objectif de ramener les dépenses publiques et la fiscalité au niveau de l'Ontario et des États-Unis, dit l'Institut qui définit sa propre mission comme étant de « rediriger l'attention des Canadiens sur les bienfaits que peut apporter un marché compétitif ». Elle s'améliorerait aussi si l'on adoptait le système albertain de taux unique d'impôt et que l'on augmentait le degré de « flexibilité » du marché de l'emploi.

VOIR PAGE B4 : **CANCRE**

Cancre

« L'Institut Fraser est bien connu pour son agenda *d'extrême droite »*

SUITE DE LA PAGE B1

[7] « C'est le parfait exemple d'une étude en quête de faits qui viennent corroborer des conclusions fixées d'avance, a réagi hier Pierre Fortin, économiste à l'Université du Québec à Montréal. On y retrouve plusieurs affirmations fausses ou qui visent à nous induire en erreur. L'Institut Fraser est bien connu pour son *agenda* d'extrême droite. »

[8] S'il est juste de dire, par exemple, que le Québec tire encore et toujours de l'arrière sur l'Ontario en matière de prospérité et de création d'emplois, il est carrément faux, dit-il, d'affirmer qu'il n'a pas comblé une bonne partie de cet écart au cours des dernières années. Sa richesse par habitant est en effet passée de 75 % à 90 % de celle de l'Ontario depuis 1960, rappelle-t-il. Quant à son taux d'emploi, il s'élevait à 85 % de celui de l'Ontario, il y a 15 ans, et il est aujourd'hui à 94 %.

[9] En ce qui concerne le rôle de l'État, il ne fait pas de doute qu'il revêt une importance plus grande au Québec qu'ailleurs en Amérique du Nord, admet l'économiste. Il ne faut toutefois pas exagérer l'originalité du Québec, puisque l'État y représente 40 % du PIB québécois comparativement à 36 % en Ontario et 37 % à l'échelle canadienne. Quant aux effets désastreux d'un fort degré de syndicalisation, ils semblent contredits par les succès économiques des Pays-Bas et de la Norvège.

[10] « On trouve souvent à apprendre des critiques que l'on nous adresse, conclut néanmoins Pierre Fortin. Même à travers une pareille logorrhée de faussetés, il peut toujours se cacher quelque chose de vrai. »

[11] Il souligne que chaque gouvernement procède de temps à autre à un petit ménage des programmes existants. Il cite l'exemple de l'aide aux entreprises que le libéral Yves Séguin, après la péquiste Pauline Marois, veut réduire.

Le Devoir, 25 novembre 2003

Tableau 8.1

Marques d'attributions dans les articles sur l'Institut Fraser	
Article 8.1, *Le Soleil*	**Article 8.2,** *Le Devoir*
1. ...selon une étude menée par l'Institut	1. Selon la plus récente étude de l'Institut
2. Citation directe ...indique l'étude	2. Selon l'économiste québécois Pierre Fortin
3. Citation directe ...affirme Fred McMahon... analyste principal	3. ...commence l'étude ... dévoilée hier
4. ...souligne l'auteur	4. Citation directe
5. Citation directe L'article allègue également que ...peut-on lire dans le document	5. ...serait ...tiendrait ...résulterait
6. L'étude rapporte que... Citation directe Toujours selon l'étude...	6. ...dit l'Institut qui définit sa propre mission comme...
7. ...l'Institut Fraser ... propose	7. ...a réagi hier Pierre Fortin Citation directe
	8. ...dit-il ...rappelle-t-il
	9. ...admet l'économiste
	10. Citation directe ...conclut néanmoins Pierre Fortin
	11. Il souligne que... Il cite l'exemple...

Si ces deux articles portent autant de marques d'attribution, c'est sans doute pour compenser, pour camoufler le parti-pris, celui de faire valoir le message de l'Institut Fraser pour le *Soleil,* celui de le critiquer pour le *Devoir.*

Tout, ici, se joue sur la sélection. Le quotidien de Québec n'utilise qu'une seule source, l'étude de l'Institut, présente l'Institut comme « un organisme indépendant d'intérêt public[2] » et son étude, comme un document valable, puisqu'il fonde l'entièreté de l'article, sans qu'aucune réserve ne soit émise. Le message qui en ressort est clair : un organisme crédible critique les politiques sociales-démocrates du Québec – d'autant plus clair que le titre en rajoute en affirmant, sans guillemets, que l'étude *montre que le Québec a le pire dossier au pays*[3].

Le *Devoir,* lui, a un titre et un *lead* purement factuels, et, plus généralement, il rend compte aussi longuement et aussi complètement que le *Soleil* de l'étude de l'Institut. Il choisit en revanche de préciser que l'Institut Fraser définit lui-même sa mission comme étant de « rediriger l'attention des Canadiens sur les bienfaits que peut apporter un marché compétitif », ce qui sape les prétentions au détachement scientifique. Surtout, il choisit de confronter l'Institut à une autre source, un expert qui en critique fortement les analyses et met en doute sa neutralité et sa crédibilité (organisme « basé à Vancouver », « bien connu pour son *agenda* d'extrême droite »). Le message qui en ressort est tout aussi clair : l'Institut Fraser nous sert encore sa propagande néo-libérale.

Lequel des deux journaux a raison ? On pourrait en discuter longtemps, analyser en détail les textes, mais on peut penser que, globalement, la réponse à cette question dépend surtout des opinions politiques de celui qui y répond. Autrement dit, les deux journaux ont fait des choix différents, et ces choix illustrent bien qu'on ne peut pas ne pas choisir (comme on l'affirmait déjà dans le chapitre III). Retenons que la neutralité de l'écriture n'assure pas celle du contenu, d'ailleurs souvent impossible. Elle n'en reste pas moins un impératif de l'écriture de presse.

D'AUTRES CONVENTIONS DE L'ÉCRITURE DE PRESSE

Il existe d'autres conventions journalistiques que celles qui ont trait à l'invisibilité du journaliste. Elles relèvent simplement du bon sens, de l'habitude ou de la tradition. En voici quelques-unes.

Mettre son média en valeur

Autant le journaliste doit se faire discret, autant il doit mettre en valeur le rôle de son média dans la fabrication de l'actualité. Évidemment, le *pupitre* se charge aussi d'assurer cette autopromotion. Ainsi, il signalera

---

2. Ce qui est exact techniquement – juridiquement –, mais peut exagérer pour le lecteur non averti le caractère indépendant de l'organisme.

3. Ce *montre* est d'ailleurs la seule entorse visible à la neutralité du langage, qui voudrait plutôt un verbe comme *affirme* ou une expression comme *arrive à la conclusion.*

tout *scoop* en lui accordant une bonne place, en annonçant, souvent avec des jeux typographiques (couleur, inversé, encadré, etc.), que le reportage est *exclusif* au journal, en le surmontant d'un chapeau explicatif, etc. Si la nouvelle est d'importance, on la reprendra aussi en éditorial ou ailleurs, en rappelant que c'est le journal qui l'a dévoilée.

Cela dit, l'auteur de la nouvelle doit lui-même souligner le rôle de sa *boîte*: *Le Journal a appris que… Rejoint par le Journal, le fugitif a confié que…*; cette règle sera d'autant plus impérative que le journal se contente le plus souvent de communiqués et de dépêches d'agence…

Dans le reportage, il faut faire sentir au lecteur que le journaliste était sur les lieux, qu'il a interrogé des acteurs de la nouvelle, des témoins ou des passants, qu'il décrit des éléments du décor ou de l'ambiance, etc. Dans toute nouvelle résultant d'une enquête maison, il faut de plus faire état du moyen par lequel le journal a trouvé l'information (le journal, pas le journaliste!). C'est faire d'une pierre trois coups: citer les sources, souligner la crédibilité de la nouvelle et faire valoir le rôle du journal.

Du bon usage des guillemets

La citation et les guillemets jouent un grand rôle en écriture de presse, et leur emploi est assez délicat. Ils remplissent en effet diverses fonctions importantes. Tout d'abord, les guillemets marquent la citation; ils attestent de l'authenticité des propos rapportés, de la fidélité à l'événement. Chaque fois qu'il guillemette des mots ou des phrases, le journaliste met en évidence l'action de sa source et s'efface derrière elle (voir Article 8.3, p. 220).

Plus les propos de la source peuvent sembler percutants, provocants, agressifs, exagérés, irréalistes, annonciateurs de nouveau, bref, plus ces propos ont de poids, plus la citation directe et guillemetée s'impose.

Il a traité le président de son entreprise de « menteur » et de « débile ».

Pour elle, la solution proposée par le Gouvernement est « moralement inacceptable, en plus d'être dangereuse pour la santé publique ».

« J'en ai ras le bol du PQ », a déclaré hier son leader, M. Bernard Landry.

Malgré l'avis unanime des experts qui prévoient une forte diminution du nombre de postes, le PDG a juré que « pas un seul des 12 012 employés de l'entreprise ne perdra son emploi à la suite de cette fusion ».

Article 8.3

Un quatrième anti-inflammatoire en observation

Vieux de 28 ans, le naproxen se retrouve maintenant dans la mire de Santé Canada

LOUISE-MAUDE RIOUX SOUCY

❖ ❖ ❖

Nouvelle tuile pour les patients qui doivent prendre des anti-inflammatoires. Montré du doigt lundi par la puissante Food and Drug Administration (FDA) aux États-Unis, le naproxen se retrouve maintenant dans la mire de Santé Canada, qui compte bien suivre le dossier de près, même si un avis ou un retrait sont pour le moment écartés par l'organisme fédéral.

Après le choc du retrait du Vioxx, le médicament-vedette de Merck, et la mise en examen des deux protégés de Pfizer, Celebrex et Bextra, l'annonce de réserves à l'endroit d'un quatrième anti-inflammatoire, vieux de 28 ans celui-là, suscite beaucoup d'inquiétude chez les patients qui souffrent de douleurs chroniques. C'est pourtant faire du bruit pour bien peu de chose, croit le chef du département de rhumatologie du Centre hospitalier de l'Université de Montréal (CHUM).

> « C'est de loin le médicament le plus vendu de la planète, il n'y a pas lieu de s'inquiéter »

Son premier mot d'ordre : « Ne pas paniquer. » Et pour cause : les études en jeu dans cette affaire sont bien minces, croit fermement le Dr Jean-Pierre Pelletier. « On se base sur trois études comparant le Celebrex et le naproxen dans le

VOIR PAGE A 8 : **NAPROXEN**

Naproxen

SUITE DE LA PAGE 1

traitement de l'Alzheimer, mais ce sont de petites études de 2000 à 3000 personnes seulement. L'une a montré des effets négatifs pour le Celebrex, une autre pour le naproxen, alors que la dernière n'a montré aucun effet négatif. »

En tant que clinicien, le chef du département de rhumatologie cherche le protocole de recherche adéquat, ce qui, ici, n'est vraisemblablement pas le cas. « C'est un peu comme jouer au casino, explique le Dr Pelletier. Ce n'est pas de la science, c'est précipité et ça n'a aucune valeur scientifique, d'autant plus que ces tests avaient d'autres buts. »

Selon le Dr Pelletier, pour qu'une étude soit valable, elle doit disposer d'un échantillon d'au moins 25 000 personnes et sa question doit être précisément ciblée. « La taille d'un échantillon commande la grosseur de l'échantillon. Ici, on n'avait ni la bonne taille ni la bonne question. Ce n'est pas un travail scientifique. »

À cet égard, le cas du Vioxx est autrement plus clair. Merck a en effet mené une étude populationnelle par l'entremise d'une compagnie de *manage care* qui, pour ce faire, a consulté son immense base de données californienne, qui compte de trois à quatre millions de personnes.

« Le Vioxx se détachait nettement du lot en montrant des risques accrus d'incidents cardiovasculaires alors que le Celebrex montrait au contraire des effets cardioprotecteurs », note le rhumatologue, qui s'est plongé dans l'étude dès sa publication.

Pour le Dr Pelletier, cette étude est la preuve que l'effet de classe (Vioxx, Celebrex et Bextra appartiennent à la même classe dite COX-2) brandi par les financiers pour ébranler Pfizer à la suite de la déconfiture de Merck n'existe tout simplement pas. « En tant que clinicien, je cherche le protocole de recherche adéquat. Selon moi, il est impossible de conclure à un effet de classe seulement sur la base de ces trois études. » […]

Le Devoir, 23 décembre 2004

Santé publique oblige, la journaliste, prudemment, fait d'abord savoir qu'un quatrième anti-inflammatoire a rejoint la liste des suspects. Cependant, une source crédible estime que les suspicions sont peu fondées et ne pèsent pas lourd au regard du bon dossier du naproxen sur 28 ans. L'auteur l'annonce dès la fin du deuxième alinéa et consacre les neuf suivants aux propos du Dr Pelletier. Cette partie de l'article est truffée de citations directes. Elles s'imposent pour deux raisons : la référence constante à l'expert et l'abondance de détails et d'arguments textuels, qui sont gages de la valeur scientifique de l'information et transfèrent au médecin la responsabilité médicale de la consigne « Ne pas paniquer ».

Dans les (innombrables) nouvelles à base de déclarations, la citation directe sert aussi à varier le style. En faisant alterner citations directes et indirectes, c'est toute la structure de la phrase et le ton du texte qu'on change.

Il importe toutefois de réserver la citation directe aux propos qui ont de la force, comme dans les exemples ci-dessus, ou, à défaut, de la couleur ou de la saveur, ou qui font image. En d'autres termes, si le gagnant du gros lot déclare qu'il a cru mourir de joie ou, mieux encore, que le voilà bien embêté par cette soudaine richesse, ouvrons les guillemets. S'il a « révélé » être bien heureux de la chose, abstenons-nous. De même, le politicien qui proclame que son gouvernement a « le meilleur dossier depuis la Conquête » mérite une citation directe, mais pas celui qui affirme que son gouvernement fait bien son travail – à moins évidemment qu'il ne le dise à propos d'un dossier mené de façon manifestement catastrophique. « Il est exact que nous connaissons actuellement quelques problèmes » : prononcée par quelqu'un autour de qui l'univers s'écroule, la phrase vaut une citation directe. En résumé, n'accordez pas de citation directe à des énoncés prévisibles et banals, sauf si leur banalité même a quelque chose d'incongru dans le contexte.

Les guillemets servent aussi, et c'est là une fonction importantissime, à marquer ses distances par rapport aux sources. Ainsi, si le ministre des Finances décrit sa nouvelle taxe comme une « amélioration du système fiscal canadien », on lui laisse l'entière responsabilité de cette évaluation en la guillemetant. De même si un groupe terroriste annonce le « procès » ou « l'exécution » d'un otage, ou si un porte-parole militaire annonce la « neutralisation » de tant d'ennemis. Dans le premier cas, il faut faire appel aux guillemets pour souligner que ce sont les ravisseurs qui présentent les choses dans ces termes. Dans le second, on fera état du nombre d'ennemis tués, si c'est de cela qu'il s'agit. Wal-Mart peut bien appeler ses employés des « associés », le journaliste n'a pas à endosser cette décision de relations publiques de l'entreprise. Il traduira donc en langage usuel (travailleurs, employés, salariés) ou alors il utilisera les guillemets.

Le journaliste pourrait également, tout en précisant le sens du mot, citer le nombre d'ennemis « neutralisés », entre guillemets. À ce moment, il attire l'attention du lecteur sur la bizarrerie du langage de la source. En d'autres termes, les guillemets marquent à l'occasion non seulement la distance par rapport aux sources mais aussi l'ironie, le scepticisme, la critique.

En citant exactement un ardent défenseur de la langue française qui a fait l'éloge « des collègues que je travaille avec », vous lui donnez un croc-en-jambe. Les guillemets expriment encore plus ouvertement l'ironie s'ils encadrent des mots de votre prose et non des propos que vous rapportez. *La « compétence » de cet expert... Cette offre « généreuse »...* : le lecteur perçoit que vous doutez fort de la compétence de la personne en question et que vous trouvez l'offre mesquine. En information rapportée, par conséquent, les guillemets ironiques sont à manipuler avec précaution.

Quant à ceux qui signifient simplement la neutralité, la distance par rapport aux sources, ils sont, à mon avis, sous-utilisés dans notre presse. Certes, on les oublie rarement quand un ayatollah qualifie les États-Unis de « grand Satan » ou que le gouvernement de la Chine populaire annonce des poursuites contre les « criminels de la place Tienanmen ». Toutefois, on se méfie moins des pièges sémantiques mieux camouflés, tendus par des sources plus proches. Songeons encore à tous ces heureux « bénéficiaires » de notre collective générosité. Des mots comme assainissement, redressement, normalisation, lutte contre la subversion et bien d'autres, chargés de vertu et de logique, sont à considérer avec quelque réserve. Certaines « rationalisations », notamment, qui n'en sont pas pour tout le monde (même si, sur un certain plan, elles répondent à une certaine logique), devraient plus souvent porter les guillemets, au moins à leur première mention dans un texte[4].

Dans certains contextes – édition littéraire ou scientifique, par exemple –, toute citation doit être rigoureusement exacte. On signale la moindre modification, en indiquant l'omission, l'addition ou la substitution de mots entre crochets, etc. Les puristes exigent qu'on reproduise même les fautes de français, avec la mention *sic.* (Personnellement, je trouve cette pratique d'un goût douteux, sauf dans les cas où on ne peut corriger le texte sans le modifier passablement.)

L'écriture de presse, en général, exige la même rigueur en ce qui concerne la citation d'écrits. Cependant, cette haute fidélité n'est plus de mise pour citer des sources orales. Il faut dans ce cas modifier les citations pour obtenir un texte concis et correct. Autant on doit alors craindre de modifier le sens des propos, autant on y va gaillardement pour condenser et améliorer la forme.

Ainsi, la personne que vous interviewez a dit en 10 phrases vasouillardes pleines de *euh,* d'interruptions et de bizarreries syntaxiques, quelque chose qui pourrait se résumer ainsi : « Les données réelles sur l'emploi au Québec défient à peu près toutes les images qui circulent » ou « Il fallait s'attendre à ces protestations. Personne ne saute de joie à l'annonce une nouvelle taxe. » Si le résumé est fidèle, rien ne s'oppose à ce que vous le présentiez entre guillemets, comme si votre source avait formulé tels quels ces énoncés. Il y a là une licence journalistique très généralement admise.

Quant à la correction du français, c'est plus qu'une licence, c'est une norme. Votre source a peut-être déclaré : « Je ne vais pas sauter une pareille opportunité de dénoncer ce programme que je suis définitivement contre depuis le début. » Faites-lui dire dans votre article : « Je me suis toujours catégoriquement opposé à ce programme et je ne vais pas rater pareille occasion de le dénoncer. » Quoique, à ce niveau de correction, mieux vaut sans doute opter pour la citation indirecte.

---

4. Il en ira autrement, bien sûr, si vous écrivez dans un média voué à la promotion des sources que vous citez. Le journaliste d'un journal d'entreprise ne guillemette pas la rationalisation annoncée par la direction !

Bien entendu, si la source est un professeur de français qui rejette un programme d'amélioration de l'enseignement de cette langue, vous pourrez, si vous le jugez opportun, opter pour la fidélité textuelle et les guillemets crocs-en-jambe...

Les sources anonymes

Toutes les rédactions n'ont pas la même politique en ce qui concerne l'utilisation de sources anonymes. Toutefois, les quelques lignes directrices qui suivent sont assez généralement acceptées.

Autant que possible, il faut éviter les sources anonymes. L'appel à la foi aveugle du lecteur compromet un objectif central de l'écriture de presse, la recherche de la crédibilité. Toutefois, pour y échapper totalement, il faudrait renoncer à publier bon nombre de nouvelles, et souvent des plus alléchantes.

Ainsi, diverses sources organisent des fuites calculées. Souvent, le risque de manipulation que cela comporte ne pèse pas lourd à côté de l'intérêt de l'information révélée. D'autres sources refuseront d'être nommées pour des motifs moins suspects : crainte justifiée de représailles, désir de ne pas donner à la nouvelle un caractère officiel incompatible avec une stratégie de son gouvernement (tractations autour des otages en Irak, par exemple), etc.

On recourt alors à des formules comme *LA PRESSE a appris d'une source haut placée dans le gouvernement... De source généralement bien informée... De source sûre... Un membre du conseil d'administration qui a demandé à ne pas être identifié a révélé au DEVOIR...* etc.

Un journaliste ne prend pas seul l'initiative d'agir ainsi. Il obtient d'abord l'aval de sa direction et la coutume veut qu'il lui dévoile aussi l'identité de la source. La crédibilité de la nouvelle dépend alors de celle du journal et de celle du journaliste. Un débutant ne peut guère se permettre de jouer de la *source bien placée.*

L'emploi de sources non identifiées n'est acceptable que pour la nouvelle dure, voire le *scoop.* Il paraîtrait presque aussi incongru dans une interview ou un reportage que dans un portrait. On a vu, un jour, toute une salle de rédaction en émoi parce qu'un journaliste avait fait un reportage sur les événements à Beyrouth sur la base d'une interview avec « un Libanais résidant depuis huit ans à Québec ». L'auteur a eu beau expliquer que sa source avait d'abord accepté d'être citée pour ensuite se rétracter, sa carrière journalistique a failli se terminer là ! Dans un tel cas, même si on a consacré beaucoup de temps à l'article, il faut l'expédier au classeur rond...

Quant à la source réellement anonyme, jamais ! Pas un journal qui se respecte ne fondera une nouvelle sur ses écrits ou ses coups de fil. Tout au plus décidera-t-il, le cas échéant, d'affecter un ou des reporters à la vérification de l'information ainsi reçue.

Noms et titres de politesse

Le nom et le prénom des personnes, même si elles sont très connues, doivent apparaître au moins à leur première mention, et à quelques reprises dans un article assez long. M. *Paul* Martin, M. *Jacques* Chirac, Mme *Margaret* Thatcher, etc. On fera bien sûr exception pour les personnes qui n'utilisent en public qu'un nom d'artiste, de plume ou autre : Madonna, Prince, Etiemble, Casamayor, mère Teresa, etc.

De même, il faut s'interdire toute familiarité avec les acteurs de la nouvelle et leur donner les titres de politesse auxquels ils ont droit : M. Tony Blair, *Mme* Adrienne Clarkson, *Mgr* Couture. (Pluriel : MM., Mmes, NN. SS.). Un texte de presse n'étant pas une note diplomatique ou un carton d'invitation, il emploie l'abrégé et des titres sobres. M. et non Monsieur, Mgr et non Monseigneur (ni Son Excellence), *la reine* Elizabeth et non Sa Majesté la reine Elizabeth. *Mademoiselle* est en voie de devenir aussi usité au Québec que *mon damoiseau*. Sauf raisons particulières, recourons donc à *monsieur* pour les hommes et *madame* pour les femmes.

Au lieu d'entasser les titres, faisons-les alterner : le président Bush dans une phrase, M. George W. Bush dans l'autre, le cardinal Ouellet, après Mgr Ouellet, le maire Jean Garon plutôt que le maire M. Jean Garon, etc.

Les titres de politesse sont le plus souvent omis pour les célébrités et les personnages historiques : Pascal, Gambetta, de Gaulle, Staline, Pablo Neruda, Félix Leclerc, Maria Callas, Noureiev, Michael Jackson, Guy Lafleur, etc. Toutefois, si un artiste, un écrivain ou un sportif célèbre apparaît dans une nouvelle en tant que simple personne ou citoyen, il convient de lui redonner du titre. On écrit bien *Le dernier livre de Françoise Sagan,* mais *Mme Françoise Sagan s'est emportée contre le français du Québec, qu'elle juge «ridicule et grotesque».* De même, le journaliste cite *L'œuvre au noir* de Marguerite Yourcenar, mais il annonce que Mme Marguerite Yourcenar a été reçue à l'Académie française, ou que Mme Antonine Maillet a obtenu le Goncourt.

Dans le titre d'un article, le *pupitre* omet souvent les marques de politesse, sauf pour les religieux et la royauté. La concision l'exige et l'usage le permet. «Landry réfute les chiffres de Charest», «Kofi Annan en visite à Ottawa», etc.

Les fonctions

À moins qu'elles ne soient secondaires dans la nouvelle, il faut annoncer la fonction des acteurs, connus ou pas, de façon précise et complète, dès la première mention de leur nom ou, au plus tard, dans la phrase suivante. Ainsi :

> M. *Paul Martin, premier ministre du Canada*
>
> *Sofia Coppola, réalisatrice de* Lost in Translation
>
> M. *Charles Taylor, l'ancien président du Liberia*
>
> M. *Charles Taylor, le philosophe bien connu de l'Université McGill*

Le président du Pakistan, le général Pervez Moucharraf

M. Pierre Fortin, économiste à l'Université du Québec à Montréal

M. Pierre Savard, un des porte-parole des Témoins de Jéhovah

Mme Jeanne Gagnon, chauffeure à la coopérative Taxi Coop

Noms d'organismes et s.i.g.l.e.s.

L'anglais multiplie les majuscules, le français contemporain les évite. En général, seul le premier mot d'un organisme porte la majuscule – de même, évidemment, que les noms propres : *La Fédération des médecins omnipraticiens du Québec, Le Conseil du statut de la femme, L'Agence canadienne pour le développement international.*

En ce qui concerne les ministères, l'usage est d'accorder la majuscule initiale au secteur de compétence plutôt qu'au ministère, au spécifique plutôt qu'au générique : *Le ministère de l'Éducation, Le ministère de l'Enseignement supérieur et de la Science.*

Le sigle est dans l'air du temps. Il s'avère aussi bien utile pour condenser l'expression. Les CRSSS, CREPUQ et autres AUPELF handicapent moins une phrase que les Conseils régionaux des services sociaux et de la santé, la Conférence des recteurs et principaux des universités du Québec ou l'Association des universités entièrement ou partiellement de langue française (heureusement devenue Agence universitaire de la francophonie).

Dans le corps d'un article, on s'en tiendra donc en général au sigle ou, mieux, on le fera alterner avec une autre appellation abrégée : le Conseil, la Conférence, l'Association. Il faut toutefois associer dès la première mention le sigle et l'organisme : pas de sigles tout nus[5] ! Habituellement, apparaît d'abord le nom complet de l'organisme, suivi, entre parenthèses, du sigle, qui pourra par la suite être utilisé seul.

Le président du Conseil du patronat du Québec (CPQ) a volé au secours de l'homme d'affaires contesté. Depuis qu'il préside le CPQ, a-t-il expliqué...

La Fédération des travailleurs du Québec (FTQ) invite ses membres à voter en faveur de la mesure. La FTQ estime...

Avec des organismes au nom interminable, cette façon de procéder alourdit la phrase. Aussi, pour soigner la première phrase d'un article, le journaliste attaque souvent avec un raccourci quelconque plutôt qu'avec le nom complet. Cette pratique est de bon aloi, si l'appellation abrégée respecte l'information et si le nom complet de l'organisme apparaît dès la phrase suivante. Ainsi :

Les universités du Québec réclament 130 millions $ de plus du gouvernement. La Conférence des recteurs et principaux des universités du Québec (CREPUQ) a lancé hier une offensive...

---

5. Dans la mesure du possible, il faut bannir les sigles des titres. C'est souvent bien difficile ! On essaiera d'éviter au moins ceux qui ne sont pas très connus.

Beaucoup d'organismes ou d'organisations sont aussi connus ou plus connus sous leur sigle que sous leur nom complet (CSN, FTQ, OTAN, ACDI...). On n'en donnera pas moins leur nom complet, suivi du sigle entre parenthèses, pour les lecteurs peu familiers avec ces institutions.

D'autres organismes ou organisations ne sont connus de la plupart des gens que par leur sigle. Tout un chacun sait que l'UNESCO est un organisme rattaché à l'ONU (Organisation des Nations Unies). Mais, pour la majorité, UNESCO est plus signifiant que *United Nations Educational, Scientific and Cultural Organization*. En pareils cas, inutile de donner le nom complet dès la première mention de l'organisation, voire dans tout l'article, s'il ne porte pas directement sur l'UNESCO. Pour ces sigles très connus, il est permis de mettre la majuscule à la première lettre seulement : Unesco.

Enfin, certains sigles sont devenus des noms communs. Les Québécois parlent de cégeps et de cégépiens en sachant bien à quoi ces mots font allusion, même s'ils en ont oublié l'origine. C'est alors faire œuvre de clarté, autant que de concision, que de laisser tomber au profit des cégeps les Collèges d'enseignement général et professionnel, qu'il faudrait en revanche rappeler en rédigeant un papier sur l'histoire de l'institution cégépienne. Les sigles devenus noms communs sont traités comme tels : minuscules, accents, marque du pluriel (un cégep, des cégeps).

Le bon usage français, contrairement à l'anglais, veut ou voulait que chaque lettre d'un sigle ait son point abréviatif : UNO mais O.N.U., NATO mais O.T.A.N., etc. Cette règle a ses inconvénients, surtout dans les textes montés sur une étroite colonne qui risque de ne pouvoir accueillir sur une même ligne un sigle trop long. La plupart des journaux, et la Presse canadienne, ont opté depuis quelques années pour une graphie sans points : CTCUM et non C.T.C.U.M., SAQ et non S.A.Q. Ce nouvel usage, adopté même par *Le Monde*, me semble à recommander. Il s'impose en tout cas pour les acronymes (les sigles qui peuvent se prononcer comme des mots ordinaires, comme ESSO, ALCAN, etc.).

Les chiffres

En écriture de presse, du moins au Québec, les chiffres de un à dix s'écrivent en toutes lettres. De même pour tout chiffre placé au début d'une phrase et, *a fortiori*, d'un alinéa.

Il est revenu trois fois et a rencontré 32 membres de l'association.

Trente-deux membres de l'association l'ont rencontré.

Le journaliste évite donc de commencer une phrase par un chiffre long, qu'il faudrait alors écrire en toutes lettres. Tournant la phrase autrement, il écrit : *L'an dernier, 92 379 276 personnes ont connu...* au lieu d'attaquer avec le chiffre.

La notation internationale est de rigueur. La virgule marque le passage entre les unités et les décimales : 2,5 litres (deux litres et demi). L'espace[6] remplace notre « ancienne » virgule : 1 254 personnes (et non 1,254 ou 1.254 personnes).

Le symbole monétaire se place après le chiffre et une espace[7] : 1 254 $, 1,5 million $. Ne pas oublier le signe des $. En langage familier, on dit parfois « Cela coûte plus d'un million » mais, en écriture de presse, il faut préciser qu'il s'agit de dollars.

Ne pas utiliser de pourcentages pour des petits chiffres, d'abord parce que le chiffre absolu est alors plus clair que le chiffre relatif, ensuite et surtout parce que les pourcentages laissent croire, mensongèrement, qu'on a des données représentatives ou généralisables. Ainsi, dans un *vox pop* (ou *vox populi,* expression latine désignant « la voix du peuple » : chapelet de courtes interviews de l'homme de la rue), on dira *Quatre des 16 personnes rencontrées sont de cet avis* et non pas *Vingt-cinq pour cent des personnes interrogées sont de cet avis.*

Hier et aujourd'hui

Il faut toujours situer l'événement par rapport au moment où le lecteur lira le texte et non par rapport au moment où il est écrit. Dans un mensuel ou un hebdomadaire, cela signifie donner le quantième et souvent aussi le jour de la semaine : *le 13 août dernier, le mercredi 13 août* ou *mercredi 13 août* (mais pas *mercredi le 13 août*).

Dans un quotidien, le lecteur lira demain la nouvelle rédigée aujourd'hui. Pour tenir compte de ce décalage, il faut décrire l'action d'aujourd'hui comme ayant eu lieu *hier,* celle d'hier comme s'étant produite *avant-hier* (ou mardi, ou le 12 août), ce qui aura lieu demain, comme se déroulant *aujourd'hui,* etc.

On indique *l'heure* par le symbole h (minuscule, sans point), en laissant une espace (insécable) avant et, s'il y a lieu, après la lettre : *À 10 h 30, ils mirent fin à la réunion et, à 11 h, ils partirent.* On emploie la notation internationale, fondée sur la journée de 24 heures : 13 h et non une heure de l'après-midi.

Suggérer un titre

Lorsque vous suggérez un titre, il n'est pas du tout certain que le *pupitre* le reprendra. Le titreur peut ne pas l'aimer ou ne pas pouvoir le caser dans sa mise en pages. Un titre à présenter en quatre lignes sur une seule colonne ne peut héberger le mot *anticonstitutionnellement,* alors qu'un titre d'une seule ligne étalée sur sept colonnes laisse plus de latitude.

Il vaut quand même mieux suggérer un titre, quoique cela ne soit pas obligatoire. D'abord, on l'a déjà vu, choisir un titre aide souvent à

---

6. Faire des espaces insécables (Ctrl + Maj + barre d'espacement, dans Word) dans les nombres et avant les symboles monétaires et autres, pour éviter qu'un nombre ne chevauche deux lignes ou qu'il soit séparé de son symbole.

7. En typographie, le mot *espace* est féminin.

décider du contenu du *lead*. Ensuite, si votre titre est excellent et retenu, il mettra en valeur votre article. Enfin, vous facilitez ainsi le travail du *pupitre* qui dispose, pour son premier classement des articles, d'informations plus précises que celles fournies par le seul mot-code (*cf. infra*).

En rédigeant un titre, cherchez avant tout la concision, la précision, le concret et le vivant. Mettez-y du verbe ! C'est, redisons-le, la meilleure façon de faire agir. Non pas : *Départ d'Untel de Provigo* mais *Untel quitte Provigo*. Le titreur reviendra peut-être à la première formule, pour toutes sortes de raisons de mise en pages, mais laissez-lui ces considérations.

Même si vous suggérez un titre, ne tenez jamais pour acquis qu'on le retiendra. Votre attaque doit donc être totalement indépendante du titre. Ainsi, si le titre proposé est une citation, l'attaque en reprend la citation et non une formule du genre *C'est ce qu'a déclaré hier...*

Présentation de la copie

Avec l'informatisation des salles de rédaction, le feuillet calibré, naguère d'usage universel, a presque disparu. Chaque entreprise a maintenant ses normes de présentation et ses moyens pour calibrer les articles et préparer la mise en pages (grosseur des caractères, nombre de caractères par ligne et de lignes par page, etc.).

Dans le doute, on peut s'inspirer des indications suivantes, illustrées par l'Encadré 8.1 sur l'ouragan à Halifax.

Encadré 8.1

Ouragan

Halifax dans le noir

L'OURAGAN JUAN RAVAGE LA NOUVELLE-ÉCOSSE

par Pierre JACQUES

HALIFAX, le 19 septembre – Des centaines de résidants de Halifax et de la côte est de la Nouvelle-Écosse ont été évacués, hier soir, alors que l'ouragan Juan touchait terre, poussant des vents de 130 km/h.

L'ouragan a provoqué des pannes d'électricité [...]

Les pannes [...]

Le maire a déclaré [...]

Le dernier ouragan à avoir frappé Halifax de plein fouet est probablement Ginny, il y a 40 ans.

– 30 –

72 mots

- **Mot-code** en haut, à gauche. En anglais et en franglais, le *slug,* dit souvent la *slogue.* Le mot-code donne le thème de l'article, en un mot ou deux, avec un maximum de précision : *Quebecor* et non pas *Économie,* par exemple, *Lac Meech* et non pas *Constitution, Cégep Garneau* et non pas *Éducation.* Le mot-code accélère le classement rédactionnel de la copie par le *pupitre.* Dans notre illustration, le mot-code est <Ouragan>.

- **Titre** centré, dégagé par du blanc au-dessus et en-dessous. Titre principal en capitales (nom des majuscules, en langage typographique) ; le cas échéant, surtitre et sous-titre en bas de casse (minuscules).

- **Signature** (ou *by-line*) centrée, dégagée par du blanc au-dessus et en-dessous, faite selon le modèle <par Prénom NOM>.

- **Amorce** de l'article après du blanc. L'amorce est précédée, sur la même ligne, des **indications** LIEU, date, tiret, la première en capitales.

- **Agence(s),** le cas échéant : après le LIEU. Quand on reprend une dépêche sans la modifier, ou en l'abrégeant seulement (sans réécriture), on donne le sigle de l'agence : PÉKIN (AFP). Quand on modifie le texte, on indique « d'après telle agence » : PÉKIN (d'après AFP). Si on utilise pour une même nouvelle les dépêches de plusieurs agences, on les nomme toutes. Comme dans ce cas il est évident qu'on a remanié les textes originaux, on peut supprimer la mention *d'après* : PÉKIN (AFP AF Reuter).

  Attention : CNW (*Canadian News Wire*) ou TELBEC, que CNW a maintenant absorbée, ne sont pas des agences de presse mais des messageries spécialisées dans la transmission de communiqués de presse sur Internet ou directement aux médias. On ne les mentionne donc jamais comme sources, pas plus qu'on n'indiquerait Postes Canada comme source d'un communiqué reçu par la poste.

- **Corps du texte :** rédigé à double interligne, avec double retour pour marquer les alinéas. Ajouter à la marge par défaut, avec la règle, une marge de 3,5 cm à gauche – le faire seulement avant d'imprimer ou d'envoyer à la rédaction, pour garder un maximum de texte à l'écran pendant qu'on rédige. Tout ce blanc sert éventuellement aux indications de typographie et de mise en pages.

- **Ne pas justifier à droite** (pour une meilleure lisibilité).

- À la **fin du texte,** après du blanc, centré : **– 30 –**. Il s'agit d'une convention pour indiquer que le texte est terminé, que ce qui suit ne doit pas être publié (voir l'Encadré 8.2, p. 230).

- **Paginer,** au coin supérieur droit, si le texte a plus d'une page ; et reprendre le mot-code à chaque page, dans le coin supérieur gauche.

- **Notes infrapaginales :** elles compliquent la mise en pages et aussi la lecture, surtout quand il leur faut une *retourne* (quand la fin de l'article, donc les notes, sont sur une autre page). Les journaux et magazines grand public les évitent autant que possible, les quotidiens se les interdisent totalement. Pour les critiques de livres, de films ou de théâtre, toutefois, ils placent souvent la référence complète du ou des livres recensés ou le « générique » du film ou de la pièce à la fin de l'article ou au début, selon les médias.

Nous savons maintenant écrire pour être lu et être compris, trousser une nouvelle ou un petit reportage présentables dans nos médias. Tous ceux qui font ou feront affaire avec les médias d'information, sans pour autant travailler pour eux, ont aussi besoin de savoir, entre autres choses, comment rédiger un communiqué de presse. Le dernier chapitre y est consacré.

La tradition, particulière au milieu de la presse, d'indiquer la fin d'un article par le chiffre 30 entre deux tirets a donné son nom au magazine de la Fédération professionnelle des journalistes du Québec. Pourquoi cette convention ? Le magazine a publié un jour sur la question l'encadré ci-dessous, qui expose les hypothèses les plus populaires. Aucune, cependant, ne fait autorité, le débat n'est pas fini...

Encadré 8.2

Pour en finir avec le « – 30 – »

Comme la question nous a souvent été posée, nous vous transmettons la réponse. D'où vient cette coutume d'inscrire le symbole typographique « – 30 – » à la fin du texte d'un communiqué ou d'un article destiné à la publication ? Tout ce qui précède ce symbole est destiné à être publié et tout ce qui le suit ne doit pas l'être. S'il est maintenant universellement connu des journalistes, chroniqueurs, attachés de presse, agents d'information ou de communication, on ne s'entend toujours pas sur l'origine de l'utilisation de ce symbole. Pourquoi pas 10, 20, 33 ou même simplement FIN ?

En fouillant un peu le sujet, on découvre plusieurs explications. La première veut que le symbole typographique « – 30 – » ait été utilisé au départ pour commémorer le décès de 30 typographes lors de l'incendie d'une importante imprimerie de Londres au début du siècle. D'autres encore prétendent que son utilisation a commencé au sein d'une bande de journalistes fortement portés sur le « joyeux luronnisme », car ce chiffre, *thirty*, n'est pas si loin de la prononciation du mot *thirsty*, qui veut dire « assoiffé ». La légende dit que lorsqu'ils avaient terminé la rédaction du journal, ces journalistes s'entraînaient les uns les autres vers le pub le plus près pour y déguster une bière, probablement tiède comme ils l'aimaient.

L'explication qui présente le plus de crédibilité toutefois est celle qui fait remonter l'utilisation du « – 30 – » à la Première Guerre mondiale, alors que ce chiffre était, dit-on, un élément de code que les officiers de l'armée anglaise inscrivaient dans leurs messages pour en indiquer la fin. Cette habitude se serait maintenue au-delà de la guerre, jusqu'à se répandre à travers le monde.

(Tiré de l'*INFO RSST*, vol. 9, no 3.)

CHAPITRE IX

LE COMMUNIQUÉ DE PRESSE

Les médias d'information jouent un rôle toujours plus central dans l'opinion publique et, plus généralement, dans la vie publique. En même temps, pour toutes sortes de raisons, ils se soucient de plus en plus de rentabilité et accueillent volontiers la matière gratuite. En conséquence, groupes, institutions et organisations ont développé une stratégie d'accès aux médias, sinon de manipulation des médias : communiqués, conférences de presse, manifestations conçues en fonction d'une couverture journalistique et autres événements « préfabriqués », destinés à faire courir la presse. Ainsi tentent-ils d'avoir accès à la place publique que représentent les médias et de s'y faire entendre.

Quant à eux, les médias établissent de plus en plus leur *agenda* en fonction de telles initiatives dcs sources. Cette pratique n'assure en rien la qualité de l'information, mais elle présente, pour l'entreprise de presse, des attraits indéniables. En prenant quelques précautions, on peut donner aux informations préfabriquées les apparences de l'objectivité journalistique. Elles coûtent moins cher que les informations maison et permettent de planifier le travail d'information, donc d'optimiser le rendement du personnel. Même un quotidien programme maintenant l'essentiel de ses activités sur une base hebdomadaire. Et, dans l'ensemble des médias d'information, une part énorme de la matière rédactionnelle a pour origine non pas l'action de journalistes mais celle de personnes extérieures aux médias.

Les organisations et les groupes qui veulent se faire entendre sur la place publique se trouvent ainsi dans une situation de forte concurrence. Étant donné l'importance de cet enjeu, ils se sont mis à rechercher, dans la mesure de leurs moyens, l'efficacité, le professionnalisme, dans leurs relations avec la presse et le public. D'où la multiplication des relationnistes, agents d'information, attachés de presse et autres « communicateurs », dont le métier consiste à informer mais tout autant à influencer les médias, et d'abord les journalistes, et, à travers eux, le public ou des publics ciblés.

Un bon journaliste doit donc savoir analyser la stratégie des communicateurs qui sont devenus, rappelons-le, ses principales sources. Réciproquement, un bon communicateur, professionnel ou occasionnel, doit connaître le fonctionnement de la presse, notamment en matière de sélection des informations et d'écriture.

Le communicateur doit en effet fabriquer des messages qui sont :

- concurrentiels, c'est-à-dire sujets à être retenus dans la masse des informations qui parviennent aux médias par d'autres communicateurs, par les agences de presse, par les journalistes de l'entreprise et par d'autres collaborateurs ;
- efficaces du point de vue des mandataires du communicateur. Il ne suffit pas que tel message soit sélectionné pour diffusion, encore faut-il qu'il soit traité par les médias de manière à transmettre sous un jour favorable le point de vue de l'organisation ou du groupe émetteur. « Qu'on parle de moi en bien ou en mal, mais qu'on en parle ! » La formule, quoique classique, est aux antipodes des principes de bonnes relations publiques telles qu'elles sont entendues maintenant. Groupes et organisations, de plus en plus soucieux de leur image, préfèrent le silence à une couverture médiatique négative.

Parmi les techniques d'accès aux médias, la plus utilisée est de loin le communiqué de presse. Bien que les professionnels de la communication y recourent systématiquement dans leurs relations avec la presse, ce moyen ne leur est nullement réservé. Quiconque sait écrire et dispose de quelques dollars pour l'expédition peut faire un communiqué. Mais chacun peut-il produire un communiqué concurrentiel et efficace ? Voilà autre chose ! Inondés de communiqués, les médias sont devenus exigeants et ont tendance à retenir surtout ceux qui ont à la fois du contenu et un petit air professionnel, ceux qu'on n'aura pas à remanier, sinon à récrire.

Pour les non-professionnels de la communication et les communicateurs en herbe, voici donc quelques indications sur la nature du communiqué, la manière de le rédiger et de le présenter.

LES TYPES DE COMMUNIQUÉS

Tout communiqué est un texte, dont la longueur peut varier de quelques lignes à plusieurs pages, qu'un groupe, une organisation ou une institution – voire, à l'occasion, un particulier – adresse à un ou à plusieurs médias d'information dans le but d'obtenir une couverture de presse, immédiate ou différée. On utilise le communiqué seul, ou pour accompagner divers événements : conférences de presse, assemblées publiques, manifestations, discours, lancements, colloques, congrès, dépôts de mémoires, déclarations, prises de position, etc.

Il existe toutes sortes de communiqués et il n'y a pas d'appellations contrôlées en la matière. On pourrait toutefois distinguer quatre principaux genres : le communiqué invitation à la presse, le communiqué réclame, le communiqué de contextualisation et le communiqué nouvelle.

Le communiqué invitation à la presse

Le communiqué invitation incite les médias à couvrir un événement susceptible de les intéresser.

Le ministre X prendra position sur la TPS lors de telle assemblée, tel jour, à telle heure, à tel endroit.

Le syndicat Y donnera une conférence de presse sur le sujet Y tel jour, à telle heure, à tel endroit, en présence de M. Y.

Mme Ceci, présidente de Cela, prononcera un discours dans le cadre de...

Court, dépourvu de fioritures et d'effets de style, ce communiqué indique, précisément :

- le sujet ou le thème de l'événement ;
- le ou les noms des organisations ou des groupes participants ;
- les noms et les titres des porte-parole ou officiels ;
- la date et l'heure ;
- l'endroit et, si nécessaire, la façon de s'y rendre.

S'il y a lieu, le communiqué invitation livre aussi les noms de quelques « vedettes » qui seront de la partie, et leurs titres (voir Communiqués 9.1 et 9.2). Un point, c'est tout. L'événement ainsi annoncé fera presque toujours l'objet au jour J d'un ou de plusieurs autres communiqués ; il faut se garder de divulguer le sujet ou de démotiver les journalistes en révélant tout de suite trop d'éléments de contenu. Le contenu se limite donc à ces informations factuelles, présentées en un, deux ou trois courts paragraphes.

Communiqué 9.1

```
Invitation - Conseil des métiers d'art du Québec

    MONTRÉAL, le 1 déc. /CNW Telbec/ - Au nom de tous les exposants
du 49e Salon des métiers d'art du Québec, mesdames Marina Orsini et
Chantal Gilbert, respectivement porte-parole et présidente du Salon,
ont le plaisir de vous inviter à l'avant-première de l'événement.
Venez découvrir les nouvelles créations de nos artisans.

                    Jeudi 2 décembre, à 18 h
                  Salon des métiers d'art du Québec
                  Hall d'exposition - Place Bonaventure

    L'année dernière, plus de 220 000 visiteurs et 7 000 000 $
en chiffre d'affaire pour les artisans.

Renseignements : XXX YYY, (514) 844-9678
```

À l'essentiel – qui invite à quoi, où, quand –, le rédacteur ajoute une courte phrase pour faire valoir l'intérêt journalistique de l'événement et attirer des journalistes.

D'autres préciseraient «Invitation aux médias», mais le classement du texte dans cette catégorie de CNW en tient lieu ici.

Comme toujours, toutefois, le relationniste, patenté ou pas, peut envoyer aux médias ou à certains journalistes plus directement concernés des documents d'accompagnement (statistiques, articles, rapports, communiqué de contextualisation, etc.) grâce auxquels ils pourront se préparer à couvrir l'événement.

Communiqué 9.2

Les associations doivent passer par la presse pour mobiliser les gens. Dans cette invitation à la presse, on annonce ses couleurs en incluant des appels (à la réflexion sur le développement, à la générosité envers Haïti), qui sont cependant assez discrets pour ne pas distraire de l'objet principal du message.

À l'attention du directeur de l'information :

Rencontre de presse - 3 mars 2004 - Développement et Paix - Haïti : L'Église invite à la générosité

MONTRÉAL, le 2 mars /CNW Telbec/ - Des dirigeantes de communautés religieuses présentes en Haïti et le cardinal Jean-Claude Turcotte, archevêque de Montréal, invitent les gens d'ici à se montrer généreux envers la population haïtienne en ces jours difficiles.

Ces personnalités viendront appuyer la campagne lancée par Développement et Paix lors d'une rencontre de presse qui se tiendra le mercredi 3 mars 2004 à 10 h 30 dans les locaux de Développement et Paix, 5633, rue Sherbrooke Est à Montréal.

Une ligne téléphonique d'urgence est disponible pour les donateurs et donatrices. Il s'agit du 1-888-664-3387.

Renseignements : XXX YYY, (514) 257-8711

On utilise également ce type de communiqué pour inviter la presse à une ou à des séances d'information (*briefings*) sur le programme d'un événement important de longue durée et sur les modalités de sa couverture de presse : visite du pape, d'un premier ministre étranger, Jeux olympiques... Là encore, le rédacteur du communiqué s'en tient à l'annonce de la séance d'information, gardant pour le jour J les éléments de contenu : programme, horaire, activités ouvertes à la presse et conditions d'accréditation des journalistes, par exemple.

Le communiqué réclame

Le communiqué réclame (ou de promotion) annonce la tenue d'une activité publique, d'une joute de hockey à une exposition d'art, en passant par le spectacle d'une vedette rock, la sortie annuelle du club de l'âge d'or de Saint-Machin, le lancement d'un satellite ou celui d'une revue, etc. Il a pour objectif que les médias annoncent l'événement, dans des chroniques spécialisées ou sous forme de nouvelle, afin que les foules accourent, tout en visant aussi, évidemment, à ce que les journalistes couvrent cet événement (voir Communiqué 9.3).

Demain soir, première de telle pièce de théâtre par telle troupe, à tel endroit, à telle heure, billets en vente à...

L'Association des communicateurs scientifiques du Québec invite le public à un colloque sur... en présence de X et Y... à tel endroit, à tel moment...

Le communiqué réclame peut être aussi bref que le communiqué invitation à la presse. Ou, alors, si on estime avoir des chances d'obtenir autre chose que deux lignes dans des chroniques spécialisées, on le développe un tantinet pour que les médias y trouvent matière à une brève ou à un court topo, pas plus, pour ne pas noyer la réclame dans un texte long. Plutôt que d'allonger le communiqué réclame, l'accompagner, s'il y a lieu, d'un communiqué nouvelle ou d'un communiqué de contextualisation.

Communiqué 9.3

Dans un Biodôme au clair de lune... ou presque - Les lynx du Biodôme de Montréal voient arriver un 11 millionième visiteur!

MONTRÉAL, le 2 mars /CNW Telbec/ - Le 2 mars 2004 vient d'entrer dans l'histoire... du Biodôme de Montréal: l'institution, inaugurée en juin 1992, a accueilli à 10 h 03 son 11 millionième visiteur, à savoir Monsieur Alex Baillargeon, 7 ans, accompagné de son ami, M. Vincent Goyer, 7 ans, de M. Félix Baillargeon et de Mme Sylvie Perth. Le moment n'aurait pu être mieux choisi: la semaine de relâche bat son plein, avec l'événement Le Biodôme au clair de lune, qui permet aux parents et aux enfants de visiter les écosystèmes jusqu'à 20 h 30 afin de découvrir la vie nocturne qui s'y cache.

Les lynx du Biodôme sont naturellement à l'honneur au cours de cette semaine très spéciale: l'excellence de leur vue nocturne est connue, comme en témoignent l'expression "œil de lynx" et le mot "lynx" lui-même, qui vient d'un mot grec signifiant "briller". Ces superbes animaux, du haut de leur habitat rocheux, étaient aux premières loges pour voir passer le onze millionième visiteur. Cette arrivée ne les a toutefois pas fait miauler plus fort qu'à l'habitude (le lynx a un répertoire vocal semblable à celui du chat domestique; il ne rugit pas comme le font les grands félins). Il est vrai qu'ils ont vu passer tous les millionièmes visiteurs précédents! Achetés en Estrie auprès d'un éleveur, ils résident dans la forêt laurentienne depuis l'ouverture du Biodôme.

Sitôt LE visiteur identifié à la billetterie, la fête d'accueil prévue à son intention a été lancée! La directrice des collections vivantes et de la recherche, Mme Rachel Léger, a souhaité la bienvenue au petit groupe et l'a invité à couper le ruban installé à l'entrée du sentier, puis à le suivre dans la forêt tropicale, pour y trancher cette fois... un énorme gâteau. L'occasion justifiait de lever l'interdiction de manger sur le sentier! Madame Léger a alors remis au 11 000 000e visiteur un certificat-cadeau d'une valeur de 250 $ à la boutique du Biodôme. Le visiteur et ses accompagnateurs ont également eu la chance d'effectuer une traversée des Amériques, version Biodôme, avec Mme Rachel Léger.

Survenant avant même que le Biodôme ne célèbre son douzième anniversaire, cette arrivée d'un onze millionième visiteur montre bien que la popularité de la "maison de la vie" ne se dément pas et que la beauté de ses écosystèmes autant que ses actions d'éducation et de sensibilisation sont vivement appréciées. Un très grand merci aux 11 millions de visiteurs du Biodôme et... bienvenue aux millions à venir!

Renseignements: XXX YYY, chargée de communication, (514) 868-3053, Visuel disponible sur demande

Profitant de la relâche scolaire, le Biodôme tente d'attirer écoliers et parents et émet une réclame déguisée en nouvelle. Des médias pourraient la reprendre, car ils veulent aussi profiter de cette période de loisirs. Et le communiqué, en plus d'adopter un style vivant, offre des informations susceptibles d'intéresser bien des gens: onze millions de visiteurs en autant d'années au Biodôme, visites au clair de lune, lynx de la forêt laurentienne, sans compter qu'il met en scène des enfants, auxquels il est facile de s'identifier.

Le communiqué de contextualisation

Le communiqué de contextualisation, dit souvent *de background,* s'adresse aux journalistes, parfois exclusivement aux journalistes spécialisés dans le domaine concerné (voir Communiqué 9.4). Il sert surtout à expliquer une situation complexe, difficile à comprendre, donc à couvrir. Les journalistes sont ainsi incités à couvrir davantage, et mieux, telle ou telle dimension de l'actualité. Plus rarement, ce communiqué fournit des arguments ou des exemples qui justifient telles prises de position ou telles actions. Comme les journalistes se méfient des textes apologétiques, un communiqué de ce type n'a souvent qu'un impact réduit. Il convient, en tout cas, de s'assurer que l'argumentation est convaincante et fondée sur des informations précises et vérifiables.

Ainsi, la CEQ[1] a déjà émis un communiqué-fleuve (plusieurs centaines de lignes !) qui citait le ministre de l'Éducation : « Personne ne m'a pas apporté un seul exemple concret de perturbations liées aux décrets dans les écoles », puis énumérait des dizaines et des dizaines de cas particuliers de telles perturbations. Il y avait sans doute là de quoi convaincre les journalistes que tout n'allait pas pour le mieux dans le monde scolaire, ou du moins de quoi les inciter à aller y voir de plus près.

On n'espère pas voir publié intégralement un communiqué de contextualisation, qui sera en général traité comme une aide documentaire et non comme de la matière journalistique. Il convient de soigner quand même sa rédaction, ne serait-ce que pour le rendre intéressant. Il arrive aussi que des journalistes en utilisent des extraits ; cela se produira plus souvent si sa forme se rapproche de celle du communiqué nouvelle.

Communiqué 9.4

Ce communiqué de contextualisation, d'une centaine de lignes, expose l'argumentation de la Guilde aux médias et au milieu musical. Il s'adresse si peu au grand public qu'il ne prend nulle part la peine de préciser ce qu'est l'AMAQ !

La Guilde des musiciens du Québec répond à l'AMAQ

MONTRÉAL, le 2 mars 2004 /CNW Telbec/ - Suite à la parution d'un article dans le journal Le Devoir en date du 26 février dernier ayant pour titre "l'AMAQ contourne les règles de la Guilde des musiciens", la Guilde des musiciens du Québec désire apporter des précisions afin de clarifier la situation.

S'appuyant notamment sur certains extraits du jugement rendu récemment dans le dossier du Café Sarajevo, l'AMAQ a repris ses démarches de représentations au nom des musiciens autoproducteurs. Toutefois, afin de mieux comprendre le débat, il est important de regarder la décision dans son ensemble pour pouvoir comprendre les conclusions qui ont mené le juge à la rendre dans ce sens. Sur la notion d'autoproduction, le juge Sénécal stipulait que :

(7) Il n'a pas été contesté que la notion d' "autoproduction" existe bel et bien dans le domaine du spectacle. Il n'a pas non plus été contesté que le propriétaire d'une salle de spectacle où se produisent des musiciens puisse être, suivant les circonstances, un simple "diffuseur", et suivant d'autres circonstances, plutôt un "producteur".

Suite à la page suivante ▶

---

1. Centrale des enseignants du Québec, devenue depuis la CSQ, Centrale des syndicats du Québec.

> Afin de légitimer ses démarches, l'AMAQ a extirpé de son contexte le paragraphe précédent à titre de fondement pour leurs revendications. Cependant, l'essentiel de la décision se trouve plutôt dans l'extrait suivant :
>
> (52) Par ailleurs, comme on l'a dit déjà, il est admis que la notion d' "autoproduction" existe bel et bien dans le domaine du spectacle.
>
> (53) Il n'est pas non plus contesté que le propriétaire d'une salle de spectacle où se produisent des musiciens moyennant rémunération peut être, suivant les circonstances, un simple "diffuseur" et, suivant d'autres circonstances, plutôt un "producteur".
>
> (54) Les caractéristiques propres à chacun sont difficiles à circonscrire, de l'aveu même des parties. Celles-ci ne s'entendent d'ailleurs pas sur le sujet. Aux termes de la législation, il appartient à la Commission précitée d'en décider, comme on l'a dit. […]
>
> Renseignements : XXX YYY, Président, Guilde des musiciens du Québec, (514) 842-2866 ou sans frais : 1-800-363-6688

Si le pur communiqué de mise en contexte est rare, les hybrides se voient plus souvent, notamment des communiqués nouvelles très longs, qui donnent une argumentation ou des explications détaillées, ces détails cherchant surtout à « former » les journalistes et à les inciter à produire leur propre nouvelle à l'aide du communiqué, seul ou combiné avec d'autres sources. Pour des raisons d'espace, un seul est reproduit, partiellement, ici (Communiqué 9.4), mais ces textes abondent sur les fils de presse. Par exemple, du même jour, le communiqué d'Avaya, d'environ 150 lignes, dont seuls le titre, les deux longs sous-titres et les 12 premières lignes sont reproduits ci-dessous.

Communiqué 9.5

> À l'attention des rédacteurs des chroniques affaires et technologie :
>
> **Les solutions de téléphonie sur IP d'Avaya obtiennent les meilleurs résultats lors de tests indépendants sur le soutien aux personnes vivant avec un handicap**
>
> - Ces tests d'évaluation des performances fournissent des données sur la performance quasi-parfaite de la technologie d'Avaya comparativement à la concurrence dans des scénarios réels
> - Des caractéristiques spéciales, intégrées aux systèmes d'Avaya, procurent un accès aux personnes aveugles ou qui utilisent un appareil téléscripteur
>
> LAKE BUENA VISTA, FL, le 1er mars /CNW-PRN/ - VOICECON 2004 - Avaya (AV à la Bourse de New York), important fournisseur mondial de réseaux de communications et de services aux entreprises, a annoncé aujourd'hui que ses solutions de téléphonie sur IP ont nettement surpassé la performance des autres solutions lors de tests d'évaluation de la
>
> *Suite à la page suivante*

Émis « À l'intention des rédacteurs des chroniques affaires et technologie », ce communiqué ne tente nullement de vulgariser son information, préférant jouer la crédibilité scientifique pour mieux convaincre les journalistes spécialisés auxquels il s'adresse.

> performance visant à mesurer la capacité des solutions de transmettre des signaux ATS de façon fiable sur un réseau IP. Un appareil téléscripteur (ATS) est un terminal de traitement de texte qui est couramment utilisé au lieu d'un téléphone par les personnes qui ont de la difficulté à entendre ou à parler.(1)
>   "La capacité de ce système Internet de transmettre les signaux ATS de manière fiable préserve l'autonomie des personnes sourdes ou ayant […]

Le communiqué nouvelle

Le communiqué nouvelle est un texte qui, espère son émetteur, finira en nouvelle dans les médias, de préférence tel quel ou, à défaut, comme matériau d'une ou de plusieurs nouvelles.

Lorsque l'objet du communiqué est complexe, le relationniste fait souvent plusieurs communiqués ; par exemple, un texte synthèse, accompagné d'un communiqué pour chacun des éléments importants. Il émettra un communiqué sur l'ensemble du Livre vert sur l'habitation, et cinq ou six communiqués sur autant d'aspects particuliers de la politique proposée ; ou, encore, un communiqué global sur l'assemblée annuelle du Mouvement Desjardins et deux communiqués qui exposent plus en détail l'un, le bilan financier de l'organisation, l'autre, les nouvelles orientations qu'il se donne.

S'ils veulent faire vite et bref, les médias recourront au seul communiqué synthèse ; s'ils veulent approfondir un ou deux aspects, ils utiliseront aussi les autres.

Il en va de même lorsque les informations ont trait à différentes régions ou différents secteurs. On fait alors un communiqué synthèse et, pour chaque région ou secteur, des communiqués plus détaillés sur ce qui se passe sur le plan local. Les médias régionaux ou spécialisés pourront ainsi diffuser des informations qui n'auraient pas leur place dans un texte qui s'adresserait à tous les médias de la province ou du pays. La source enverra, par exemple, un communiqué qui annonce globalement le montant des subventions accordées dans le cadre de tel programme gouvernemental ainsi que leur répartition géographique ou sectorielle, et plusieurs communiqués qui donnent, pour chaque région ou secteur, la liste des bénéficiaires et le montant de leurs subventions.

Lorsqu'il s'agit de communiqués saucissons (qui découpent ainsi l'événement en rondelles), les différents communiqués régionaux ont habituellement la même structure. Tous rédigés sur le même modèle, ils ne se distinguent que par des informations ponctuelles : noms des personnes ou des organismes concernés, montants, etc.

Celui qui envoie plusieurs communiqués simultanément s'assurera de leur indépendance. Chaque média, national ou régional, général ou spécialisé, doit pouvoir produire sa nouvelle avec un seul communiqué. Les gens des médias sont souvent pressés et l'espace est toujours compté.

LA PRODUCTION DU COMMUNIQUÉ

Les lignes qui suivent portent essentiellement sur le communiqué nouvelle. On a vu, en effet, que le communiqué de contextualisation offre beaucoup de liberté en matière de rédaction. Quant au communiqué invitation et au communiqué réclame, ils sont si simples qu'il suffit d'en avoir vu quelques-uns pour savoir comment les tourner.

Communiqué ou pas ?

Qu'on présente la nouvelle en un seul communiqué ou qu'on la « saucissonne », il faut d'abord s'assurer qu'il y a matière à nouvelle. Tout communiqué doit offrir un minimum d'intérêt journalistique pour les médias visés. Sinon, il n'est que gaspillage de temps et d'énergie, il finira au classeur rond. Les organismes qui y recourent régulièrement risquent, en plus, s'ils inondent les médias de communiqués sans intérêt, de se voir discréditer comme sources. Après quelque temps, plus personne ne prendra la peine de lire leur prose.

En amont de la rédaction, il y a donc des décisions à prendre.

- Y a-t-il matière à faire un communiqué ?
- Si oui, y a-t-il lieu d'en faire un (avantages, risques) ?
- Sur quoi faut-il le centrer ? Quel est le noyau de l'information à transmettre ?
- Sous quel jour présenter cette information pour être efficace ?

Encore qu'il y participe, le rédacteur du communiqué ne prendra pas ces décisions seul. L'option d'aller, par voie de communiqué, sur la place publique demande une réflexion stratégique ; les dirigeants de son groupe ou de son organisation doivent d'abord se prononcer et définir les objectifs de l'opération, tout comme ils devront discuter des versions préliminaires et autoriser la version finale du communiqué. Pour la même raison, il faudra effectuer un suivi, évaluer l'impact de l'opération ainsi que les raisons de son succès ou de son échec.

Un communiqué doit avoir un objectif central, et un seul. Poursuivre simultanément plusieurs objectifs, en tentant, par exemple, de faire valoir à différents groupes différentes facettes d'un dossier, c'est courir plusieurs lièvres à la fois ; la chasse risque de ne pas rapporter grand-chose. Mieux vaut émettre plusieurs communiqués, de manière à ce que chacun reste ciblé et efficace (voir Communiqué 9.6, p. 240). Se garder, toutefois, de tomber dans la contradiction, que les médias pourraient prendre un malin plaisir à relever, court-circuitant toute l'opération et mettant l'émetteur dans l'embarras.

Communiqué 9.6

Le Barreau marche sur des œufs. Un organisme vend publiquement des cours sur la façon de contourner la loi du travail et de léser femmes enceintes et victimes de maladie professionnelle ou d'accident. Or, plusieurs des organisateurs des cours et une bonne partie des clients sont des avocats, membres du Barreau, et ce sont, en général, des entreprises qui les emploient qui financent leur formation...

Le Barreau aimerait sans doute faire le mort mais, à partir du moment où un média a mis cela sur la place publique, il estime qu'il doit se prononcer. Il décide aussi qu'il faut avant tout éviter d'alimenter la controverse – plus vite on passera à autre chose, mieux cela vaudra. Le Barreau émet donc un communiqué nouvelle, simple et concis, diffusable tel quel par les médias, à qui il fournit deux versions, pour la presse écrite et pour la presse électronique.

Il condamne, évidemment, et demande à ses membres de ne pas s'inscrire à ces cours. Toutefois, pour éviter de s'attaquer de front à ses propres adhérents, il le fait brièvement, sobrement. Ainsi, il n'approuve pas au lieu de dénoncer violemment ; pour bien montrer qu'il n'invente ni n'exagère rien, il guillemette les éléments de description de la publicité du cours dont il fait état.

Sa condamnation est tout de même très claire ; il qualifie l'approche de tout à fait inadmissible, il reprend même dans le titre de son communiqué l'élément sans doute le plus compromettant de la publicité de l'Institut : « Comment congédier une femme enceinte ». C'est l'image publique de toute la profession, déjà assez peu reluisante, qui serait ternie si l'ordre professionnel des avocats paraissait trop mou dans sa dénonciation.

Chaque mot est pesé et le communiqué qui en résulte ne devrait pas créer trop de problèmes à la source. Il illustre bien la centralité de la dimension stratégique de la plupart des communiqués.

TELBEC / Message 317099   Économie   Travail
Barreau du Québec

« COMMENT CONGÉDIER UNE FEMME ENCEINTE » : LE BARREAU N'APPROUVE PAS L'APPROCHE DE L'INSTITUT CANADIEN

Le 12 novembre 1996 – Le Barreau du Québec a vivement critiqué l'approche utilisée par l'Institut canadien, un organisme de Toronto, qui offre des cours aux «gestionnaires en ressources humaines» et aux «avocats qui les conseillent» sous le titre «Coupez les coûts liés au congédiement sans cause».

Dans sa publicité, l'Institut canadien écrit, entre autres : «Vous apprendrez… comment congédier les employés protégés, et traiter notamment les cas difficiles de l'employée enceinte, de l'employé atteint d'une maladie professionnelle ou victime d'un accident de travail».

Selon le bâtonnier du Québec, <u>Me Claude Masse</u>, «une telle vision des lois du travail est totalement inadmissible et dépasse les exigences de dignité et d'éthique auxquelles le public est en droit de s'attendre des membres du Barreau». Me Masse souligne que si un avocat, dans toute situation, doit négocier dans le meilleur intérêt de son client, il doit aussi, en tout temps, respecter les lois. «Dans la publicité qui présente ses cours, a précisé le Bâtonnier du Québec, l'Institut canadien donne nettement l'impression de vouloir enseigner comment bafouer les droits des travailleurs et travailleuses sans que ça coûte trop cher! Cette approche est tout à fait inadmissible», affirme-t-il. Le Bâtonnier du Québec demande aux avocats et avocates de ne pas s'inscrire aux cours de l'Institut canadien, qui se décrit comme «le plus important animateur de conférences au Canada, à l'intention des avocats, des gens d'affaires, des cadres et d'autres professionnels».

Source : XXX YYY
     Directeur des communications
     (514) 954-3440

- 30 -   Date : 96/11/12   Heure : 17:04:02   Lignes : 32   317088

TELBEC / Message 317104   Economie   Travail
BULLETIN RADIO-TÉLÉ   (Message 317099)

Le Barreau du Québec n'approuve pas l'approche de l'Institut canadien

(Telbec) / Le Barreau du Québec critique l'approche utilisée par l'Institut canadien, un organisme de Toronto, qui offre des cours aux «gestionnaires en ressources humaines» et aux «avocats qui les conseillent» sous le titre «Coupez les coûts liés au congédiement sans cause». Dans la publicité qui présente ses cours, cet institut donnerait l'impression de vouloir enseigner comment bafouer les droits des travailleurs et des travailleuses sans que ça coûte trop cher, estime le Barreau. Considérant que cette approche est inadmissible, le Barreau du Québec demande aux avocats et avocates du Québec de ne pas s'inscrire aux cours de l'Institut canadien.

(LT)

-30-   Date : 96/11/12   Heure : 17:30:49   Lignes : 14   317095

NNN

Passera ? Ne passera pas ?

Avant d'aborder la rédaction, il faut évaluer et tenter de maximiser ses chances, *a priori,* de voir le communiqué retenu par un ou des médias. Cela dépend de bien des choses, dont le jour de la semaine et la densité de l'actualité. Il faut autant que possible éviter d'émettre son communiqué alors qu'un super-événement mobilise la presse, viser le moment où les quotidiens disposent de plus d'espace (ceux du mercredi, ceux de fin de semaine), connaître et respecter les heures de tombée des médias. Parmi les facteurs constants, notons les suivants.

Tout d'abord, à quels médias s'adresse le communiqué ? Tous les médias régionaux, voire nationaux, ou seulement les médias locaux ? Dans le premier cas, le texte devra avoir le contenu d'une vraie nouvelle et être bien fait à tous points de vue pour pouvoir faire son chemin.

À l'autre extrême, pour faire passer votre information dans le seul hebdomadaire local, qui emploie 12 vendeurs de publicité mais un seul journaliste-reporter-photographe-rédacteur-metteur en pages-maquettiste, les chances de succès et la marge de manœuvre rédactionnelle augmentent considérablement. Évitez le ton ouvertement publicitaire, la grossière indécence, le gauchisme et les risques de libelle diffamatoire, et votre communiqué devrait passer. Surtout s'il est concis, vous pourriez même le voir publié tel quel. À vous, donc, d'ajuster le contenu proposé en fonction du média ou des médias visés.

Le poids social de l'émetteur joue évidemment. Même avec du génie, Joséphine Chose devrait essayer la page des lecteurs plutôt que le communiqué pour protester contre les pluies acides. Pour une vedette, politique ou autre, ou pour une grande organisation, le choix du communiqué peut se défendre. Le rédacteur du communiqué n'a guère de contrôle sur ce facteur, mais il doit au moins mettre en valeur la notoriété de la source, si notoriété il y a, ou, à défaut, son intérêt pour le public.

L'importance de l'information à transmettre, souvent liée à celle de l'émetteur, compte bien sûr énormément. Les médias reprendront, en la remaniant, l'information contenue même dans le plus infect des communiqués, s'il annonce la faillite de Bell ou la démission du premier ministre !

Si ces facteurs jouent contre vous, rappelez-vous alors que seul le communiqué modèle a des chances d'être retenu. S'ils vous sont favorables, appliquez-vous tout autant ! En effet, il ne suffit pas d'être publié ; un texte bien fait et d'allure journalistique aura un meilleur impact qu'un autre. Et l'idéal, pour l'émetteur, est que le communiqué soit publié tel quel, car il contrôle alors la façon dont son information est présentée au public ; cela aussi exige une rédaction *top niveau.* Bref, un texte informatif, rédigé selon un ordre logique et dans une langue correcte, claire et vivante, a énormément plus de chances qu'un autre de finir en nouvelle et d'être bien reçu du public.

Mais encore ?

Comment le rédiger ?

Évidemment, pour la diffusion d'informations de service neutres et factuelles – l'état des routes, la météo, les cotes de la bourse, l'horaire des services municipaux, etc. –, ni la rédaction du communiqué, directe, simple, concise et répétitive, ni l'accès aux médias, qui y sont « abonnés » et rendent ainsi à leurs lecteurs, à bon compte, un service apprécié, ne posent problème. Après quelques essais, la source fonctionne au pilote automatique.

Pour les autres communiqués nouvelles, obtenir un bon traitement de la presse requiert un peu plus de doigté. Certes, si le rédacteur fabrique une vraie nouvelle, elle passera sans doute comme une lettre à la poste. En général, cependant, l'émetteur d'un communiqué ne veut pas seulement informer ! Il cherche aussi à convaincre, à faire mousser ses produits (biens ou services), à redorer ou à améliorer son image, etc. Il faut donc arriver à quelque chose qui se situe entre le genre rédactionnel nouvelle, pour la forme, et le discours qui défend une personne, une institution ou une idée, pour le fond (voir ci-dessous).

Communiqué 9.7

> **Des organismes en faveur de l'égalité se réjouissent**
> **de la nomination de Louise Arbour au poste**
> **de Haut Commissaire aux droits de l'homme**
>
> OTTAWA, le 2 mars /CNW/ - Des organismes canadiens œuvrant pour la reconnaissance des droits en matière d'égalité se réjouissent de la nomination de la juge à la Cour Suprême du Canada, Louise Arbour, au poste de Haut Commissaire aux droits de l'homme à l'ONU.
>
> "La juge Arbour possède d'excellents états de service en matière de droits de la personne ; nous estimons qu'elle représentera une voix majeure au chapitre des droits humains et d'égalité à l'échelle mondiale", estime John Fisher d'ARC International […]
>
> Renseignements : Source : ARC International : XXX YYY, (613) 291-5187 ou XXX YYY, (902) 889-2288 ;
> Egale Canada : XXX YYY, (416) 839-7178 ;
> ACPD : XXX YYY, (613) 562-0880 ou XXX YYY, (613) 562-0880

Le communiqué sert à l'ensemble des acteurs sociaux qui veulent prendre publiquement position, participer à divers débats, porter leurs conflits sur la place publique, réclamer des mesures ou des changements, exprimer leur soutien ou leur opposition à une personne, un groupe ou une politique, etc.

Lorsqu'il est conçu et rédigé dans le style journalistique, comme celui sur Louise Arbour, il est en général publiable tel quel. Sinon, des médias en reprendront peut-être la substance, si l'information en vaut la peine et si le titre l'exprime bien.

L'astuce consiste alors à choisir des éléments d'information et un plan (on sait que le plan traduit un ordre de priorité) qui servent les objectifs de l'émetteur, tout en rédigeant dans un style journalistique et avec concision. Cela maximise les chances de voir son communiqué publié plus ou moins intégralement, tout en minimisant les risques qu'il ne soit éliminé comme « pure propagande » ou texte-mal-fichu-qu'on-n'a-pas-le-temps-de-remanier.

Même si l'objet du communiqué relève ouvertement de la persuasion – une prise de position d'un organisme dans un débat, par exemple –, le relationniste l'écrit comme le ferait un journaliste qui rendrait compte d'un discours, d'une intervention de cet acteur social.

Il cite la ou les personnes qui prennent ou prendront position, leur attribue explicitement les raisons et les arguments qui ont été choisis pour appuyer cette position. Il ne qualifie pas, il ne commente pas, il donne des marques de désengagement, etc.

Communiqué 9.8

Comité d'action politique motocycliste - Communiqué de presse

MONTRÉAL, le 12 nov. /CNW Telbec/ - Le 1er novembre dernier, la presse écrite et parlée du Québec faisait mention d'une déclaration du ministre des Finances du Québec, M. Yves Séguin, à l'effet que les permis de conduire des motocyclistes et les droits d'immatriculation des motos pourraient être substantiellement majorés. Une des raisons invoquées serait que les motocyclistes (et les jeunes) contribueraient peu comparativement aux indemnisations qu'ils réclament.

Le Comité d'action politique motocycliste, qui rassemble la quasi-totalité des organisations motocyclistes sur les questions politiques, s'oppose catégoriquement à ce projet de majoration qui est mis de l'avant par la Société d'assurance automobile du Québec depuis 1999 (et non depuis 2002, comme rapporté par les médias).

Cette opposition de la part des motocyclistes est essentiellement basée sur le fait que ce "redressement" (i.e. ces augmentations) envisagé ne tient […]

Renseignements : XXX YYY, président,(514) 953-3012 ; XXX YYY, secrétaire, (514) 918-3954 ; XXX YYY, porte-parole, (514) 353-8444

Seuls les journalistes déjà sensibilisés à la question de la moto s'intéresseront à un communiqué dont le titre se ramène au nom de la source, qui consacre son premier paragraphe au rappel d'une déclaration faite douze jours plus tôt, pour proposer ensuite une argumentation touffue et d'allure partisane, avec des affirmations directes plutôt que des citations, entre autres.

Engagé sur le fond, le rédacteur garde un style objectif, neutre – en ne qualifiant pas, en attribuant, toujours ! Ainsi, il n'écrira pas « lui-même » :

L'entreprise n'avait certes pas d'autre choix que de délocaliser sa production...

Avec cette intervention, le ministre a réglé le problème, brillamment et une fois pour toutes.

Qu'il se cache plutôt derrière les acteurs de la « nouvelle », comme le ferait un journaliste :

« Nous n'avions d'autre choix que de délocaliser la production, sinon nous courions à la faillite », a expliqué le vice-président, qui a fait valoir que...

Le ministre s'est dit convaincu que, grâce à cette intervention, il a réglé le problème une fois pour toutes. Son homologue fédéral, présent au colloque, a d'ailleurs qualifié la manœuvre de brillante.

La différence entre un communiqué nouvelle, écrit dans un style journalistique, et une vraie nouvelle réside d'abord dans le fait qu'un journaliste, qui déciderait lui-même de la valeur journalistique des divers éléments, ne retiendrait pas, en général, les mêmes informations, ne leur accorderait pas la même priorité, ne choisirait pas les mêmes citations.

Une autre différence est que le communiqué nouvelle est écrit le plus souvent *avant* l'événement qu'il « rapporte », avant le discours, avant la conférence de presse, avant le dévoilement de ceci ou cela, etc. Il fait « comme si » l'événement (qu'on est en train d'organiser) avait eu lieu, il décrit au passé quelque chose qui se produira plus tard.

On le voit, la rédaction du communiqué à visée persuasive ou publicitaire est une démarche stratégique, une opération de relations publiques ou de marketing présentée sous des dehors d'information journalistique.

Tout en donnant de l'information, donc, le rédacteur doit écrire pour servir l'émetteur du communiqué. Servir l'émetteur, c'est le mettre en valeur, souligner son rôle positif (discrètement, par la sélection des informations). Ainsi, en annonçant que telle personne ou tel groupe de personnes a pris telle décision, il fait valoir le statut des personnes, il expose aussi (sans les qualifier lui-même !) les louables motifs qui ont conduit à la décision, les retombées positives qu'on peut en espérer, pour le public ou pour différentes catégories de personnes, les bons coups passés, garants du présent, etc.

Si la décision en question risque d'être mal vue (grève, fermeture d'une entreprise, mises à pied, réductions budgétaires, pollution, etc.), le relationniste fait ressortir que les décideurs sont sensibles aux inconvénients causés et essaient de les limiter, donne des informations quant à la nécessité du geste, etc. (Ou alors, si la source pense qu'il y a un trop grand risque d'effet boomerang et si elle a le choix, elle évite d'aller sur la place publique, et laisse tomber le communiqué).

C'est *votre* organisme, *votre* patron qu'il s'agit de mettre en valeur. Si votre communiqué rend compte d'un événement associant deux ou plusieurs partenaires – deux ministères, deux entreprises, une entreprise et un ministère, etc. –, n'oubliez pas que vous êtes à l'emploi et au service d'un seul de ces acteurs. Évidemment, vous devrez couvrir l'événement, donc mentionner qu'il y a eu action conjointe, partenariat, mais vous axerez tout votre texte sur le rôle de *votre* organisme, de *votre* président, ce qu'il a dit, ce qu'il a fait, comment il réagit à ceci ou cela, etc. Autrement dit, tout sera vu à travers votre lorgnette à vous. Les autres personnes ou groupes associés à l'événement verront à diffuser leur propre point de vue. On ne procède autrement que dans certains cas particuliers, quand les partenaires ont convenu d'une déclaration conjointe ou d'un communiqué unique, au milieu d'une négociation, par exemple, ou au terme de tractations diplomatiques.

Dans un communiqué, à moins que cela n'aille à l'encontre des principes d'information de l'émetteur, on n'hésite pas, pour mettre en valeur l'émetteur, à personnaliser la nouvelle[2]. Après tout, c'est le ministre qui dirige le ministère, le président qui représente l'association ; c'est lui qui est le plus connu, qui, donc, a le plus de valeur

---

2. Ce que devraient éviter les journalistes, même s'ils le font trop souvent. On leur reproche alors de réduire le social à l'individuel et au vedettariat, de mal informer. En relations publiques, la finalité, donc la norme, diffèrent.

journalistique – sans compter que c'est peut-être aussi lui le patron du rédacteur ! Autant de raisons pour le faire agir : *il a fait ceci... déclaré cela... annoncé autre chose... rappelé que... affirmé que...*

Par conséquent, le bon communiqué, contrairement à la bonne nouvelle, peut commencer à l'occasion par une formule comme *Mme Truc, telle fonction dans tel organisme, a annoncé aujourd'hui que...*, attaque que, souvent, les journalistes remanieront pour en faire un *lead* plus conforme aux usages. Laisser place à de telles retouches mineures ne comporte guère d'inconvénients ; au contraire, les médias auront parfois moins l'impression d'être téléguidés... Éviter toutefois les mondanités du genre *est heureuse d'annoncer que...*, plus proches du faire-part que d'un article de presse.

Pour rester crédible, il faut non seulement adopter un style neutre, mais se montrer prudent dans ses propos. Ainsi, la source évite de prophétiser, d'affirmer, par exemple, que la mesure annoncée créera tel nombre énorme d'emplois indirects. Elle dit plutôt que tel expert ou tel organisme *estime, prévoit* ou *espère* que tant d'emplois seront créés, et garde estimations et espérances dans les limites du vraisemblable.

Il faut aussi rejeter les positions ouvertement partisanes. Au lieu d'injurier les adversaires, leur opposer des faits. Si injure il doit y avoir – *Untel agit en irresponsable* –, on attribue, on y va d'une citation, comme le ferait un journaliste.

En particulier...

Comme dans une nouvelle, mais encore plus systématiquement, il faut faire des paragraphes indépendants les uns des autres. Les médias qui voudront abréger le communiqué, ou n'en retenir que des extraits, auront moins à le remanier, et le texte publié en sera d'autant plus proche de la version originale.

Dans un communiqué, il importe de soigner le titre. Lors du premier tri dans la masse des textes reçus dans une salle de rédaction, le titre est la première et parfois la seule chose prise en compte. C'est en fonction du titre qu'on décidera de lire ou non le communiqué.

Le titre doit donc répondre le mieux possible aux critères de sélection de la nouvelle. Il présentera de la nouveauté plutôt que des rappels, des actions et des décisions plutôt que des intentions, opinions ou émotions, les *qui* et les *quoi* essentiels de l'événement plutôt que les éléments secondaires, les choses pertinentes pour le public des médias visés, les enjeux, etc.

En somme, le titre du communiqué devrait ressembler aux (bons) titres que les médias donneront à la nouvelle. À une différence près : il est en général plus long – concis, certes, mais aussi long que nécessaire pour donner l'essentiel de l'information. Il peut comporter deux ou trois lignes, plus un exergue. Comme les médias ne le reprendront (presque) jamais, le relationniste n'a pas à se soucier de mise en pages en rédigeant un titre de communiqué, mais uniquement du processus de sélection des médias.

Si le titre est bon, et si les informations transmises ont quelque valeur journalistique, le titre pourra même à l'occasion sauver un communiqué médiocre d'une disparition prématurée. À défaut de publier ce communiqué intégralement, tel ou tel média, voyant qu'il y a là matière à nouvelle, diffusera au moins l'information qu'il contient dans sa propre prose.

Dans tout communiqué, donc, le titre est im-por-tant.

Quand on s'adresse aussi aux médias électroniques, il faut tenir compte de leurs particularités. Le radiojournal et le téléjournal disposent de très peu de temps pour chaque nouvelle. Plusieurs n'ont droit qu'à 10 secondes, les plus importantes dépassent rarement 90 secondes – et celles-là sont rarement tirées de communiqués de presse !

On doit donc concentrer l'information essentielle dans le début du communiqué, en deux ou trois courts paragraphes hyper-concis, que les médias électroniques pourront transformer en topo qui se tienne, ou, mieux, produire deux communiqués : un, plus élaboré, pour la presse écrite, l'autre, plus sélectif, pour la presse électronique.

D'autres approches

Il existe un certain nombre de cas où les émetteurs de communiqués qui pourraient faire l'objet de nouvelles ne cherchent nullement à les rendre présentables comme nouvelles et où, par conséquent, ils enfreignent bien des règles exposées ci-dessus.

Certaines personnes ou certains groupes, par exemple, savent bien que, venant d'eux, un communiqué d'allure journalistique risque de heurter des susceptibilités journalistiques et d'avoir un effet boomerang. Tel journaliste n'hésite pas à reprendre tels quels les textes de diverses sources – de l'association de bienfaisance au Conseil du patronat. Il criera toutefois à l'atteinte à son autonomie professionnelle si d'autres sources, par exemple des sources politiques, essaient « de faire son travail pour lui », de « manipuler l'information ».

La politique partisane est le domaine par excellence de la méfiance journalistique. Beaucoup de politiciens, et beaucoup de dirigeants, en général, tiennent d'autre part à ce que leurs messages soient de type et de style persuasifs – au grand dam, parfois, de leurs conseillers en communication. Il n'est donc pas étonnant que, dans certains ministères, les agents d'information produisent des communiqués nouvelles classiques sur les activités du ministère et l'attaché de presse, des communiqués plus partisans sur les positions et décisions du ministre. Cela se voit aussi dans d'autres organismes : entreprises, associations, etc. L'efficacité de cette stratégie reste à prouver.

Parfois, au contraire, c'est pour souligner le caractère officiel, sérieux, neutre de l'information que l'émetteur d'un communiqué s'éloigne du style de la nouvelle. Ainsi, lorsqu'une commission d'enquête remet son rapport, le ministère concerné publie d'habitude un communiqué qui rappelle d'abord, en plusieurs pages, l'origine de la commission, son mandat, sa composition, ses travaux, pour ne livrer la nouvelle – les conclusions de la commission – qu'à la fin.

Dans de tels cas, la source s'adresse à un public journalistique captif : de toute façon, les journalistes liront ce qu'il faut du communiqué car il exprime une information officielle et incontournable ! Il n'y a donc guère d'inconvénients à s'écarter du communiqué offrant de la nouvelle prête à consommer, à condition de coiffer le texte d'un bon titre, qui fasse apparaître clairement la nature de la nouvelle.

Enfin, il arrive que des communiqués de presse, malgré leur nom, ne s'adressent nullement au grand public, ni aux médias d'information générale. Avec la généralisation d'Internet, les médias ne sont pas seuls à avoir accès aux communiqués diffusés par les agences de distribution. Certaines sources, calculant que le public très spécial qu'elles ciblent navigue allègrement en eaux webiennes, envoient ainsi des communiqués au langage ésotérique qu'aucun journaliste n'oserait reprendre, et dont seuls quelques journalistes hyperspécialisés seraient capables de s'inspirer pour produire des nouvelles. Peu importe : seule la publication de ces (rares) nouvelles-là intéresse la source, qui d'ailleurs tient surtout à diffuser la (bonne) nouvelle à un public très ciblé : ses collègues chercheurs, ses clients boursicoteurs, ses actionnaires, les fonctionnaires qui examinent ses demandes de subventions, etc. Elle met alors l'accent sur la précision de l'information et sur sa crédibilité plutôt que sur son intelligibilité pour le grand public ou d'autres publics plus restreints, mais non initiés. Le fait que le texte soit diffusé comme communiqué, proposé donc aux médias, ajoute de la crédibilité, un caractère officiel, à l'information diffusée.

Les communiqués de deux entreprises de recherche pharmaceutique illustrent, avec des variantes, ce cas où l'émetteur n'essaie pas de faire publier son communiqué tel quel dans les médias d'information générale (voir Communiqué 9.9, p. 248).

L'entreprise Estracure fait savoir, sous un long titre très précis, qu'elle a reçu l'autorisation de passer à une étape nouvelle de sa recherche contre la resténose. Les trois premiers paragraphes portent sur l'étude, la quatrième sur la resténose. Ils sont rédigés dans un langage purement technique, accessible aux seuls spécialistes.

Le passage sur la resténose se termine sur une information économique : « Le marché de la resténose est évalué à 3 à 5 milliards de dollars américains. » Le reste du communiqué poursuit sur cette lancée économique : Estracure comme entreprise, ses deux principaux actionnaires actuels, sa recherche de nouveaux partenaires (« Estracure cherche activement à établir des partenariats stratégiques [...] dans le secteur de la cardiologie. »).

Communiqué 9.9

Estracure annonce « À l'intention des rédacteurs financiers » une bonne nouvelle pour attirer les investisseurs actuels ou potentiels. Les informations pourront atteindre directement des investisseurs qui épluchent les données de CNW ou être reprises par des médias ou des journalistes spécialisés, qui remanieront plus ou moins profondément le communiqué selon le type de public pour lequel il faut le rendre intelligible.

Ce communiqué, comme le suivant, offre un bon exemple de l'importance d'un titre complet et précis dans le repérage de l'information.

À l'attention des rédacteurs financiers

Estracure reçoit de Santé Canada l'autorisation d'entreprendre un essai clinique de phase II sur l'efficacité du 17-bêta-Estradiol contre la resténose après angioplastie et pose d'une endoprothèse vasculaire

MONTRÉAL, le 11 nov. /CNW/ - Estracure Inc. annonçait aujourd'hui qu'elle a reçu des autorités canadiennes en matière de santé l'autorisation d'entreprendre un essai clinique de phase II sur l'utilisation du 17-bêta-Estradiol dans la prévention de la resténose après une angioplastie coronarienne transluminale percutanée (ACTP) et la mise en place d'une endoprothèse vasculaire.

L'essai clinique de phase II, qui vient tout juste de débuter, permettra d'évaluer l'innocuité et l'efficacité du 17-bêta-Estradiol chez des patients qui présentent un rétrécissement ou une constriction des artères coronaires causé par l'athérosclérose. Le 17-bêta-Estradiol sera administré localement pendant l'ACTP par injection d'un bolus, une méthode très peu invasive. Contrairement à d'autres médicaments contre la resténose faisant actuellement l'objet d'essais cliniques, le 17-bêta-Estradiol est une hormone naturelle non toxique dont les scientifiques d'Estracure ont montré le double effet bénéfique dans l'amélioration de la cicatrisation vasculaire et la prévention de la resténose après une angioplastie. Des études animales ont révélé que l'administration locale du 17-bêta-Estradiol réduisait considérablement l'hyperplasie néo-intimale après une ACTP sans entraîner d'effets indésirables.

L'étude randomisée de phase II à double insu et contrôlée par placebo est dirigée par le Dr Jean-François Tanguay de l'Institut de cardiologie de Montréal ; il est prévu d'y admettre au total 360 patients souffrant d'une maladie cardiaque athérosclérotique et provenant de six centres au Canada. L'étude a été approuvée par le Comité d'éthique de la recherche de l'Institut de cardiologie de Montréal. Le principal paramètre d'efficacité sera la perte luminale tardive mesurée par angiographie au suivi.

LA RESTENOSE

En Amérique du Nord et en Europe, les maladies des artères coronaires, ou coronaropathies, sont responsables de plus de décès prématurés que toute autre maladie. La coronaropathie entraîne une obstruction totale ou partielle des coronaires, qui acheminent le sang et l'oxygène vers le cœur. Cette obstruction est principalement causée par des dépôts graisseux sur la paroi des artères. L'un des traitements les plus fréquents de l'obstruction coronarienne est l'ACTP. La resténose est la réapparition du rétrécissement ou du blocage d'une artère à l'endroit même où un traitement, tel qu'une angioplastie ou la pose d'une endoprothèse vasculaire, avait été effectué. La resténose est un important problème clinique qui se produit chez 30 à 50 % des patients qui subissent une ACTP et limite la réussite de cette intervention à long terme. Le marché de la resténose est évalué à 3 à 5 milliards de dollars américains.

ESTRACURE

Estracure Inc. a été fondée en 2002 pour l'exploitation de techniques mises au point à l'Institut de cardiologie de Montréal. Établie à Montréal, au Canada […] Estracure cherche activement à établir des partenariats stratégiques avec les principales sociétés intégrées dans le secteur de la cardiologie.

[…]

Émis *À l'intention des rédacteurs financiers,* le communiqué a pour objectif manifeste de faire valoir l'efficacité d'Estracure et la crédibilité scientifique et financière de ses partenaires, pour mieux attirer d'autres investisseurs. Inutile, dans ces conditions, de traduire le langage médical, qui donne un air sérieux ; ce que le lecteur ciblé doit comprendre est ailleurs.

Le communiqué sur le losartan et sur l'étude LIFE (ci-dessous) se présente différemment. Quoique le corps du texte n'échappe pas à un peu de jargon médical, il reste intelligible. Le communiqué, surtout, argumente constamment en faveur du produit et dégage pour les non-initiés la portée persuasive des données de l'étude. Titre : *Une étude montre que le losartan réduit plusieurs risques mieux que le médicament qui domine actuellement.* Sous-titre : *Si bien qu'un expert y voit « une nouvelle ère » dans le traitement de l'hypertension.* L'ensemble du texte insiste sur l'intérêt du produit pour les consommateurs hypertendus, sur l'ampleur et le sérieux de l'étude, la gravité de l'hypertension, les avantages du losartan et, enfin, sur la valeur de la société pharmaceutique qui le fabrique et de ses principaux actionnaires, un centre universitaire « de calibre international » et un fabricant de régulateurs cardiaques présenté comme une bonne valeur en bourse.

Communiqué 9.10

> À l'attention du directeur de l'information et du rédacteur des chroniques santé et affaires sociales :
>
> **Un essai repère révèle que COZAAR réduit de façon significative le risque combiné de mortalité cardiovasculaire, d'accident vasculaire cérébral et de crise cardiaque, comparativement au traitement antihypertensif établi**
>
> "Ces résultats marquent une ère nouvelle dans la façon de traiter les patients hypertendus"
>
> ATLANTA, Géorgie, le 20 mars /CNW/ - Dans le cadre d'un des essais cliniques d'envergure les plus importants menés à terme chez des patients atteints d'hypertension, COZAAR(R) (losartan) s'est avéré le premier et le seul médicament à démontrer une supériorité par rapport à un antihypertensif classique éprouvé (l'aténolol, un bêta-bloquant) pour aider les patients à réduire de façon significative leur risque combiné de maladie et de décès d'origine cardiovasculaire. Les résultats de cette étude repère, présentés aujourd'hui dans le cadre du 51e congrès scientifique annuel de l'American College of Cardiology, ont aussi révélé que le losartan, par comparaison avec l'aténolol, avait diminué le risque d'accident vasculaire cérébral de 25 pour cent (p(égal)0,001) chez des patients hypertendus.
>
> "Ces résultats sans précédent marquent une ère nouvelle dans la façon de traiter l'hypertension," d'affirmer le Dr Bjorn Dahlof, professeur agrégé de médecine, University of Goteborg, Ostra Hospital, Goteborg, et investigateur principal de l'essai. "Les bienfaits cardiovasculaires supérieurs du losartan - qu'aucun antihypertensif n'a pu documenter aussi clairement à ce jour - combinés à son excellent profil de tolérabilité représentent pour les médecins une importante avancée directement applicable dans notre pratique au quotidien."
>
> *Suite à la page suivante* ▶

Ce long communiqué est entièrement axé sur l'objectif de persuader les lecteurs (rédactions d'abord, public ensuite) de l'excellence du losartan pour soigner l'hypertension.

C'est peut-être pour mieux persuader que l'émetteur (Merck Frosst) n'apparaît pas avant la toute fin, une fois le message passé (jusquelà, seul le nom de l'étude, LIFE, apparaît). La source sait, en effet, que les grandes sociétés pharmaceutiques, souvent bien vues des actionnaires ou investisseurs, n'ont pas toujours bonne presse dans le grand public.

> ▶
> ```
>      L'étude, connue sous le nom de LIFE (acronyme anglais de "Losartan
> Intervention for Endpoint Reduction in Hypertension"), comprenait
> 9 193 patients de Scandinavie, des États-Unis, du Royaume-Uni et
> d'autres pays, qui avaient besoin d'un médicament pour traiter leur
> hypertension. Ces patients exposés à un risque élevé souffraient
> d'hypertrophie ventriculaire gauche (1) (HVG), une complication
> fréquente de l'hypertension à long terme, qui entraîne une
> augmentation du volume du cœur. […]
> ```

Un tel communiqué ne peut certes pas nuire aux affaires de cette société, mais on peut penser qu'il vise d'abord, à travers les médias d'information générale, les médecins praticiens et le public consommateur, pour les persuader de l'excellence du produit dans le traitement de l'hypertension et les convaincre de passer à l'acte (ordonnance ou achat). L'émetteur n'escompte pas que ce long texte (cinq pages) sera publié comme nouvelle, mais il espère que des journalistes, sans doute spécialisés, en tireront une nouvelle qui ira dans ce sens.

La présentation matérielle

Souvent, le journaliste qui reçoit un communiqué présenté de façon non conventionnelle se doute qu'il s'agit là d'un « truc d'amateur » : un texte qu'il faudra triturer ou récrire. De là à ce que le journaliste aborde le communiqué avec un préjugé négatif, ou l'écarte sans même le lire, il n'y a qu'un pas. Le relationniste, occasionnel comme de métier, a donc intérêt à respecter en gros les règles en vigueur quant à l'apparence du communiqué. Ces règles admettent bien des variantes, mais en suivant les indications suivantes, on ne risque guère de se tromper.

Pour une version papier, prendre de préférence des feuilles ordinaires, de 22 cm sur 28. Pour se démarquer des autres, pour attirer l'attention, certaines sources optent pour du papier de plus grand format. Ce n'est peut-être pas une bonne idée, car les feuilles de grand format s'insèrent mal dans les pochettes de presse conventionnelles, que les journalistes utilisent beaucoup comme système de rangement de leurs dossiers et documents. S'ils hésitent à retenir le communiqué, le gabarit hors norme du papier pourrait suffire à faire pencher la balance vers le non. Tous les détails comptent en situation de concurrence !

Pour la première page seulement, utiliser si possible du papier à en-tête, qui donne le nom et l'adresse, postale et, s'il y a lieu, électronique, de l'émetteur, et souvent aussi son sigle et son logo. Les médias, écrits comme électroniques, reproduiront parfois le logo, élément important d'une stratégie de marketing. Grandes et moyennes organisations ont souvent du papier à en-tête qui porte en plus, en capitales ou en caractères gras, la mention **Communiqué** ou COMMUNIQUÉ DE PRESSE.

À défaut de papier à en-tête, on inscrit en haut, à gauche, le nom et l'adresse de l'émetteur ; à droite, à la même hauteur (ou quelques lignes plus bas, au centre), la mention COMMUNIQUÉ.

Sous COMMUNIQUÉ, le moment où il doit être diffusé : *Pour diffusion immédiate* ou *Embargo telle date, à telle heure* ou encore *Pour diffusion immédiate, avec embargo telle date, à telle heure*. Cette dernière mention signifie que le distributeur expédie immédiatement le communiqué aux médias mais en leur demandant de ne pas divulguer la nouvelle avant le moment indiqué. En l'absence d'une indication quelconque, ils présument qu'il faut diffuser le communiqué immédiatement.

Les médias respectent souvent l'embargo, ne serait-ce que pour ne pas annoncer la tenue d'un événement annulé *in extremis* ou pour ne pas diffuser une fausse nouvelle – la position prise par le conférencier est aux antipodes de celle que son association avait annoncée... Ils ne sont toutefois pas tenus de le faire et, en général, ils ne le feront pas s'ils arrivent à faire confirmer la nouvelle par une autre source valable avant le moment de l'embargo. Exclusivité oblige !

À l'émetteur de juger de ses priorités. S'il est essentiel pour lui que la nouvelle ne soit pas diffusée avant le moment M, il évitera l'embargo. Ainsi, le ministre des Finances n'émettra pas de communiqué avec embargo quelques heures avant de dévoiler son budget ! Le communiqué, les communiqués dans ce cas, sortiront au moment où le ministre prononce son discours. De même pour les entreprises qui négocient une fusion, un transfert de propriété, etc. La source veut-elle avant tout s'assurer que les journaux du lendemain traiteront de la nouvelle ? Dans ce cas, si l'événement se produit après l'heure de tombée des médias écrits, ou trop tard dans la journée pour qu'ils puissent produire de la bonne nouvelle sans information préalable, elle recourra à l'embargo.

On inscrit ensuite le <u>TITRE</u>, en capitales, souligné et mis en évidence par quelques lignes laissées en blanc au-dessus et autant en dessous.

Vient ensuite le texte du communiqué. À la première ligne : le LIEU de l'émission (la ville et, **si** nécessaire, la province ou l'État), le quantième, le mois (en lettres), l'année et un tiret. On enchaîne immédiatement, sur la même ligne, avec le début du texte. Ainsi :

MONTRÉAL, le 4 novembre 2002 – La présidente du Conseil du... ou :

SAINT-JEAN (Nouveau-Brunswick), le 4 novembre 2002 – La présidente du Conseil du...

S'il y a lieu, on indique au bas de la page, à droite, qu'une autre page suit : *... 2* ou *... 3,* etc. En haut des pages 2 et suivantes, au centre, entre tirets, on numérote les pages : – 2 –, – 3 –, etc. On indique parfois, sur la même ligne, à gauche, un mot code et, à droite, la date, en chiffres :
PROVIGO   – 2 –   4.11.2001
Les pages 2 et suivantes sont rédigées sur du papier sans en-tête.

À la fin du texte, après un espace blanc, le chiffre 30, au centre, entre tirets et espaces : – 30 –. Sous le – 30 –, après un peu de blanc, la mention *Source :* personne, titre, numéro de téléphone, y compris le code régional. Au lieu de *Source,* on écrit parfois *Pour renseignements supplémentaires* ou, tout simplement, *Renseignements*.

Les médias peuvent rejoindre la personne ainsi désignée pour obtenir un complément d'information, une entrevue avec un dirigeant, etc.

Beaucoup d'organisations ou de groupes ont pour principe de confier à une seule et même personne ce rôle de liaison avec la presse. D'autres indiquent le nom de deux personnes, deux communicateurs, par exemple, ou un communicateur et un politique, c'est-à-dire un membre assez haut placé dans la hiérarchie de l'organisme. Dans ce cas, *Source* va à gauche et *Renseignements* à droite. Cette pratique ne plaît pas à tous, tant chez les sources que chez les journalistes, car deux porte-parole, si bien préparés soient-ils, donneront en général deux sons de cloche différents : ils créeront de la confusion, ce qui peut se retourner contre l'organisme qui émet le communiqué.

Si on veut que le communiqué soit distribué par une messagerie spécialisée[3], on peut l'apporter tel quel à un bureau de l'agence. Si on l'expédie par téléscripteur ou par courriel, on commence par le nom de l'émetteur (qui remplace l'en-tête) ; par exemple : *Gouvernement du Québec, ministère du Revenu.* La pagination disparaît. Et c'est à la toute fin, après plutôt qu'avant la mention de la source, qu'on place le – 30 –.

Pour compléter ces notes sur le communiqué, la fréquentation critique d'Internet s'avérera précieuse. CNW, déjà mentionné, en distribue un flot continu, de tous les genres et dans les deux langues. Pour voir un peu ce qui se fait ailleurs, il vous suffit de taper dans Google ou un autre moteur de recherche « communiqués de presse » ou « press releases », et vous pourrez naviguer longtemps à travers diverses institutions et divers pays.

En cours de route, vous tomberez sans doute sur les sites de certaines grandes entreprises ou organisations qui tiennent des archives des communiqués qu'elles ont émis et constituent une autre mine de communiqués à comparer, à évaluer pour développer votre sens du communiqué efficace.

Le meilleur exercice à cette fin, et le plus palpitant, consiste à comparer les communiqués émis un jour aux nouvelles produites par les quotidiens le lendemain, voire plus tard dans la même journée sur les sites Web de ces journaux. Rien de mieux pour aiguiser son sens de la nouvelle et pour comprendre en quoi se rejoignent et en quoi divergent les stratégies et le style de l'écriture de presse et ceux de l'écriture de relations publiques.

– 30 –

---

3. Qui, normalement, dessert à la fois des abonnés et des clients occasionnels.

RAPPELS • RAPPELS • RAPPELS

- En rédigeant le communiqué, on doit penser stratégie :
  - *objectifs et moyens de les atteindre ;*
  - *effets négatifs et moyens de les éviter.*

- Un lièvre à la fois, un objectif par communiqué.

- Pour le fond, le rédacteur doit se mettre au service de l'émetteur du communiqué.

- Pour la forme, un bon communiqué nouvelle ressemble à une bonne nouvelle ; notamment, il attribue au lieu d'affirmer ou de qualifier.

- Dans certains cas, le style journalistique n'est pas approprié.

- Le communiqué accroche, ou n'accroche pas, avec son TITRE. Le titre, aussi long que nécessaire, condense l'information de façon claire et précise.

- Une présentation matérielle dans les normes augmente les chances d'atteindre les médias.

ÉLÉMENTS DE BIBLIOGRAPHIE

AGNÈS, Yves, *Manuel de journalisme : écrire pour le journal,* Paris, La Découverte, 2002 (Coll. Guides repères).

ALBERT, Pierre, *La presse,* Paris, PUF, 1973 (Coll. Que sais-je ?, n° 368).

ANTOINE, Frédéric, *et al., Écrire au quotidien : pratique du journalisme,* 2ᵉ éd., Bruxelles, Vie ouvrière, 1995.

BEAUCHAMP, Colette, *Le silence des médias. Les femmes, les hommes et l'information,* Montréal, Les Éditions du remue-ménage, 1987.

BERNIER, Marc-François, *Éthique et déontologie du journalisme,* Québec, Presses de l'Université Laval, 1995.

____ *Les planqués : le journalisme victime des journalistes,* Montréal, VLB éditeur, 1995.

BERTHIAUME, Pierre, *Le journal piégé ou l'art de trafiquer l'information,* Montréal, VLB éditeur, 1981.

BOUCHER, Jean-Dominique, *Le reportage écrit,* Paris, Centre de formation et de perfectionnement des journalistes, 1993.

BRIN, Colette, Jean CHARRON et Jean DE BONVILLE, dir., *Nature et transformation du journalisme. Théorie et recherches empiriques,* Québec, Les Éditions PUL-IQRC, 2005.

BROWN, C. H., *Informing the People. A Basic Text in Reporting and Writing the News,* New York, Holt, Rinehart and Winston, 1957.

CHAR, Antoine, *Comme on fait son lead, on écrit,* Sainte-Foy, Presses de l'Université du Québec, 2002 (Coll. Communication et relations publiques).

CHARNLEY, Blair et Mitchell V. CHARNLEY, *Reporting,* 4ᵉ éd., New York, Holt, Rinehart and Winston, 1979.

CHARRON, Jean, *La production de l'actualité. Une analyse stratégique des relations entre la presse parlementaire et les autorités politiques au Québec,* Montréal, Boréal, 1994.

CHARRON, Jean, Jacques LEMIEUX et Florian SAUVAGEAU, dir., *Les journalistes, les médias et leurs sources,* Boucherville, Gaëtan Morin éditeur, 1991.

CLERC, Isabelle *et al., La démarche de rédaction,* Québec, Nota Bene, 2000.

DE BONVILLE, Jean, *Le journaliste et sa documentation,* Québec, ÉDI-GRIC, Université Laval, 1977.

____ *La presse québécoise de 1884 à 1914. Genèse d'un média de masse,* Québec, Presses de l'Université Laval, 1988.

DAGENAIS, Bernard, *Le communiqué ou l'art de faire parler de soi,* Montréal, VLB éditeur, 1990.

de BROUCKER, José, *Pratique de l'information et écritures journalistiques,* Paris, Les Éditions du Centre de formation et de perfectionnement des journalistes, 1995.

DEMERS, François, « Le <mauvais esprit>, outil professionnel des journalistes ? », *Communication information,* vol. IV, n° 3, été 1982, p. 63-76.

____ « Les sources journalistiques comme matériaux d'une stratégie de satisfaction du client », *Communication information,* vol. VI, n° 1, automne 1983, p. 9-23.

EPSTEIN, Edward Jay, *News from Nowhere: Television and the News,* New York, Random House, 1973.

ESCARPIT, Robert, « La diffusion de l'information scientifique », *Perspectives universitaires,* vol. I, n° 1, octobre 1982, p. 138-150.

FEDLER, Fred, *Reporting for the Print Media,* 3ᵉ éd., San Diego, New York, Harcourt Brace, Jovanovich Publishers, 1984.

FLORIO, René, *Initiation à la pratique du journalisme,* Lille, École supérieure de journalisme, 1985 (Coll. J comme Journalisme).

____ *L'écriture de presse. Écrire plus vite des textes clairs,* Lille, Centre national de la communication sociale/ Trimédia, 1984.

GAILLARD, Philippe, *Technique du journalisme,* 3ᵉ éd., Paris, PUF, 1980 (Coll. Que sais-je ?, n° 1429).

GANS, Herbert J., *Deciding What's News. A Study of CBS Evening News, NBC Nightly News, Newsweek and Time,* New York, Vintage Books, 1980.

GINGRAS, Anne-Marie, *Médias et démocratie : le grand malentendu,* Sainte-Foy, Presses de l'Université du Québec, 1999.

GODIN, Pierre, *La lutte pour l'information. Histoire de la presse écrite au Québec*, Montréal, Le jour éditeur, 1981.

HARRISS, Julian, B. Kelly LEITER et Stanley JOHNSON, *The Complete Reporter. Fundamentals of News Gathering, Writing, and Editing, Complete with Exercises*, 5ᵉ éd., New York, Londres, Macmillan Publishing Co., Collier Macmillan Publishers, 1985.

HERVOUET, Loïc, *Écrire pour son lecteur: Guide de l'écriture journalistique*, Lille, École supérieure de journalisme, 1979 (Coll. J comme Journalisme).

IMBERT, Patrick, *L'objectivité de la presse. Le 4ᵉ pouvoir en otage*, Montréal, Hurtubise HMH, 1989.

KEABLE, Jacques, *L'information sous influence. Comment s'en sortir*, Montréal, VLB éditeur et Jacques Keable, 1985.

KIENTZ, Albert, *Pour analyser les médias. L'analyse de contenu*, Montréal, Hurtubise HMH, 1975 (Coll. Aujourd'hui).

LAPLANTE, Laurent, *Le vingt-quatre octobre*, Montréal, Les éditions du Beffroi, 1988.

LAPOINTE, Pascal, *Le journalisme à l'heure du Net: guide pratique*, Sainte-Foy, Presses de l'Université Laval, 1999.

LARUE-LANGLOIS, Jacques, *Manuel de journalisme radio-télé*, Montréal, Éditions Saint-Martin, 1989.

LECLERC, Aurélien, *L'entreprise de presse et le journaliste*, Sillery, Presses de l'Université du Québec, 1991.

LEPAPE, Pierre, *La presse*, Paris, E.P. Denoël, 1972 (Coll. Le point de la question).

LES QUOTIDIENS DU QUÉBEC INC., *Le journal en classe*, Montréal, Les Quotidiens du Québec inc., 1981.

MACFARLANE, Andrew, «Newspapers and Periodicals», *Proceedings and Transactions of the Royal Society of Canada*, Séries IV, vol. XIX, 1981, p. 35-49.

MARTIN-LAGARDETTE, Jean-Luc, *Le guide de l'écriture journalistique. Concevoir, rédiger, présenter l'information*, 2ᵉ éd., Paris, Syros, 2000 (Coll. Alternatives).

MITCHELL, Catherine et Mark D. WEST, *The News Formula: A Concise Guide to News Writing and Reporting*, New York, St Martin's Press, 1996.

MOLES, Abraham, *Sociodynamique de la culture*, 2ᵉ éd., Paris, Mouton, 1971.

NEAL, James M. et Suzanne S. BROWN, *Newswriting and Reporting*, Ames (Iowa), Iowa State University Press, 1976.

PETROWSKI, Nathalie, *Notes de la salle de rédaction*, Montréal, Albert Saint-Martin, 1983.

PRESSE CANADIENNE/CANADIAN PRESS, *Guide du journaliste*, Montréal, PC., 1986 (éd. revue).

PRUJINER, Alain et Florian SAUVAGEAU, dir., *Qu'est-ce que la liberté de presse?*, Montréal, Boréal, 1986.

RABOY, Marc, *Libérer la communication. Médias et mouvements sociaux au Québec, 1960-1980*, Montréal, Nouvelle Optique, 1983.

RABOY, Marc et Peter A. BRUCK, dir., *Communication for and against Democracy*, Montréal, New York, Black Rose Books, 1989.

RICHAUDEAU, François, *Le langage efficace*, Paris, Denoël, 1973 (Coll. Médiations Gonthier).

____ *La lisibilité*, Paris, Denoël, 1969 (Coll. Médiations Gonthier).

RIVET, Jacques, en collaboration avec André FORGUES et Jacques SAMSON, *La mise en page de presse*, La Salle (Québec), Hurtubise HMH, 1991 (Coll. Cahiers du Québec – Collection communications).

ROUX, Paul, *Lexique des difficultés du français dans les médias en usage à La Presse*, Montréal, La Presse, 1997 (sur commande au quotidien *La Presse*).

SAUVAGEAU, Florian, Gilles LESAGE, Jean DE BONVILLE et autres, *Les journalistes. Dans les coulisses de l'information*, Montréal, Québec-Amérique, 1980.

SORMANY, Pierre, *Le métier de journaliste*, Montréal, Boréal, 1990.

TREMBLAY, Gaëtan, «La lisibilité des quotidiens montréalais», *Revue canadienne de science politique*, vol. XVII, nᵒ 3, septembre 1984.

TUCHMAN, Gaye, *Making News. A Study in the Construction of Reality*, Londres, New York, Collier Macmillan Publishers, The Free Press, 1978.

____ «Objectivity as Strategic Ritual», *American Journal of Sociology*, nᵒ 77, janvier 1972, p. 660-679.

TUNSTALL, Jeremy, *Journalists at Work: Specialist Correspondents, their News Organizations, News Sources, and Competitor-Colleagues*, Londres, Constable Books, 1971.

VOYENNE, Bernard, *L'information aujourd'hui*, Paris, Armand Collin, 1979 (Coll. U).

____ *Glossaire des termes de presse*, Paris, Centre de formation des journalistes, 1967.